LA CIVILISATION DE
L'EUROPE DES LUMIÈRES

PIERRE CHAUNU
de l'Institut

LA CIVILISATION
DE
L'EUROPE
DES LUMIÈRES

FLAMMARION

Pour recevoir régulièrement, sans aucun engagement de votre part, l'Actualité Littéraire Flammarion, il vous suffit d'envoyer vos nom et adresse à :

Flammarion, Service ALF, 26, rue Racine, 75278 PARIS Cedex 06.

Pour le CANADA à :

Flammarion Ltée, 163 Est, rue Saint-Paul, Montréal PQ H2Y 1G8.

Vous y trouverez présentées toutes les nouveautés mises en vente chez votre libraire : romans, essais, sciences humaines, documents, mémoires, biographies, aventures vécues, livres d'art, livres pour la jeunesse, ouvrages d'utilité pratique...

PRÉFACE A LA NOUVELLE ÉDITION

Publié en 1971, ce livre a été écrit au cours de l'été 69, retouché en 1970. 300 planches, héliogravures, graphiques, cartes et plans, leurs commentaires, des tableaux chronologiques, un index documentaire, une bibliographie critique étendue nourrissent dans l'édition des grandes civilisations *d'Arthaud un second discours. La collection* Champs *ne supporte pas un tel luxe de moyens. Cette seconde édition ne retient que le texte principal, un texte condensé et dans toute la mesure du possible ajusté aux résultats de la recherche.*

Bien sûr, pour l'essentiel, cette Europe des Lumières *a quinze ans. Je ne l'écrirais plus aujourd'hui exactement de la même manière. Pourtant il me semble qu'elle n'a pas trop mal vieilli. C'est au vrai que les grandes mutations dans la connaissance historique du XVIIIe siècle datent des années 60, de même que la révision critique des valeurs des Lumières avait commencé un peu avant 68 dont le slogan : « on ne tombe pas amoureux d'un taux de croissance » est sur un point essentiel une mise en cause de l'héritage des Lumières.*

Dans mon labeur d'historien, la Civilisation des Lumières *a marqué un tournant. Je le mesure mieux aujourd'hui.*

Rédigé au lendemain de 1968, ce texte est écrit au présent. Jacques Klein qui dirigeait alors les Informations *fut un de mes lecteurs les plus attentifs. Il a contribué à déplacer mon regard. Et c'est à partir de ce moment que je fus constamment tenté de balayer un champ chronologique plus vaste où il arrive que le passé se mêle au présent et se risque en prospective.*

Je remercie Flammarion et tout particulièrement Louis Audibert d'avoir voulu donner à la Civilisation des Lumières *une seconde jeunesse.*

Pierre CHAUNU
de l'Institut

POUR COMPRENDRE
LES LUMIÈRES

Entre 1680 et 1770, voire 1780, dates rondes, une réalité s'impose, dense, difficile à cerner, certes, pourtant irréfutable : l'Europe des Lumières. Depuis la charnière des XIIe-XIIIe siècles, une mutation se produit, au niveau du vieil espace méditerranéen, basculé vers le nord, en chrétienté latine. On dira, bientôt, l'Europe. A partir du XVIe siècle, les mutations, au sein de l'espace-temps Méditerranée-Europe, ont pris une dimension planétaire. Tout effort de découpage, toute périodisation, donc, n'en est que plus chanceuse. Moins justifiée ? Certes, non ! Le temps proche, c'est aussi le temps des réalités humaines plus denses, plus complexes, donc plus inégales. Le temps, partant, des chevauchements.

L'Europe des Lumières a cessé de croître que disparaît à peine l'Europe classique, les Lumières n'en finissent pas de s'éteindre ou de se transformer, à la fin du XVIIIe siècle. Elles subsistent au sein de la révolution industrielle, dont elles sont largement responsables. Et ne sommes-nous pas tous, plus ou moins, aujourd'hui encore, des *Aufklärer* ? Du moins, l'étions-nous hier. Du point de vue voltairien de Sirius, les structures les plus voyantes, celles qui s'en tiennent à l'épiderme des choses, qui donnent leur nom à ces avatars d'une même civilisation que l'on nomme, au gré des humeurs, Renaissance, Europe baroque, Europe classique, Europe des Lumières, ont à peine le temps de se faire et de se défaire. Elles se bousculent nécessairement. Elles se superposent. Le baroque, on s'en souvient, recouvre Renaissance et classicisme, il déborde largement sur le XVIIIe siècle.

A la limite, la question est légitime, les Lumières ont-elles

même la possession exclusive d'une tranche chronologique
d'un temps, en Europe, qui ne soit pas partagé entre un
XVIIᵉ qui n'en finit pas de se défaire avant 1750 et la mise en
train des grandes révolutions, celle des sans-culottes et celle
des machines ? L'histoire s'organise sur des temps forts. La
civilisation scientifique du XXᵉ siècle, par exemple, prend
encore appui sur l'aventure de cinq cents esprits qui surent,
de 1620 à 1650, fondre en une structure originale des
cheminements deux fois millénaires et mettre en mouvement, comme disent nos physiciens, une « masse critique de
révolution » dans l'ordre des pensées. De 1620 à 1650,
autour des formules de Galilée et de Descartes, le primat
mathématique sur la connaissance, en un mot la mathématisation de la structure intelligible de l'univers, s'opère d'une
manière irréversible. Nous avons dit ailleurs comment et
pourquoi. L'évolution de la pensée mathématique qui
permet le passage de l'algèbre à l'analyse, les intuitions de
Descartes, géniales, inexactes, sources de difficultés futures
mais de gains immédiats, à savoir la réduction de la matière à
l'étendue, la séparation de la conscience qui connaît de
l'objet qui est connu, auront permis, dans le cadre d'une
structure sociale favorable, ce que l'on peut appeler le
miracle européen de la pensée scientifique.

Tout depuis lors est commandé par cet authentique
commencement. Trente ans, le temps d'une organisation,
1620-1650, quelques centaines de bourgeois, gentilshommes, officiers, proches des strictes disciplines de la
marchandise, libérés par la rente et par l'État du souci du
gagne-pain quotidien. Le miracle européen de la révolution
mécaniste, soyons précis, le deuxième quart du XVIIᵉ siècle,
se place désormais en facteur commun de toute périodisation. Voilà le temps dur sur lequel la civilisation de l'Europe
classique organise ses pensées. Voilà le môle temporel sur
lequel l'Europe des Lumières, à l'état second, et la civilisation scientifique du XXᵉ siècle même, un peu plus indirectement mais tout aussi sûrement, prennent extension et appui.

Alexandre Koyré, hier, Georges Gusdorf, Serge Moscovici, aujourd'hui, confirment une filiation évidente : « La
mutation technique est la fille de ce nouveau rapport au
monde. » « Les catégories modernes de l'*expansion* et du
développement s'inscrivent dans le lointain prolongement de
cette transfiguration de l'image du monde et de l'image de
l'homme, œuvre décisive du siècle mécaniste. » On ne nie
pas l'évidence. Le XVIIIᵉ siècle se situe bien sur le premier
front d'extension de la révolution galiléenne. Comment

refuser une filiation que toutes les Lumières, de Voltaire à d'Alembert, de Leibniz à Kant, ont revendiquée ? L'Europe des Lumières, dans cette perspective, ne risque-t-elle pas de se dissoudre en une Europe classique bis ? La civilisation du XVIIIᵉ siècle est assez originale. On ne perd rien à l'insérer à sa place dans la durée historique. L'Europe des Lumières a ses temps forts. Dans l'ordre des pensées comme dans l'ordre des choses.

1680-1715, d'abord. Paul Hazard a eu, jadis, une formule heureuse : la crise de conscience européenne. Dans l'ordre des pensées, la crise de conscience correspond, en gros, à la mise en cause d'une précaution essentielle, à la négation de ce que j'ai proposé d'appeler le secteur réservé du *Discours*. Descartes, on s'en souvient, avait laissé volontairement en dehors de la nouvelle méthodologie le domaine de la politique et de la religion, la relation à Dieu et la relation à l'homme dans la cité. Prudence suivant les uns, juste conscience, je le crois, des étapes, des limites, de la complexité. Descartes laissait donc subsister deux secteurs réservés : celui de la Révélation, celui de la transmission traditionnelle de la hiérarchie sociale et du pouvoir. Spinoza excepté, le partage n'a pas été mis en cause par la première génération des philosophes mécanistes. A la hauteur des années 1680, une barrière cède. Brusquement, les méthodes de l'exploration mécaniste de la nature pénètrent dans les domaines réservés. 1680-1715, voici la religion naturelle, la première affirmation d'une science sociale, et au-delà la revendication d'une action rationnelle *a priori* sur la politique. Dans l'ordre des rapports de l'homme avec l'espace, la génération de la crise de conscience est celle de la mutation. La réinsertion de l'Europe danubienne marque le passage de la petite à la grande Europe stoppée depuis un siècle ; la marche en avant des Européens à l'intérieur du continent américain reprend.

Le second temps fort, c'est, de 1730 à 1770, la *Vital Revolution*, le commencement de la grande Transition. L'Europe des Lumières invente des hommes, au rythme presque partout atteint du doublement en deux générations. A l'intérieur de cette masse humaine, chaque jour désormais plus généreuse, une mutation commence. Le civilisation se confond avec le maniement de la langue écrite. Deux frontières divisent la société des hommes en trois couches très inégales : ceux qui lisent en latin, ceux qui lisent couramment en vulgaire et les neuf dixièmes, un peu moins à l'ouest, beaucoup plus à l'est, pour qui la transmission du savoir, l'acquisition de ce qui n'est plus la civilisation mais simplement la culture, se fait par les moyens traditionnels, « voir-faire et ouï-dire ». Le second temps fort, c'est aussi la mise en mouvement de ces deux frontières. La première s'efface, le latin perd son privilège, mais la seconde se renforce. Je serais tenté de parler de la « nouvelle frontière » de l'alphabétisation massive, mieux de l'acquisition d'un niveau de lecture efficace, par une fraction, désormais non négligeable à l'ouest, de la population. Cette « nouvelle frontière » qui avance massivement en direction de la société traditionnelle annonce, à sa manière, les fronts d'acculturation, en Afrique et en Amérique latine, des anthropologues du XXe siècle. Le mouvement commencé en Europe et qui s'achève sous nos yeux est passé, dès lors, sur les autres continents où il attire pour la première fois l'attention d'une science humaine fille des Lumières. Et voilà que la civilisation écrite, la longue mémoire dialectique d'une connaissance conquérante, puise dans l'immense océan des traditionnels. Tout bien pesé, les Lumières, en Europe, ont opéré la première multiplication par dix des cerveaux.

Derrière un sourire, l'Europe des Lumières, c'est cela d'abord, un front d'acculturation, le multiplicateur forcené des hommes, des moyens, des pensées, la première des conditions assurées du *take off*, on disait jadis la Révolution industrielle. Le XVIIIe siècle européen appartient presque tout entier au « protostatistique ». Il y a donc, pour la première fois, possibilité d'une saisie du XVIIIe siècle dans les rets de l'histoire sérielle, entendez d'une connaissance historique qui ne se contente pas de décrire, mais qui mesure, qui dépasse les pensées claires de l'élite, pour les aspirations confuses de l'armée anonyme des sans-grade.

Dans cette perspective, il nous est apparu, en dépassement, par le recours systématique à la pesée globale qui est une pensée d'historien, qu'il y avait place encore pour une tentative d'explication des Lumières. Cette explication vient peut-être à son heure. Il n'est pas un historien véritable, attentif donc au présent, qui ne cherche à comprendre la crise de civilisation qui depuis 1962 atteint les secteurs de pointe, les secteurs mutants de l'Europe désormais sans rivage, fille du XVIIIe siècle. Le propre de notre temps, au rythme atteint des mutations en cours, avec les moyens de mesure dont disposent les sciences sociales, c'est de permettre à ceux qui en sont à la fois les victimes et les agents d'assister à la mort d'une civilisation. Philippe Ariès a montré comment le XIXe siècle qui prend racine dans l'Europe des Lumières a privé l'homme de sa mort, d'un regard lucide et conscient sur une fin qui n'est qu'un passage : cette prudente parcimonie a compensé la *diminutio* ontologique dont il a bien fallu payer, depuis 1720-1730, une attention plus exclusive à l'instant, à l'objet, à l'environnement. Une réflexion sur la civilisation des Lumières nous place en situation de mieux discerner les signes. Mort ou transformation ? Mort, donc transformation. L'historien ne peut être témoin passif de son temps. Le contrat social de la civilisation des machines à faire et des machines à opérer vite les démarches les plus simples de la pensée est un contrat des Lumières. Les équilibres, les morcellements, les replis, les refuges trouvés au for intérieur, qui ont permis, sans mutilation excessive, en sauvant l'essentiel de la continuité, l'exponentielle croissance des biens, des besoins, des moyens, est un équilibre des Lumières. Le chemin gravi est trop escarpé pour qu'il soit encore possible de revenir en arrière. On peut modifier quelques clauses du contrat, on peut tenter d'aménager le bail, mais la croissance est irréversible. L'Europe des Lumières nous a engagés dans la plus sévère des aventures, elle nous a condamnés à la croissance continue. Elle nous a retiré l'alternative des cavernes, l'illusion même d'un impossible retour au sein maternel. 1680-1780, une réalité profonde, donc, et une réalité qui déborde largement encore sur notre temps. De notre compréhension historique des fils noués au temps des Lumières, dépend en partie notre possibilité d'agir. Agir « en temps réel », agir, donc obéir à la partie centrale irréformable du programme des Lumières ?

*

Le XVIIIᵉ siècle que nous voulons atteindre a quelque chose à nous dire. A travers les Lumières, mot commode, mot authentique pourtant, qui nous vient de ce passé si proche et déjà si lointain, ce n'est pas n'importe quel XVIIIᵉ siècle que le lecteur attend, mais un XVIIIᵉ siècle utile, qui compte parmi les deux ou trois legs les plus importants de notre héritage. C'est pourquoi, pour mieux nous hâter vers le cadre de la vie, la structure autonome de la pensée et le fécond retour des pensées sur les êtres et sur les choses, il paraît utile de marquer une pause, de proposer un guide, soit l'esquisse d'une théorie générale, soit, plus naïvement, les règles très simples d'une grammaire historique propre à déchiffrer le XVIIIe siècle le plus durable, le plus utile aussi à notre temps.

Le XVIIIe siècle ne se confond pas tout à fait avec les Lumières. Elles débordent le siècle. Une partie du siècle leur échappe. Les Lumières, c'est le XVIIIe siècle durable, celui qui fait partie de notre patrimoine. Un XVIIIe siècle qui s'inscrit d'abord dans les mots. Partir des mots, partir de l'essentiel. Dans toutes les langues de l'Europe, le même radical sert à construire le mot clef. Les Lumières : *die Aufklärung, the Enlightenment, la ilustración, l'illuminazione.* « La lumière ou mieux les lumières... un mot magique que l'époque s'est plu à dire et à redire », note Paul Hazard ; avec la raison, la *nave capitane* de tout un vocabulaire.

Le langage écrit a ses niveaux qui se superposent aux couches difficilement accessibles du langage oral. Le niveau I sera celui des grands traités, science et philosophie, longtemps domaine exclusif de la langue latine. Depuis 1680-1690 toutefois, l'Ouest écrit en vulgaire, le français précédant l'anglais, mais l'Est, allemand, scandinave, danubien, recourt au latin jusque sur l'horizon des années 1770 (voyez Kant). Au niveau 2, la littérature, du théâtre au conte, de l'épître au roman ; au niveau 3, la langue courante des correspondances, la langue écrite automatique, celle qui vient sans réflexion, spontanément, partout sous la plume. Le niveau 4 se situe à la limite extrême des remontées de l'histoire. A la fin du XVIIIe siècle, en France, par le biais des demandes de dispense de mariage et des cahiers de doléances, on arrive à frôler le langage parlé de ceux qui sont à la limite inférieure de l'écrit. Avec la dispense, la doléance, par l'entremise du scribe — clerc proche du milieu paysan, issu de l'élite des laboureurs —, on peut atteindre le niveau extrême du domaine direct de l'histoire. Pour la France des cahiers de doléances, le niveau 4 englobe des millions, 40 à 45 p. 100 peut-être de la masse totale du pays. Les longues séries de dispenses ecclésiastiques permettent d'aller plus loin encore, très près d'un niveau 5 de l'expression purement parlée de ceux qui ne savent ni signer ni déchiffrer.

Alors prenons le convoi sémantique des Lumières et de la raison : « philosophie, préjugé, superstition, tolérance, vertu » (Voltaire, *Dictionnaire*) auxquels viennent se joindre « des mots hantises tels qu'abus et réforme, abusif, réformer, constitution, libertés, encore lourds d'archaïques pensées, sujet et citoyen dans leur tension complémentaire, liberté, égalité, droits... » (A. Dupront). Ce convoi est français. L'équivalent existe dans les dix langues écrites de l'Europe. Suivons-le. Il nous permettra, dans le temps et dans l'espace, de dessiner presque à coup sûr la géographie de l'Europe des Lumières. Le convoi glisse d'ouest en est, et du nord au sud. Il plonge progressivement du niveau 1 aux niveaux 2, 3 et 4, puis 5 où il se perd. La descente du vocabulaire des Lumières s'opère sensiblement au même rythme en Angleterre et en France. Le niveau I est touché, en France, en Angleterre et en Hollande, dès 1680. Le niveau 2 est atteint vers 1700 ici, 1710 là, submergé autour de 1720. 1720-1730 en Angleterre, 1730-1740 en France, le vocabulaire des Lumières colonise le niveau 3. Le niveau 4 est occupé, Alphonse Dupront l'a bien vu, en 1789 : « Par leur seule présentation les cahiers de 89 attestent [...] une préparation mentale collective à ce que nous dirions aujourd'hui une " analyse de situation " [...] Éduqué par la monarchie administrative, l'entier royaume est capable, et dans d'impressionnantes proportions, de s'auto-analyser en quelques semaines, parfois quelques jours du printemps de 1789. Au niveau le plus commun, il le fait avec des pratiques de tabellionnage, même si c'est la main du curé qui écrit avec des frémissements de vocabulaire dévotieux ou une sensibilité janséniste [...] Doléances ou réformes sont articulées en *corpus* par des intermédiaires d'un niveau culturel solidement établi, et dont on peut dire qu'il est du monde étroit des Lumières — niveau supérieur en l'occurrence — l'assiette inférieure. » Quant au niveau 5, il sera touché au XIXe siècle, lorsque, au sommet depuis longtemps, le convoi sémantique des Lumières, disloqué, aura fait partiellement place à d'autres associations. Véhiculé alors par l'almanach et la littérature de colportage lue à la veillée, il accompagnera, vers 1830, l'érosion des traditions chrétiennes dans les campagnes, à l'époque de Jacquou le Croquant.

Le processus est identique partout, mais il est plus tardif. Le vocabulaire des Lumières est au niveau I en Allemagne vers 1700 ; le niveau 4 est peut-être franchi en Allemagne occidentale vers 1800, certainement pas avant la seconde moitié du XIXe siècle dans sa partie orientale. L'Espagne est au niveau I vers 1730, seulement à 2 vers 1750. L'Italie précède de quelques années. Le niveau 4 est franchi à l'époque du *Risorgimento ;* le niveau 4 en Espagne n'est jamais atteint avant le début du XXe siècle.

Les 120 millions d'hommes que l'on peut dénombrer à un moment donné, mieux, les 500 millions qui se sont succédé en quatre-vingt-dix ans sur un sol qu'on peut appeler, déjà, l'Europe, au XVIIIe siècle, sont loin d'avoir vécu ensemble et

en même temps. Les paysans de l'Auvergne (analphabètes à
90 p. 100 encore vers 1770), murés dans leur patois d'oc, ne
sont pas les contemporains des paysans-éleveurs du pays
d'Auge en Normandie, alphabétisés à 80 p. 100, qui
entendent le français et que travaille l'action d'un catholicisme jansénisant assez proche, jusque dans ses refus, de
l'esprit des Lumières. Si la distance, déjà, est grande à ce
niveau, quel rapport existe-t-il entre les quinze athées
dînant, un soir, à la table du baron d'Holbach, à la surprise
quelque peu scandalisée de David Hume, et l'atmosphère
mystique des communautés juives hassidites de Lituanie ?
L'Europe, au XVIIIe siècle, voit s'écarter jusqu'à l'infini
l'éventail social de ses cultures. Dans le Norfolk, elle
annonce l'Europe agricole du XIXe siècle ; elle est, à Manchester, contemporaine de la révolution industrielle ; à
Londres et à Paris, dans un milieu étroit, elle annonce le
transformisme. Et pourtant, l'Europe du XVIIIe siècle reste,
dans ses profondeurs, l'étonnant conservatoire de sociétés
traditionnelles, cinq ou six fois séculaires à l'ouest, beaucoup plus archaïques à l'est et au sud. L'histoire totale du
XVIIIe siècle fait penser à un fleuve qui roule des eaux trop
inégalement chargées d'alluvions différentes pour pouvoir se
mêler.

Au fur et à mesure que l'on descend le cours du temps, la
tâche de l'historien se complique. Ce qu'il gagne d'un côté,
par une information plus accessible, il le perd de l'autre, par
la masse de plus en plus complexe de ce qu'il lui faut
comprendre et intégrer. Entre la fin du XVIIe siècle et la fin
du XVIIIe, le volume de l'information susceptible d'être
traitée peut être multiplié par vingt. Impossible, donc,
d'éviter au départ un problème théorique de méthode.
L'histoire se doit, certes, de tout saisir. Mais alors comment
enfermer dans un système d'explication globale, dans ce que
l'on se risque à appeler une « métastructure », le destin de
500 millions d'hommes, répartis en combien de petits
univers culturels différents, en une centaine, sans doute,
d'espaces-temps irréductibles, 500 millions d'hommes dont
seules les élites, confessons-le, ont une histoire vraiment
commune ? A tout prendre, l'Europe des Lumières n'existe
qu'au sommet, un sommet de plus en plus mince quand on
glisse, dans l'espace, d'ouest en est, quand on remonte le
cours du temps de 1770 à 1680. On ne doit en aucun cas,
pourtant, séparer les élites aux longues histoires des sociétés
plus frustes qui les portent, sans avoir part égale à leur
héritage. A partir d'un certain niveau de complexité, on ne

peut espérer tout intégrer d'un coup. La totalité explicative constitue, certes, la visée. L'intégration se fait par étapes. Elle suppose l'organisation préalable de structures intermédiaires.

Deux dangers menacent l'historien du XVIIIᵉ siècle : une superposition d'histoires désarticulées, une histoire intellectuelle désincarnée, une histoire économique et sociale décapitée, une histoire politique, jeu stérile hors de tout environnement physique et humain ; des retours trop rapides du social et de l'économique sur l'univers autonome des pensées. La civilisation de l'Europe des Lumières se trouve donc au point de rencontre et d'organisation de structures intelligibles construites à partir d'une réalité humaine vivante et concrète.

Peut-être nous faudra-t-il, une fois encore, partir des années 1620-1630, rappeler l'âge classique, le demi-siècle qui précède l'horizon tournant des années 80. Au sein d'une économie maussade, dans un climat social sévère, le miracle de la pensée. En cinquante ans, sur l'outil mathématique, un nouveau système du monde se substitue, d'une manière irréversible, à l'ordre scolastique, réinterprétation d'une synthèse deux fois millénaire. A partir de l'âge classique, plus que jamais, s'affirme la large autonomie de l'histoire des pensées. Un exemple : les mathématiques. Voyez l'algèbre, elle joue, au point de départ de la philosophie mécaniste, un rôle capital. Au XVᵉ et au XVIᵉ, de tâtonnements en tâtonnements, une symbolique se dégage, l'abstraction progresse, un calcul se pose que le génie de Viète (1540-1603) conduit à un point de cristallisation. De là, l'évolution indépendante de l'algèbre constituée en « discipline formée », donc autonome, avec ses règles, ses lois, sa logique propre, est possible. Le papier, le pain, l'encre et les loisirs assurés, une histoire presque pure, indépendante de tout environnement matériel, unit sur deux siècles, les pensées de quelques centaines d'hommes. L'outil mathématique qui avait été nourri, jadis, des besoins de l'arpenteur, de l'hydraulique italienne, des nécessités de la mine et du commerce, s'est, dès avant le miracle scientifique des années 1620-1650, dégagé des contraintes externes, obéissant aux seules exigences d'une dialectique propre.

La mathématisation du monde aurait été impossible sans l'existence indépendante de l'outil mathématique. Mais l'outil reçoit à son tour une prodigieuse impulsion des besoins de la nouvelle architecture cosmique. A partir de là,

pourtant, la pensée mathématique court bien en avant des
besoins de la construction scientifique. Les géométries
pluridimensionnelles (Lobatchevski, Riemann) naissent
presque simultanément dans les années 1840, au terme
d'une longue méditation commencée par Wallis en 1685 ; au
même moment, George Boole (1815-1864) crée l'algèbre
binaire. Bientôt, l'unification progressive commence de la
mathématique et de la logique formelle intégrées dans un
même symbolisme. Vous chercheriez en vain dans l'environnement une causalité : pas d'autre logique qu'interne ;
Lobatchevski, Riemann, Boole et les logiciens formels des
mathématiques n'en sont pas moins, un siècle avant, les
prophètes de notre temps. Sans l'outillage conceptuel qu'ils
ont forgé, les sciences physiques des années 1910, la
cybernétique des années 1940 butaient sur l'impossible.

   Ces considérations nous ramènent au XVIIIᵉ siècle.
L'exemple des mathématiques ne plaide-t-il pas en faveur
d'une large autonomie des pensées ? A un certain degré de
maturation, les disciplines formées, en particulier les plus
abstraites, acquièrent le privilège d'un développement autonome. Les constructeurs du monde moderne ont réalisé, à la
hauteur des années 1620-1650, un progrès décisif dans
l'ordre de l'abstraction. Ils ont donc créé des systèmes de
pensée plus indépendants des environnements matériels et
des connexions logiques interdisciplinaires, susceptibles
d'un déroulement autonome. Ce qui est vrai des disciplines
formées l'est tout autant de la nouvelle systématique qui les
lie. L'horizon mental de Galilée et de Descartes, en un mot
et pour dire vite, se comporte, à la limite, à partir de sa
victoire au sommet, vers 1650, sur l'horizon aristotélo-
scolastique démantelé et épuisé, comme une « discipline
abstraite formée », susceptible, donc, d'une histoire propre
très largement autonome. En dehors des pressions de
l'environnement qu'il subit et des à-coups dus aux progrès
inégaux des disciplines intégrées, il est entraîné dans le
mouvement de son propre déroulement logique. Nous le
verrons dans notre seconde partie. Le *corpus* de la pensée
classique issu de Galilée, de Descartes, de la promotion de
l'analyse et du progrès de l'algèbre implique quelques
options fondamentales. L'assimilation de la matière à l'étendue, domaine de la géométrie euclidienne, le goût des
schémas mécanistes élémentaires d'un univers-horloge,
entendez l'affirmation *a priori* de la structure mathématique
de la création, garante de la légalité scientifique. Le *corpus*

ou, si l'on veut, ce système de pensée, implique aussi l'opposition fondamentale de la nature et de l'entendement. La philosophie cartésienne et postcartésienne appelle donc une théologie de l'absolue transcendance. Le créateur de l'univers « indéfini », garant de l'ordre et responsable du *primum mobile,* s'éloigne progressivement. Il est le Dieu caché presque imperceptible dans la création, accessible toutefois à la conscience. Un Dieu caché et lointain. Sa transcendante grandeur pousse, dans un premier temps, la piété classique vers une paralysante révérence. Ce Dieu infiniment lointain, transcendant jusqu'à l'incommunicabilité, n'en est pas moins le médiateur, fondement de la théorie de la connaissance. Paradoxalement, ce Dieu chassé de la nature se retrouve au centre de toute activité intellectuelle. Entre le connaissant tel que le définit le *cogito* cartésien et l'étendue de la philosophie naturelle, Dieu devient et fondateur et garant, dans un premier temps, de toute théorie de la connaissance.

Les éléments du *corpus* classique forment un ensemble logique d'une grande plasticité. La philosophie mécaniste de l'âge classique, rien qu'en refusant, comme elle est tentée de le faire vers 1680, la parenthèse cartésienne, qui plaçait, on s'en souvient, la religion, la politique et l'architecture sociale au bénéfice de la Révélation et de la tradition, était appelée, même sans contraintes extérieures, à se modifier profondément. Ainsi, le *corpus* classique peut, à la rigueur, engendrer, suivant le jeu interne des forces qui le composent, le *corpus* des Lumières. On peut de même construire un modèle « endogène » de destructuration des Lumières.

Rappelons, pour la commodité, quelques-unes des articulations du glissement dans les dernières décennies du XVIIe siècle. Tout se joue, d'abord, sur le passage à la limite de la transcendance divine. Rejeté en majesté jusqu'au *primum mobile* de la création mécaniste, Dieu s'éloigne. Newton le rappelle un instant. Il redevient omniprésent dans l'hypothèse premier style de la gravitation. Puis il retourne de nouveau aux lointains confins quand, le mystère de la gravitation acceptée comme propriété sans plus de la matière, la mécanique cosmique, avec l'astronomie de Laplace, s'enrichit résolument d'une quatrième dimension, la dimension temporelle. Le perfectionnement, au cours du XVIIIe siècle, de l'univers, horloge construite par le Divin Architecte, confirmait, de décennie en décennie, les hypothèses de Leibniz : « La force motrice de l'univers, sa *vis viva,* ne diminuait pas ; l'horloge du monde ne demandait point à être remontée, ni réparée. » A l'image des chronomètres de marine réalisés par Harrison vers 1770.

L'Architecte divin était peu à peu contraint au chômage technologique. « Ainsi, le Dieu puissant et agissant de Newton, suivant la belle expression d'Alexandre Koyré, qui effectivement gouvernait l'univers selon Sa libre volonté et Sa décision, devient successivement, au cours d'une évolution rapide, une force conservatrice, une *intelligentia extra mundana*, un Dieu fainéant. Interrogé par Napoléon sur le rôle qui revenait à Dieu dans son *Système du monde*, Laplace, qui cent ans après Newton avait conféré à la nouvelle cosmologie sa perfection définitive », pouvait répondre, on s'en souvient : « Sire, je n'ai pas besoin de cette hypothèse. » N'allons pas trop vite. L'automatisme n'est pas absolu. La boutade de Laplace n'a jamais entraîné les foules. Il n'y a aucune contradiction insurmontable, en outre, entre la philosophie mécaniste dans l'univers infini et une théologie du Dieu transcendant. Au cours des hautes eaux religieuses du xviiᵉ siècle, cosmologie mécaniste et théologie de l'Incarnation se complétaient sans dommage.

Reconnaissons-le toutefois, cette forme de pensée se prête mal au maintien d'une théologie naturelle cohérente. Quelle autre communication peut-on espérer en effet de ce Dieu créateur de l'univers mécaniste conçu à la manière du xviiᵉ et du xviiiᵉ, en dehors de Sa propre Révélation ? « Le silence éternel des espaces infinis » libère le terrain à la Parole de Dieu. L'Incarnation ne risque plus de se dissoudre dans le train-train bon enfant du quotidien. Mais que la tension de l'écoute anxieuse se relâche : tout s'effondre. Le Grand Architecte n'a plus rien à faire, moins encore à dire. Le « mécanisme » offre l'alternative : religion de la Transcendance et de la Parole, monde-horloge résolument vide des dieux conciliants et domestiqués. Au niveau d'une partie de l'élite, le Dieu « bête et inutile » des déistes se place dans la cosmologie mécaniste, en alternative possible au *Deus absconditus* de Pascal. Rien, du moins, n'y fait plus obstacle.

Rien ne fait plus obstacle du côté de la philosophie de la nature. Restait l'entendement. La construction d'une théorie de la connaissance aura été la grande affaire et, peut-être, le grand échec du xviiiᵉ siècle. Se rappeler les options cartésiennes du milieu du xviiᵉ siècle : au centre, la radicale distance qui oppose nature et entendement, connu et connaissant. Pour Descartes et les premiers cartésiens, le médiateur des idées claires, c'est Dieu. Mais comment résister à la tentation de la totale simplicité, d'une réduction de l'esprit aux lois de la philosophie mécaniste ? Locke et, dans sa ligne, Condillac, le sensualisme, cette grande tentation du XVIIIᵉ siècle, sont bien, si l'on veut, la séduction de la totale réductibilité du complexe au simple, la mécanique à l'intérieur de l'esprit. La conscience de celui qui connaît n'est plus que le miroir qui reçoit l'image passive du monde. Il appartient à Emmanuel Kant de rendre à l'entendement sa légitime complexité et d'élaborer enfin une théorie de la connaissance digne du progrès des sciences. A Locke, Berkeley et Hume, Kant concède volontiers les limites de la raison. La métaphysique ne sera plus désormais que la science des limites de la raison humaine. L'âme, du moins la conscience de celui qui connaît, ne sera jamais plus la puérile chambre noire dont la fonction s'était bornée un instant, chez quelques disciples abusifs de Locke, à enregistrer les rayons venus du dehors.

Une chose est sûre : à un certain degré de complexité, une discipline formée (nous avons retenu l'exemple des mathématiques), un corps plus complexe de pensées (la philosophie de la nature et celle de l'entendement), c'est-à-dire en fait la totalité de la connaissance abstraite, évoluent presque sans interférence extérieure, sous la seule pression des éléments qui entrent dans la composition du système, au départ, d'une dynamique interne, des besoins d'une logique propre. L'autonomie de l'histoire intellectuelle ne date pas du XVIIᵉ siècle. Il suffit de se rappeler comment, en deux siècles, la scolastique thomiste a fait place au nominalisme terministe. L'autonomie de l'histoire intellectuelle sort renforcée toutefois de la grande révolution du deuxième quart du XVIIᵉ siècle. Cette plasticité accrue, on l'observe aussi dans une aptitude à évoluer plus rapidement. Le *corpus* classique (1630-1680) fait place, en un demi-siècle, au système des Lumières, qui commence à se défaire, sous les rigueurs logiques du criticisme kantien. Dans sa chronologie courte, la philosophie des Lumières s'est faite et défaite en un peu moins d'un siècle. La cohérence interne et la dynamique propre des pensées, il importe maintenant que le discours historique les intègre.

Cela, bien sûr, ne va pas sans danger. Au niveau du jeu subtil des pensées, la civilisation de l'Europe des Lumières risquerait, à n'y prendre garde, de se dissoudre dans un système classique bis. Un système d'explication « endogène », sans regard sur les hommes au travail et sur les choses, aussi perfectionné que celui de Paul Hazard, de Koyré ou de Cassirer ne suffit pas. L'Europe des Lumières

est plus et mieux qu'une Europe classique bis. Locke et
Condillac ont exprimé une part de la vérité de leur temps.
Oui, l'environnement a pesé d'une manière décisive sur
l'entendement des Lumières. Les pensées des Lumières ont,
à leur tour, pesé sur les choses.

                              *

Les choses, l'environnement, dans l'Europe des
Lumières, se sont insensiblement mis en mouvement.
L'application à l'histoire depuis vingt à trente ans, de plus
en plus systématiquement, des méthodes et des techniques
statistiques — nous parlons volontiers d'histoire quantitative ou, plus modestement, sérielle — a permis de réaliser
d'importants progrès. Nos prédécesseurs, moins bien
armés, se sont peut-être trompés, qui ont affirmé trop
exclusivement la permanence des structures et des modes de
production, la solidarité des genres de vie du XVIIIe siècle
avec un long passé qui prend naissance au Moyen Age et
peut-être même plus avant. Bien sûr, dans une perspective à
très long terme, l'analyse traditionnelle reste vraie, Pierre
Goubert, tout récemment, dans l'*Histoire économique et
sociale de la France,* lui rend vigueur et crédit. Le décollage,
ou démarrage *(take off)* des économistes — il suppose le
doublement rapide du rapport des investissements nets au
revenu national — se situe à la fin du XVIIIe, non pas avant
(Angleterre, 1783-1802 ; France, 1830-1860). Si l'on passe
du domaine de l'esprit à celui du cadre matériel de la vie, il
faut bien se rendre à cette vérité d'évidence : rien d'absolument fondamental ne se produit du milieu du XIIe jusqu'au
milieu du XVIIIe. On assiste à des oscillations de part et
d'autre d'une quasi-horizontale. Voyez les niveaux de peuplement. L'Europe occidentale compte à peine plus
d'hommes (15 à 20 p. 100) au milieu du XVIIIe qu'à la fin du
XIIIe siècle. L'espérance de vie à la naissance, dans l'Angleterre heureuse à Colyton (Devon), atteint quarante-trois ans
au XVIe siècle (1538-1624), quarante-deux au XVIIIe (1700-
1770), trente-sept au XVIIe (1625-1699). Oscillation ? Non,
progrès. L'Angleterre a remporté, au XVIe siècle, avec deux
siècles et demi d'avance, une grande victoire sur la mort.
L'espérance de vie sur le continent se situe, au début du
XVIIIe siècle encore, entre vingt-cinq et trente ans.

Tout, en fait, est question de terme de référence. Entre le
véritable démarrage, qui débouche sur la croissance soutenue des sociétés industrielles, et la rigidité des structures du

XIIIe au XVIIe siècle, le XVIIIe siècle totalise une somme impressionnante de petites modifications. Les économistes, depuis W. W. Rostow, parlent des conditions préalables au démarrage. Le progrès aura été ainsi, dans la vie de millions d'êtres en Europe, mieux qu'une idée, une expérience. Entre de longs siècles immobiles aux structures matérielles bloquées et l'explosion de la folle croissance où les équipements sont périmés avant d'avoir donné plus qu'une fraction de leurs possibilités, où la mutation fait partie de la structure, le XVIIIe siècle aura été, dans une certaine mesure, le siècle du mouvement, du mouvement ressenti, vécu, conscient. Le siècle du mouvement, donc du progrès.

Progrès agricoles, d'abord ; tout en découle. Les récoltes sont mieux conservées, on gagne un peu sur la semence, les rendements augmentent légèrement : le rendement par tête gagne 10 p. 100 ici, 20 p. 100 là, il stagne ailleurs. Ce gain modeste et décisif se répercute sur toute l'échelle de la production, car le secteur agricole retenait, à la fin du XVIIe encore, près de neuf dixièmes des travailleurs. Supposons, à l'ouest, un dixième d'hommes supplémentaires libérés par le progrès de la production agricole, deux dixièmes au lieu d'un, et qui peuvent se consacrer à l'industrie, au commerce, à l'administration, au commandement, mieux encore, à la réflexion. Les gains plus substantiels dans les autres secteurs prolongent l'effet. Ce qui compte sans doute le plus dans la vie du XVIIIe, ce ne sont pas les machines anglaises — elles sont l'avenir —, c'est l'outil. L'outil parvenu au terme d'une longue évolution, parce que le matériau utilisé est meilleur, la main qui le façonne et l'utilise plus habile, en un mot parce que l'apprentissage a eu plus grande prise sur une génération d'artisans qui lisent. Voyez Rousseau et le milieu de Genève, songez à l'Angleterre lisante, aux noyaux de Frances instruites. Parce qu'on est plus attentif à bien recevoir l'héritage. Voir-faire et ouïdire, certes, dominent toujours le plan essentiel de la transmission des techniques. A la base, du moins, car le XVIIIe siècle est le siècle des gros traités, des livres, puis des écoles où s'enseigne l'art de l'ingénieur. Les planches de l'*Encyclopédie* marquent le point de départ timide d'une dignité toute neuve. Des artisans lisent, qui pensent plus hardiment avec leurs mains, des artisans qui entrent en communication avec les techniciens de la pensée.

Reprenons à notre compte cette distinction fondamentale que Fernand Braudel emprunte à l'anthropologie culturelle.

Réservons l'usage du mot civilisation aux cultures qui ont atteint le niveau de l'écrit, la civilisation se confondant ainsi avec le secteur de la culture solidaire de l'immense héritage de la transmission écrite. Au niveau de l'artisanat urbain, le XVIIIᵉ siècle ébauche une rencontre jamais réalisée de la culture et de la civilisation, au bénéfice de la civilisation, certes, au bénéfice plus encore de la culture traditionnelle. Bénéfice par le biais des hommes. L'acquisition très tôt des mécanismes psychomoteurs de la lecture et de l'écriture, l'acquisition par l'écrit de structures intellectuelles complexes, loin d'entraver la transmission traditionnelle des savoirs et des gestes de métier, par voir-faire et ouï-dire, facilite l'acquisition. L'artisan qui lit, à l'intersection de la culture traditionnelle et de la civilisation de l'écrit, acquiert plus vite, retient mieux un savoir-faire qu'il va désormais modeler plus facilement. L'acquisition massive de l'écriture et d'un degré de lecture utile par une fraction, par place majoritaire, de la gent mécanique, cela est vrai pour l'Angleterre, contribue à la mise en mouvement rapide des procédés artisanaux de fabrication, des gestes et des techniques manuelles qui impriment la pensée aux choses.

Le XVIIIᵉ siècle perfectionne l'outil traditionnel. Et plus spécialement au sein de quelques laboratoires de l'habileté, la fabrique de l'horloge, de la montre, du chronomètre, la manufacture des instruments scientifiques, ces multiplicateurs sensoriels légués par le XVIIᵉ siècle aux Lumières qui les poussent à un niveau incomparablement supérieur d'efficacité et de perfection, la facture d'orgues, de clavecins et de violons. Dans la victoire tardive du télescope, il y a l'art de couler une matière adéquate et de la polir en miroir, dans le progrès du microscope, la qualité des lentilles. Voyez le verre, le cristal de table, les glaces.

Le XVIIIᵉ siècle se situe au point ultime d'évolution d'un outillage traditionnel, manié souvent par des lisants qui s'en servent mieux et lui font rendre la totalité de ses possibilités insoupçonnées. Le XVIIIᵉ siècle peut-il se définir comme le siècle de l'outil parfait manié à la perfection, qui va bientôt livrer son grand combat à la machine? L'outil avant la machine, certes. La machine contre l'outil, non. Rien de moins contradictoire que l'outil du XVIIIᵉ et la machine anglaise. Une des conditions, et non des moindres, de la révolution industrielle réside dans l'habileté d'artisans aptes à dominer la matière de leurs mains, à travailler le fer, à réaliser des roues dentées, des pignons, des axes, à résoudre une infinité de petits problèmes pratiques qui s'appellent courroies de transmission, joints hermétiques et qui supposent des trésors diffusés d'habileté et de savoir-faire.

Ces petits progrès ne se laissent pas facilement cerner. Rien dans l'histoire sérielle des rémunérations et des prix ne laisse percevoir une amélioration sensible du niveau de vie des classes nombreuses. On commence à peine à tourner la difficulté, à inventer le document, à trouver un moyen adéquat d'utilisation. Le cadre de la vie matérielle s'enrichit, se diversifie, s'améliore. La maison que l'on construit est un peu plus grande, un peu mieux aérée, un peu moins fruste que celle qu'elle remplace, cela n'est pas vrai seulement des riches. Un lit au lieu d'une basse couche, une armoire au lieu d'un coffre, du linge, un peu de vaisselle. Dans l'intervalle, la population s'est accrue. Qui s'est trompé ? L'économie avec son salaire et le prix du pain ? L'histoire sociale et l'enquête sur l'habitat qui a chiffré, cubé, mesuré la maison paysanne aisée telle qu'elle subsiste de nos jours encore ? Acceptons et dépassons l'apparente contradiction. Ce que les séries des prix ne sont pas parvenues, jusqu'ici, à mesurer, c'est l'objet nouveau, l'objet disponible, la qualité meilleure, le fruit indirectement saisi d'une augmentation sensible de la production dans tous les domaines ; Pierre-Denis Boudriot (1981) vient de le prouver pour l'habitat parisien. L'artisanat a réalisé, au XVIIIe siècle, sans investissement direct, un gain appréciable des rendements. Sans investissement autre que celui, indirect, d'une meilleure transmission de la connaissance qui aboutit à des hommes plus nombreux et mieux instruits.

Presque sans investissement immédiat, là réside toute la différence avec le XIXe siècle. Par une attention renouvelée, par une valorisation de l'habitude au détriment de la routine. A l'âge des ordinateurs, on serait tenté de risquer : 50 p. 100 de mieux d'un *hardware* amorti par l'amélioration sans frais du *software*. Le gain modeste réalisé est immédiatement disponible pour l'homme. Deux fois plus d'hommes, un peu mieux éduqués, vivent un peu plus vieux à la fin du siècle. A la fin du XVIIIe l'Europe compte cinq à six fois plus de lisants qu'à la fin du XVIIe, dix fois plus, peut-être, qui ont franchi le seuil de la lecture efficace, et qui lisent davantage et autre chose. Tout bien pesé, la capacité d'absorption par la lecture a décuplé, en l'espace à peine de deux générations.

*

Nous voici à nouveau en présence d'une contradiction. Solidaire du passé, le XVIIIe siècle n'en est pas moins siècle du mouvement, du progrès pratique, au ras des choses. Dépasser la contradiction, c'est découvrir ce qui nous est apparu constituer l'explication centrale, la clef de voûte, peut-être, du temps des Lumières. La stabilité des modes de production de la société traditionnelle n'excluait ni la modification ni le changement qui était le plus souvent un progrès. L'originalité du XVIIIe siècle ne réside pas dans des modifications individuelles, mais dans la propension qu'y prend le changement à entraîner d'autres changements. Pour exprimer cette réalité, il est commode de recourir à la langue des économistes. Elle parle d'entraînement, de multiplicateur. Nous parlerons donc du multiplicateur de croissance du temps des Lumières.

L'apparente stabilité technique du XVIIIe siècle est la condition même du multiplicateur de croissance. Les progrès techniques décisifs se situent au niveau du *know how* des économistes anglo-saxons. A la limite donc, ils sont gain pur ; ils précèdent et ils permettent la véritable mutation, celle des machines, qui exige, au départ, le redoutable ascétisme d'un renouvellement complet du matériel de production. Le XVIIIe siècle, en fin de course de la « civilisation traditionnelle », a vu se réaliser un ensemble de micro-améliorations difficilement décelables mais qui ont entraîné des améliorations importantes de la productivité. Une amélioration appréciable des conditions matérielles de la vie en découle. Elle se produit au bénéfice des couches intermédiaires. La réussite de Rousseau et celle de Diderot expriment l'émergence aux loisirs de la culture de couches sociales qui totalisent plusieurs millions de promus pour l'ensemble de l'Europe. Restent à l'écart, au bas de l'échelle, 40, 50 p. 100 ici et là. La situation matérielle des humbles ne s'aggrave pas. Objectivement, le XVIIIe n'en est pas moins plus dur aux pauvres. Le décollement des genres de vie de la *lower middle class* aura transformé la grande, tragique mais généreuse société des pauvres en une série de ghettos. La pauvreté perd son contenu traditionnel. Le vocabulaire évolue. Les pauvres d'hier sont les misérables d'aujourd'hui. L'ascétisme laïcisé de la croissance emprunte ses valeurs au puritanisme. La pauvreté est un échec, puisque la promotion semble offerte aux meilleurs. Malthus, en 1798, en tire une conséquence radicale, déniant aux humbles jusqu'à la joie simple de l'amour charnel et du don généreux de vie. On est en droit de sentir à travers la justice bailliagère la montée de la misère française autour de 1770, on peut tout aussi bien être sensible à l'aisance modeste des humbles. Un fossé se creuse qui sépare des nations en puissance le gros tiers sacrifié des futurs citoyens passifs. Mais pour les autres, pour une courte majorité, l'Europe des Lumières, à l'ouest, laisse flotter sur terre un certain sourire. Ce sourire est capital. Il assure le succès des pensées nouvelles. Le Voltaire du *Mondain* a exprimé la promotion des Arouet aux soupers de la Régence, l'*Encyclopédie* est à l'heure du sourire au niveau d'un plus grand nombre.

Une vie toujours aussi sévère et cependant, pour beaucoup, sensiblement moins rude, plus humaine. Une vie plus longue. La vérité moyenne du XVIIe siècle, en dépit des nuances et des exceptions, est dure. Espérance de vie, vingt-cinq ans, une chance sur deux d'atteindre la vingtième année, la perspective d'une ou deux grandes hécatombes. Les survivants payent la traversée collective de la vallée de l'ombre de la mort d'un grand désert affectif.

Or voilà qu'au XVIIIe, preuve irréfutable d'un mieux profond, la révolution vitale s'esquisse. De 1700 à 1800, dix ans ont été en moyenne gagnés. Voyez les records de santé de la *gentry* britannique. Dix ans en plus : la tranche de vie adulte (celle-là seule qui, socialement, compte) a doublé. Comment apprécier une telle modification ? Elle est sans équivalent. Elle commande toutes les autres. La révolution à l'égard de l'enfance d'abord. Les froides probabilités n'entrent plus seules en jeu. On peut, en luttant, au prix d'efforts et d'attention, conduire l'enfant à l'âge d'homme. L'aristocratie britannique, une fois de plus, donne le ton. Seigneurs et grandes dames se consacrent à l'éducation. L'enfant mieux aimé, mieux éduqué, n'est pas, au départ, l'enfant rare. La grande mutation de l'éducation et la promotion de l'enfance, c'est, d'abord, la conséquence de chances meilleures sur la mort. A partir de 1730, dans quelques secteurs privilégiés, le combat pour l'enfant vaut la peine d'être livré. Le combat livré transforme le succès initial en victoire.

De 1700 à 1800, une modification profonde intervient des attitudes devant la mort, la promotion du couple acquise depuis longtemps en Angleterre s'affirme sur le continent. La famille conjugale achève de chasser lignage et « frérèches ». Et pourtant, dans 10 à 15 p. 100 des cas, trois générations restent en ligne. Avantage non négligeable pour l'éducation. L'aïeule et la tante célibataire (ne pas oublier

que le célibat définitif s'accroît) collaborent à la grande
œuvre du siècle.

L'alphabétisation massive est bien le corollaire de la
grande victoire sur la mort. Alphabétiser des promus à une
mort prochaine est luxe et chimère. Alphabétiser, c'est,
collectivement, fonder un minimum d'espérance sur les
chances de survie de l'enfant. Voyez fonctionner le multiplicateur. La population double, la proportion de ceux qui
lisent double (c'est un minimum). La proportion de ceux
qui atteignent un niveau efficace de lecture augmente plus
encore, le matériel mis à la disposition de ceux qui lisent
décuple. Quelques secteurs privilégiés de la Nouvelle-
Angleterre, de la vieille Angleterre, de l'Allemagne piétiste,
de l'axe rhénan, de la France du Nord-Est ont connu des
niveaux d'imprégnation par le livre que le XIXe siècle n'a pas
dépassés. Tout bien pesé, entre 1680 et 1780, la diffusion du
contenu sans cesse élargi de la civilisation écrite, par l'écrit,
est multipliée par vingt.

Dans ce domaine encore, les Européens, au XVIIIe siècle,
auront expérimenté le progrès ; progrès, non bouleversement. Au sein des sociétés demeurées, pour la meilleure
part, traditionnelles, la vie continue à couler dans des
structures multiséculaires, familières donc, et parfaitement
reconnaissables. A aucun moment, un texte des Lumières ne
traduit un sentiment dominant d'étrangeté. Le dépaysement
devant le changement suppose la prise de conscience d'un
avant et d'un après. Quand se produisent les transformations de la société industrielle, le dépaysement domine. Rien
de tel au XVIIIe siècle. Contentement, assurance, certitude
découlent de la perception d'une nouveauté dans un système
de référence bien en place. La stabilité des structures
séculaires est la condition première, au XVIIIe siècle, de la
perception du changement, donc de l'expérience vécue du
progrès.

Tout y contribue. Au plan intellectuel, par exemple pour
l'élite, la prodigieuse mutation, à la fin du XVIIe, de la
connaissance historique. Elle enrichit la gamme des réfé-
rences. A la « révolution scientifique » des années 1620-
1650, correspond, *mutatis mutandis*, la « révolution de
l'histoire » de 1660-1700. D'une technique désormais bien
au point de l'établissement critique du texte et du fait,
découle une mutation de la donnée précise, dans une
connaissance multipliée par dix ou par vingt du passé. Le
progrès découle donc de la rencontre de deux structures,

une nouvelle structure intellectuelle et une nouvelle structure d'environnement. Le progrès n'est pas seulement
affirmé, il est vécu dans le quotidien. Le progrès s'oppose à
la longue prison d'une stagnation séculaire, au triomphe
apparent des paramètres du passé. Il s'oppose tout aussi bien
au bouleversement et à la remise en cause simultanée de tous
les termes de référence. Le progrès cesse d'être vécu au
XIXe siècle, il est seulement proclamé. Le progrès en tant
que perception d'un changement vécu comme une amélioration suppose donc un minimum de stabilité. Le XVIIIe siècle
aura été, pour une fraction de plus en plus large de ceux qui
lisent, le siècle de la perception généralisée d'une amélioration.

La diffusion d'une large prise de conscience d'un progrès
possible au niveau des couches moyennes et supérieures de
la société ne fait pas de doute. Les conséquences en France
en sont bien connues. Le changement apparaît possible.
Puisque le changement est possible, il est nécessairement
insuffisant. Le progrès pousse à la formation d'une
conscience révolutionnaire. La modalité française de la crise
de croissance de la fin du XVIIIe siècle n'est ni la seule
possible, ni, sans doute, la plus intéressante.
  Le progrès, c'est aussi l'espoir. Or, l'espoir qui se situe
dans le temps s'oppose, en France du moins, bien souvent, à
l'espérance qui appelle l'éternité. Le progrès, c'est une
dimension brusquement nouvelle, une dimension insoupçonnée de la cité terrestre. Il n'est ni plus difficile ni plus
facile de croire au ciel au XVIIIe qu'au XVIIe... ou au XXe.
Mais il est plus tentant de penser à autre chose. Le progrès
ouvre, dans la pratique, plus ici (France), beaucoup moins là
(Allemagne, Nouvelle-Angleterre), une apparence d'alternative terrestre à l'eschatologie chrétienne. Un temps de vie
adulte statistiquement doublé, un temps mieux rempli de
soucis pratiques, de possibles, d'espoirs modestes, autant de
pris, pour beaucoup, sur la méditation de l'essentiel. Ne
nous hâtons donc pas de faire du raccourcissement eschatologique la condition *sine qua non* du progrès matériel.
L'exemple de la Nouvelle-Angleterre met en garde contre ce
type de simplisme.
  A la fin du XVIIIe siècle, un peu partout, et même en
France, l'essentiel reprend en partie ses droits. C'est que le
progrès cesse d'être vécu avec l'accélération de la croissance.
C'est que l'allongement de la vie rend plus douloureux
encore le scandale de la fin de la vie. On meurt aussi

difficilement à cinquante ans qu'à trente. Les moribonds en
sursis des Lumières pourront l'expérimenter tout à loisir
dans l'atmosphère trouble d'une fin de siècle tourmentée et
mystique. En même temps que le *corpus* des pensées des
Lumières, les structures d'environnement du xviiie siècle se
défont.

A la fin du xviiie siècle, le multiplicateur s'emballe. Le
mouvement s'efface devant l'explosion. Les Lumières
débouchent sur la croissance soutenue du xixe et la mutation
explosive du xxe siècle. Mais arrêtons-nous un instant pour
un bilan provisoire. A la fin du xviiie siècle, un point de
non-retour est atteint. Faut-il rappeler la multiplication par
quatre des lisants, la multiplication par vingt du matériau
disponible pour une lecture attentive ? Mais que dire de la
culture scientifique ? Entre la fin du xviie et la fin du
xviiie siècle, il n'est pas déraisonnable de supposer, nous le
verrons, une multiplication par presque cent de la donnée
d'information. Alors comment tout intégrer dans un système global de la connaissance ? Dans une certaine mesure,
Kant marque clairement le terme d'une certaine ambition
totalisante. Entre les systèmes du xviie siècle (Descartes,
Spinoza, Malebranche) et ceux du xixe (Hegel et les post-
hégéliens), la distance est immense. La *Critique de la raison
pure* paraît en 1781. Il est peu de dates courtes aussi
importantes dans l'histoire de la pensée. Le criticisme
kantien renferme l'aveu d'impuissance de la raison. Elle ne
peut tout expliquer dans la mesure où l'esprit humain ne
pourra plus, désormais, réunir la totalité de la moisson qu'il
a récoltée. Prométhée est puni. Il ne pourra jouir de la
totalité de ce qu'il a acquis au prix de trop d'efforts et de tant
de souffrances.

Les Lumières diffusent, brillent et scintillent sur l'étendue brisée d'une connaissance morcelée. Les sciences se
détachent, les lettres se constituent en secteur autonome,
l'histoire, elle aussi, affirme son exigence de déroulement
autonome. Le simple a fait place au multiple. Au milieu de
quoi le fait religieux demeure. Le xviiie siècle, déjà, propose
les solutions du xixe siècle. Le refuge au for intérieur. Une
religion de la relation verticale. Piétisme et laïcité cohabitent
sans trop de peine. Après la chrétienté, l'Église s'efface. Les
Lumières du xviiie siècle sont multiples comme le spectre.
Là réside, dans l'acceptation d'une richesse éparse, le legs
des Lumières. Faut-il dire son âme ? L'âme et le corps,
l'âme plus que le corps et souvent, bien sûr, le corps plus

que l'âme. Car le XVIIIᵉ siècle a hérité du *cogito* cartésien sa tension fondamentale. La pensée majoritaire du XVIIIᵉ siècle ne se situe pas en retrait sur ce point, mais dans le dualisme hérité de la scolastique chrétienne, voire très en avant. Entre l'âme forme du corps, selon la vieille conception aristotélicienne reprise par les scolastiques, et la chair, le passage se faisait graduellement par étapes. Le XVIIIᵉ siècle a tiré, mieux que le XVIIᵉ, quelques-unes des conséquences pratiques du tournant idéaliste de la philosophie cartésienne. Que le destin de l'âme et celui du corps voué à la transmutation glorieuse du dernier jour se jouent ensemble, rien de choquant dans la tradition médiévale. Aucune tentation d'une âme matérielle et mortelle ne s'insinue dans la droite ligne de l'idéalisme postcartésien. L'opposition ontologique entre le moi pensant et la matière étendue soustend le spiritualisme latent de la philosophie de l'*Aufklärung* et des grandes constructions idéalistes du premier XIXᵉ siècle. Aucune tentation, certes. Le danger est ailleurs. Il réside dans une opposition fondamentale et paralysante. L'âme, en son for intérieur, appartient aux cloisonnements des Lumières.

De la parcimonie salvatrice préalable du for intérieur, l'avantage est évident. Le XVIIIᵉ siècle a sauvé par ce biais un essentiel qu'il a transmis au XIXᵉ siècle : le for intérieur et la relation laïque individuelle piétiste de l'âme orante avec le Vrai Dieu, le Dieu transcendant, tenu à l'écart par sa propre légalité d'une création lointaine. Tout un essentiel où l'Église se dissout. La chrétienté réformée traverse presque allègrement ce grand désert de l'Église où l'Europe catholique se crispe dans de dramatiques combats, où les coups sont durement reçus, jamais rendus. La piété qui en découle fuit l'incarnation quotidienne. Elle penche vers l'ascèse intellectuelle d'une irréaliste négation du corps et du sexe.

Salvation au for intérieur, au prix d'une totale autonomie de la connaissance, au prix d'une totale liberté du corps. Ce qui touche le corps est fondamentalement sans importance, dans la pratique du for intérieur. L'idéalisme latent des Lumières spirituelles recoupe à la limite le matérialisme vulgaire de l'épais La Mettrie, voire toute la gamme des philosophies sensualistes. Machine à sensations ou objet dérisoire. Voilà le corps objet, le corps regardé du dehors, le corps jouet de l'âme. L'érotique des Lumières découle peutêtre de ce parti pris. On ne communie plus avec le corps. Plus d'érotisme phallique. L'érotisme du XVIIIᵉ est de sensation, il frôle, il effleure, palpe. Et dans l'architecture

féminine, les seins enchâssés de dentelles détrônent les
larges bassins de la *Venus genitrix*. Le corps objet peut être
simple prétexte à des sensations raffinées. Boucher et
Fragonard, fruits, à la limite, du *cogito* — on est tenté d'en
avancer l'hypothèse dans un sourire —, plaident aussi en
faveur du fractionnement irréversible d'une civilisation trop
riche qui ploie sur les bords et renonce à jamais à la totalité.

Ces considérations commandent une démarche. Les
Lumières explosent dans l'espace, le nombre et l'État. Les
Lumières, ce sont des hommes, mieux des sociétés aux
prises avec l'État. L'Angleterre et la France d'une part et
leurs modalités politiques voisines de vieux pays, de l'autre
les despotismes éclairés sur la périphérie, qui sont les États
du rattrapage.

Les Lumières, entendez bien plus encore, la mise en
marche de toutes les pensées. Les structures mentales de
l'âge classique se modifient lentement, elles donnent naissance à une nouvelle civilisation, riche, diverse et multiple.
La mise en cause de la politique et de la religion, l'entrée de
l'histoire au premier rang de la connaissance. L'autonomie
et le primat dévorant des sciences. La marche de l'acculturation des traditionnels. Et puis aussi, au repli de l'âme, une
nouvelle sensibilité religieuse.

Mais les pensées des Lumières sont des pensées pratiques
en prise directe sur le réel. Une civilisation livre ses secrets
dans le cadre de la vie quotidienne. Le XVIIIᵉ siècle voit dans
tous les domaines la promotion de la famille. Pénétrer au
foyer, partir à la recherche de la beauté, retrouver sur le
chemin de Cythère un très subtil art d'aimer.

PREMIÈRE PARTIE

L'ESPACE ET
LES DIMENSIONS
DE L'HOMME

Les raisons qui conduisent l'historien à retenir, à partir de 1680, date ronde, la durée de trois générations, un siècle en gros, sont évidemment dictées par l'histoire intellectuelle de l'Angleterre et de la France, dont les réussites se détachent et s'affirment depuis que tout s'est mis à bouger vite dans l'ordre des pensées. La périodisation a toujours intérêt à coller à l'histoire intellectuelle, sans doute parce que l'esprit commande. 1680-1710 ou 1720, l'entrée dans la parenthèse cartésienne, les conséquences politiques, théologiques, ontologiques follement développées de l'option mécaniste et dualiste du début du siècle. Tout le XVIIIe siècle est là, il était déjà en puissance dans le *Tractatus theologico-politicus*, en 1670. Hier, on avait hésité à suivre Paul Hazard dans ses démarches. Aujourd'hui plus d'hésitation possible. La fin du XVIIe siècle marque, tout bien pesé, au même titre que le début du siècle, une grande date de l'histoire globale. On peut faire partir de 1730-1750 l'explosion des Lumières ; en fait, la mise en mouvement commence bien vers 1680.

Que se passe-t-il d'important au cours des deux dernières décennies du XVIIe siècle ? Attention ! Les indicateurs traditionnels risquent d'induire en erreur. Regardons, en effet, l'Europe nombreuse : la France, les Pays-Bas, l'Angleterre, l'axe rhénan, l'Italie du Nord, 900 000-1 000 000 de km^2, 35 habitants par km^2, l'Europe dense, l'Europe des réussites. Cette Europe s'essouffle. Tandis que la population continue de plafonner en Angleterre, elle a tendance à baisser en France et en Belgique. De 1680 à 1720-1730, la France perd 10 p. 100, en moyenne, de sa population. Ce malaise n'est pas superficiel. Il affecte la natalité qui baisse, la mortalité qui augmente, l'âge au mariage qui s'élève, la

2

transmission de la vie par l'introduction, au sein des relations conjugales, du *coïtus interruptus* au niveau des lords anglais, des bourgeois de Genève et des ducs et pairs en France ; en même temps, l'espérance de vie reflue dans les îlots les plus privilégiés de l'Angleterre heureuse.

Que s'est-il donc passé ? Embrassons l'ensemble de la vieille chrétienté. Les Lumières révèlent l'entrée en scène d'une Europe frontière, jaillie à l'est et au nord. La population de l'Europe, l'ensemble des deux chrétientés, la latine et l'orthodoxe, avait largement dépassé le cap des 100 millions, aux alentours de 1620, au sommet d'une longue phase de récupération commencée au XVe siècle. Rupture et reflux au début du XVIIe siècle, mais ce cataclysme avait affecté presque exclusivement l'Europe périphérique. Dans son rapport hommes/espace, l'Europe classique était une Europe étayée au centre, bloquée sur ses marges. La prépondérance française sortait renforcée d'un nouvel équilibre. Le rapport de population France/Europe, vers 1660, est à peu de chose près le rapport de population France/chrétienté au début du XIVe siècle.

L'Europe merveilleusement préservée au centre, pour la grande mutation des pensées, est traversée cinquante ans après par l'inévitable contrecoup d'une croissance sur deux siècles de sa population. 1600-1630 avait marqué le point de départ d'un mouvement en ciseaux. Tandis que l'Europe nombreuse continuait une croissance ralentie, l'Europe périphérique refluait en catastrophe. Une partie du nouvel équilibre de la Renaissance cédait le pas. D'autant qu'au début du XVIIe siècle, l'Europe outre-mer cessait, pour un temps, pratiquement de croître. L'Europe du début du XVIIe siècle, encombrée d'espace, s'était refermée sur un nouveau monde clos, incomparablement plus vaste que celui du XIIIe. Dans la mesure où l'invention d'espace, à l'intérieur de la société et de l'économie traditionnelles, a tenu le rôle dans la croissance des pulsions du progrès technique à notre époque, le blocage spatial du XVIIe siècle joue une partie capitale. Outre-mer bloqué, « frontières » de peuplement entravées à l'est, espace contrôlé immense mais fermé, temps propice aux méditations moroses et aux cheminements en profondeur, tel est bien le court et dense XVIIe siècle, de 1630 à 1680. La prospérité du vieux noyau dense central nous a fait interpréter comme un long trait horizontal ce qui était le tragique reflux des Europes périphériques. Un important équilibre est de nouveau modifié à la hauteur des années 1680. Curieuse coïncidence ? Une grande mutation de la pensée rencontre le temps dur d'une vaste angoisse collective. L'affirmation des Lumières sonne, au départ, comme un défi. Leur premier optimisme exprime une démarche collective profonde. Il fallait, certes, beaucoup de foi et beaucoup d'orgueil pour préférer aux certitudes du ciel, l'eschatologie courte d'une terrestre incertitude.

CHAPITRE I

L'ESPACE DES LUMIÈRES

L'espace des Lumières s'organise à partir de la décennie 80 du XVIIe siècle. L'Europe classique était une petite Europe, bloquée au sud-est par l'Empire turc, coupée de la mer Noire par le khanat de Crimée. La Moscovie d'avant Pierre le Grand, est-ce l'Europe ? Voltaire en doute. Répondons, un instant, par l'affirmative. La domination moscovite sur les terres nouvellement acquises restait précaire. Elle poussait une pointe jusqu'à la Caspienne, atteignait l'Oural en son milieu. Son pouvoir était théorique sur les Kalmouks et les Bachkirs. La frange des fortifications, Kharkov, Bielgorod, Voronej, Tambov, Saransk, Simbirsk, Menzelinks, marque, depuis le milieu du XVIIe siècle, la vraie ligne de partage entre le certain (le Nord-Ouest forestier) et l'incertain (le Sud-Est de la steppe). La Russie blessée du Temps des Troubles s'est repliée sur la forêt. La « frontière » russe s'est fermée au XVIIIe siècle. La forêt scandinave continue avec la toundra à faire écran au nord, les bords de la mer Blanche et de l'océan Glacial découpent un autre *no man's land*. Partout, sur le continent, à l'est et au nord, partout en Amérique — où le Pérou marque le pas devant les cordillères insoumises des Andes —, en Afrique, en Asie, les empires piétinent. L'Europe a brisé une partie seulement des contraintes qui cernaient son champ d'action. L'Europe classique a conservé, sans plus, les positions du XVIe siècle. Entre la civilisation européenne et les autres mondes, une nouvelle barrière s'est dressée.

Il appartient aux Europes périphériques, à la hauteur des années 1680, de relancer la croissance par l'invention de nouveaux espaces. Les années 80 marquent bien le passage décisif d'une petite à une grande Europe. Jamais, face au reste du monde, l'Europe des Lumières, excentrée par rapport à l'Europe classique et à l'Europe méditerranéenne du temps de la Renaissance, n'aura été, objectivement, plus vaste. La prise de conscience de cette dilatation de l'espace européen s'exprime paradoxalement dans le cosmopolitisme des Lumières, un cosmopolitisme restreint qui n'a jamais dépassé le cadre de l'Europe et repose sur un oubli implicite du reste du monde. C'est un peu l'anticipation de la conquête, en profondeur, des continents par la civilisation-monde à composante européenne. Il est donc, tout à la fois, la prise de conscience de cette mutation, l'oubli des autres cultures et des autres civilisations au-delà des frontières élargies de l'espace européen, la perception généreuse d'une cité des hommes confondue avec la grande Europe.

*

Partons des textes littéraires. En allant des vulgarisateurs tardifs, témoins d'une large diffusion, aux textes fondamentaux qui marquent clairement la relation nouvelle de l'homme à l'espace européen élargi. Deux *minores* ont eu leur heure de succès : Ange Goudar a publié, en 1765-1774, à Cologne, un *Espion chinois, ou l'envoyé secret de la Cour de Pékin pour examiner l'état présent de l'Europe*. Le procédé est éprouvé depuis les *Lettres persanes*. Le marquis de Caraccioli donne à Venise et à Paris en 1777 *Paris le modèle des nations étrangères, ou l'Europe française*. Affirmation de l'unité européenne d'abord. Le Chinois de service d'Ange Goudar s'étonne benoîtement : « Je ne sais pourquoi les Européens ont imaginé de se diviser en petites peuplades, dont les forces n'étant pas en proportions relatives sont continuellement à la veille d'être subjuguées. » Quant au marquis, il s'écrie d'un seul élan : « Italiens, Anglais, Allemands, Espagnols, Polonais, Russes, Suédois, Portugais... vous êtes tous mes frères, tous mes amis, tous également braves et vertueux. » (D'après R. Pomeau.) Caraccioli donne, du même coup, les limites de la cité élargie des Lumières : le monde, c'est-à-dire l'Europe.

L'Europe une, l'Europe comme unité culturelle supérieure. Jaucourt, le plus fécond des collaborateurs de l'*Encyclopédie*, affirme que l'Europe l'emporte sur le reste du monde « par le christianisme dont la morale bienfaisante ne tend qu'au bonheur de la société ». « Les peuples de l'Europe ont des principes d'humanité, osait déjà affirmer Voltaire, qui ne se trouvent point dans les autres parties du monde [...] Les Européens chrétiens sont ce qu'étaient les Grecs. » L'Europe, espace culturel, réintroduit une appréciation favorable du christianisme comme fait européen de civilisation. Et l'*Encyclopédie* textuellement conclut : « Il importe peu que l'Europe soit la plus petite des quatre parties du monde par l'étendue de son terrain, puisqu'elle est la plus considérable de toutes par son commerce, par sa navigation, par sa fertilité, par ses lumières et d'industrie, par la connaissance des arts, des sciences, des métiers. »

L'Europe, espace culturel, c'est aussi le mouvement, le progrès. Hors d'elle, tout est immobile, figé, barbare. « Tous les peuples qui ont négocié aux Indes y ont porté toujours des métaux et en ont rapporté des marchandises [...] Les auteurs anciens qui nous ont parlé des Indes nous les dépeignent telles que nous les voyons aujourd'hui, quant à la police, aux manières et aux mœurs. Les Indes ont été, les Indes seront ce qu'elles sont à présent [...] La plupart des peuples des côtes de l'Afrique sont sauvages ou barbares [...] » (Montesquieu, *L'Esprit des lois*, XX, 21.) A l'intérieur de l'espace culturel européen, vigoureusement affirmé, Montesquieu introduit une bipolarité fondamentale : « Il y a dans l'Europe une espèce de balancement entre les nations du Midi et celles du Nord. Les premières ont toutes sortes de commodités pour la vie et peu de besoins ; les secondes ont beaucoup de besoins et peu de commodités pour la vie. » L'Europe dilatée par la croissance vigoureuse de ses marches se confond non seulement avec l'univers habité, mais elle se construit autour d'une polarité nord-sud qui se moque à juste titre des nations et des États.

Cette dualité nord-sud — elle renferme une réalité objective de plus en plus lourde — appartient vraiment à la représentation spatiale des Lumières. L'Europe est, au départ, une Méditerranée basculée vers le nord. Cette structure, l'Europe, née dans les mots au XVIIᵉ siècle, l'emprunte à la chrétienté latine. Le mouvement de bascule qui parvient à la conscience littéraire du XVIIIᵉ siècle s'enracine dans la très longue durée. Du VIIᵉ au XIVᵉ, le Nord n'avait cessé de gagner au détriment de l'espace méditerranéen cassé en deux par l'insertion de l'Islam. La grande novation médiévale se joue entre Loire et Rhin. La peste noire qui frappe plus au nord, l'invention, la conquête et l'exploitation des nouveaux mondes contribuent à la remontée de la Méditerranée. Cette création de routes, de communications, d'espaces s'accompagne d'une puissante invention artistique et intellectuelle. Les prestiges revien-

nent sur la Méditerranée. Dans l'ensemble, sur la lancée des
xve-xvie siècles, le xviie siècle continue de surestimer le
prestige de la mer Intérieure.

En 1680, conscience est prise d'un nouvel équilibre. Du
Midi au Nord, au niveau des représentations, le chapitre
n'est plus à écrire. Paul Hazard l'a publié au début de la
Crise de conscience européenne. Effondrement de l'Espagne,
effacement de l'Italie, pleine maîtrise de la France, rude
concurrence de l'Angleterre, de la Hollande, de la moitié
occidentale de l'Allemagne. « En 1697, à Tübingen, André
Adam Hochstetter exalte dans un discours latin [le latin, la
langue du Nord] l'utilité du voyage en Angleterre : *Oratio de
utilitate peregrinationis anglicanae*. Je ne vanterai pas, dit
l'orateur, la fertilité de l'Angleterre, je parlerai bien plutôt
de sa science et davantage encore de sa religion. Qui parmi
nous ignore avec quel courage viril, sous le règne de
Jacques II, des hommes d'élite se sont opposés aux émis-
saires de la synagogue romaine et ont défendu une cause
qu'ils ont en commun avec nous ? » Le début des Lumières
est aussi la grande revanche de l'Europe protestante.

Une histoire littéraire du voyage reste à faire ; elle nous
apprendrait beaucoup. Le voyage du xvie à la fin du
xviie siècle conduit presque immanquablement vers le Sud.
Rome est le pèlerinage forcé de l'artiste, Montaigne
n'échappe pas à la règle italienne. Le Nord s'instruit au Sud,
il élargit son horizon au Midi, il reçoit ses cuisiniers, ses
maîtres du Sud. On va chercher au Sud prestige, consécration, bien culturel. Le Sud envoie vers le Nord ses
missionnaires, ses maîtres, ses techniciens : s'instruire au
Sud, enseigner au Nord.

Le voyage change de sens autour de 1680-1700. Le voyage
philosophique, littéraire, sinon artistique, cesse de conduire
vers le Sud : c'est le Nord qui appelle. Le voyage culturel
des Lumières mène paradoxalement vers l'Europe du Nord.
Pour plaider la cause du Nord, voyez, *a contrario*, le voyage
d'Espagne. A partir de Mme d'Aulnoy, à la fin du xviie siècle, il se fige dans un stéréotype : l'Espagne, sujet d'étonnement, de moquerie et de scandale pour l'Europe extra-
pyrénéenne, n'est plus l'Europe ; propylée des anciens et des
nouveaux mondes, elle devient la lointaine annexe des
espaces extérieurs. La translation de la *peregrinatio* ibérique
du domaine du voyage culturel sur le genre exotique
dénonce l'excentration de l'espace européen. L'Europe perd
une province méditerranéenne au moment où elle gagne des
provinces au nord. Mais passons de l'imaginaire à la réalité,

au voyage réel, au voyage culturel de l'élite des Lumières. On se plaît à imaginer une recherche facile à conduire, sur une gamme nécessairement limitée des noms connus de la littérature, des sciences et des arts, qui aboutirait à une série de cartes par points du XVIᵉ au XVIIIᵉ siècle. Les cartes du XVIᵉ marqueraient la convergence italienne, celles de la charnière des XVIᵉ et XVIIᵉ une Espagne dans le prolongement italien. A partir de 1680 on verrait l'Angleterre, à partir de 1750 l'Allemagne de l'Est, à partir de 1770 la Russie européenne, c'est-à-dire Saint-Pétersbourg.

L'Europe du voyage est une Europe urbaine. Paris vient loin en tête, bien sûr, Venise, Rome, Florence, par vitesse acquise, tradition, goût du plaisir, Vienne, Londres se classent pour la science, Berlin et Saint-Pétersbourg pour les moyens mis au service des sénateurs de réputation et de la connaissance par les despotes éclairés, Frédéric ou Catherine, le prince selon l'ordre des philosophes. « Débarquant à Bordeaux, le Westphalien Candide et le Hollandais Martin entendent dire à tous les voyageurs : " Nous allons à Paris " ; ils cèdent à l'empressement général, se disant que ce n'est pas se détourner beaucoup du chemin de Venise où doit les attendre Cunégonde. » A Marseille, comme à Bordeaux, à Lyon, les voyageurs du voyage philosophique ne font que passer. « Tous se hâtent vers la capitale des Gaules ou la nouvelle Babylone » Marivaux va jusqu'à faire dire à l'un de ses personnages que « Paris, c'est le monde », que le « reste de la terre n'est que les faubourgs ». (D'après R. Pomeau.)

Le voyage sur le continent fait partie de la formation au XVIIIᵉ des fils de l'aristocratie anglaise. L'Europe du voyage anglais est d'abord française ; elle pousse jusqu'à Venise, déborde sur les Pays-Bas, le Rhin et une fraction d'Allemagne, elle ignore désormais l'Espagne. L'Angleterre et la France confessent ainsi leur condominium culturel sur l'Europe éclairée. Le voyage anglais sur le continent a contribué à franciser, au XVIIIᵉ siècle, la langue anglaise elle-même. L'anglais de la reine, l'accent d'Oxford est né, dans une large mesure, du séjour sur le continent des fils de la *gentry* britannique, tandis que l'anglais américain de la Virginie et de la Nouvelle-Angleterre des « Têtes rondes », protégé par la distance, conserve les intonations antérieures au cosmopolitisme européen et francophone du XVIIIᵉ siècle.

Mais revenons à l'espace culturel français. Toute la leçon des représentations spatiales du XVIIIᵉ se trouve ramassée

dans les pérégrinations des plus illustres de ses fils. Voyez
Rousseau, oscillant entre la Suisse, Turin, les Alpes, Paris et
l'Angleterre avec Hume. Voyez Diderot et la Russie européenne de la Grande Catherine. Voyez Voltaire : « Né
parisien, il n'a exploré que les pays du Nord, ne s'avançant
jamais vers le sud au-delà d'une ligne jalonnée par la
Touraine, Lyon, Genève. Ses chemins se dirigent vers
l'Angleterre, les Pays-Bas, l'Allemagne, la Suisse. » (R.
Pomeau.) La Lorraine, dans cet itinéraire, est plus qu'un
lieu de passage : un des foyers de l'ellipse.

Cette géographie est déjà ancienne. Le long périple de
Montesquieu de 1728 à 1732 permet d'esquisser une sorte de
géographie psychologique de l'Europe des Lumières. Elle
commence par l'Autriche « frontière », Vienne, capitale
d'un empire danubien tout neuf, où il rencontre le prince
Eugène, héros de la « frontière » orientale de l'Europe,
vainqueur des Turcs. Les notes du *Voyage d'Autriche* sont
sèches. Les habitants de ce pays très catholique n'ont pas
trouvé grâce.

De Gratz à La Haye, s'insère le traditionnel voyage
d'Italie, dans une parenthèse. Déception, férocité systématique. A Venise d'abord, Montesquieu ne retient que décadence, paresse, débauche : « Il y a, depuis vingt ans, dix
mille putains, à Venise, de moins ; ce qui ne vient pas d'une
réformation dans les mœurs, mais de l'affreuse diminution
des étrangers. Autrefois, il venait, au carnaval, trente à
trente-cinq mille étrangers à Venise. A présent il n'en vient
guère plus de cent cinquante. » Un reste de tendresse,
pourtant, en raison d'une longue tradition d'impiété. « Il n'y
a que les fous qui soient mis à l'Inquisition à Venise. » « Le
Milanais est assez bien cultivé pour ce pays qui a été à
l'Espagne. » Vertu du Nord. « J'ai ouï dire que depuis que
Minorque est aux Anglais, elle rapporte quatre fois plus
qu'auparavant. » Gênes : « La République est très pauvre
[...] Les Génois sont entièrement insociables ; ce caractère
vient moins d'une humeur farouche, que de leur avarice
suprême [...] Il y a toujours un noble génois en chemin pour
demander pardon à quelque souverain des sottises que leur
république fait. » « Les familles italiennes dépensent beaucoup en canonisations. La famille Corsini, à Florence, a
dépensé plus de 180 000 écus romains dans la canonisation
d'un saint Corsini. Le marquis Corsini disait : " Mes
enfants, soyez honnêtes gens, mais ne soyez pas saints. " Ils
ont une chapelle où repose le saint. Peu de fripons ont tant
coûté à leur famille que ce saint [...] Tout Italien aime à être

flatté. » « Quand on entre dans l'État du Pape, on voit un meilleur pays, mais plus misérable. Dans l'État romain, l'impéritie engendre le paludisme et la superstition encourage le banditisme... : Mettez Cartouche à Rome ! [...] A présent, une simonie publique règne à Rome. On n'a jamais vu dans le gouvernement de l'Église le crime régner si ouvertement. » « Une des choses qui contribuent le plus à peupler Naples, c'est la misère et la paresse des Napolitains. »

De retour d'Italie, Montesquieu traverse l'Allemagne catholique du Sud. Regard sans aménité sur la Bavière et sur l'Allemagne luthérienne. La Prusse de Montesquieu est encore un repoussoir de barbarie ; trente ans plus tard, tout aura changé. Tout au plus, la vallée du Rhin constitue une sorte de havre. De cette géographie sévère, un pôle d'attraction émerge : l'aristocratie anglaise apparaît partout sous un jour flatteur. Une surprise, la Hollande : en 1729, elle est déchue dans la géographie affective des Lumières au profit de l'Angleterre. Cette déception correspond à une réalité économique. La Hollande ne s'est pas relevée de sa victoire de 1714 ; les charges que lui valent des responsabilités démesurées l'accablent. On comprend mal même en France une activité fondée essentiellement sur le négoce. « Le cœur des habitants qui vivent du commerce est entièrement corrompu. » Mais ce recul de la Hollande procède de la promotion d'un Nord plus lointain : « Il est certain que le commerce de Hollande diminue considérablement. Une preuve : Amsterdam s'agrandit et bâtit sans cesse. On ôte l'argent du commerce pour l'employer en pierres et je vois qu'il en sera comme à Venise où, au lieu de flottes et de royaumes, il reste de beaux palais. La Hollande, comme l'Angleterre, est attaquée par les herbes orientales et beaucoup plus dangereusement par l'alcool. « Un homme m'a dit que le thé perdait la bourgeoisie de Hollande [...] Ce thé relâche les fibres de l'estomac des femmes ; dont plusieurs, pour remédier, recourent à l'eau-de-vie. »

La déception de Montesquieu se nourrit d'une surprenante découverte : l'intensité, partout, du sentiment religieux. A Utrecht, Montesquieu est plongé en pleine Jérusalem janséniste : « Les jansénistes en France ont eu grand tort d'entretenir des correspondances avec ceux de Hollande [...] » Montesquieu a cette réflexion désabusée : « Les hommes sont grandement sots ! Je sens que je suis plus attaché à ma religion depuis que j'ai vu Rome et les chefs-d'œuvre de l'art qui sont dans les églises. » Le 31 octobre

1729, Montesquieu s'embarque; il arrive à Londres le 3 novembre. Enfin! L'Angleterre des années 20 aura été le paradis retrouvé des Lumières continentales. Trente ans plus tard, il aurait trouvé ce qui semble avoir contribué à lui faire détester la Hollande, l'intensité resurgie de la vie religieuse. Pour le moment, rien de tel, mais un bienheureux terre à terre. « Le peuple de Londres mange beaucoup de viande. » Inégalité des niveaux de vie... « En général, les Anglais sont modestes [...] A Londres, liberté et égalité. La liberté de Londres est la liberté des honnêtes gens, en quoi elle diffère de celle de Venise, qui est la liberté de vivre obscurément et avec des putains et de les épouser [...] » Un peuple civil, discret, courtois, les femmes y sont pleines de retenue, et, bien sûr, « point de religion en Angleterre », c'est la raison de la moralité publique. Ainsi se déforme la réalité dans le pieux miroir de l'Europe philosophique. « Point de religion en Angleterre; quatre ou cinq de la Chambre des communes vont à la messe ou au sermon de la Chambre, excepté dans les grandes occasions où l'on arrive de bonne heure. Si quelqu'un parle de religion, tout le monde se met à rire. Un homme ayant dit de mon temps : Je crois cela " comme article de foi ", tout le monde se met à rire. Il y a un comité pour considérer l'état de religion, cela est regardé comme ridicule. » « L'Angleterre est à présent le plus libre pays qui soit au monde, je n'en excepte aucune république [...] », et enfin : « Quand un homme en Angleterre aurait autant d'ennemis qu'il y a de cheveux sur sa tête, il ne lui en arriverait rien : c'est beaucoup, car la santé de l'âme est aussi nécessaire que celle du corps. »

*

Par-delà l'image littéraire et les notes impressionnistes de notre illustre guide, essayons de découvrir la réalité. La littérature de voyage et le voyage philosophique proposent deux Europes. Avec le recul du temps, nous en distinguerons trois. Une Europe méditerranéenne, une très vieille Europe au sud; l'Europe dense des réussites, l'Europe avancée du XIIIe siècle, elle, reste au centre d'un espace privilégié; l'Europe des marges « frontières » au sens turnérien et des marches conquérantes. A cette Europe marginale appartiennent les empires nés outre-mer au XVIe siècle.

L'Europe des Lumières est — faut-il le répéter ? — une grande Europe. Disons qu'il y a doublement de l'espace européen, du milieu du XVIIe au milieu du XVIIIe siècle, par la réincorporation de la vieille chrétienté orientale que la distance, la poussée des nomades de la steppe et un destin contraire — l'installation durable des Turcs dans les Balkans et surtout dans les plaines danubiennes — avaient à peu près totalement coupée de la Méditerranée dense des soixante à quatre-vingts millions d'hommes de la chrétienté occidentale. L'extraordinaire croissance des outre-mer européens au XVIe siècle masque trop souvent le réalité de cette *diminutio* à l'est, par rapport au XIIe. Le mouvement qui commence vers 1680 résulte de la superposition de deux composantes : un élément de récupération, l'avance accélérée d'une « frontiere » de colonisation.

L'événement capital, c'est bien la réincorporation de l'Europe danubienne, après les dernières flambées, en 1664 et en 1683, de l'impérialisme turc. L'Empire turc, construction archaïque, avait cherché dans un premier temps la solution de ses contradictions dans un mouvement de fuite en avant, sous l'influence d'Ahmed Koeprili. Il y était encouragé par l'affaiblissement des taquets d'arrêt traditionnels : l'Empire, réduit à 40 p. 100 de son niveau de peuplement, la Russie vidée par le Temps des Troubles, la Pologne exténuée en guerres de conquête au détriment des Russes, l'épuisement économique et moral de Venise. En face du danger turc, la vieille chrétienté n'offrait, en 1660, que la solution archaïque et dépassée d'États trop grands ou trop petits. L'ébranlement qui déclenche un long temps de troubles part de la Transylvanie et de la Hongrie impériale. En 1663, dans l'Empire, comme au temps de Luther, la *Türkenglocke* invite à prier pour le salut de la chrétienté. L'année suivante, l'aide française, près du monastère du Saint-Gothard, et la résistance acharnée des Vénitiens sauvent de justesse ce qui reste d'Europe centrale.

Voltaire, dans l'*Essai sur les mœurs*, fait de la mise au pas de la Hongrie impériale le prétexte sinon la cause de l'attaque de 1683. « De tous les peuples qui ont passé sous nos yeux [...] il n'y en a point de plus malheureux que les Hongrois. Leur pays dépeuplé, partagé entre la foi catholique et protestante [...] Le jeune Emerik Tékélé, seigneur hongrois [...] souleva la partie de la Hongrie qui obéissait à l'empereur Léopold [...] Le grand vizir Kara Mustapha, successeur d'Achmet Cuprogli, fut chargé par Mahomet IV d'attaquer l'empereur d'Allemagne, sous prétexte de venger Tékélé. Le sultan Mahomet vint assembler son armée dans les plaines d'Andrinople. Jamais les Turcs n'en levèrent une

plus nombreuse. » 140 000 réguliers, 30 000 Tartares de
Crimée... 250 000 hommes en tout. La horde épuise la
Hongrie. Cette masse disproportionnée à la faible densité de
peuplement de la plaine hongroise est une cause de fragilité.
Rien cependant « ne mit obstacle à la marche de Kara
Mustapha [...] Il avança sans résistance jusqu'aux portes de
Vienne (16 juillet 1683) et en forma aussitôt le siège. » La
résistance héroïque de la population permet l'arrivée des
secours. La croisade frappe à la porte de l'Europe des
Lumières. L'aide proche suffit. Elle fait éclater la décomposition interne de l'appareil de guerre ottoman. Jean Sobieski
de Pologne, Charles de Lorraine, l'armée de la croisade ne
dépasse pas 70 000 hommes. La victoire du Kahlenberg, à la
différence du Saint-Gothard, est une victoire de la « frontière » seule de l'Europe. Le Kahlenberg (12 septembre
1683) marque le point de départ du doublement territorial
de l'Europe.

Dans la plaine du Danube, l'avance autrichienne a la sage
lenteur d'une marche derrière une « frontière ». L'Autriche
mène de front la mise au pas de l'aristocratie magyare et le
refoulement des Turcs. Mohacs (1686), la victoire des
Vénitiens qui vengent Candie tombée en 1669 par l'occupation jusqu'en 1715 du Péloponnèse, la prise d'Azov par
Pierre le Grand (1696), le prince Eugène à Zenta (1697),
scandent les étapes militaires en direction de la paix de
Carlovtsi (1699). Les Turcs perdent à jamais le contrôle de la
plaine. Des noyaux de colons allemands en assurent la
garde.

En 1716, la « frontière » danubienne passe par un point
haut, confirmé au traité de Passarowitz (21 juillet 1718), le
banat de Temesvár, une partie de la Moldavie et de la
Valachie viennent s'ajouter à la Hongrie (turque) et à la
Transylvanie acquise au cours des quinze dernières années
du XVIIe siècle. De 1736 à 1739, au prix de sacrifices à l'est
en faveur de la Perse, les Turcs marquent des points. Pour
près d'un siècle, la frontière politique se stabilise. Les
préliminaires de Belgrade (1er septembre 1739) rendaient à
l'Empire ottoman les morceaux de Serbie, Bosnie, Valachie
arrachés à Passarowitz. La frontière sud-orientale de l'Europe suivra longtemps le Danube, la Save et les hauteurs du
banat de Temesvár. Elle laisse à l'Autriche le soin d'organiser en profondeur 300 000 km^2 d'espace nouveau. Les
Lumières abandonnent sans regret les Balkans aux turque-
ries du rêve exotique.

Pour que soit reprise la marche en avant, il faut que le

raccordement du peuplement se fasse, que les différences de rythme de croissance alignent progressivement la nouvelle Europe marginale sur le noyau dense fédérateur. Il y a là dans l'Europe « frontière » de l'Est par rapport à celle de l'Ouest une différence fondamentale que Voltaire avait entrevue : « Pour rendre la Russie aussi peuplée, aussi abondante, aussi couverte de villes que nos pays méridionaux, il faudra encore des siècles et des czars tels que Pierre le Grand. »

C'est à la hauteur du monde slave que se situe la grande mutation spatiale de l'Europe des Lumières. En fait, les deux chrétientés se sont rapprochées un moment au XIIe siècle ; un certain désenclavement réciproque s'est produit au XVIe siècle, sous Ivan, à l'époque de Chancellor, de la Compagnie anglaise de Moscovie, de la création en 1580 d'Arkhangelsk. Le XVIIe a achevé de couper de l'Occident le pédoncule slave. La Slavie latine (Pologne, Bohême, Moravie, Croatie) y a contribué à sa manière. Ce sont eux, ces Slaves de tradition latine, qui, en se tournant vers l'Ouest, rejettent dans un isolement total les Slaves de l'Est. Les deux premières décennies du XVIIe siècle détruisent des siècles d'effort. La démographie historique se heurte, face au passé russe d'avant le début du XVIIIe siècle, à des difficultés quasi insurmontables. L'histoire russe est chronologiquement décalée. La Russie appartient à un autre espace-temps culturel. Pays non clos, l'espace russe ne cesse de bouger, et la partie où se développe une forme d'occupation agricole de s'étendre depuis le noyau forestier primitif, au nord, au sud et à l'est. « C'est donc sans preuves très convaincantes qu'on a proposé d'évaluer à 11 ou 12 millions la population russe au début du XVIIe siècle et à 17 à 18 millions à la fin du siècle. »

La zone d'occupation n'a cessé de se développer, du XIIe au XIXe siècle, à un rythme plus ou moins rapide qui reste à fixer. La Russie se présente comme un noyau dense de population entouré d'une « frontière ». Jusqu'au XVIIe, la frontière s'ouvre sur trois faces : au nord, à l'est, au sud. A partir du XVIIIe, la « frontière » nord se ferme, l'ouverture reste au sud et à l'est. A partir du XIXe, à l'est seulement. Le noyau de diffusion s'accroît beaucoup plus lentement que la « frontière » par l'absorption, au centre, d'anciennes frontières transformées en « vieux pays ».

Il serait intéressant de saisir la réalité russe sur deux plans : noyau dense seul, noyau dense plus « frontière ».

L'EUROPE APRÈS LE KAHLENBERG, VERS 1700

Le fait majeur se situe à l'est : après les traités de Ryswick (1697) et de Carlovtsi (1699), la réincorporation de l'Europe danubienne est commencée.

Les mouvements de population de ces deux définitions spatiales sont loin de coïncider. Même si les tendances, à la limite, s'apparentent : elles sont, dans la longue durée, orientées à la hausse. Mais la pente est moindre au centre, elle est marquée par l'alternance de flux et de reflux. Un long tassement marque, au niveau de la vieille Moscovie forestière, le dernier tiers du XVIe siècle. La catastrophe de 1601-1602 frappe un corps malade. La Russie n'est pas épargnée par la peste : 1602, 1654, 1709-1710, au rythme d'une chronologie européenne. Une partie des récupérations du XVIIe siècle aura été dissipée à la fin du XVIIe siècle et au début du XVIIIe siècle. Dans la seconde moitié du XVIIe siècle, la frontière reprend son avance à un rythme plus rapide, vers l'Oural, le long du *trek* sibérien, au sud de la taïga, vers les steppes du sud. Elle répare quelques-unes des brèches du Pomorje. Mais c'est au sud, sur la steppe, que la Russie avant Pierre le Grand répare ses ruines. En glissant vers le sud, la Russie, paradoxalement, achève de se couper de l'Europe occidentale. Le dépeuplement du Pomorje entraînait l'étouffement du commerce d'Arkhangelsk. Pour remplacer ce port du XVIe siècle situé trop au nord, les solutions des Lumières s'appellent Pétersbourg et Odessa. Elles sont les portes de sortie d'un espace russe dont le centre de gravité s'est déplacé vers le sud au cours de l'anomalie thermique négative de la petite ère glaciaire des XVIIe et XVIIIe siècles. Ce que nous savons depuis peu des rythmes d'évolution de la population polonaise corrobore pleinement nos hypothèses. Croissance plus rapide des zones « frontières », glissement relatif vers le sud.

L'hypothèse que nous proposons de deux rythmes d'évolution du territoire de peuplement slave est illustrée par l'exemple proche, relativement mieux connu, de la Pologne. L'histoire de la Russie est commandée en profondeur par le dépeuplement du Nord et le glissement des centres d'activité vers le sud. En un mot, la mutation de la petite à la grande Europe ne peut plus se comprendre, désormais, sans cette constatation capitale. Ces faits ont totalement échappé, jusqu'à ces années dernières, parce qu'il manquait, pour les comprendre, une histoire régressive du climat. Nous connaissons désormais l'ampleur de l'anomalie thermique négative des XVIIe et XVIIIe siècles, grâce à l'effort d'un groupe d'historiens, au premier rang desquels, en France, Emmanuel Le Roy Ladurie. Cette anomalie thermique a peu d'influence sur l'histoire de l'Europe profonde, elle commande toutefois des mouvements de grande amplitude sur les franges extrêmes d'extension des cultures. La Russie du Nord gagnée à l'agriculture au XVIᵉ est perdue au XVIIᵉ et au XVIIIᵉ quand l'abaissement de 1 °C de la température entraîne sans doute des replis de plusieurs centaines de kilomètres des limites extrêmes de maturation des céréales. L'été vert donne le signal d'un changement catastrophique durable.

Et pourtant, se garder d'un déterminisme naïf. La modification climatique surprend. Elle contribue aux difficultés russes et scandinaves de la charnière des XVIᵉ et XVIIᵉ, aux épreuves du passage du XVIIᵉ au XVIIIᵉ. Elle tend à orienter l'expansion vers le sud et l'est, au XVIIIᵉ. Le XVIIᵉ a peiné, le XVIIIᵉ s'est adapté, il a trouvé ses réponses dans l'ordre, vraisemblablement, des techniques agraires. La poussée de l'Europe « frontière » se fait quand même en dépit de conditions défavorables. On apprécie à sa juste valeur la vague de fond de la mutation spatiale du XVIIIᵉ, en tenant compte du reflux général des isothermes vers le sud.

*

Pour prendre la mesure du phénomène, on se bornera d'abord à quelques ordres de grandeur, de qualité et de précision malheureusement très inégales. Supposons donc tous les problèmes de critique résolus. La Norvège a doublé de 1665 à 1801 (440 000-883 000 hab.), la Suède est passée, de 1720 à 1800, de 1 450 000 à 2 347 000 âmes. La Finlande, « frontière » par excellence de la Scandinavie, triple en moins d'un siècle (1721 : 305 500 ; 1800 : 833 000). Les États masquent souvent des réalités plus profondes. L'Allemagne, l'Autriche, la Pologne, la Russie se portent vers l'est sous l'action distordante de taux de croissance inégaux. L'Empire, saigné par l'action cumulative de la crise, de la guerre, de la maladie et du choc microbien provoqué par l'intense brassage, se serait effondré de 20 à 7 millions de 1620 à 1650. Inégalement, le quart nord-ouest est relativement préservé, la chute plus dramatique à l'est. Ce qui implique, antérieurement à 1740, entre le quart ouest abrité et les trois quarts est frappés, des rythmes de croissance différents. La tendance se poursuit après 1740. La géographie impériale des années 1730-1740 rappelle, dans les grandes lignes, l'avant-guerre de Trente Ans ; à la fin de l'*Aufklärung*, l'Allemagne de Kant et de Fichte est beaucoup plus orientale que celle de Dürer et celle de Leibniz. De 1700 à 1800, la croissance du Würtemberg est de 94 p. 100, celle de la Silésie, éprouvée par la guerre, de 100 p. 100 ; 132,5 p. 100 pour la Prusse orientale, 138 p. 100 pour la Poméranie dont la vertigineuse ascension se poursuit au XIXe siècle.

Bien plus significative encore, l'Europe danubienne. De 1754 à 1789, l'accroissement des États de la vieille Autriche (Autriche, Styrie, Carinthie, Carniole, Tyrol, Bohême, Moravie, auxquels on rattachera la Silésie, en raison du passé) est de 42 p. 100 ; de 1725 à 1789, l'ensemble est passé de 5,5 à 8,5 millions. La Hongrie, dans le même temps, frise le quintuplement de 1,8 à 8,5. De 1750 à 1789, 183 p. 100 encore. La Hongrie, qui représentait moins du quart de l'Autriche en 1725, vaut une moitié en 1789. L'effacement relatif du vieux noyau fédérateur polonais à l'ouest de la Vistule dans la nébuleuse polono-lituanienne est identique ; même mouvement nettement accusé en Russie. Le centre moscovite et le Nord (Pomorje) s'effacent progressivement devant l'ensemble moteur de la nouvelle « frontière » : Oural, Sibérie, Ukraine.

Les dimensions de cette nouvelle Europe de l'Est, l'Europe de la rapide croissance, sont difficiles à cerner. On peut additionner simplement Scandinavie, Pologne, Russie, Empire, Autriche. Vers 1760-1770, cette Europe marginale totalise 75 millions d'âmes environ. En un siècle, de 1700 à 1800, la croissance de l'ensemble a été d'à peine moins de 200 p. 100. Refusant les définitions théoriques, nous nous bornerons aux territoires effectivement contrôlés. La nature de cet ouvrage ne nous permet pas de donner nos justifications. Tout bien pesé, nous proposons. En 1680, cette Europe « frontière », *lato sensu*, groupait, sur 7 millions de km^2, 38 millions d'habitants. Vers 1760-1770, sur 10 millions de km^2, 75 millions d'hommes. Vers 1790-1800, sur 11 millions de km^2, 95 millions d'âmes. Première approximation. Cet ensemble toutefois est un faux ensemble. Le tiers occidental de l'Empire, le noyau Autriche-Bohême, le Danemark et le sud de la Suède, la Pologne à l'ouest de la Vistule et le noyau de peuplement moscovite autour de Moscou n'en font pas vraiment partie. L'Allemagne rhénane appartient à l'Europe dense axiale, le sud de la Scandinavie, les noyaux de peuplement austro-tchèques, polonais et grands-russiens forestiers constituent de très anciennes « frontières », transformées à leur tour en noyau denses de diffusion. Vers 1760-1770, nous verrions apparaître deux secteurs bien tranchés : les noyaux denses de peuplement d'une part (Pologne occidentale, Autriche,

Bohême, Saxe, Silésie, Danemark, sud de la Suède, Centre moscovite) qui oscillent entre 20 et 25 hab./km^2 et groupent, sur près de 2 millions de km^2, 35 à 40 millions d'habitants ; les zones frontières proprement dites dont la densité moyenne est de l'ordre de 2 à 4 hab./km^2.

L'Europe marginale de l'Est porte à elle seule la responsabilité du passage de la petite à la grande Europe. Sa croissance est assurée par la prodigieuse mutation d'une nouvelle « frontière » : Est polonais, Nord scandinave, Poméranie, Prusse orientale, Hongrie, Russie du tchernoziom, Oural, Sibérie. En gros, ces territoires, caractérisés par une forte natalité, une mortalité relativement faible et un solde migratoire positif, passent de 8 à 48 millions d'habitants. Cette multiplication par six ne modifie pas radicalement la densité, qui reste faible. Entre 2 et 4, le plus souvent ; nulle part elle n'atteint 10 à la fin du XVIIIe siècle. La croissance des noyaux denses, qui ont contribué au peuplement des « frontières » ouvertes (passage de 30 à 45-50 millions), ne dépasse pas en revanche la croissance moyenne de l'Europe occidentale dense. L'originalité profonde de l'Europe orientale, au XVIIIe, réside donc dans la présence en continuité d'un espace colonial « frontière » relativement vide, d'une sorte d'Amérique que l'on atteindrait par chariots. L'Europe des Lumières, celle qui observe et qui pense depuis les secteurs denses de peuplement, a découvert cette réalité neuve. Elle l'a parée, souvent, des qualités d'un *El Dorado :* l'Amérique du XVIIIe siècle.

Dans l'ensemble, comme dans l'Amérique des XVIIIe et XIXe, la maison de bois domine. Pétersbourg l'artificielle est en partie de pierre, mais Moscou est en bois. Une maison de bois dure, en moyenne, quarante à cinquante ans, une maison de pierre, deux cent cinquante à trois cents ans. Le bois implique un moindre coût de la colonisation, mais aussi un moindre enracinement. L'Europe orientale n'a pas la stabilité de l'Europe occidentale. Légèreté de la maison, médiocrité de la route. L'Elbe marque une première frontière, la Vistule une seconde, le Niémen une troisième. De l'une à l'autre, le réseau des communications descend d'un cran. Les armées de l'Est peuvent opérer à l'ouest, les armées des États occidentaux échouent à l'est. Charles XII et Napoléon l'établissent clairement. La médiocrité des routes protège l'Europe orientale contre les velléités impérialistes de l'Ouest, non des soubresauts de la steppe.

La différence de densité implique, tout comme elle en découle, des modes d'exploitation qui diffèrent profondément des modes occidentaux. Ils ne manquent pas de surprendre le voyageur. Deux niveaux donc : un niveau proche de 20 hab./km², un niveau inférieur à 5 hab./km². La couverture forestière, quand elle existe, ou la steppe, a été beaucoup mieux respectée. Dans la nouvelle « frontière » russe, forêts et marais restent maîtres à plus de 80 p. 100 du sol. C'est le cas du piémont de l'Oural et de la Sibérie. Cette différence qui s'impose à l'œil, saisissons-la au plus près, c'est-à-dire en Pologne. Hubert Vautrin est lorrain, né en 1742, entré à dix-sept ans dans la Compagnie de Jésus, il appartient à une élite de persécutés des Lumières dont on a peu parlé. Il va diriger l'éducation d'un jeune noble dans la Pologne mutilée par le premier partage, travaillée par les Lumières, de 1777 à 1782. C'est « un pays qui n'a pas de pierres et qui a beaucoup de bois », de landes, de lacs et de marais, ruisselant : « [...] les pluies dont le ciel arrose la terre, au lieu de se retirer, après l'avoir abreuvée, dans les ruisseaux comme le sang dans les veines pour rafraîchir et vivifier le sol, se retrouvent partout engorgées ou languissantes. La fonte des neiges, qui n'a qu'un terme et dont la quantité est toujours considérable, fait un océan de la Pologne au printemps, rend les voyages impraticables, séjourne trop longtemps, crée une infinité de marais et une multitude prodigieuse d'insectes. A considérer la quantité innombrable de ces marais, on jugerait l'air très malsain ; ce serait une erreur [...] J'ai habité pendant quatre années le centre d'un marais qui avait plus de 6 000 toises de largeur et une longueur indéfinie ; il se desséchait en grande partie tous les étés sans exhaler la moindre odeur ; l'eau qui restait avait la plus grande limpidité, elle était même plus agréable à boire que celle des puits : cette limpidité est due à la filtration par un sablon pur et la salubrité à la nature même de la vase, qui n'admet que les détriments des roseaux ou d'autres plantes très peu ammoniacales. » Peu d'hommes et des hommes pauvres. « C'est l'homme et les animaux [...] qui infectent de leurs dépouilles les eaux [...] En Pologne [...] les habitants [...] étant peu nombreux, sans habitat et réduits au nécessaire absolu, ils font peu d'ordures [...]. Les bois sont souvent sur des marais [...] », d'où l'importance des incendies de forêt. La rigueur de l'hiver surprend par sa dureté, souvent mortelle aux pauvres et aux imprudents.

C'est à ce monde, étrange au voyageur occidental, que l'Europe des Lumières doit sa mutation spatiale. Les pensées pourtant suivent timidement. Kant est le plus oriental des grands. Et Kœnigsberg se tient sur la frange. Il

faut attendre la première moitié du XIXᵉ siècle pour que la
cohorte des pionniers des nouvelles mathématiques marque
d'une manière évidente la vraie promotion, en esprit, des
nouvelles frontières.

L'espace des Lumières, c'est encore la rive méditerranéenne, la vieille chrétienté, l'Espagne, le Portugal, l'Italie
(900 000 km²). L'Europe lui doit tout. Elle a bénéficié
longtemps du nombre, des techniques, de la civilisation.
Elle a été mutilée au sud, mutilée à l'est ; l'Espagne aura été,
paradoxalement, la principale « frontière » ouverte de la
chrétienté occidentale au XIIIᵉ ; ce très vieux terroir agricole
n'est pas touché par la grande mutation de la « nouvelle
agriculture » des XIIᵉ-XIIIᵉ siècles, fondée sur la vulgarisation
de la charrue à roue, de l'assolement triennal, le doublement
de l'espace consacré aux céréales. Avec son araire, son
assolement biennal, un rapport terroir-inculte de 2 ou 3 à 10,
sa lourde, coûteuse et rigide maison de pierre, la Méditerranée latine, solidaire des autres Méditerranées, en est restée
pour l'essentiel aux très anciennes solutions ; son paysage n'a
guère changé depuis les réussites de la cité antique. Les
XIVᵉ, XVᵉ et XVIᵉ ont été sa revanche. La crise du XIVᵉ
l'atteint moins profondément. On lui doit l'ouverture d'une
« frontière maritime », à la fin du XVᵉ siècle, le contrôle,
hors d'Europe, sur 2 500 000 km², de 12 à 13 millions
d'hommes. Mais depuis la fin du XVIᵉ, le miracle est fini.
L'axe central des communications, l'invention et la décision
désertent les rives de la Méditerranée. Progressivement.
Galilée, certes, est florentin. L'Empire espagnol fait illusion
jusqu'en 1659, l'Italie demeure mère des arts. Même le
contrôle de la plus grande Europe outre-mer qu'ils ont créée
échappe aux Méditerranéens. L'Amérique reste ibérique à
98 p. 100 en 1700 ; quant aux espaces contrôlés économiquement, elle est, dans le rapport de 3 à 1, exploitée au bénéfice
de l'Angleterre, de la France et de la Hollande, voire même
de la Hanse.

Ce déclassement de la vieille Méditerranée est ancien ; il
faut attendre 1680 pour qu'il passe au niveau des
consciences. La stagnation des techniques économiques en
est cause. Dans l'Europe de la croissance, la Méditerranée
oscille, hésite, piétine. Voyez le compte grossier des
hommes. L'Italie évolue ainsi : 1550, 11,6 millions ; 1600,
13,3 millions ; 1650, 11,55 millions ; 1700, 13,4 millions ;
1750, 15,5 millions ; 1800, 18,1 millions. La péninsule
Ibérique passe de 9,5 vers 1600 à 7 vers 1700 et un peu plus

de 13 à la fin du XVIIIᵉ siècle. Les deux péninsules ensemble donnent 22,8 millions en 1600, 20,8 millions vers 1700 et 31 millions à la fin du XVIIIᵉ, soit une densité de 25 hab./km² en 1600, 23 en 1700 et 34,4 en 1800. Mais l'Italie du Nord n'appartient pas vraiment à la Méditerranée, elle est solidaire jusqu'à un certain point de l'Europe heureuse. Sur 810 000 km², donc, les deux péninsules n'alignent plus que 17,4 (1600), 14,7 (1700), 23,9 (1800), autour de 20 hab./km² seulement.

Au début du XVIIᵉ siècle, quand commence l'âge classique, la population de l'Europe méditerranéenne équilibre sensiblement l'Europe « frontière » de l'Est. En richesse, en prestige, elle l'écrase littéralement. A la fin du XVIIᵉ siècle, un écart s'est creusé : 38 millions d'un côté, 15 de l'autre. On peut tenter une comparaison plus précise. Séparer, à l'est, le noyau dense de diffusion de la « nouvelle frontière » (2 millions de km² et 30 millions d'hommes, 5 millions de km² et 8 millions d'hommes). Restituer à la Méditerranée ses prolongements outre-mer (800 000 km², 15 millions d'âmes ; 3,3 millions de km², 13 millions d'âmes). On aura trouvé un meilleur équilibre. 7 millions de km², 38 millions d'âmes pour le Nord, 4 millions de km² et 28 millions pour la plus grande Méditerranée. Comparaison n'est pas raison. Ce qui compte, c'est la tendance. Le creux, en outre, ne cesse de se préciser entre la Méditerranée et ses prolongements outre-mer. A preuve la rupture du début du XIXᵉ siècle. La force qui s'affirme à l'est s'exprime dans la continuité géographique qui soude les vieux noyaux denses de peuplement aux nouvelles frontières. Il appartiendra à l'Europe dense de se souder un outre-mer. L'Amérique du Nord est la Sibérie de l'Europe occidentale. La construction d'une communauté atlantique, rivale victorieuse dans la compétition, tantôt belliqueuse, tantôt pacifique, de l'Europe de l'Est, appartient à l'âge industriel, non aux Lumières.

Si la Méditerranée en 1680 peut supporter encore, par vitesse acquise, la comparaison avec l'Est, elle est totalement supplantée à la fin du XVIIIᵉ. 24 millions d'un côté, 50 et 95 de l'autre. Ajoutons l'Amérique des Ibériques. 42 millions d'un côté, 95 de l'autre. Quelle que soit la base de calcul adoptée, l'Europe méditerranéenne, qui représentait environ les trois quarts de l'Europe orientale vers 1680, est autour du tiers vers 1790-1800. Cette comparaison ne supprime pas, d'entrée de jeu, tous les anciens prestiges méditerranéens, ceux que lui confère, notamment, une urbanisation beaucoup plus poussée. En moyenne, pendant tout le xviiie siècle, le pourcentage de la population urbaine à la population totale est double en Méditerranée (de 20 à 22-23 p. 100, généralement moins de 10 p. 100 à l'est). La population urbaine de la Méditerranée continue à s'inscrire en égalité, au xviiie, avec la population urbaine de l'Europe de l'Est. Cette structure favorise la vie de l'esprit au sud, mais contribue à freiner la croissance démographique.

Le mouvement de bascule de l'Europe vers l'est, tant de fois rappelé, ne doit rien, donc, au centre dense de peuplement, mais tout au dynamisme de l'Est, « frontière » ouverte, et à la stagnation de la Méditerranée. L'Europe méditerranéenne peut se définir, au xviiie siècle, comme un espace clos, sans zone d'expansion commode, à l'exception de l'Amérique filtrée par la distance, sans la compensation d'une « frontière » technologique. Pensez à l'Angleterre.

Il en va bien autrement de l'axe lourd de peuplement, le noyau dur et dense de l'Europe des cerveaux : la France, l'Angleterre et le pays de Galles, les Lowlands, le sud de l'Écosse, un morceau du Peel irlandais, les deux Pays-Bas, la Rhénanie, une frange de l'Allemagne occidentale et méridionale, la Suisse, une fraction de l'Autriche alpestre et Vienne, l'Italie du Pô et la Vénétie ; entre 950 000 et 1 000 000 de km². Sur ce million de km², l'Europe qui lit, l'Europe vraie des Lumières, 33 millions d'hommes entre 1680 et 1700, 55 millions vers 1800 — 33 hab./km² au départ, 55 à l'arrivée, un taux de croissance raisonnable de 70 p. 100 sur un siècle, légèrement même supérieur à celui des noyaux denses de peuplement, mais il est vrai aussi de diffusion de l'Europe de l'Est (55 p. 100), supérieur au taux de l'Europe méditerranéenne (50 p. 100).

L'Europe, de 1700 à 1800, a doublé sa population. Vers 1680-1700, 40 p. 100 à l'est, 40 p. 100 pour la masse dense centrale, 20 p. 100 pour la frange méditerranéenne. Vers 1800, 36 p. 100 au centre, 49,5 p. 100 à l'est et 14,5 p. 100 pour la frange méditerranéenne. De prime abord, les marges se sont accrues par rapport au centre qui a reculé en apparence de 40 à 36 p. 100. En apparence seulement : l'Allemagne orientale et la vieille Autriche ont en partie cessé, sous l'action des despotes éclairés, d'être une « frontière ». On pourrait les annexer à la masse centrale qui grouperait, sur un million et demi de km², 80 millions d'hommes, contre moins de 70 au nord et à l'est, et 24 au sud. Cette Europe dense centrale, dans cette nouvelle acception, totalise près de la moitié (48 p. 100). L'Europe s'organise à la fin des Lumières sur un socle dur et dense de 80 à 85 millions d'âmes, avec une densité de 55 hab./km^2. Que l'on élargisse l'Europe dense à l'Allemagne centrale et orientale ou que l'on garde, pour toute la période des Lumières, la même définition du noyau central, ne change rien à une constante qui commande une saine intelligence de l'espace des Lumières. Au seuil comme à la fin, vers 1680-1690 comme aux alentours de 1790-1800, l'espace de l'Europe des Lumières se répartit entre trois niveaux irréductibles de peuplement : au centre, généralement plus de 40 hab./km^2, en Méditerranée et sur les vieux noyaux de l'Est autour de 20 hab./km^2, sur les zones frontières, moins de 10.

Voilà pourquoi la littérature de voyage donne sensiblement le même ton au début et à la fin du temps des Lumières. Mme d'Aulnoy, comme Hubert Vautrin, à un siècle de distance, et aux deux bouts de l'Europe, l'une belle aventurière en Espagne, l'autre jésuite austère, expérimentateur scientifique en Pologne. Les ports secs de la chaîne cantabrique abordés, entre le Guipúzcoa économiquement et humainement solidaire de la France et la vraie Castille, l'Oder traversé, une limite, une vraie frontière a été franchie. Le voyage d'Espagne, depuis Mme d'Aulnoy, appartient, nous l'avons déjà noté, au voyage exotique. Le voyage de Pologne de Vautrin annonce le voyage scientifique de Humboldt aux terres équinoxiales. On herborise et on note. L'Européen de l'Europe dense a, ces invisibles frontières traversées, un sentiment irrépressible de dépaysement. Parcourons une fois encore les notes de voyage de Montesquieu, les notes d'Italie si abondantes ; pour l'auteur des *Lettres persanes*, il y a une Italie européenne au nord, dans la plaine du Pô : le Piémont, la Lombardie, la Vénétie, Florence et Rome y participent (*ratione urbis*), mais le Latium, la Sardaigne, tout le reste rejoint l'exotique...

L'Europe des Lumières est à la fois immense et pourtant fortement soudée. Immense, compte tenu des moyens de transport qui n'ont pas sensiblement changé. Ses dimensions continuent d'ouest en est, du nord au sud, à se mesurer en mois. L'Europe des Lumières s'inscrit toujours dans un espace-temps, disons de trois à quatre mois — nous en avons esquissé la démonstration jadis, du moins jusqu'au milieu du XVIIIe siècle. Rien de fondamental ne survient avant 1730-1740 en Angleterre, avec la révolution des canaux ; 1760-1770 en France, avec le pavé du roi. On assiste, de 1750 à 1790 — il n'est pas imprudent de le supposer —, à une réduction de 10 à 20 p. 100 des distances-temps sur les grands axes, dans l'Europe dense des 50 hab./km². La réduction des coûts réels, grâce aux nouvelles routes et à leur proximité, est beaucoup plus considérable. Réduction des temps et des coûts réels, cette révolution silencieuse appartient d'abord aux conditions préalables du *take off*. Montesquieu, dans son voyage à travers l'Europe, constate avec satisfaction l'effort de l'Empereur : la route, sommaire, à coups de sable et de gravier, entre Vienne et l'Adriatique, marque dans le paysage le recul des Turcs. L'Autriche, entre 1720 et 1730, n'innove pas, elle aligne péniblement ses nouveaux acquis sur les normes médiocres des États patrimoniaux. En 1780, on sent encore, au niveau du réseau routier, le passage de la vieille frontière. Un siècle n'a pas suffi. En 1680, l'Europe nombreuse était, par opposition aux marges orientales, l'Europe des routes. Après un siècle le contraste sort renforcé. Aucune révolution ne se dessine à l'est, une révolution capitale se prépare à l'ouest. Il en résulte que l'opposition spatiale entre les trois Europes, dont les contours n'ont guère bougé, reste, en 1780 comme en 1680, une des clefs de l'explication historique. Le presque doublement de la densité de population (33 à 55) à l'intérieur de l'axe médian nombreux qui a favorisé l'amélioration des transports dans la seconde moitié du XVIIIᵉ superpose ses effets à l'amélioration des transports. Les deux facteurs contribueront à une réduction sensible de l'espace-temps au centre, à un accroissement sensible donc de la communicabilité. L'opposition des deux Europes, centrale et marginale, n'aura cessé de s'accentuer au niveau de la dialectique de l'homme et de l'espace. Une petite Europe dense au centre flotte au milieu d'une immense Europe mesurée en distance-temps, trente fois plus vaste en difficultés à communiquer, et irréelle, un peu comme une revanche planétaire des autres mondes sur l'Europe qui les nie.

Se méfier donc de nos rapports : 40, 48 p. 100, avons-nous proposé comparativement à l'ensemble. Cela suffisait, de toute manière, pour placer cet axe décisif en position de domination. Mais, en richesses créées, en richesses consommées, en communications échangées, l'axe médian signifie bien plus. On peut estimer le revenu par tête de l'Angleterre, vers 1780, à 130-140 p. 100 du revenu français. On peut estimer le revenu français, au minimum, au double du revenu poméranien ou mazovien, à la même date. Entre le bassin de Londres et le centre moscovite, le rapport est sans doute proche de 4 à 1. La Russie lit à moins de 5 p. 100, l'Écosse, l'Angleterre, la Hollande, la Normandie, Paris ou Genève à un taux qui oscille, vers 1780, entre 60 et 90 p. 100. Le nombre de livres par habitant doit être cent fois plus élevé, à cette époque, en Angleterre qu'en Russie. Un beau champ de recherche pour l'histoire sérielle.

Ne nous y trompons pas, l'Europe est vaste, presque trop vaste, à la fin des Lumières, au point de risquer de se dissoudre dans ses deux fanges extrêmes : la « frontière » cosaque en Ukraine, les pauvres « pionniers » du *trek* sibérien, et les 3 500 000 créoles et le million et demi de « castas » clairs qu'Alexandre de Humboldt va rappeler à l'attention de l'Europe qui les avait oubliés. Cinq millions d'hommes qui se sentent américains contre l'Espagne et le Portugal, mais « européens » contre les Indiens qu'ils ne pardonnent pas aux empires de vouloir protéger. L'Europe des Lumières, comment lui refuser ses vraies limites ? Elle pousse une pointe sur l'Amour, une autre sur les Appalaches (les États-Unis d'Amérique ne seront jamais que la plus glorieuse des Europes), une autre à l'intérieur des Andes et sur la « frontière » minière du Mexique. Qui pourrait contester aux correspondants privilégiés d'Alexandre de Humboldt, à don Fausto d'Elhuyar, directeur du *Colegio de mineria* de Mexico, à Andrés Manuel del Río, professeur au même collège (qui découvrit le vanadium), à la brillante cohorte des géologues minéralogistes, professeurs et ingénieurs des mines du Mexique, presque tous nés en Espagne et appelés pour beaucoup à y revenir, à don José Celestino Mutis, un des grands botanistes du XVIIIᵉ siècle, à Caldas ou à Montifar, martyrs de la cause séparatiste, qui témoignent si bien de l'influence de Bouguer et de La Condamine, dans le Nouveau Royaume de Grenade, qui pourrait leur contester le droit de citoyenneté dans l'Europe des Lumières ? L'Europe est trop vaste, l'Amérique hispanique régresse au XIXᵉ siècle. Après le siècle des Elhuyar et des Mutis, celui des *caudillos*. On ne peut tout conserver, il est sain quelquefois d'abandonner, pour un temps, une province lointaine.

Que cette explosion de « frontières » géographiques ne nous détourne pas de l'essentiel. La « vraie » frontière des Lumières regarde vers l'intérieur. Elle est celle de la pensée scientifique et technique ; elle suppose le monde nombreux des lisants et des communicants : 90 p. 100 des lisants, 95 à 98 p. 100 des opérants de la science expérimentale vivent dans l'axe nombreux au centre. L'Europe des Lumières n'est une grande Europe que sous un certain angle ; elle est, pour l'essentiel, l'Europe ramassée de la communication accrue. En terme d'espace, à peine plus d'un million de km², une densité humaine à 50, quelques centaines de milliers d'êtres humains appuyés sur une réserve potentielle de cinquante millions d'hommes. L'Europe se fédère autour de ce noyau. 80 p. 100 de ce qui compte vraiment. Cette réalité n'avait échappé ni à Frédéric II, ni à Catherine de Russie. Mais où s'arrête la frontière ? Les dimensions de l'Europe des Lumières ne se prennent bien qu'à l'échelle planétaire, par comparaison avec les univers-temps des autres civilisations et des « cultures ». Un certain équilibre s'est établi dans la seconde moitié du XVIᵉ siècle au terme du processus de désenclavement planétaire par l'Extrême-Occident chrétien des univers fractionnés qui, jusqu'alors, morcelaient le monde des hommes en autant d'espaces murés aux destins autonomes — nous nous sommes expliqué sur ce point.

L'isolement, depuis 1550, est brisé. Depuis 1550-1570, la masse globale des échanges entre l'Europe et une fraction limitée des autres mondes a tendance à plafonner. Plateau ascendant de 1560 à 1610-1620, descendant de 1610 à 1640, ascendant de 1640 à 1660-1670. Pas de sensible reprise avant les dernières années du XVIIᵉ. Une mutation des échanges se place au niveau du milieu du XVIIIᵉ siècle. Le niveau des échanges entre l'Europe *lato sensu* et le reste du monde a été multiplié par cent de 1400 à 1600. Il sera multiplié par dix, en gros, de 1750 à 1800. De 1550-1600 à 1700-1750, la montée d'un côté est pratiquement annulée par le recul d'autres secteurs. Le niveau de 1680 est, en général, inférieur aux niveaux atteints en 1600. La montée de 1680 à 1720 est d'autant plus spectaculaire qu'elle englobe une part de rattrapage. Le rapport Europe / civilisation et « cultures », jusqu'au milieu du XVIIIᵉ, reste celui du second XVIᵉ siècle. On communique assez pour se connaître, pour que des influences s'exercent au niveau des représentations et des pensées. La Chine trouble l'Europe des années 1680. Et pourtant, l'Europe est restée sur les rivages ; l'Asie est intacte, l'Afrique est abîmée mais non pénétrée.

Reste l'Amérique, le domaine privilégié de l'Europe hors d'Europe, le domaine des territoires issus de la *Conquista* et d'une « frontière », qui réalise outre-Atlantique une mutation des paysages, des rapports de l'homme et du sol, comparable à celle que Polonais, Russes et Allemands réalisent dans la plaine du Danube et au sud de la grande forêt nordique. Au départ, il n'y a que deux empires, les empires de l'Europe méditerranéenne, le Portugal et l'Espagne. L'expansion hollandaise prend son élan à l'extrême fin du XVIᵉ. Les efforts de l'Angleterre et de la France ne deviennent cohérents qu'au XVIIᵉ siècle. En 1680, cette chronologie continue à commander. Hollandais, Français et Anglais sont au centre d'importants réseaux commerciaux, ils sont présents en Amérique, dans l'océan Indien et l'Insulinde par quelques bases permanentes.

Entre 1670 et 1680, les Hollandais occupent d'une manière permanente six comptoirs sur la côte de Malabar et de Coromandel : Colombo, Jaffna enserrent les côtes occidentales et méridionales de Ceylan ; l'île Maurice est occupée depuis 1638. Malacca contrôle le passage vers les mers de Chine et des épices, Formose, dont les côtes sont en partie contrôlées, contrebalançant l'influence de Macao portugais, un dixième de Java est étroitement surveillé, le contrôle effectif des Moluques assure la liaison annuelle ; l'entrouverture du Japon à Nagasaki est à l'actif d'une filiale de la Vereenigde Oost Indische Compagnie dont la puissance n'a cessé de s'accroître depuis 1602. Les Portugais restent, entre autres, à Goa, Macao, et en plusieurs points à Timor et dans l'extrême est de l'Insulinde. Les Anglais, à Bombay dès 1660, cherchent depuis 1626 à prendre pied à Coromandel. En 1639, le souverain du petit État de Vijayanagar leur accorde une concession à Madras, ils y élèvent le fort Saint-Georges. Toutes les tentatives, toutefois, de l'East India Company pour prendre pied dans le golfe du Bengale échouent au XVIIᵉ siècle. Haziharpur, Balasore, Moogly, Patna et Cassimbaza sont successivement occupés puis abandonnés. La France s'est installée à la Réunion (1638-1639), elle a fini par échouer sur la côte sud de Madagascar à Fort-Dauphin. Chandernagor est occupée en 1673, Pondichéry en 1688. La Compagnie hollandaise des Indes orientales n'en contrôle pas moins 75 à 80 p. 100 des communications maritimes directes de l'Europe avec l'Asie et l'Insulinde. Reste, difficile à chiffrer, mais chaque année déclinant, ce qui continue à filtrer par la voie traditionnelle des boutres arabo-indiens à travers les Échelles du Levant : ce commerce florissant jusque vers 1620 n'intéresse plus guère que la Méditerranée orientale contrôlée par les Turcs, donc la marine grecque et le commerce arménien.

En Afrique, les puissances maritimes s'assurent dans le golfe de Guinée, à la hauteur de l'Angola bakongo et de Sofala, des bases pour la traite. Les Petites Antilles caraïbes abandonnées par l'Espagne sont réparties entre Français,

Anglais et Hollandais. Deux grosses brèches : les Anglais à la Jamaïque depuis 1658, les Français en train de s'approprier la côte ouest de l'Espagnole derrière les « Frères de la Côte » reconnus à Ryswick en 1697. Les Scandinaves sont intermittents, les Hollandais ont pris pied à Curaçao, Aruba, Tobago. Anglais, Hollandais et Français multiplient les tentatives sur la côte sauvage de la Guyane. Entre la Nouvelle-Angleterre et la Caroline, les Anglais occupent effectivement 15 000 à 20 000 km^2 du sol, qu'ils ont, avec l'aide de quelques milliers de Noirs au sud, défrichés de leurs mains pour y planter du seigle, du tabac, de l'indigo. Non conformistes de tout poil, des Écossais aussi, quelques Hollandais laissés, par la défaite de la Compagnie des Indes occidentales, à la Nouvelle-Amsterdam, et des Allemands. Au nord, les Français occupent 2 000 km^2 dans la vallée du Saint-Laurent, et parcourent d'immenses espaces dans l'étonnante entreprise de la traite indienne.

Tout cela, bout à bout, ne pèse pas lourd. L'Amérique anglaise n'est pas beaucoup plus que l'Irlande du Nord, ce quasi-désert proche que les montagnards presbytériens de l'Écosse commencent à défricher. La nouvelle Europe maritime vise outre-mer, d'abord le contrôle et la sécurité des routes, et, dans les îles, 15 000 à 20 000 km^2 de terres volcaniques, pour la plantation, avec l'appoint des Noirs cueillis sur les côtes d'Afrique. De quoi assurer un supplément de sucre, là où le miel ne suffit plus, dans l'Europe nombreuse (il suffit à l'est en Russie), un supplément de tinctoriaux et le paradis artificiel de la feuille à pétun... Dans l'invention géographique, l'Europe nombreuse est une tard venue des Lumières et de l'ère industrielle. Ainsi, vers 1680, les Ibériques restent en tête et, en 1780, qui oserait prétendre que l'Empire espagnol, en étendue et en richesse, ne dispute pas encore la première place à l'*Old British Empire* ?

Ces empires sont des espaces maritimes, des espaces terrestres, des volumes d'échanges et des hommes. Des espaces maritimes d'abord. Cette notion est essentielle. C'est autour d'un Atlantique en forme de trapèze, autour d'un Atlantique allongé le long des méridiens, autour d'un ensemble de deux triangles dans l'océan Indien, et d'un trapèze dans le Pacifique, que les empires ibériques se sont structurés au XVIe siècle. Tels au milieu du XVIe, tels à la fin du XVIIe. Rien ne bouge avant le milieu du XVIIIe siècle. Les Hollandais ont emprunté leurs leçons aux Portugais. Leurs océans sont un peu plus vastes, un peu plus sillonnés au XVIIe que l'espace portugais au XVIe, les Anglais ont inventé, entre l'Europe et l'Amérique, un Atlantique trapézoïdal, plus au nord et sensiblement plus vaste. L'Atlantique qui unit Cadix à l'Amérique couvre 20 millions de km^2, l'Atlantique méridien, entre Lisbonne, l'Afrique et le Brésil : 15 millions de km^2. L'Atlantique Nord des Anglais et des Français : 15 à 20 millions de km^2. L'Atlantique parcouru à la fin du XVIe siècle couvrait 30 millions de km^2. L'Atlantique sillonné entre 1680 et 1750 totalise, au maximum, 40 millions de km^2 (dix-huit Méditerranées). A la charnière des XVIe et XVIIe siècles, les Ibériques avaient sillonné 35 à 40 millions de km^2. Un siècle plus tard, l'arrivée des Hollandais et des Anglais aura ajouté tout au plus 10 millions de km^2 aux plaines liquides connues. Deux siècles après les grandes découvertes de la Renaissance, la géographie des mers connues n'a guère varié. Les navires de l'Europe ne sont jamais sortis de quelques larges couloirs de navigation.

Nous avons calculé ce que représentait la navigation européenne sur ces espaces maritimes au XVIe et dans la première moitié du XVIIe siècle : 40 000 à 45 000 unités-voyage. Un voyage dure de 2 à 4 mois. Au total, 3 000 000 de jours de navigation/navire, de 1500 à 1650. De 1650 à 1750, 80 000 unités-voyage, 6 000 000 de jours de navigation/navire. Les océans impériaux sont gardés de 1500 à 1650, à raison d'un navire par jour pour 1 200 000 km^2. De 1650 à 1750 à raison d'un navire pour 450 000 km^2. Objectivement, cela ne change pas grand-chose. Une telle présence reste dérisoire.

Alors faut-il s'étonner que ces beaux empires européens sur mer aient composé ? Les derniers raids esclavagistes des Barbaresques en Méditerranée, sur les côtes du Levant espagnol, du Languedoc et de la Provence datent du XVIIIe siècle. Sur le vaste Océan... Des boutres, des jonques, une petite navigation continuent leur train-train séculaire. De 1500 à 1650, derrière les 40 000 unités impériales, nous avons supposé 40 autres milliers de présences. Au-delà de 1650, le reflux de ce vieux monde condamné par la dynamique Europe est commencé. Derrière les 80 000 unités impériales, supposons 20 autres milliers de présences. Aucun risque de se gêner, peu de chances de se rencontrer. Les nouveaux maîtres de la mer, Anglais et Hollandais, ne sont pas beaucoup plus efficaces contre les pirates et les forbans que jadis les Ibériques. Cette immensité salvatrice joue au détriment des forts et au service des faibles. La maîtrise de la mer ne devient effective au profit de l'Angleterre que tardivement et progressivement, de 1792 à 1814. Sur mer, les empires issus de l'Europe des Lumières, au début du XVIIIe, restent des entités fuyantes, derrière de fausses rigueurs juridiques.

Vers 1600, les empires outre-mer couvrent environ 2,5 millions de km². À l'intérieur, toute une gamme de présences, depuis le secteur européen créole jusqu'aux zones amérindiennes acquittant un tribut recognitif et intermittent. En dehors de ces 2,5 millions de km² en Amérique, des zones parcourues repérées en attente et sans hostilité déclarée. En 1680, les choses ont bougé sur deux points. L'Amérique du Nord des Français et des Anglais annexe effectivement 100 000 km² environ, qu'elle prolonge par un terrain de parcours d'un million de km². La zone contrôlée au Brésil approche le demi-million de km². L'Amérique espagnole, pour réussir à conserver le même nombre d'hommes, s'est accrue d'un demi-million de km². Les empires en Amérique, avant la grande mutation des Lumières, vers 1680, embrassent un peu plus de 3 millions de km² auxquels s'ajoutent un million et demi de km² repérés. La « frontière » ultra-marine, à l'ouest, reste très en deçà de la grande « frontière » orientale. Moins de 200 000 Européens hors d'Europe en 1600. En 1680, 600 000 à 700 000, un million entre 1710 et 1720. A partir de 1750, la population blanche de l'Amérique du Nord dépasse la population créole des deux vieux empires ibériques en Amérique.

Voilà pour les empires. Du même coup on voit bien ce qu'ils ajoutent à l'Europe. Vers 1680-1690 en accordant au « dominé » amérindien des Indes occidentales le même poids économique qu'à l'Européen (ce qui est excessif), les empires ne dépassent pas 12 à 13 p. 100 de l'ensemble de l'Europe. Voltaire, dans un sens, n'avait pas tort. Une relation que modifie, d'ailleurs, l'explosion spatiale des Lumières après 1750. En valeur ajoutée, toutefois, cette petite frange entraînante a pu peser beaucoup.

En face, que vaut le monde ? Autour de 1680, quand l'Europe (expression géographique, partie turque comprise) monte un peu au-dessus de 100 (85 millions dans la définition plus stricte que nous avons retenue), l'Asie vaut 280 à 350, l'Afrique 60, l'Amérique, dépeuplée par le choc microbien et viral du XVIe siècle, 13, l'Océanie, 2... L'Europe et ses prolongements outre-mer, 120 millions sur 550 (22 p. 100). Face à l'Europe, quand commence la croissance des Lumières, il n'y a plus que la Chine. La Chine sort de la plus terrible des crises. L'invasion mandchoue s'accompagne d'une série de cataclysmes et de ruptures. Le reflux chinois, saisi grâce aux Livres jaunes, de 1600 à 1660, est de l'ordre du repli de la seconde moitié du XVIe, en Europe, un double au simple. 130 millions pour la fin du XVIe siècle, 65 millions vers 1650. Vers 1850, après la plus longue montée continue de son histoire, elle atteint 350 millions. Combien, en 1680, quand l'ordre mandchou a porté ses fruits ? Disons une Europe. Elle grandira un peu plus vite au XVIIIe, un peu moins au XIXe siècle, beaucoup plus vite au XXe, mais, à partir de l'ère des Ting, la vieille égalité un moment ébranlée ne sera plus remise en cause.

Cette vieille égalité est une fausse égalité. Depuis le XIIIe siècle, la distance technologique, en dépit de toutes les apparences, entre la Méditerranée basculée en Europe et le reste du monde, n'a cessé de croître. La supériorité de l'Europe plonge quelques-unes de ses racines dans un double choix : en faveur d'une alimentation carnée à base de protéines animales et en faveur du moteur musculaire animal. Il y a montée des protéines animales depuis le XVe siècle dans les bilans européens (recul progressif au XVIe, alignement vraisemblable au XVIIIe sur des niveaux que l'on peut supposer être ceux du XIIIe). Les Européens « luxueusement » nourris s'opposent globalement, par-delà les nuances régionales, aux autres hommes. Cela est vrai au XVIIIe siècle. L'Europe carnivore recourt massivement, en outre, au moteur musculaire animal. On constate non sans surprise qu'au milieu du XVIIIe, chaque habitant dispose déjà, dans l'espace européen, en moyenne de vingt-cinq fois plus d'énergie que son appareil musculaire n'est susceptible de lui en fournir. Ce moteur d'avant la révolution industrielle pèse lourdement sur le « maximum théorique » de peuplement ; il cumule ses effets avec le luxe alimentaire dispendieux du recours aux protéines animales.

Quoi qu'il en soit une chose est à peu près sûre : l'homme européen possède, au début du XVIIIe siècle, un moteur par tête, en moyenne cinq fois plus puissant que celui que possède l'homme chinois et dix ou quinze fois supérieur à celui dont disposent les hommes des autres civilisations et des cultures. L'Europe possède à elle seule un peu plus de moyens que le reste du monde. Au moment où commence le temps des Lumières, les structures monde développé-tiers

monde sont déjà en place. Sans doute depuis le XIIIe siècle,
et peut-être avant. L'inégalité que les Lumières vont faire
éclater puise ses racines et ses raisons dans la très longue
durée. L'émergence que les hommes du bassin de la
Méditerranée réalisent en Égypte et en Mésopotamie, aux
alentours des années 3500-3000 avant J.-C., se situe en
Chine quinze siècles plus tard. L'Inde, l'Amérique, le reste
léger du monde viennent après. Ce qui manque le plus aux
autres civilisations et *a fortiori* aux cultures, c'est le temps.
Vieille Europe et jeune Chine Vieille Europe et jeunes
cultures. On ne rachète pas le temps.

Nous nous sommes arrêtés longtemps sur l'équilibre au
départ; un équilibre que l'histoire des Lumières va assez
profondément modifier au bénéfice de l'Europe, bien sûr,
autour de deux dates tournantes : 1680-1690; 1750-1760.
1680-1690, dates rondes, sont surtout des dates américaines.
La « frontière » américaine, stabilisée depuis le milieu du
XVIe, reprend sa marche en avant. Tout commence au
Brésil. Deux chiffres résument la croissance brésilienne :
60 000 habitants à la fin du XVIe, 2 millions à la fin du XVIIIe.
Le Brésil prend corps et densité un grand siècle après
l'Amérique espagnole. Il préfigure l'histoire même de
l'Amérique du Nord. Le Brésil, vers 1680-1690, enserrait,
dans un tissu lâche de présence, 400 000 à 500 000 km² de
territoires plus repérés que vraiment saisis; le Brésil, vers
1750, arrive presque partout aux bords de l'immense selve
amazonienne. Il couvre 3 millions de km². Le cycle de l'or et
des diamants, qui entraîne la grande mutation spatiale,
prend son élan dans les dernières années du XVIIe siècle. On
peut suivre sur la courbe des arrivages de l'or à Lisbonne le
déferlement de la « frontière » de la mine, à travers le
plateau des Minas Gerães : 725 kilos en 1699, mais déjà
4,350 t en 1703 et 14,5 t en 1715, 25 tonnes en 1720, 14 à 16
tonnes très régulièrement de 1740 à 1755.
    Par une curieuse mais significative coïncidence, la véri-
table Amérique de la vraie « frontière » se met en mouvement
elle aussi dans les deux dernières années du XVIIe siècle, au
sortir de la terrible crise de 1675-1677 qui faillit emporter la
colonisation blanche; c'est la première grande guerre
indienne de l'Amérique non ibérique, la preuve irréfutable
de la mise en marche irréversible du rouleau compresseur de
la « frontière »; elle n'est, à tout prendre, qu'un épisode de
la lutte que, depuis le XIIIe siècle, les sédentaires mènent de
plus en plus durement contre les nomades.

Une leçon sûre se dégage des deux Amériques. Victoire
facile au Brésil, crise de croissance en Amérique du Nord.
La « frontière », immobile depuis le début du XVIIe siècle
sur un plateau presque horizontal, change de cap et de
rythme. Un bond en avant s'opère de 1680 à 1730-1740. Il
incorpore, au total, un peu plus de 3 millions de km² très
inégalement saisis (l'implantation est médiocre au Brésil)
aux 2 millions et demi contrôlés au XVIe siècle. 1680, date
ronde, est, à l'ouest comme à l'est, une grande date de la
« frontière » de l'Europe. Le passage de la petite à la grande
Europe se joue, là aussi, en 1677, en 1695, au sortir de la
crise économique atlantique, au moment précis où
commence l'explosion spatiale du Brésil, de la côte sucrière
aux plateaux miniers. La mutation de la fin du XVIIe siècle
n'a pas fini de nous surprendre. Cette fermentation sur les
franges s'accompagne, nous le verrons, d'un profond
marasme interne. Le démarrage colonial, ultra-marin, fron-
talier, de la fin du XVIIe siècle, s'apparente au démarrage de
l'expansion européenne, au creux d'une vague interne, à la
charnière des XIVe-XVe siècles. En cela, il s'oppose au second
démarrage au-delà de 1750, en corrélation positive, cette
fois, avec la conjoncture interne. Cette fermentation des
« frontières » s'accompagne, en outre, d'une reprise de
presque tous les trafics. Elle est partout évidente. Des ports
anglais jusqu'au lointain observatoire de Manille.

La deuxième mutation se situe à la hauteur du demi-
siècle, soixante-dix ans après. L'histoire traditionnelle a
masqué l'essentiel derrière un accessoire, le sommet de la
rivalité franco-britannique. Cette rivalité découle elle-même
du prodigieux bond en avant des « frontières », du recul,
partout, des autres civilisations et des cultures. 1750, la
« frontière » minière du Mexique part à l'assaut vers le nord
du Mexique sec, en avant de l'isohyète des 500 millimètres.
Entre 1740-1750 et 1780-1790, l'Amérique espagnole, sans
bruit, double. Elle atteint 8 millions de km² contrôlés à
l'époque de Humboldt (1799-1804). En Amérique du Nord,
la phase finale du conflit franco-anglais est la conséquence
directe de la marche en avant de la « frontière » anglaise, en
direction des Alleghanys, et du Mississippi dans une perspective plus lointaine.

1689-1697, 1702-1713, 1745-1748, 1754-1763, tels sont les
temps des conflits : 29 années sur 74. Bien sûr, ces guerres
sont des guerres impériales, dont l'Amérique n'est qu'un
secteur. Elles scandent, à leur manière, les grands moments
de la croissance. Elles vont par paire. 1689-1713 ; 1745-

1763. Vous retrouvez deux temps fondamentaux de l'expansion. 1689-1715, le premier démarrage ; 1745-1770, le grand coup d'épaule qui déclenche une marche en avant à peu près ininterrompue jusqu'à l'absorption par un pouvoir issu de l'Europe, entre 1885 et 1890, des derniers vides planétaires, le passage de l'espace ouvert à un espace définitivement clos. Désormais, il n'y aura plus de « frontière » facile. A partir du processus enclenché entre 1745 et 1750, deux frontières, la « frontière » spatiale et la « frontière » technologique, entrent en concurrence. Depuis l'ère de l'espace planétaire clos à la fin du XIXe siècle, commence le règne exclusif de la « nouvelle frontière ». 1689-1713, 1745-1763, rythme essentiel. Il ne doit pas masquer l'accessoire. Les guerres franco-anglaises vont par deux : 1689-1697, 1745-1748. La France, malgré l'infériorité de ses positions, marque plus de points qu'elle n'en perd. 1702-1713, 1754-1763, c'est la défaite française, partielle en 1713, malgré la perte des postes de la baie d'Hudson et de l'Acadie, point de départ d'une étrange odyssée ; totale en 1763.

Ces guerres atlantiques et européennes sont aussi pleinement américaines. Elles découlent de la rencontre d'un front de colonisation et d'une zone de parcours. La menace française sur les zones de parcours de la traite indienne s'est lentement précisée. Elle est à long terme, puisqu'en organisant la Louisiane (La Salle est à l'embouchure du Mississippi le 9 avril 1682) l'espoir de la Régence apporte des compensations aux revers d'Utrecht (1713). Notez que la construction d'une Louisiane française est contemporaine de la première poussée extérieure des Lumières, 1690-1720. En fait, cette esquisse encore floue d'Amérique française interdisait à l'Amérique anglaise de regarder au-delà des Appalaches. A partir de 1702, le danger se précise du fait de l'alliance franco-espagnole. La Nouvelle-Espagne sert de point d'appui à une nouvelle conquête, en avant même de la « frontière » de la mine. Les premiers raids sérieux dans l'Arizona se placent en 1696 et la création du préside de Peniscola (San Carlos de Austria). En 1700, raid profond chez les Pueblos du Nouveau-Mexique. Danger à long terme et danger immédiat dans la mesure où les coureurs de bois sont souvent tentés de fournir cadres et moyens à la résistance indienne. Cette guerre est la guerre d'une « frontière » prise à revers par une *Conquista*. En dehors de la vallée du Saint-Laurent et de l'embouchure du Mississippi, les installations françaises, faute d'hommes (parce que coupées du bénéfice d'un refuge), sont réduites à l'encadre-

ment pour la traite du monde indien. Le danger pour la
« frontière » anglaise : se heurter à un monde indigène
organisé, renforcé, maintenu pourtant dans son genre de
vie, consommateur d'espace, et pourvu d'armes à feu. Les
tentatives maladroites de la frange pionnière, en Virginie,
pour poser des jalons en direction du Mississippi (l'Ohio
Company, la Loyal et la Greenbier Company), échouent,
dans un effort qui vise implicitement à lancer une *Conquista*
devant la « frontière ». Le Massachusetts, au nord, n'est pas
plus chanceux. Sans l'appui des régiments britanniques, et
l'habileté de James Wolf, Québec ne serait pas tombée en
1760. Le traité de Paris (1763), en supprimant la rivalité
franco-anglaise en Amérique, réalise une des conditions
d'un véritable bond en avant. L'Amérique anglaise passe de
890 000 habitants en 1740 à 1 207 000 en 1750, 1 610 000 en
1760, 2 205 000 en 1770, 2 781 000 en 1780, 3 930 000 en
1790.

Depuis 1740 environ, la rivalité des compagnies française
et anglaise, aux Indes, prend un tour dramatique. La facile
victoire de Dupleix en 1740 sur le nabab de Carnatic révéla
l'extraordinaire faiblesse politique et militaire du demi-
continent, après la décomposition accélérée de l'ordre
mogol. On sait comment la Compagnie française réussit, de
1745 à 1754, à dresser un protectorat très souple sur la plus
grande partie du Dekkan et la Confédération des Mahrattes,
quelque 30 millions d'âmes d'après un compte généreux.
Construction sans lendemain pour la France : Dupleix, cela
compte, a ouvert la voie à la Compagnie anglaise et à Clive.
Le point d'attaque au Bengale, dans une zone nombreuse
affaiblie par les oppositions entre hindouistes et musulmans,
était meilleur que le Dekkan, lors de la première tentative
française, douze ans plus tôt. La bataille de Plassey (23 juin
1757) est une grande date courte. En 1767, le protectorat
s'étend du Bengale au pays des Circars. Sous le gouvernement de Warren Hastings, la Compagnie pénètre profondément dans les terres, par le jeu des alliances et des
protectorats, isolant progressivement l'intérieur du Dekkan,
où Tippou-Sahib conduit, aidé en sous-main par les Français, une résistance acharnée mais sans espoir. La Compagnie anglaise réussit à exercer, vers 1790, une sorte de
contrôle sur une cinquantaine de millions d'hommes. Un
seuil, cette fois, a été franchi.

Quand les Lumières s'éteignent, l'Europe, hors d'Europe, exerce une sorte de contrôle outre-mer, non comptée
la Sibérie, en continuité de présence, sur une quinzaine de

millions de km^2 — 15 millions de km^2, 75 millions
d'hommes. 75 millions d'hommes, environ 45 à 50 p. 100 de
la population européenne, en Europe, vers 1780 : 75 millions d'hommes, dont 7 millions de Blancs et un peu plus,
déjà, de métis. La mutation qui s'est opérée sur terre, de
1750 à 1780, doublement des surfaces, quintuplement des
hommes, ne peut être comparée qu'à la mutation de la
Conquista au début du XVIe siècle, en corrélation positive
avec la croissance à l'intérieur du continent européen, en
point d'appui, cette fois, sur une Europe en pleine invention
démographique et technologique. En 1780, au terme des
Lumières, l'Europe *intra* et *extra muros* contrôle 30 p. 100 de
l'ensemble des hommes. L'érosion des autres espaces cultu-
rels-temps est entamée.

La mutation des empires, sur terre, s'accompagne d'une
mutation comparable sur mer. Entre 1750 et 1780-1790, en
très gros, la surface des océans s'est accrue de plus d'une
moitié, 120-130 millions de km^2 au moins, le nombre des
navires, en présences journalières, a décuplé. Cette mutation
spatiale fondamentale a des bases technologiques : la révolution du point sûr et facile. Elle est liée à l'existence d'un
chronomètre assez précis pour conserver, pendant des mois
de navigation, une heure de référence. Harrison, puis
Le Roy et Berthoud, 1767-1772. La méthode des distances
lunaires et des conjonctions d'étoiles qui permettait à des
astronomes habiles un calcul de longitude à terre n'était pas
utilisable en exploration rapide, *a fortiori* en navigation
courante. 1775-1780, des chronomètres de précision à un
prix non totalement prohibitif, les îles cessent de flotter dans
l'Océan des cartes. L'exploration du Pacifique est contemporaine du chronomètre.

Bougainville, Cook, La Pérouse... Malaspina, Vancouver
scandent la mutation de l'espace océanique dans la seconde
moitié du XVIIIe siècle. Bougainville a fondé un établissement acadien aux Malouines en 1763, qu'il doit remettre en
1766 à l'Espagne. En 1767 commence le grand voyage d'est
en ouest. En janvier 1768, *La Boudeuse* et *L'Étoile* pénètrent
dans l'océan Pacifique. Il a observé les Patagons d'un regard
anthropologique, il retrouve Tahiti découverte en 1606 par
Queiroz d'abord, Wallis ensuite. Les jeunes femmes tahi-
tiennes offrent aux étrangers (avril 1768) une hospitalité
sexuelle qui fait rêver Diderot. Les Samoas, les Nouvelles-
Hébrides s'ajoutent à la liste des redécouvertes. Mais le
point fixé exactement permet de dresser une carte utile.

Bougainville débarque à Saint-Malo le 16 février 1769, une circumnavigation bouclée en deux fois moins de temps qu'à l'époque de Magellan et de Sébastien Elcano. Ce gain du simple au double, en deux siècles et demi, mesure le progrès modeste mais sûr des techniques de la mer. Ce que Bougainville a entrevu, James Cook, lui, l'a accompli. Cet autodidacte a connu la rude école des navires charbonniers britanniques. Le mobile est scientifique : conduire au milieu du Pacifique les astronomes chargés d'observer le passage de Vénus sur le disque solaire, à l'endroit le plus propice démontré par Lalande. L'*Endeavour* part de Plymouth le 25 août 1768 ; il parvient à Tahiti le 13 avril 1769. La Nouvelle-Zélande et une longue frange de côtes australiennes sont le fruit le plus tangible du premier voyage. Le regard de Cook, bien plus que celui de Bougainville, est ethnologique. Sa démarche sûre. L'*Endeavour* entre à Douvres le 13 juillet 1771. Au cours du second voyage (1772-1775), Cook démontre, en franchissant plusieurs fois le cercle polaire, l'inexistence du continent austral. Après le Glacial antarctique, il s'attaque, en 1776, à l'océan Glacial arctique ; il cherche vainement la passe nord, et meurt sous les coups des sagaïes des indigènes des îles Sandwich (Hawaii), comme jadis Magellan à Cebu. La Pérouse, Vancouver, Malaspina achèvent, au cours des années 80-90, de dessiner la carte du plus grand Océan.

Le monde, à la fin du xvie siècle, s'était refermé sur lui-même, à la limite technique de ses possibilités. Les Européens avaient pu réaliser la circumnavigation, les conditions de la navigation du xvie siècle ne permettaient pas de conserver toutes les côtes à l'intérieur d'une esquisse même rudimentaire d'économie-monde. Nous avons jadis formulé les lois des grands trafics du xvie siècle, imprévisibilité, progression géométrique du prix du kilomètre ajouté au-delà d'un seuil variable, hétérogénéité des allers et des retours. On peut estimer qu'à cette lointaine époque, sur les lignes les plus meurtrières (Mexique, isthme de Panama et Inde portugaise), 15 à 25 p. 100 des marins embarqués au départ meurent au cours d'un voyage de deux ans, 20 à 35 p. 100 quand l'aller et retour dure trois ans, plus entre le Mexique et les Philippines. Les chances qu'on a, au xvie siècle, de faire l'aller et retour Séville-Manille sont faibles. Sur l'axe Japon-Lisbonne, la situation est comparable. Dans ses grands axes, l'univers de l'expansion européenne avait atteint, pour deux siècles, une sorte d'absolu comparable à la

vitesse de la lumière : cinq années pour un aller et retour,
mais une chance sur deux, en moyenne, pour chacun de
ceux qui tentèrent l'aventure, de revenir, vivre entre ses
parents le reste de son âge. Le poids d'une distance, si faible
soit-elle, ajoutée au-delà de ces limites, est tel qu'il devient
impossible d'aller plus loin. Au-delà du Japon et des
Philippines, l'espace de l'univers en expansion de l'explosion planétaire des xve-xvie siècles avait atteint son point de
flexion et de courbure. Pour deux siècles, en gros, l'univers
de l'expansion européenne est doté de dimensions absolues.
Il n'est pas encore limité par la planète ; il se referme une
dernière fois sur lui-même. Ce n'est pas encore la terre qui le
borne, c'est le pouvoir des hommes. Il ne manquait pas
grand-chose aux caravelles, aux galions, aux naves et aux
caraques pour enserrer vraiment toute la terre. Mais il leur
manquait quelque chose.

Voilà fondamentalement ce qui change, avec les *indiamen*,
les frégates, les clippers, le chronomètre de Harrison, de
Le Roy et de Berthoud : un progrès de 20 p. 100 provoque
la désescalade de la distance ajoutée. Le rayon de courbure
de l'espace s'allonge suffisamment pour qu'un au-delà
devienne accessible au-delà des bouts du monde du xvie
siècle. Le monde s'ouvre, entre 1760 et 1770, pour se
refermer rapidement, non plus sur le pouvoir des moyens de
l'homme des Lumières, mais bien sur la terre entière. La
victoire de la grande Europe débouche sur un univers clos,
avant que se ferment les dernières « frontières », dans les
dernières décennies du xixe siècle. Jusqu'au 20 juillet 1969.

CHAPITRE II

LES DIMENSIONS
DE L'HOMME

Un progrès modeste mais pourtant décisif, dans l'ordre de la communication, entre des hommes plus nombreux, pour l'éthique de la croissance, par transfert et détournement de la vieille ascèse chrétienne, pour la construction, sans autre but, d'une cité toujours plus grande, d'hommes toujours un peu plus uniquement consacrés à l'élargissement de cette cité. Plus d'hommes, sur plus d'espace, plus d'échanges, de communications, une pensée plus tournée vers les choses, une interpénétration progressive de la pensée théorique et de la pensée pratique. Mais d'abord plus d'hommes. Sans cette générosité à la base, rien n'est possible. Sans la *Vital Revolution,* pas d'Europe des Lumières, pas de mutation de croissance.

*

Commençons par une « pesée globale ». Le doublement de la population européenne est la première donnée à peu près sûre des Lumières : de 1680 à 1800, le doublement en cent vingt ans, quatre générations. Nos certitudes sont très inégales, meilleures à la fin de la période qu'au début, meilleures pour l'Europe médiane nombreuse que pour les franges de l'Est et l'Espagne. Nous risquons, bien souvent, de mesurer à l'est les progrès d'un État plus efficace qui compte mieux ses hommes. Une difficulté plus générale découle des limites : elles varient de plusieurs millions de km^2. Tout dépend aussi des termes retenus. 1680 ne prête guère à discussion. Le démarrage de la révolution industrielle invite à ne pas dépasser 1780-1790. Le doublement des Lumières est atteint, dans une minorité de cas, en 1770 ;

il est obtenu partout, sauf en France (19 millions, 27 millions) et en Italie (12 millions, 18 millions), entre 1680 et 1800.

Nous ne pouvons apprécier la croissance de l'Europe des Lumières que par référence à d'autres continents et à d'autres époques. A d'autres continents. L'Europe, la Chine, l'Amérique coloniale se mesurent au xviiie siècle; l'Afrique, l'Inde, le monde arabe s'évaluent. Supposons la difficulté résolue. La population, entre 1680 et 1800, s'accroît de 50 à 55 p. 100. Plaçons l'Europe et la Chine d'un côté de la balance, le reste du monde de l'autre. La croissance des deux masses lourdes se situe entre 220 et 250 p. 100 d'une part; elle tombe à moins de 10 p. 100 pour le reste des hommes. Au xviiie, l'Europe et la Chine jouent la folle croissance, la Chine un peu mieux encore que l'Europe, le reste du monde choisit la solution paresseuse d'une horizontale séculaire.

Le doublement des Lumières est-il unique? Cherchons le précédent. La population européenne a sans doute doublé de 1450, date ronde, à 1650, autre date ronde. Elle a dû doubler du milieu du xie à la fin du xiiie siècle. Replacée dans la très longue durée, au niveau même de l'analyse macroscopique la plus élémentaire, la différence saute aux yeux.

Le doublement séculaire s'est opéré sur une étendue beaucoup plus vaste que jamais auparavant. Le doublement du long xvie siècle a demandé deux siècles, celui de la mutation agricole médiévale, peut-être davantage. Les pentes du xviiie siècle (celles surtout du second xviiie) sont des pentes insolites. Second trait qui accentue la spécificité du doublement des Lumières, le point de départ. La vague du long xvie siècle part d'un creux profond. Elle est essentiellement récupération. Les niveaux de 1600-1630, dans bien des cas, ne dépassent pas sensiblement ceux de la fin du xiiie siècle. Pour l'Allemagne et l'Europe de l'Est, oui, pour la France, à peine. Troisième trait : la croissance du xviiie est plus périphérique que centrale, la montée du xvie siècle essentiellement centrale. Quatrième trait : le doublement séculaire du xviiie est non seulement plus rapide, mais il ne s'arrête pas au terme du doublement. Il s'accélère dans la première moitié du xixe siècle et les premiers signes de ralentissement ne sont sensibles qu'au-delà de 1880. Avec l'Amérique et la Sibérie, elle atteint en 1900 40 p. 100 de la population mondiale. L'européanisation biologique du monde recule depuis 1940, mais l'européanisation culturelle se poursuit. Le doublement des Lumières est au point de départ d'un décuplement triséculaire sans précédent. Très faibles au début du siècle, les taux de croissance ne cessent de s'accélérer jusqu'au milieu du XIXe siècle. D'où la publication, en 1798, de l'*Essai* de Malthus, prophète du passé, théoricien d'un système que la « frontière » technologique rend obsolète.

Et la Chine ? De 1680 à 1750, le rythme chinois est supérieur au rythme européen ; de 1750 à 1780, les courants s'égalisent. A partir de 1780, le rythme européen s'accélère, le rythme chinois rétrocède. Le *check* malthusien a joué en Chine. La réponse chinoise à la croissance d'un long XVIIIe siècle (1680-1850) n'est pas sans rappeler la réponse européenne de 1630-1700 à un long XVIe siècle. Jusqu'à la reprise qui se manifeste à partir du premier tiers du XXe siècle.

La seconde donnée, c'est la manière tout aussi importante dont ce doublement est atteint, en un mot l'allongement de la vie humaine. Révolution capitale qui se produit ici et là par microsecteurs géographiques, révolution qui nécessite une analyse en profondeur. De 1680 à 1750, l'Europe des Lumières et l'Europe classique se chevauchent, les grandes transformations apparaissent un peu partout au-delà de 1750 ; elles sont, à la fin, un aboutissement et plus encore un commencement. Je renvoie pour l'essentiel à *La Civilisation de l'Europe classique.*

*

Le XVIIIe siècle a eu le souci efficace de la dimension de l'homme. Il a ébauché l'utilisation systématique des instruments élaborés par l'État. Voyez sur l'horizon des Lumières, déjà, Vauban et King.

Après les recensements, la fructueuse quête des registres paroissiaux, nous possédons maintenant plusieurs milliers de monographies paroissiales conduites à travers l'Europe, suivant une méthode rigoureuse et homogène qui en rend les résultats parfaitement comparables. Un certain nombre de monographies exemplaires se détachent. Elles répondent à un type ; d'où avantage et danger. Une série longue de registres bien tenus et bien conservés, une paroisse rurale — la stabilité rurale céréalière est une condition d'une reconstitution facile et efficace d'un grand nombre de familles —, ce sont les cas classiques de Cruali, Auneuil, Colyton. Les historiens démographes ont réussi à constituer ainsi, à usage scientifique, dans l'Europe des XVIIe et XVIIIe siècles, un armorial insolite de lignages paysans, dont les généalogies, construites au prix de longues patiences, portent une masse impressionnante de très savants calculs. Ce *who is who* ? va-t-il nous donner la dimension de l'homme ? Pas aussi sûrement qu'on ne l'avait cru hier. Depuis 1970, les villes sont sorties de l'ombre.

En fait, nous avons été prisonniers d'un stéréotype et d'une erreur systématique implicite. Nous avons étudié systématiquement par facilité un certain type finalement minoritaire de population. Les céréaliers, les limoneux du Bassin parisien. Une nourriture réputée riche, mais finalement irrégulière et carencée, un espace très ouvert aux mouvements, donc aux épidémies, une hypersensibilité certaine à l'anomalie thermique négative et à l'anomalie hygrométrique positive des XVIIe et XVIIIe, un espace exceptionnellement clos, un genre de vie empêtré de prestige qui rend ceux qui en sont bénéficiaires, prisonniers, peu aptes à l'émigration et à l'innovation... Les plaines limoneuses du Bassin parisien, nous le savons aujourd'hui, ont conservé longtemps des structures archaïques, elles ont réagi, lors de l'arrivée des Lumières, par des réflexes propres : un mariage très tardif, une forte mortalité infantile due à l'écrasant labeur saisonnier de la moisson qui pèse sur les femmes, des épidémies violentes en temps de disette, une démographie terne, une tendance latente à la restriction volontaire des naissances par le double recours au *coïtus interruptus* et à l'avortement quelque peu provoqué.

Depuis 1964-1965, la démographie historique a pris un nouvel essor. En sortant des plaines limoneuses céréalières, grâce aussi au sondage nationale de l'INED, on a vu se dessiner une France beaucoup plus contrastée que confirment nos enquêtes normandes. Les comportements démographiques se définissent à une échelle microrégionale, suivant une marqueterie dont l'unité est un groupe de paroisses de 10, 15, 20, 30 communautés, parfois moins, exceptionnellement plus. Une difficulté toutefois, les familles que l'on peut suivre et sur lesquelles portent tous nos calculs sont les familles les plus stables. A-t-on le droit d'extrapoler aux autres, aux mouvantes, les leçons qu'elles nous ont permis d'établir ? Voilà pourquoi les historiens démographes se sont tournés vers l'étude des mouvements de population. Ces mouvements sont plus importants qu'on ne l'a cru. Le doublement séculaire avec quasi-stagnation dans d'importants districts du centre et quadruplement sur les bords le prouve. Un micropays de cinq cents communautés comme la plaine de Caen révèle l'existence de petites zones déprimées dont la population sans courant migratoire aurait disparu en moins d'un siècle, à côté de groupes de paroisses dynamiques, avec des coefficients de reproduction élevés impliquant un allègre doublement séculaire : paroisses mouroirs et paroisses berceaux. L'existence de mirocourants de compensation résout ces apparentes contradictions.

Les ordinateurs ont valorisé la vieille série des sources momentanées, trop négligées dans la phase ascendante, vers 1960, de la démographie historique. Dans un premier temps, la démographie historique a été exclusivement verticale. Dans un second temps, nous abordons la phase horizontale. Mais le progrès découle encore d'une troisième démarche : le recours aux modèles. Nous en emprunterons l'exemple à E. A. Wrigley. Les trois clefs de la démographie ancienne sont données par le célibat, l'âge au mariage des femmes et l'intervalle intergénésique. « Une des caractéristiques importantes des sociétés préindustrielles étrangères à l'Europe, c'est que le mariage, tout au moins pour les femmes, y était presque universel et avait lieu très tôt. » Face au modèle du mariage universel et précoce, le modèle du mariage dit « européen », où entre deux cinquièmes et trois cinquièmes des femmes en âge d'avoir des enfants sont célibataires ou veuves. Ce modèle, avec des nuances, continue à s'appliquer à l'époque des Lumières, dans l'Europe médiane nombreuse, l'Europe méditerranéenne et scandinave. Une seule exception majeure : l'est. Cette structure permet à la démographie des pays de chrétienté de garder une réserve en puissance. Le rythme court, à période d'amplitude réduite, qui s'oppose aux oscillations pluriséculaires des autres continents avec des amplitudes énormes (voyez la Chine et l'Amérique), est la conséquence de cette structure qui est un progrès. Troisième variable, l'intervalle intergénésique. Il varie de 22-23 mois à 35-37 mois sur les statistiques élaborées à partir des registres paroissiaux. La large ouverture de l'éventail dans le temps a causé une surprise. On refusait à tort aux sociétés préindustrielles la possibilité de dissocier rapports sexuels et procréation. Il a fallu se plier à la leçon des chiffres. D'abord sonder les possibilités théoriques, d'où le recours à un modèle : « [...] examiner rapidement pourquoi l'intervalle moyen entre les naissances (et partant la fécondité matrimoniale) prend, même sans pratique contraceptive, abstention de rapports sexuels, ou tentative délibérée d'avortement, des valeurs si différentes.

« L'intervalle total entre deux naissances quelconques comprend non seulement l'intervalle égal en moyenne à neuf mois, qui sépare la conception du second enfant de sa naissance, mais encore d'autres éléments susceptibles de varier beaucoup. Tout d'abord, immédiatement après la première naissance, vient la période d'aménorrhée, où aucune ovulation et donc aucune conception ne peut se produire. » C'est, évidemment, la variable par excellence. Entrent en ligne de compte les modes d'alimentation, la fatigue musculaire et nerveuse, l'âge de la mère. Faible plasticité de 20 à 30 ans, variation négative dans le sens de l'allongement avant 20 ans (stérilité des adolescentes), et après 30 ans, plus encore après 40. Mais cette durée dépend essentiellement de l'allaitement. Une variable qui peut aller de 0 à 30 mois et plus. Pendant l'allaitement, l'ovulation est stoppée dans 75 p. 100 des cas environ. Une autre variable dépend de l'alimentation. Wrigley propose : « Elle [la durée de l'aménorrhée] varie sans doute, pour des populations importantes, entre quatre et seize mois, avec des cas individuels qui peuvent naturellement dépasser de beaucoup ces limites. Le minimum est d'un mois. » Ajoutons que ces minima seront beaucoup plus fréquents avec les alimentations plus riches en protéines et le remplacement de l'allaitement naturel par l'allaitement artificiel dans les sociétés industrielles. « Chez un petit nombre de femmes, l'intervalle peut excéder deux ans. »

L'ovulation reprise, un nouveau délai s'écoule : il est statistiquement peu probable qu'une femme conçoive pendant le premier cycle ovulaire. « La moyenne, sur une population importante, excède un mois, et dépend pour une part au moins de la fréquence des rapports sexuels... Il se peut qu'une fréquence de dix par mois soit à peu près la moyenne pour les femmes de 20 à 30 ans, mais l'éventail de valeurs possibles va probablement de 5 à 15. » Entrent en ligne de compte l'âge du mari, la durée du mariage, l'alimentation, la fatigue musculaire et nerveuse, la disponibilité du couple. Ajoutons au modèle que certaines épidémies, de grippe notamment, peuvent entraîner l'entrée en jeu d'une variable supplémentaire avec période de stérilité masculine. « On a relevé, au Liban, parmi les campagnards musulmans sans instruction, une fréquence moyenne de 24,5 rapports par mois au cours de la première année du mariage. » La fréquence des rapports varie selon les sociétés, au moins du simple au quadruple. Rappelons encore l'influence des facteurs religieux, des environnements psycho-érotiques globaux. « Dans toutes les sociétés, elle décline avec l'âge et diminue environ de moitié de 20 à 40 ans. L'intervalle entre naissances peut ainsi différer de deux à quatre mois d'une population à l'autre. »

Tenir compte enfin de l'influence sur l'intervalle intergénésique des avortements spontanés. Mort du fœtus, arrêt de l'ovulation consécutif à la période de grossesse et de rejet, délai avant une nouvelle conception. Le retard est de l'ordre, en moyenne, de 5 à 8 mois. Si l'on suppose, hypothèse raisonnable, surtout dans une société où les femmes accomplissent beaucoup de travaux pénibles, « qu'environ un tiers des conceptions se terminent par le décès du fœtus, l'intervalle moyen entre naissances se trouvera augmenté approximativement dans nos deux hypothèses extrêmes d'un mois et demi et de deux mois et demi ».

Il résulte de tous ces éléments une grande plasticité de l'intervalle statistique moyen entre deux naissances. Le minimum théorique est de 16,5 mois, le maximum de 31,5 mois. Le minimum « est presque certainement trop faible pour toute population importante de n'importe quelle époque, car il exige que tous les éléments soient simultanément favorables, ce qui est très improbable. » Recours à l'histoire et à l'observation du présent. Les Canadiennes de Henripin, dans un espace ouvert, extrêmement favorable, au XVIIIᵉ siècle, avaient un intervalle de 23 mois. La population urbaine artisanale de Villedieu-les-Poêles, au XVIIIᵉ siècle, de 20 mois à peine, on approche d'un record absolu ; dans quelques régions des Flandres au XVIIIᵉ, 20 et 23 mois ; dans les communautés des États-Unis qui refusent systématiquement tout contrôle des naissances, avec des conditions d'alimentation du XXᵉ siècle, 21 mois environ. Ces chiffres sont les plus bas observés sur des séries importantes. Ils entrent parfaitement dans les branches du modèle. E. A. Wrigley pense que « la valeur de la limite supérieure, 31,5 mois, est également trop basse ». Voici son raisonnement. Le modèle de 16,5 à 31,5 mois s'applique pratiquement aux femmes les plus jeunes, ayant de 20 à 25 ans, période de fécondité maximale. Dans les campagnes normandes du XVIIIᵉ siècle, les trois quarts des femmes à cet âge sont célibataires. Les valeurs qui s'appliquent à cet échantillon « sont évidemment inférieures à l'intervalle moyen de l'ensemble de la population considérée, puisque, sauf la durée de grossesse, tous les éléments de l'intervalle entre naissances croissent avec l'âge ».

Dernière précision. Exclure totalement, dans n'importe quelle société traditionnelle, la volonté de dissocier, dans un certain nombre de cas, procréation et rapports sexuels dans le mariage, est une erreur grave. Or l'abstinence volontaire, le *coïtus interruptus* attesté dans la Bible et les pratiques abortives sont de tout temps et de tous milieux. Une masse impressionnante de textes existe. On en connaît en France plus qu'ailleurs, et pour l'Angleterre. On en trouve, denses et convaincants, pour l'Italie et l'Espagne. L'inversion est évidente entre la France et l'Espagne. La contraception fait problème en Espagne au XVIIᵉ, en France au XVIIIᵉ.

Revenons au modèle de Wrigley : il doit, pour bien s'appliquer à la réalité du XVIIIᵉ siècle, faire intervenir la contraception préindustrielle. Tout y est donc question de vouloir. Ces microvouloirs qui font l'histoire en profondeur. Cette contraception de l'époque préindustrielle peut être efficace. Dans l'Europe des Lumières, son recours est marginal. On devra donc ajouter au modèle de Wrigley un délai supplémentaire pour contraception d'étalement et contraception d'arrêt. Il ira, si l'on veut, de 0 à 20 ou 30 mois. A partir de ce moment, le modèle couvre tous les possibles.

L'histoire, suivant en cela une démarche qui est une démarche des Lumières, lie donc, de plus en plus résolument, dans une même interrogation, le passé au présent et le présent au passé. Une première certitude : l'extraordinaire ouverture de l'éventail démographique des Lumières. L'Europe, au XVIIIᵉ siècle, explose par morceaux successifs, elle bouge, elle est tout mouvement, avec la révolution des moyens de transport, conséquence plus que cause. Nous sommes prêts à souscrire pour elle au jugement de Wrigley : « On dit parfois que les sociétés postindustrielles *convergent* vers un modèle démographique, économique et sociologique commun. S'il en est ainsi, on peut opposer à l'uniformité du présent la diversité du passé préindustriel. »

Ainsi la démographie européenne préindustrielle présente une extrême plasticité. Voyez les écarts significatifs : huit ans au niveau de l'âge de la femme au mariage, suivant les catégories sociales ; le mariage aristocratique est plus précoce que le mariage populaire, le mariage paysan plus tardif que le mariage dans les premières concentrations industrielles, suivant les régions. Voyez les écarts intergénésiques : ils vont de 18-19 mois, dans certains milieux aristocratiques restreints, 20-23 mois dans les secteurs frontières de fort gradient, dans des bourgs d'artisans ou de préconcentration prolétarienne, à 35-40 mois dans le Périgord, le pays d'Auge, les mouroirs au sud de la plaine de Caen. Voyez les intervalles protogénésiques, entendez l'intervalle entre le mariage et la première naissance : ils oscillent entre 13 et 19 mois ; voyez enfin les taux des naissances illégitimes et des conceptions prénuptiales, étroitement liées ; ils oscillent de 0,5 p. 100 à 30-40 p. 100 dans les quartiers pauvres de quelques grandes cités de la fin du XVIIIᵉ siècle. Tous ces facteurs combinés aboutissent aux coefficients nets de reproduction les plus disparates : on va des zones de doublement trentenaire (on sait que Malthus tire sa vision apocalyptique d'une extrapolation des anciennes colonies anglaises d'Amérique et de quelques cantons irlandais) à des zones d'effondrement démographique ; nous avons isolé des micropays au sein de la plaine normande, il en existe dans l'Angleterre verte agricole, dans les zones rizicoles inondées circumméditerranéennes qui ont tendance à une réduction de moitié en soixante ans. Du doublement positif en trente ans à la réduction de moitié en soixante ans, la gamme est large. Les tendances les plus fréquentes se situent un peu au-dessus du doublement séculaire ; viennent ensuite les pentes douces (35 à 50 p. 100) en un siècle, beaucoup plus loin derrière, les horizontales. Nous avons observé des situations d'équilibre sur un siècle, de 1720 à 1820, dans de petits secteurs du pays d'Auge : la résultante se situe pour l'Europe médiane, dense et nombreuse, autour d'une croissance de 70 à 80 p. 100 en un siècle ; pour l'Europe orientale, une tendance au doublement en soixante ans avec une moyenne européenne autour du doublement séculaire.

Cette extrême plasticité aboutit à une grande variété dans l'espace et dans le temps. Dans le temps, l'Europe des Lumières est binaire ici, ternaire là. L'Angleterre est binaire, avec une quasi-horizontale jusqu'en 1740, suivie d'une pente rapidement ascendante. La France, le Piémont, l'Espagne sont ternaires, avec une phase horizontale, une phase rapidement ascensionnelle, un plateau faiblement ascendant ici, déclinant là. En Normandie, les comportements paraissent homogènes à l'intérieur d'un petit groupe de communautés, rarement plus de dix à quinze paroisses formant un espace continu, à l'intérieur d'un bourg ou d'un quartier. Rouen, grande ville qui frôle les 100 000, totalise quatre à cinq climats démographiques ; Villedieu-les-Poêles,

2 500 habitants, forme un tout homogène. Les comportements obéissent plus à des critères territoriaux que sociaux. Des unités sociales avec comportement démographique spécifique supposent de forts gradients de différenciation. Il existe un milieu ducs et pairs, à travers toute la France ; nous n'avons jamais réussi à isoler un comportement démographique laboureur distinct d'un comportement manouvrier. La démographie de Villedieu est une démographie de poêliers, tous les habitants de Villedieu ont un comportement de poêlier, travailleurs du cuivre ou non. Oui, le comportement démographique obéit à des environnements complexes. Les Anglais sont arrivés à des résultats à peu près identiques. Il résulte d'études portant sur l'Angleterre et la France de l'Ouest que l'économique ne commande jamais directement ; l'unité de comportement au niveau d'une division essentiellement territoriale montre bien le poids des environnements religieux psychocollectifs. Rien de plus fondamental que l'attitude devant la vie, l'amour, l'autre sexe et la mort. « Les relations causales et les rapports fonctionnels se tissent en tous sens » entre les vivants et les morts, proches dans l'espace et dans le temps. Il en découle un climat, où s'enracine la vie. Dans l'Europe des vieux pays issus d'une relation multiséculaire de l'homme avec le sol, qui se résout dans un paysage, l'unité de comportement démographique, semble-t-il, sera plus territoriale qu'économico-sociale, plus affective qu'économique. Dans l'ouest de la France, l'unité paraît petite, quelques milliers d'hommes et de femmes, au plus 1 000, 1 500, 2 000 feux, les unités peuvent avoir des comportements qui vont du coefficient net de 0,7 à 2-2,5. On aboutit aisément, avec les variables, illégitimité, âge au mariage de l'homme, de la femme, intervalles protogénésique et intergénésique, âge moyen à la dernière naissance, à une cinquantaine de types qui donnent naissance aux tendances les plus diverses, depuis la disparition en deux siècles jusqu'au doublement trentenaire. La France est constituée par quelque 2 000 de ces molécules de comportement démographique de base, l'Angleterre par 500 à 600, l'Europe par 7 000 à 8 000 unités si, comme il paraît vraisemblable, le tissu moléculaire perd la finesse de son grain dans les paysages découverts simplificateurs et sous l'action uniformisatrice de la « frontière » à l'est. Leur combinaison varie, dans le temps, d'une ville, d'une province, d'un pays à l'autre. On serait tenté de forger quelque théorie moléculaire du comportement démographique. Elle correspond, semble-

t-il, à la réalité française et anglaise, elle rend compte de toutes les apparentes contradictions de l'extrême diversité biologique des Lumières. Ce système demeure intact jusqu'à la fin du XVIIIᵉ siècle. Nous savons maintenant comment s'est préparé précocement le basculement en France, grâce à la thèse de Marcel Lachiver sur les vignerons de l'ouest de Paris. Par le passage en une génération d'un malthusianisme ascétique au malthusianisme hédoniste qui réalise une large percée en France entre 1797 et 1801... mais ceci nous conduit largement en dehors de nos limites chronologiques.

Diversité à l'intérieur d'un modèle, pourtant, dont le jeu des variables ouvre un prodigieux éventail de possibles. Diversité et profonde solidarité des comportements. Pour l'atteindre, un seul recours, la grande masse et la perfection de nos paroissiaux. En France, plus particulièrement depuis la tenue en double, l'acte dûment signé, en général circonstancié, de plus en plus dégagé de sa finalité religieuse, est progressivement annexé à des fins d'état civil. De 1680 à 1780, un compte rapide permet d'évaluer à un peu plus d'un demi-milliard le nombre des naissances pour l'ensemble de l'Europe. De 1620 à 1750, 500 millions de naissances aussi et à peu près 500 millions de morts. De 1750 à 1780, autant d'êtres appelés à la vie que de 1620 à 1680 ; 30 ans du second XVIIIᵉ égalent 60 ans du creux XVIIᵉ siècle, un peu plus d'un demi-milliard de naissances et 470 millions de décès, car à la fin du siècle un profond et durable déséquilibre s'est créé presque partout en faveur des berceaux. La chance de l'Europe vers 1780 est ce nombre insolite de morts en attente, 30 à 40 millions de sursitaires de la vie, sursitaires de la vie à 1 an, sursitaires à 20 ans, les plus décisifs. Entre 1680 et 1780, 10 p. 100 d'enfants franchissent, en plus, le cap dramatique de la première année. 20 à 25 p. 100 de vies tronquées, avant la première année, au XVIIᵉ, 20 à 15 p. 100 seulement de 1750 à 1780, 45 à 50 p. 100 de vies tronquées avant l'adolescence, 45 à 30 p. 100 seulement de 1750 à 1780. Oui, la grande chance du XVIIIᵉ est là. Un peu plus d'un demi-milliard d'hommes appelés à la vie de 1680 à 1780, dans toute l'Europe, 160 à 180 millions de vies fauchées, mais 40 millions de vies épargnées, en plus, par rapport au XVIIᵉ, progrès modeste, mais sans prix et sans commune mesure. Entre 1620 et 1680, d'une part, 1750 et 1780, d'autre part, mêmes nombres de naissances, disons 200 millions, mais 110 millions de rescapés d'un côté, 140 de l'autre.

De 1680 à 1780, l'Europe des Lumières, c'est aussi ce

milliard 100 millions de baptêmes, de mariages, de décès. Ils
ont été enregistrés à 90 ou 95 p. 100, dans la vraie Europe
des Lumières, à l'ouest de l'isthme Baltique-mer Noire. A
l'est, les registres gagnent progressivement. L'Europe, c'est
aussi l'état civil, avec tout ce que ce gain modeste implique
quant à la reconnaissance du prix de l'homme. Le bureau de
la statistique des Nations unies, constatait en 1968 un
enregistrement complet des décès pour 36,6 p. 100 seulement de la population latino-américaine, 6,9 p. 100 de la
population asiatique, 3,3 p. 100 de la population africaine.
Et voilà ce qui fonde notre certitude : 600 à 700 millions
d'actes parvenus jusqu'à nous.

La démographie européenne des Lumières s'affirme,
d'abord, dans la formation du couple. Bien marquer les
solidarités là où elles se trouvent. L'Europe des Lumières,
face au couple, n'est pas une modalité d'Ancien Régime qui
s'opposerait à l'Europe industrielle et pourrait s'assimiler au
tiers monde actuel. La spécificité de l'espace-temps européen issu de la chrétienté latine n'apparaît nulle part plus
clairement que face au mariage ; l'Europe des Lumières,
dans sa découverte du monde, en a été confusément
consciente. Les voyageurs imaginaires de l'Orient philosophique l'expriment d'une certaine manière. « Le modèle du
mariage de la plus grande partie de l'Europe, tel qu'il
existait depuis au moins deux siècles, en 1740, était, autant
qu'on puisse le dire, unique ou presque unique au monde
[...] un âge élevé au mariage et une forte proportion de
célibataires. Le modèle européen s'est imposé à la totalité de
l'Europe, à l'exception de l'Est et du Sud-Est. » (Hajnal.)
Dès maintenant, un certain nombre de certitudes : ce
modèle bien connu à l'époque des Lumières, loin de
s'effacer, s'accentue au XIXe siècle. Ce modèle est antérieur
aux Lumières, mais les deux éléments ont une importance
inégale.
Le célibat est un recours aristocratique. Le célibat
ecclésiastique en fait partie. Le célibat est un recours du
XIXe siècle : il appartient à l'arsenal du malthusianisme
ascétique. Le modèle européen se caractérise bien plus
encore par l'âge élevé au mariage que par le célibat final
irréductible ; ce raffinement est relativement récent. Le
célibat féminin définitif suppose une aisance, une autonomie
économique et surtout un climat de sécurité. Il a tendance à
s'accroître avec l'urbanisation. En Bretagne et en Anjou, la
courbe du célibat définitif à 50 ans s'écrit ainsi : 8,8 p. 100

de 1690 à 1699, 13 p. 100 de 1750 à 1759, 8,9 p. 100 de 1760
à 1769. Superstructure récente, extension d'un modèle
aristocratique au mode populaire. Et pourtant les 7 à 8 p.
100 de célibataires définitives des campagnes françaises du
XVIIIe continuent de trancher sur les 2 à 4 p. 100 du front
russe et le moins de 1 p. 100 du reste du monde.

Ancienneté, par contre, de l'âge au mariage tardif. A la
limite, son effet cumulatif est bien plus considérable que
l'effet du célibat définitif. L'âge moyen des femmes au
mariage dépasse, dans toute l'Europe médiane, occidentale
et septentrionale, 25 ans (il n'est pas rare que nous
atteignions 28 et 29 ans en Normandie dans de nombreux
petits pays, à la fin du XVIIe et dans les premières décennies
du XVIIIe siècle). L'Espagne semble présenter une modalité
un peu plus précoce, mais l'Italie appartient tout entière,
sous cet angle, à l'Europe dense médiane.

Quand apparaît cette structure décisive ? Il est plus
difficile de la dater avec précision. A la limite, elle est
globalement un signe d'aisance et de prospérité ; elle aboutit
à la mise en réserve d'un puissant volant de vie potentielle.
Une fois la structure mise en place, dans le temps long, car
en conjoncture sa signification est inverse, le temps des
noces est différé en période de crise. Une chose est sûre, la
révolution est faite au XVIIe siècle. Colyton, dans l'Angleterre heureuse, se marie à 27 ans depuis le début du règne
d'Élizabeth. Elle a alors 6,4 enfants par famille et une
espérance de vie à la naissance fabuleusement longue, 43
ans. Heureuse Angleterre ! Elle se complète progressivement par le jeu du célibat définitif ou du mariage inversé,
invoqué jadis par Philippe Ariès : « Il n'est pas rare dans
l'Ille-et-Vilaine de voir de tout jeunes gens épouser des filles
qui ont 15 ans de plus qu'eux. De cette façon, ils sont moins
exposés à avoir beaucoup d'enfants. » Quand cette structure
du « nouveau mariage européen » s'est-elle mise en place ?
Nous manquons pour l'atteindre des secours statistiques du
temps des Lumières. Une masse imposante de travaux
récents nous permet de supposer que c'est, en gros, chose
très avancée déjà, en Angleterre à la fin du XIVe, en Italie et
en Allemagne à la fin du XVe. Un peu partout la structure est
à 70 ou à 80 p. 100 en place à l'époque de la Renaissance.
Mais elle n'est achevée qu'au XVIIe siècle.

En pratique, elle aboutit à la constitution d'une réserve de
puissance créatrice. Entre 60 et 40 p. 100 seulement du
temps de fécondité est utilisé, au terme d'une assez longue
évolution ; un peu moins même, si l'on tient compte de la

fécondabilité. Du même coup, à la génération courte des cultures et des autres civilisations, s'oppose la génération longue matri- et patrilinéaire à 33-34 ans. Difficulté supplémentaire pour assurer le remplacement. Le coefficient serait difficile à maintenir, soit en position d'équilibre, soit au-dessus de l'unité, si la mise en place de cette structure nouvelle ne s'était accompagnée d'un allongement substantiel de la vie humaine. Cette structure suppose, bien sûr, la substitution partout, au vieux système agnatique, de la famille conjugale, le fameux *nucleus* cher à nos amis anglais. Elle correspond, en outre, à un optimum pour la transmission du savoir. Le risque, c'est l'orphelin ; on sait le rôle que joue dans la sensibilité populaire, jusqu'au XIXe siècle, le thème de l'orphelin, il correspond à une dure réalité. Au XVIIe, en milieu populaire, nul autre recours que le remariage immédiat. Au XVIIIe siècle, un appel possible commence à se dessiner : la tante, l'oncle célibataire attestés par la littérature.

Dans la société paysanne traditionnelle du XVIIIe siècle, le père apprend les gestes essentiels du métier au fils, la fille reste plus volontiers auprès de sa mère et son apprentissage est vite fait. Le métier, avant la scolarisation, s'apprend entre 7 et 10 ans. Après, entre 11 et 14 ans. Dans le premier cas, l'âge modal du père oscille entre 40 et 45 ans. Dans la seconde hypothèse, de plus en plus fréquente après 1750, l'âge modal du père éducateur oscille entre 44 et 49 ans. Le père éducateur, transmetteur des gestes et des techniques essentielles, initiateur par voir-faire et ouï-dire, en un mot, le père des Lumières, au niveau, s'entend, de la société traditionnelle égratignée par la civilisation écrite, est quadragénaire. L'éducation — l'étude systématique des dispenses de mariage et d'étonnantes séries notariales le prouve, notamment en Normandie — apparaît désormais au cœur des préoccupations. La femme qui sollicite une dispense pour se remarier, le père mourant qui recommande ses enfants n'invoquent pas seulement les besoins alimentaires. L'éducation, préoccupation majeure d'une époque qui a choisi de vider, autour de l'*Émile*, la querelle philosophique du siècle, prend le pas. Les Lumières, en vertu de l'allongement de la génération, ont fait de l'homme de 40 à 50 ans, au sommet de la maîtrise du geste professionnel, l'éducateur par voir-faire et ouï-dire. Rechercher, donc, si les progrès de l'*homo faber* du XVIIIe, si l'apogée des polisseurs de l'outil ne doivent pas beaucoup à cette nouvelle et heureuse coïncidence. Le père quadragénaire, éducateur privilégié, ne succède pas, dans le système de la transmission traditionnelle des Lumières, à un père plus jeune. Il se substitue, en fait, dans une famille conjugale, au vieux mode de transmission par l'ancêtre. Dans l'ordre de la communication du savoir, le XVIIIe siècle, au niveau de la société traditionnelle, représente la succession, sur le front valorisé de l'éducation, de l'homme de 40 ans à l'aïeul de 60. Dans la mesure où le *new pattern* entraîne le recul de la grande unité familiale, un document anglais du début des Lumières, confirmé par le calcul des probabilités, établit que 15 p. 100 des foyers seulement réunissent trois générations. En pratique, une des conséquences les plus importantes du recul de l'âge au mariage : avoir fait passer la responsabilité de la transmission, entendez de l'accroissement de l'héritage, de la vieille génération à celle des adultes ; provoquer le recul de la « tyrannie de la vieille génération » (Le Roy Ladurie). La promotion de l'éducateur quadragénaire des Lumières est liée à une attitude de parcimonie préalable face au mariage.

Au terme des Lumières, apparaît avec l'allongement de la vie humaine un auxiliaire capital de l'éducateur quadragénaire : l'aïeul. Déchargé du pouvoir et de la responsabilité, il entretient désormais avec l'enfant des rapports souvent empreints de complicité. Le patriarche, détrôné, apprend l'art d'être grand-père. L'aïeul en sursis, à la fin du XVIIIe siècle, est à la fois aide indispensable dans des tâches d'éducation qui vont aller s'alourdissant avec l'accroissement de la masse globale de l'héritage du savoir, et conservateur de l'héritage traditionnel menacé par l'invasion de l'écrit. Entre le patriarche languedocien — « [...] commandant à son fils, à sa petite-fille et à son petit-gendre [...] on n'a qu'une bourse dont le père est seul à tenir les cordons, le voilà bien ce fils de la famille élargie, quadragénaire, avec ses trois sous en poche [...] » (Le Roy Ladurie) — et l'aïeul de Greuze, pratiquant avant la lettre l'art d'être grand-père, le modèle du nouveau mariage européen s'est interposé. Mme Pernelle tonne et tempête, les grands-mères du XVIIIe siècle sont, à l'ordinaire, plus conciliantes.

On ne se marie pas à 30 ans comme à 15. La famille matrimoniale suppose un mariage sinon d'inclination, du moins de convenance plus personnelle. Se méfier de la littérature. Le nouveau modèle, paradoxalement, est monté, nous l'avons vu, de bas en haut. La vague malthusienne française du XVIIIe s'est propagée de haut en bas. Se méfier de la littérature : elle rend compte des attitudes d'en haut.

Le mariage aristocratique, le mariage de la haute bourgeoisie, a pu rester plus longtemps une affaire de stratégie familiale. Le mariage paysan est plus libre. Dans la société d'un monde clos où l'homme doit souvent attendre pour se marier que son père meure et lui laisse la terre, le mariage ne peut être l'affaire des parents. Bien sûr, le consentement est nécessaire jusqu'à 25 ans, mais avant 25 ans on ne se marie pas ou si peu. Or à 27, 28 ou 30 ans, plus d'un marié sur deux (le simulateur l'établit et le registre paroissial le confirme) est totalement orphelin. Le mariage est une affaire de convenance, d'attirance, d'affectivité calme, où le sexe qu'on a longtemps brimé et la passion ont peu à faire. Le mariage des humbles au XVIIIᵉ siècle est une affaire qui met en train une affectivité en demi-teinte. Roméo avait 15 ans et Juliette en avait 12. La Venise aristocratique du XVIᵉ est très loin des Lumières. La révolution du nouveau mariage ne l'a pas encore atteinte. Elle est déjà à Colyton, dans l'Angleterre paysanne. Shakespeare, délibérément, regarde ailleurs. Le mariage à 30 ans marque, avec le recul de l'agencement lignager, la fin de l'entremetteur. Voyez l'Espagne à la fin du XVᵉ, la Célestine n'a plus d'enfants dans l'Europe des Lumières. Ses sœurs sont toujours à l'œuvre dans l'Inde, en Afrique, en Chine. L'entremetteuse, toujours un peu sorcière — il le faut bien, pour apparier le *yin* et le *yan* —, appartient à l'autre mode de mariage : la Célestine est en chômage dans l'Europe des Lumières. Le parlement de Paris ne lui a-t-il pas refusé ses titres ? On ne brûle plus les sorcières depuis 1670.

Nous connaissons le mariage grâce à l'endogamie. Pour étudier les motifs, l'approche devenue délicate, parce que personnelle, nous disposons d'une source unique, les dispenses de mariage, plusieurs centaines de milliers de documents rien que pour la France, Jean-Marie Gouesse en achève l'étude. Le droit canon a élaboré, au cours des siècles, un tissu complexe d'empêchements au mariage par consanguinité et affinité. L'affinité est la parenté spirituelle créée par le parrainage autour du baptême. A l'époque des Lumières, quel que soit le désir de faire jouer les protections, qui se retrouve dans le choix du parrain et de la marraine dans une catégorie sociale en moyenne supérieure, le couple parrain-marraine a fini par calquer le modèle binaire de la famille conjugale : le droit canon, en outre, avait adopté une définition très extensive du concept de parenté. L'extension de la parenté aux limites de la mémoire orale est une invention de clerc, un raffinement d'en haut, elle vise à assurer de nouveaux liens protecteurs qui ne fassent pas double emploi, à étendre le réseau des « amis charnels », mais elle appartient aussi au climat de méfiance à l'égard de la sexualité, à une très haute visée concernant le mariage, au désir implicite d'éviter la facile multiplication des couples. Elle a peut-être préparé dans les couches du subconscient la capitale révolution du mariage qui commande, en Europe, l'avènement du nouvel âge.

Nous voyons du même coup, pour la première fois, jouer, au niveau de la formation du couple, la frontière précisée au XVIᵉ entre une Europe protestante au nord et catholique au sud. En effet, en rupture avec une tradition canonique en évolution constante, l'Europe protestante a rapidement brisé avec l'extension juridique excessive du lien familial. Cette rupture des réformateurs, sur ce point précis, avec la notion canonique de la parenté empêchante, appartient sans doute à un global qui tend, au nord, à une valorisation de la sexualité. C'est l'Angleterre qui est laxiste au XVIIᵉ, non la France. Du même coup, s'effaçait, en pays protestant, la prime implicite du célibat au niveau des représentations religieuses de la pureté. Cette attitude divergente des Églises sur l'empêchement est d'autant plus paradoxale que le Nord est porté à l'exogamie, tandis que le vieux fonds méditerranéen est endogame. L'Église catholique a-t-elle livré ici un combat impossible ? A-t-elle voulu, société au sommet d'ascètes de la continence, comme étape privilégiée de la communication avec Dieu, marquer nettement la hiérarchie des états, faire comprendre que le sexe implique toujours, même exorcisé par la puissance sacramentelle, une forme de péché ? Tension qui écarte la facilité, qui rend vivante, à tout instant, la pédagogique présence du péché, elle aboutit soit à dépouiller la sexualité de tout ce qui ne vise pas à l'essentiel de la procréation, soit, par une déformation que ne manque pas de favoriser la catéchèse jansénisante en France, à préparer par une déformation populaire la mutilante ascèse du *coïtus interruptus*. Dans la pratique, l'Église a affirmé, par ce biais, son omniprésence dans la vie du couple ; elle s'est assuré un droit de contrôle par la dispense.

La dispense, à l'origine épiscopale, a été captée par le pouvoir pontifical. Mais le pape renonce à charger les pauvres. Pour les pauvres, l'évêque agit par délégation, 95 p. 100 de la pyramide sociale jouit sans complexe du privilège de pauvreté. La dispense est introduite par un exposé des motifs. Elle fait l'objet d'une enquête. L'exposé des motifs nous instruit sur les mobiles de la formation du couple. Le curé, neuf fois sur dix, rédige la requête. Il code les informations reçues. La dispense n'échappe pas au décisif problème : comment saisir par l'écrit la pensée de ceux qui sont enfermés dans l'expression orale ? Le curé coule les motifs dans un ensemble de stéréotypes pas trop infidèles.

Une chose est sûre. Au niveau du mariage paysan, suivant une même ligne sociale, l'appariage est affaire personnelle. L'amour, le mot n'apparaît pas avant 1780 dans les motifs retenus. Question de vocabulaire. L'amour, dans la langue paysanne, c'est l'amitié ; le voisinage, la longue fréquentation depuis l'enfance sont invoqués. Une autre certitude : la difficulté de vivre seul. La vie suppose la complémentarité fonctionnelle au sein du foyer. Ce foyer qui est le lieu où l'on vit et le lieu où l'on travaille suivant le schéma si bien dégagé par Peter Laslett. Observation importante : on se soucie de l'enfant né, non de ceux qui sont à naître. Le souci de descendance n'apparaît pas directement, Gouesse le montre bien, au coude à coude d'un bocage épais, dans un pays où le coefficient de reproduction est largement positif, où le souci du nom n'apparaît jamais. Au vrai, la vie est assurée de durer. De tous ces textes, une confirmation se dégage : le mariage est une affaire sérieuse, l'affaire essentielle de la vie. Le rôle des sexes est bien tranché, il varie suivant le milieu : ici la femme veille sur l'économie intérieure, là elle assure les relations avec l'extérieur. Le couple est une association économique pour vivre moins mal. En période de pénurie, on invoque paradoxalement le fait qu'on fera face plus facilement en associant deux misères, la nécessité de remplacer au foyer l'aïeul ou l'aïeule qui veillait aux soins domestiques. La mort, donc, en temps normal (sauf quand surviennent les crises d'apocalypse, 1693-1694, 1709... et encore, le XVIIIᵉ les ignore), appelle le mariage ; cette structure dément, sur le général, la structure habituellement décrite et observée, dans l'exceptionnel de la crise. Jacques Dupâquier en a magnifiquement tiré toutes les conséquences. Une affaire sérieuse qui n'isole jamais la passion, l'attirance physique, mais n'exclut pas l'inclination, le choix individuel et les affinités électives. Oui, le mariage des humbles est une affaire longuement mûrie. On y entre les yeux ouverts. Cela exclut le coup de tête. Les qualités recherchées sont d'ordre moral et professionnel. La vie est longue ensemble, un peu plus au XVIIIᵉ siècle qu'avant, on s'interroge donc sur le seuil. Sérieux et dignité dominent cette promotion individualiste à deux.

En dominant progressivement les pulsions du sexe, la civilisation traditionnelle, en pays de chrétienté, a construit une société du mariage : un monde d'adultes où l'on entre adulte, à âge égal. Il arrive souvent dans la société paysanne que la femme compense largement sa faiblesse par un avantage de maturité. En se mariant à 25 ans, au lieu de 16, la femme, incontestablement, a conquis une part dirigeante à l'intérieur de la communauté conjugale. Rien qui ressemble à un patriarcat, rien non plus à un matriarcat : une société d'égaux pour le meilleur et pour le pire. Ne nous hâtons pas de conclure Et surtout, pour comprendre la société traditionnelle récente, celle, si lointaine et si proche, des XVIIe et XVIIIe siècles, ne pas oublier le reste du monde... Une possibilité de comparaison subsiste, grâce au Japon : on connaît le sort de la femme japonaise mariée à 16 ans au XVIIIe siècle et la structure du foyer. Un monde sépare le couple nippon du couple européen. La promotion « féministe » et « familiale », des XVIIe et XVIIIe siècles passe bien par la modification de l'âge au mariage. Philippe Ariès a montré la promotion familiale des Lumières, le grand transfert affectif sur le noyau matrimonial. La famille lignagère était une cellule économique, un milieu social protecteur et un grand vide affectif. On devine d'autre liens, d'autres structures, au niveau de la classe d'âge, des communautés de jeu, de travail, de défense, on sait la vie intense et étrange des confréries. Agulhon nous a montré leur ultime avatar dans la Provence de la fin du XVIIIe siècle : des inhumations à la gastronomie. Ces ex-pénitents primitivement chargés de rendre les devoirs aux trépassés ont fini par former, au XVIIIe siècle, des cellules de sociabilité voire de paillardise et d'irréligion. Pas d'erreur d'imputation, nous sommes en Provence, proche de l'*agora*. Quelle que soit l'intensité de chaleur sociale que conserve la confrérie provençale, en passe de se muer en loge maçonnique, elle ne garde qu'une bien petite flamme comparée aux confréries du XIVe siècle. La confrérie se vide, le pèlerinage recule, la fête au village perd un peu de son intensité et de sa truculence ; insensiblement, la vie affective bascule sur le foyer réduit, le père, la mère, les enfants, dans 15 p. 100 des cas, l'aïeule au coin du feu.

La promotion affective de la cellule familiale autour de l'enfant, Philippe Ariès a montré qu'elle n'était pas contradictoire avec la réduction de la descendance. Elle entraîne la captation familiale de la mort.

La famille des Lumières suppose de longues fiançailles.

J'ai montré jadis leur réduction apparente. 98 p. 100 des fiançailles sont célébrées en France le jour même ou la veille du mariage. Alors changeons de mot : les fiançailles laïcisées sont devenues accordailles, elles ont échappé à l'Église, au niveau de la vie quotidienne ; ce sont les longues, les timides, et le plus souvent, sauf vers la fin, n'en déplaise à Jean-Louis Flandrin, les chastes fréquentations. Relisons l'exposé des motifs de nos dispenses : on s'est longtemps fréquenté, une amitié qui remonte à l'enfance. Mariage différé, mariage de longues approches, école du refoulement ? Même quand il est polisson, le XVIIIᵉ siècle participe à cette contrainte générale, son érotique est faite de frôlements, elle a perdu l'élan élementaire de l'appel réciproque. Érotique de contact, non de pénétration, elle peut, à la rigueur, se satisfaire du *coïtus interruptus*. Tout passe, on le voit sans peine, par la modification de l'âge au mariage.

Deux questions demeurent : l'endogamie, l'illégitimité et les relations sexuelles hors mariage. Les dispenses permettent d'apprécier surtout l'étude du cercle sur lequel s'exerce le choix du conjoint. Le cercle à l'intérieur duquel se constitue le couple s'élargit : de 5 kilomètres, en gros, en moyenne, à 20 kilomètres autour du clocher. La cassure se situe vers 1750. Et pourtant, sur un *trend* multiséculaire qui tend à la réduction de la consanguinité, la fin du XVIIIᵉ siècle et le début du XIXᵉ siècle ont vu une flambée à contre-courant des mariages consanguins. Les autorités ecclésiastiques, en pays catholique, se plaignent : où sont les scrupules d'antan ? Des mariages réhabilités après 15 ou 20 ans. Des démarches coûteuses entreprises, une cérémonie en présence des enfants et souvent de longs mois de totale abstinence conjugale. Il faut, à la fin, prendre au sérieux cet incident et ne pas perdre de vue l'essentiel, qui reste quand même la chute de la consanguinité dont les bienfaits génétiques sont établis.

Mais que penser de la poussée endogame à l'extrême fin des Lumières ? Elle ne modifie pas en profondeur une vieille géographie du mariage qui a traversé indemne la révolution de l'âge classique. Une Europe endogame, au nord, est moins tentée par l'inceste. Sauf, peut-être, dans le pays de bocage. Le bocage est incestueux, au pire degré, ce qui n'implique nullement qu'on épouse sa cousine. L'inceste est un accroc, il est de l'ordre du péché. La tension endoexogamie fait partie d'un choix. Ces deux Europes s'opposent dans le langage. Faites la carte des injures. Des millions de procès les ont pieusement conservées. L'injure du Nord est directe : elle met en cause le comportement sexuel de l'interpellé. L'injure du Sud est indirecte : elle met en cause le comportement sexuel du porte-honneur féminin du groupe. Entre « bougre d'andouille » et « fils de pute », une frontière géographique s'interpose, une frontière qui concerne un essentiel, plus que le couple, la famille. L'injure méditerranéenne est aliénante, elle suppose une structure endogamique de la famille. Le Nord, qui préfère l'exogamie, est plus libre ; en fait, il part d'autres choix. La tendance pluriséculaire affecte les deux Europes, celle qui préfère volontiers la cousine, celle qui choisit résolument l'étrangère, au risque de se perdre ; elle desserre l'étreinte géographique, elle fait partie de la mise générale en communication, l'accroc endogamique sans doute aussi.

La promotion passagère de la cousine au XVIIIᵉ siècle fait partie d'une intraversion généralisée. On peut avec les démographes lier l'avatar à l'introduction de groupes contraceptifs qui limitent le choix par réduction d'une partie des descendants. Une explication plus générale paraît plus satisfaisante. Au siècle des longues fiançailles, au siècle du resserrement affectif sur un noyau familial binaire, au siècle du refoulement comme valeur éthique fondamentale, le choix du conjoint prend une importance extrême : la cousine rassure, elle fait partie du cercle proche ; la cousine est moins frappée que l'étrangère par la tare de l'altérité sexuelle, les cousins ont réalisé entre eux une timide éducation sentimentale. Plusieurs renonceront à franchir l'étape.

Cette victoire difficile, enfin, est-elle bien gagnée ? Aujourd'hui, plus de doute possible. Nous savons qu'elle a été, partiellement, bien gagnée. Auneuil et Crulai avaient donné des chiffres très bas de naissances illégitimes. Nous avons réalisé sur des exemples normands 0,5 p. 100 d'un côté, 2,3 p. 100 de l'autre. Pour l'ensemble Bretagne, Anjou, le sondage donne, pour la période 1740-1829, 1,13 p. 100. Pour l'ensemble de la France paysanne, au XVIIIᵉ siècle, 1,5 à 2 p. 100. En incluant la population urbaine, on dépasserait sans doute un peu 2 p. 100. Se rappeler l'anomalie des quartiers de l'Est parisien à la veille de la Révolution (30 p. 100). L'illégitimité urbaine diffère moins radicalement du modèle paysan. Les filles de campagne accouchent à la ville. Une petite cité très fertile et artisanale comme Villedieu a par contre un taux relativement bas ; Bayeux un niveau élevé.

Le problème des naissances illégitimes est indissociable

des conceptions prénuptiales. 15 à 20 p. 100 des premières naissances peuvent être, en pays de bocage, la conséquence d'une conception prénuptiale. Nous avons évalué à 25 p. 100 environ en pays de bocage normand la probabilité de rapports sexuels prénuptiaux, compte tenu de ceux qui n'ont pas abouti à une conception. Un niveau confirmé par l'Angleterre qui, dans de nombreuses régions du bassin de Londres, dépasse les 10 p. 100, un niveau du Nord moins contrôlé. Le pays frison, le monde baltique, en règle générale, semblent avoir donné au temps préparatoire de la fréquentation un contenu sexuel plus prononcé. Notons au passage que le niveau vraisemblable atteint par les rapports sexuels prénuptiaux dans la France laxiste du XVIIIᵉ siècle reste celui que les travaux sociologiques de Girard fixent pour la France d'avant la première mutation de 1920-1924, avant les bouleversements de la « Révolution » sexuelle et contraceptive des vingt dernières années.

On pourrait consacrer un livre à la grande transformation du mariage qui se place, nous l'avons vu, entre la fin du XVᵉ et la fin du XVIᵉ siècle, qui se précise au XVIIᵉ, se consolide au XVIIIᵉ et s'exaspère, dans une suite de passages à la limite, au XIXᵉ, avant de se dissoudre à la hauteur des années 40 et 50 du XXᵉ siècle. Elle est le « discours de la méthode » du social profond, elle se trouve au cœur d'une théorie générale de la société traditionnelle, elle a contribué surtout à délimiter une Europe de la croissance.

*

Dans les règles de son unité, elle ouvre un éventail presque infini de possibles. Mieux vaut, concrètement, nous efforcer de suivre la variété régionale. La variété régionale est, elle aussi, paradoxalement un acquis des Lumières. L'Europe classique offrait un éventail plus fermé. L'Europe classique a donné aux pionniers de la démographie historique l'impression d'un relief en creux. Crise modérée chez les riches et les puissants à l'ouest, rythme cataclysmique en Allemagne et en Russie. A cette géographie en creux succède, au-delà de 1730, une géographie humaine en bosses. Le XVIIIᵉ siècle, qui a associé la croissance à la variété, qui sépare les cantons restés proches de l'horizontale des secteurs partis en flèche, se situe au terme d'une période incertaine qui va de 1670 à 1730, la *Vital Revolution* des historiens anglais. La *Vital Revolution* commence par un long temps difficile, la crise française de 1693 est une modalité française d'une crise européenne. L'œil du cyclone se déplace : 1698 a pris, en Scandinavie, le relais de notre 93. En Suède, en 1698, la mortalité a atteint, dans plusieurs districts, des niveaux de 9 à 16 p. 100. Dans la province finnoise de Tavastland, les pertes au cours de la famine qui se place ici un peu plus tôt, 1696-1697, auraient atteint 30 à 35 p. 100. Chacun sait que les îles Britanniques plafonnent de 1680 à 1710, que la France reflue lentement à partir d'un point que Jacques Dupâquier place entre la crise de 1693-1694 et celle de 1709-1710. La grande guerre du Nord (1699-1721), modalité baltique de notre Succession d'Espagne, aura contribué à la grisaille scandinave de ces années difficiles.

Se rappeler encore que l'histoire de la peste se joue sur des plans chronologiques différents. La peste, parfaitement mesurée par Jean-Noël Biraben, depuis la grande flambée des années 1630-1640, a reflué progressivement dans l'Europe médiane nombreuse, sous l'action efficace de l'État. Les épidémies des années 1660 sont très partielles ; en France, l'État a gagné ; en France, pas en Espagne, où le pouvoir est trop faible pour obéir aux draconiennes exigences des médecins de peste. D'où 1680-1685, troisième vague plus modeste, certes, que celles de 1599-1603 et 1649-1653, mais qui tue encore 250 000 personnes. La peste de Marseille de 1720, due à un instant durement payé d'inattention, ne change rien, fondamentalement, au problème. Progressivement chassée, au sud et à l'ouest d'une ligne Frise-Trieste, la peste s'installe dans le Nord, où elle alterne avec le typhus. La crise de subsistance de 1709-1710 dans l'Europe du Nord a été suivie d'une épidémie de peste, et c'est là la grande différence avec la modalité française ; famine ici, avec épidémie, disette là, sans peste. Elle éclate brusquement et assez mystérieusement en 1708 en Silésie et en divers points de Pologne, elle couve en plusieurs foyers. Les mouvements de troupes et la faiblesse des États nébuleuses ne permettent guère de procéder au cloisonnement. La peste se répand et dévaste l'Europe du Nord au paroxysme d'un grand conflit pour un équilibre difficile, le Brandebourg, la Poméranie, toute la côte baltique sont au palmarès de la grande peste du Nord. La peste de Dantzig a tué 32 500 personnes de la ville et de la banlieue immédiate, une série presque comparable au record marseillais de 1720. Copenhague perd le tiers de sa population en 1710-1711. Kœnigsberg, Riga, Stockholm, Uppsala et Helsinki ont beaucoup souffert. Helleiner rappelle encore que, de source sûre, 11 000 exploitations agricoles étaient provisoirement abandonnées en 1711, en Prusse-Orientale, au lendemain de l'épidémie. Bloquée dans son essor à l'est par l'épais système forestier et marécageux, la peste portée par les armées se rabat à l'ouest. En 1712, la Bohême et l'Autriche sont touchées ; en 1713, la grande peste du Nord pousse une pointe jusqu'au piémont alpestre en Bavière.

Tout semble en place, en 1710, pour une catastrophe. Est-on au bord d'un nouveau XIVe siècle ? Certainement pas. Qui ne pourrait raisonnablement prévoir une résurgence du climat sévère des années 1630-1640 ? La crise de 1690-1710 est une crise biologique longue d'ancien type, réussie ici ou là, mais avortée à l'échelle de l'Europe. De cet échec qui est une vraie victoire, car il n'y a de victoire pour l'homme que sur la mort, l'épisode de Marseille nous révélera tout à l'heure quelques-uns des mécanismes. La *Vital Revolution* du XVIIIe siècle, c'est d'abord la suppression des reliefs en creux de l'ancienne démographie, les accidents interdécen-naux (XIVe, 1630-1650, 1690-1710), leur amenuisement par paliers et l'effacement progressif de l'accident cyclique traditionnel. Wrigley a choisi pour le démontrer la belle courbe longue de la Norvège. La mutation s'aligne peu à peu sur les bonnes années. Mais c'est bien autre chose aussi.

Le Nord d'abord, avec ses modalités de « frontière », une pointe d'archaïsme au départ, un rythme accéléré de trans-formation dans la seconde moitié du XVIIIe siècle. L'ensem-ble scandinave, autant qu'on puisse en juger, se présente comme relativement homogène ; 1660-1690, la durée d'une génération relativement favorable, correspond à un bon temps un peu terne, l'intercycle Colbert du siècle de Louis XIV. Les décennies 1660 et 1680 furent pacifiques et marquées par une succession de bonnes récoltes. Entre deux, la guerre 1675-1679 et quelques mauvaises récoltes n'empêchent pas le *baby boom* des premières années 70. Les années 1690-1720, par contraste, sont beaucoup moins favorables. Le démarrage du Nord se situe partout, dès la décennie 1720 (les meilleures années entre 1720 et 1750). Le second XVIIIe s'inscrit sur la lancée, mais le rythme reprend à partir de 1790.

Nous avons déjà signalé le dynamisme de l'Est. Le dynamisme russe passe par un paroxysme, entre 1762 et 1782. Autre secteur de croissance rapide, la Hongrie. A la fin du XVIIIe siècle, l'espace hongrois se referme progressive-ment et la donnée statistique s'affermit. Un certain tassement se produit après la folle croissance de 1690 à 1770. A la fin du XVIIIe siècle, suivant les calculs de Zoltan David, il y avait en Hongrie « en 1787, 3,5 millions de Hongrois, 1 550 000 Roumains, 1 250 000 Slovènes, 1 050 000 Allemands, 340 000 Ruthènes, 300 000 Serbes, 120 000 Croates ainsi que 280 000 habitants appartenant à diverses autres nationalités ». Une partie des taux de croissance insolites du milieu du XVIIIe s'expliquent par l'âge au mariage « oriental » autour de 20 ans ou avant, qui prévaut en Russie, dans l'est de la Pologne et en Hongrie. Mais aucun gain sensible sur la mort. Le ralentissement de la fin du XVIIIe s'explique par la fermeture d' « anciennes frontières », la guerre, des flambées épidémiques. Le contraste est grand avec la Scandinavie. Tandis que Russie et Hongrie donnent quelques signes passagers de ralentissement, on assiste à une sorte de revanche d'un Orient moins profond. La Pologne morcelée explose. La Bohême est à son tour en plein essor démographique. Les études de L. Karnikova et l'article de Paula Horska l'ont prouvé récemment. De 1785 à 1799, un accroissement de 11,5 p. 100 est obtenu avec une natalité de 43 p. 100 environ et, fait intéressant, une mortalité relativement faible dans un système occidental de mariage tardif.

Le XVIIIe siècle méditerranéen ressemble à un XVIe siècle amélioré, en symétrique par rapport à la fluctuation négative d'un long et catastrophique XVIIe siècle. L'Italie, relativement épargnée par le creux du XVIIe siècle, joue par rapport à l'Espagne « frontière » le rôle volant de vieux pays. En Espagne, la zone périphérique, Catalogne, Valence, Portugal du Sud, Cantabrique, marque le triplement séculaire en contraste avec le tassement relatif du Centre et le doublement de l'ensemble. La montée italienne du XVIIIe siècle est imputable à deux facteurs : l'atténuation de la crise cyclique, comme partout, un léger accroissement de la natalité par rapport au creux du XVIIe. Les taux de mortalité en Lombardie, à la fin du XVIIIe, restent étonnamment élevés, comparés aux standards du Nord. De 1768 à 1779, une mortalité double de la mortalité scandinave du début du XVIIIe siècle. Ces taux de mortalité élevés en Lombardie, relativement fertile et apparemment heureuse, sont à mettre en corrélation étroite avec l'analphabétisme persistant, la malaria et le travail des femmes. La structure moléculaire accusée des comportements démographiques caractérise encore la Méditerranée.

Wrigley a dénoncé la plaine marécageuse qui tue dans l'Angleterre du XVIIIe siècle ; elle s'impose à l'attention des arithméticiens sociaux éclairés dans les pays méditerranéens. Quel contraste avec le marais à tourbe, le marécage sain sur les filtres à sable de Pologne et de Biélorussie ! Les ministres éclairés de Charles III aiment le riz mais craignent la rizière imprudemment inondée. Le petit royaume de Valence, qui explose au XVIIIe sur ses 22 000 km^2 et triple sa population, juxtapose les pépinières d'hommes, les pays naisseurs d'un intérieur escarpé et les mouroirs en creux à malaria. Voyez Emmanuel Le Roy Ladurie et ses *Paysans de Languedoc*.

Voilà la Méditerranée, relativement immobile, assez insensible aux nouveautés des Lumières, contrastée, avec ses pays à haute pression et à basse pression, source de courants sans cesse renouvelés.

La France méditerranéenne et l'Italie du Nord font aussi partie de l'Europe médiane nombreuse. Plus que n'importe où ailleurs, là se joue le sort du monde. En ce domaine par excellence du *new pattern* du mariage, l'Europe a su créer des hommes et, dans les secteurs les plus privilégiés de son vaste domaine, les instruire, leur faire franchir d'une manière victorieuse la première étape du grand combat contre la mort, un combat victorieux qui se termine nécessairement sur une défaite. Sur ce million cent ou deux cent mille km^2, dans cette vieille terre des hommes, où vingt-cinq générations de 30 ou 50 millions d'hommes se sont succédé, depuis sept siècles, dans ces pays humanisés où forêts, landes, incults ne sont jamais que de faux paysages naturels, souvent anciens terroirs aménagés et dégradés, la théorie moléculaire des comportements démographiques résout à peu près tous les problèmes.

Dans le cadre d'une structure rigoureusement définie, les fourchettes à l'intérieur desquelles se produisent les oscillations des variables débouchent sur un nombre presque illimité de possibles. L'unité, la molécule de comportement démographique, comprend, disons en gros, de 1 000 à 50 000 âmes. Les résultantes du jeu des variables vont de l'extinction d'une masse moléculaire constituée en isolat en un siècle et demi — empressons-nous d'ajouter que la constitution en isolat est purement théorique — au doublement en moins de cinquante ans.

Les structures générales ont peu varié du XVIIe au XVIIIe siècle. Les molécules en état de dilatation rapide sont désormais en plus grand nombre. Permanence des structures quant aux variations saisonnières, par exemple. Le calendrier des mariages est un compromis heurté entre les exigences de la vie professionnelle et les absolus du calendrier liturgique, plus scrupuleusement respectés en pays catholique. Ces impératifs restent très astreignants, nous pouvons le vérifier, dans les paroisses anglicanes du Peel irlandais. D'importantes différences apparaissent d'une paroisse à l'autre. Elles sont dues aux conditions de la vie économique : céréaliers, éleveurs bocagers, artisans poêliers, colporteurs, marins, premiers ouvriers de manufacture du Lancashire n'obéissent pas aux mêmes impératifs. Une chose est sûre, le temps des noces ne dépasse jamais deux cents jours, l'amplitude est toujours énorme ; elle a tendance, pourtant, à s'atténuer après 1750.

Plus significative, la variation saisonnière des naissances, donc des conceptions. L'amplitude, en paroisse rurale, atteint ou approche le simple au double (15 à 20 p. 100, de nos jours, dans les pays industriels). Il faut déduire de cette indiscutable variation une importante oscillation dans les rapports sexuels et dans les avortements spontanés dus à la fatigue ; le folklore le sait, qui célèbre les miracles du printemps. Buffon avait constaté qu'à Paris les trois mois où il naissait le plus d'enfants étaient mars, janvier et février, soit un maximum de conceptions en juin, avril et mai. Le creux en pays céréalier est toujours profond à la fin de l'été, pour deux raisons : le grand nombre des femmes enceintes, après les rapports sexuels fréquents du printemps, la fatigue des corps en cette période de travail intense. Jusque vers 1730-1740, en pays à dominante céréalière, on observe au même moment, août, début septembre, une pointe des décès d'enfants en bas âge, pointe traditionnellement attribuée aux entérocolites estivales. Elle disparaît progressivement, au XVIIIᵉ siècle, avec le fléchissement des conceptions. Les deux facteurs sont liés : la fatigue des femmes contraintes au dur labeur des champs provoque et la baisse des conceptions et le décès des enfants par ralentissement de la lactation et inattention. La modification des courbes après 1750 est un signe de vie plus humaine. Le fléchissement d'août est d'autant plus intéressant qu'il contraste avec l'euphorie sexuelle des vendanges en pays de vignobles.

La variation saisonnière des conceptions ouvre un chapitre passionnant de psychologie collective régressive des comportements. L'abstinence quadragésimale de carême semble bien avoir appartenu à l'ascétique médiévale. Elle s'observe statistiquement par l'ensellement de novembre. Elle était bien marquée dans l'Angleterre des XIVᵉ et XVᵉ siècles. Quelques vestiges subsistent encore en Bretagne et dans l'Anjou, dans la seconde moitié du XVIIIe siècle. L'abstinence sexuelle de carême semble bien avoir craqué, dans la contestation générale, au XVIe siècle, des règles d'ascétique collective. Dans l'Allemagne rhénane catholique du XVIIIe siècle, la pratique subsiste par son contraire, l'étonnant défoulement collectif du carnaval. Le carnaval qui, de tradition, commence le 11 janvier et a tendance à durer, fin XVIIIe, jusqu'à la Mi-Carême, se célèbre au sein des ménages par une fête sexuelle dont on note les effets neuf mois plus tard. Étonnant armistice, dans cet axe joyeux de l'Europe rhénane, en terre de la difficile paix d'Augsbourg, entre tenants d'andouille et de Carême-Prenant.

Les courants ascétiques n'ont peut-être pas aussi totalement renoncé qu'on est tenté de le croire. Une anomalie a frappé : dans beaucoup de paroisses du diocèse de Lisieux, un effondrement des conceptions de mai, un contre-printemps que ne justifie ni l'économie ni l'éloignement des couples. Des échos nous parviennent de comportements analogues dans d'autres lieux. Une seule explication : la renaissance d'une abstention périodique liée au culte marial, dans un climat de crypto-jansénisme latent, en fait d'arnaldisme pratique, dont le plat pays de Lisieux offre un bon exemple.

Il faudra suivre attentivement dans toute l'Europe catholique le curieux temps de mai : il ouvre une porte capitale. L'abstinence de mai ouvre la voie au malthusianisme du *coïtus interruptus*. Il trahit peut-être un climat de méfiance sexuelle exacerbée. Dans le diocèse de Lisieux précisément, l'évêque traque la vieille coutume du mariage dominical. En dépit du sacrement, en dépit de la bénédiction cérémonielle du lit nuptial, le mariage, le *coïtus*, est impur ; il est une concession dangereuse. L'ascétique janséniste, qui a repris avec prédilection un vieux thème médiéval prenant racine aux sources grecques de la primitive Église, s'oppose à la tradition hébraïque vétéro-testamentaire, privilégiée en terre protestante où elle retrouve une tendance ancienne liée aux épanouissements solaires des longs jours du solstice d'été. L'impureté est inhérente à l'acte, à la souillure interne. La souillure est liée au contact profond. La femme reçoit l'impureté de l'homme, elle en reste marquée à jamais, l'homme reçoit l'impureté du contact interne avec l'organe qui sécrète le sang menstruel, l'impur par excellence. La génération est à ce prix. La souffrance de l'enfantement purifie partiellement, mais le long écoulement menstruel rappelle le caractère indélébile de l'impureté féminine. Dans cette sensibilité cathare, l'impureté n'est pas effacée par la génération : la génération ne résulte-t-elle pas, au contraire, de l'acte total, avec le plaisir dans la souillure ? Voilà comment l'ascèse sexuelle finit par ouvrir la porte aux pratiques de l'acte incomplet, voire aux abstinences destinées à éviter la génération. Dans la mesure où la matérialité de l'acte est établie par la génération, l'absence de génération finit par effacer l'impureté de l'acte. Rien n'est, évidemment, plus contraire à toute théologie chrétienne ; on comprend toutefois le mécanisme psychologique du glissement.

La morale religieuse du XVIIᵉ siècle, au niveau d'un néo-augustinisme ajusté au climat idéaliste issu du *cogito*, est une morale religieuse de la pureté : la pureté à la place de l'amour, la pureté, non l'humilité dans le don généreux. Le XVIIIᵉ a hérité cette conception de l'éthique chrétienne. C'est elle qui est prêchée, c'est elle qu'introduit l'acculturation religieuse du catéchisme, l'écrit pénétrant, en acte, au niveau des comportements. La morale de la pureté tend vers une orientation sexuelle, orientation fondamentale, au moment où se réalise la prodigieuse ascétique du *new pattern* matrimonial, entendez la castration par inhibition purement volontaire de 40 à 50 p. 100 de la classe d'âge en état, désir et pulsion, de s'accoupler et de procréer. Malthus lui-même, en 1798, n'a rien conçu d'autre qu'un renforcement de cette prodigieuse et à la limite magnifique ascèse collective. Un tel succès ne peut être obtenu sans une réorientation massive des vouloirs. Tout l'effort de la société religieuse se tend vers ce prodigieux exercice de continence. Hors mariage, le signe de la chute c'est l'enfant, l'enfant du péché que saint Vincent de Paul, génie de la charité, s'efforçait d'arracher à la mort (la mort, à laquelle les nouvelles rigueurs aristocratiques et urbaines de l'éthique de la pureté vouent cet enfant du péché, jadis enfant de l'amour, qu'admettaient, aux XIVᵉ et XVᵉ siècles, les grands lignages paysans aux patriarcales tolérances). Dans le mariage, voilà de nouvelles intrusions, la multiplication, fin XVIIᵉ-début XVIIIᵉ, des réhabilitations qui imposent aux fautifs de longues et cruelles abstinences ; voilà, ici et là, l'idée étrange de faire revivre, à la hauteur de mai, mois de l'amour-pulsion dédié à l'Amour purifié de la Vierge, la catharsis d'une forme d'abstinence abandonnée au XVIᵉ siècle. N'était-ce pas introduire dans l'esprit populaire, au plan du mariage, les réactions de dissimulation, de culpabilité liées aux accouplements furtifs et condamnés, pour lesquels des travaux récents ont prouvé qu'une très

ancienne théologie morale préférait l'accouplement incomplet au *coïtus* naturel ?

Une déviation coupable de la morale de la pureté, l'impact
d'une catéchèse acculturante maladroite allaient, au XVIIIᵉ
siècle, dans les pays catholiques touchés par le néo-augustinisme (la France, une petite partie de l'Italie du Nord, la
Belgique, l'Espagne), valoriser une vieille pratique connue
depuis toujours, le *coïtus interruptus*. Ce climat implique
l'usage exclusif d'une contraception de retrait masculin. Il
exclut toute autre tentative, il est peu favorable aux premiers
tâtonnements d'une contraception par interposition de corps
étrangers qui s'imposeront plus tard sans entrave en pays
protestant. D'un côté, l'acte est refusé ; de l'autre, il est
accepté. D'un côté, le mobile économique est rejeté au
second plan ; de l'autre, il s'introduit plus librement.

Nous avons du même coup la clef de deux attitudes
collectives différentes, celle de l'Angleterre et celle de la
France. Les pratiques contraceptives sont courantes dans
l'Angleterre de la fin du XVIIᵉ siècle : voyez les pairs, voyez
la chute de la natalité à Colyton, dans des proportions qui
excluent toute autre explication. Le recours est tactique, il
est accepté sans gloire ; que le climat s'améliore, il est
abandonné sans regret. C'est à partir de 1730, au-delà de
1750, que France et Angleterre divergent. La contraception
du retrait, dans le climat pseudo-ascétique néo-augustinien,
est à peu près indéracinable sans une mutation fondamentale
des structures affectives et mentales. Les conditions économiques n'y font rien. La prime éthique accordée au refus de
la vie, jaillie dans ces conditions, est un poison qui pervertit
valeurs et vouloirs, s'enracine et se transmet comme une
syphilis de l'âme. Quand l'Église, vers 1750, s'apercevra de
l'ampleur de la perversion accomplie, donc du danger, elle
aura perdu pouvoir ; elle parviendra pourtant à freiner
l'extension de la pratique dans les zones de piété traditionnelle (Bretagne, par exemple), peu touchées par ailleurs par
une sensibilité néo-augustinienne ; elle ne parviendra jamais
pourtant à déraciner la monstruosité intellectuelle et morale
de la valorisation éthique d'une mutilation volontaire de
l'accouplement humain. Le refus de l'enfant par ascèse plus
que par hédonisme constitue la perversion spécifique du
climat psychologique français.

Nous avons insensiblement atteint le niveau des variables.
Les pratiques contraceptives sont de tout temps et de tous
lieux. Les modes frustes en sont connus, le recours en est

plus ou moins répandu. En règle générale, elles sont plus urbaines que rurales, elles touchent plus volontiers les pays ouverts que les pays couverts, elles affectent de préférence les pays où l'homme depuis des siècles abonde, les pays plus anciennement et fortement peuplés. Les intervalles varient, on s'en souvient, en moyenne un peu plus que du simple au double. Dans les structures respectées du mariage tardif, le jeu est de cinq ans sur les moyennes les plus générales, le mariage aristocratique étant exclu parce que systématiquement précoce, compensé il est vrai par un célibat féminin définitif plus important. La population obéit partout à un rythme encore assez mystérieux dont on commence seulement à comprendre qu'il s'articule autour d'une période au moins égale à la durée d'une génération. En Angleterre, la croissance accélérée accole plusieurs générations au cours d'un long paroxysme, de 1750 à 1860.

Voyez la France, ce faux ensemble parce que vraiment démesurée : elle paie d'un XVIIIe siècle modeste une très longue croissance du milieu du XVe aux années 1680 et le creux relativement modéré d'un XVIIe siècle tardif. Et pourtant, de 1730 à 1770, en dépit de ses micropays malthusiens, la France s'est accrue à un rythme européen. Voyez l'Angleterre : elle a atteint 4 millions d'habitants vers 1300 ; elle s'effondre en 1350, n'arrive pas à décoller pendant cinquante ans, triple presque d'un seul élan de 1430-1440 à 1630-1640. Une Angleterre à 6 millions d'habitants apparaît quand éclate la première révolution. L'Angleterre ne paye pas son triplement d'un reflux, mais d'un plateau séculaire. De 1640 à 1750, la population anglaise se maintient sur une horizontale presque parfaite. C'est peut-être au XVIIe siècle que l'Angleterre prépare le plus sûrement l'explosion de croissance de la fin du XVIIIe. Le plafonnement du XVIIe siècle ne résulte pas tant d'accidents économiques et épidémiologiques exogènes que d'un recul de la natalité par élévation de l'âge au mariage de l'Angleterre.

La légère croissance des îles Britanniques, de 1701 à 1750, est due uniquement à la courbe ascendante de l'Écosse et de l'Irlance. Rien de plus différent que la croissance de l'Irlande et celle de l'Angleterre, en dépit de pentes apparemment voisines : doublement de l'Irlande en un siècle, accroissement de 60 p. 100 pour l'Angleterre. La croissance de l'Irlande est obtenue sans modifications importantes, par maintien d'une natalité élevée avec une mortalité élevée, une espérance de vie courte, par défrichement de la lande, par gain modeste sur le genêt et la tourbe. Frappée au XVIIe siècle, l'Irlande récupère et prend possession de son sol. Son XVIIIᵉ siècle paysan est à l'heure du XIIIᵉ sur le continent.

Le blocage malthusien du XVIIᵉ caractérise l'Angleterre, il a permis une économie d'hommes, un investissement sur l'éducation. Ce blocage parcimonieux a été obtenu essentiellement par l'élévation de l'âge au mariage, par un ascétisme collectif, sans valorisation éthique ou affective. Cette parcimonie dramatique n'empêche pas un léger recul de la durée de la vie par rapport aux gains prodigieux de la fin du XVIᵉ siècle. On peut être sensible aux reculs et aux tassements, il serait plus juste de privilégier la consolidation pour l'essentiel de l'acquis, au cours d'une passe nécessairement difficile.

Le paradoxe, c'est la reprise : elle se fait sur deux plans, en direction de la natalité, baisse lente de l'âge au mariage, réduction de l'intervalle intergénésique dans une population bien nourrie. Le départ démographique ne précède pas, il accompagne l'avance d'une frontière technologique. Ce qui est capital dans l'exemple anglais, c'est la plasticité conservée par ce modèle familial. A un accommodement tactique, à un retrait d'attente, la France paysanne a opposé une inversion des valeurs qui aboutit à une culpabilisation de l'acte procréateur normal. Les structures sociales, le maintien en France d'une petite paysannerie d'exploitants, le léger décalage chronologique de l'ouverture de la « frontière » technologique ont contribué à accentuer une différenciation. Cependant, la France et sa périphérie ne se différencient de l'Angleterre qu'au cours des vingt ans qui précèdent la Révolution. Tout se joue, en gros, de 1770 à 1790.

La France, au XVIIIᵉ siècle, a gagné 7 millions d'habitants, dont 1 million par suite d'annexions ; si le taux est faible en masse humaine ajoutée, cela représente quand même trois fois le gain de l'Angleterre de 1700 à 1789, une fois et demie le gain des îles Britanniques. On comprend que la disparité ait échappé aux hommes du XVIIIᵉ siècle, habitués à compter en totaux plus qu'en proportion. La France s'est accrue d'une Angleterre et cela a frappé les imaginations. « L'augmentation relative en 90 ans serait de l'ordre de 32 p. 100, ce qui correspond à un taux de croissance annuelle de 3 p. 1 000 seulement. » De 1730 à 1770, la France a fait plus des trois quarts de son gain. Le taux, sur près de trente ans, se maintient à 6 p. 1 000. Tout se brise à la hauteur des années 1772-1773, 1779-1783. La croissance de 1730 à 1770 est une croissance à l'anglaise, une croissance qui permet un gain qualitatif autant que quantitatif. Mais le fléchissement trop tôt de la natalité rend l'avantage fragile. Quand viennent les mauvaises années 70 et 80, un accident banal, la fragilité de l'équilibre de croissance français éclate. La France n'a plus une marge suffisante de sécurité. De 1750 à 1770, pour dix généralités, les taux ont oscillé de 7,8 à 10,7 p. 1 000 ; de 1779 à 1784, une natalité de 37,7 p. 1 000 fait face à peine à une mortalité qui a sauté de 31,4 p. 1 000, mortalité correcte, presque scandinave, à 36 p. 1 000.

L'espace français est loin d'être homogène. « Une France dense dans l'ouest du Bassin parisien et de la Bretagne piétine. » (J. Dupâquier.) En Bretagne en raison d'une énorme mortalité, en Normandie à cause de la prédominance des molécules de comportement démographique malthusien, la population recule. Un quart de la France en plein rattrapage assure les trois cinquièmes de la croissance française : la Lorraine, l'Alsace, le Hainaut, le Midi, Languedoc, Alpes, sillon rhodanien, Massif central, pied des Pyrénées, Corse. Cette « frontière » française va du doublement de la Franche-Comté au quadruplement du Hainaut, en passant par le presque triplement alsacien (dont la croissance est peut-être un peu surestimée par une sous-évaluation au départ). On comprend mieux la France en observant ce qui se passe à ses limites. Le Piémont anticipe et dramatise la crise française de la fin de l'Ancien Régime : la première moitié du XVIIIe siècle est prospère, le Piémont est parti pour le doublement séculaire ; à partir de 1750 tout se brise. De 1750 à 1806, le Piémont perd les deux tiers du gain réalisé dans la première moitié du siècle (un balancement séculaire très archaïque). Cet arrêt de la croissance est la conséquence d'une forte émigration et de poussées de mortalité. La Suisse romande, provisoirement saturée, combine l'émigration à la restriction des naissances. Le mouvement débouche en direction de la Suisse alémanique. Les villes : Zurich, Bâle, Berne, sont des mouroirs avec des natalités squelettiques à la fin du XVIIIe, contamination française et effondrement du protestantisme sacramentaire, en pleine évacuation théologique libérale.

Essoufflement à la française, un large recours contraceptif, le diagnostic est assez général sur les avenues alpestres et rhénanes de la France. En contraste avec l'exponentielle croissance de l'Allemagne à l'est de l'Elbe, la Rhénanie, après une sage montée, marque le pas, le Wurtemberg se place sur un rythme de croisière après la belle récupération de la fin du XVIIe et du début du XVIIIe, l'Allemagne urbaine de l'axe rhénan a des tentations contraceptives précoces.

Les Provinces-Unies, les Pays-Bas espagnols devenus autrichiens et Liège illustrent parfaitement la thèse des oscillations de croissance des vieux pays. Paradoxalement, la Belgique a quelque chose d'anglais, tandis que la Hollande du XVIIIe (sa décadence physique et morale avait frappé Montesquieu) a une allure française. Mais la Belgique, à l'inverse de la France, récupère un long XVIIe siècle malade. L'administration autrichienne s'est révélée relativement active et efficace. Les Provinces-Unies, par contre, ont été un îlot de prospérité et de croissance au sein du sévère XVIIe siècle. Le XVIIe n'est-il pas hollandais au même titre que français ? De 1500 à 1700, les Pays-Bas avaient connu une ligne de croissance étonnamment calme et régulière, au point de dépasser les pays du Sud, situation inouïe, quant à deux millénaires d'histoire. Doublement en deux siècles : 1500, 900 000 à 1 000 000 ; 1700, 1 850 000 à 1 950 000 ; 1750, 1 900 000 à 1 950 000 ; 1775, 2 078 000. Presque horizontale au XVIIIe, plus que doublement au XIXe et doublement de 1900 à 1950. La courbe hollandaise du XVIIIe s'explique par le XVIIe : la « frontière » technologique des polders, des polders faciles, et l'effet intérieur induit du grand commerce colonial ont permis la croissance continue dans la ligne du XVIe. La Hollande du XVIIIe siècle est moins contraceptive qu'exportatrice d'hommes. Il y a des Hollandais mêlés aux Bas-Allemands partout en Amérique et à l'est. La Hollande a nourri l'univers au XVIIIe d'obscurs et rudes tâcherons des techniques de pointe.

La marqueterie normande est un bon exemple, pour finir. Elle est une modalité catastrophique, dans une France qui échappe, nous l'avons vu, à la seule vraie richesse, la généreuse création de l'homme. Le mélange normand contient tous les éléments moléculaires de comportement, le mélange est riche, mais sa composition aberrante. Nous y trouvons des zones en pleine expansion démographique. Le Nord cotentin, une ancienne zone « frontière » de défrichement récent. Ici, l'homme double en soixante à soixante-dix ans, avec une natalité forte sans excès, six à sept enfants par ménage, mais une mortalité basse, et une espérance de vie élevée. Les conditions de vie les meilleures. Villedieu-les-Poêles, le petit bourg des travailleurs du cuivre, donne une modalité dynamique dans le peloton de tête.

À l'autre extrémité, les mouroirs de la plaine de Caen. Malthusianisme névrotique associé à une mortalité élevée. Sans raison apparente. On meurt et on vient de la périphérie

pour y mourir. A l'autre extrémité, surtout le pays d'Auge :
le miracle dangereux de l'équilibre. Le couchage en herbe
s'est fait ici avec un abaissement parallèle de la natalité et de
la mortalité. Ne crions pas victoire. Au-delà de 1770, la
balance devient souvent négative. Cette parcimonie excessive ferme la porte aux mutations ultérieures. Le malthusianisme de la région de Lisieux appartient, au départ, au
modèle d'inversion ascétique.

Entre ces pôles, la grisaille du Bessin. Bayeux est un petit
mouroir, le Bessin médiocrement dynamique, avec un peu
de contraception limitée par un tempérament porteur de
pulsions. Une région qui s'est située très tôt autour d'un
optimum de peuplement. La dominante modérément
contraceptive a réalisé un faux équilibre, à la merci, à la fin
du siècle, des effets du vieillissement.

A côté de la variable territoriale, la variable sociale. On la
saisit, dans la longue durée, grâce aux généalogies. Trois
leçons au moins. Les familles du sommet ont, face au
mariage, un comportement qui les différencie du tout-
venant. Mariage plus précoce. Une espérance de vie meilleure. La comparaison de Hollingsworth et de Henry teste,
au-delà de 1730, la divergence radicale des modèles français
et britannique. Ducs et pairs en France, familles genevoises
et pairs anglais ébauchent, de 1670 à 1730, le même repli
contraceptif. A partir de 1730, ducs et pairs et grands
bourgeois genevois passent de 7 à 2 enfants, les ducs anglais
rejoignent la masse dans leur prisée, à nouveau, plus
généreuse de la vie. Sauf dans les cas français et genevois, le
modèle aristocratique tend, au XVIIIe siècle, à s'aligner sur le
modèle populaire. Un léger tassement de la vitalité des
riches et des puissants, une augmentation de la vitalité des
humbles avant la distorsion malthusienne du XIXe siècle, le
siècle des Lumières, dans l'ensemble de l'Europe, atténue la
différence de comportement démographique social pour
accentuer la divergence régionale. Le comportement territorial prime toute autre modalité. Et cela caractérise aussi le
XVIIIe siècle européen.

*

La démographie historique déborde de plus en plus.
Parmi les portes ouvertes, l'anthropologie physique réintro-
duite par Emmanuel Le Roy Ladurie. La dimension de
l'homme que nous cherchons à atteindre est aussi une
dimension physique. L'homme, au XVIIIe siècle, est en

moyenne plus petit. Les blonds sont plus nombreux dans l'Europe des Lumières que de nos jours. La répartition des types humains a changé — on commence à savoir dans quelles proportions —, les variations permettent d'atteindre, indirectement, niveaux de vie et migrations. La recherche commence à peine. Les premières cartes sont sorties. La mesure physique de l'homme peut être menée à travers l'Europe. Pensez aux possibilités offertes par le commerce des soldats mercenaires, les possibilités presque infinies des archives militaires prussiennes, sans parler des 2 200 000 dossiers de Vincennes, pour le seul XVIIIe siècle.

Qualité physique, mais combien plus attrayantes les avenues en direction de l'anthropologie culturelle ! Quand on possédera pour l'ensemble de l'Europe le film en cartes successives de l'alphabétisation et du progrès des langues nationales sur les dialectes locaux, on aura la clef la plus sûre des inégalités du démarrage et de la croissance. Dix ans de travail encore, au moins, sur registres paroissiaux, livres de raison, journaux. On oublie parfois les livres de raison. Celui de Pierre-Ignace Chavatte, qui meurt en 1693 à Lille, la patrie de l'étonnante Antoinette Bourignon, nous apprend beaucoup, grâce à André Lottin [1], sur les débuts de l'alphabétisation des traditionnels. Chavatte est un pauvre, un manuel sans horizon, et, dans son métier, un médiocre qui n'a pas percé. La qualité de son écriture, sa maîtrise du français, malgré ses défaillances, surprennent. Une partie du petit peuple de Lille depuis un siècle se met progressivement à lire. Les premières écoles de Lille remontent à 1554 ici, 1584 là. Lille a été talonnée par la proximité des pays protestants. Un texte de magistrat de 1664 le dit : « Il importe grandement que les enfants, de quelque qualité ou condition qu'ils fussent, soient instruits soigneusement en leur tendre jeunesse en tout ce qui touche et concerne la foy catholique apostolique et romaine pour quoy avoit été principalement instituée ladite escolle. »

Chavatte lit, Chavatte écrit, mais ce contemporain de Bayle est un homme du XVIe siècle : sa culture, sa sensibilité s'apparentent un peu à celles qui émanent de la Bibliothèque bleue de Troyes. L'alphabétisation constitue une étape fondamentale ; seule l'alphabétisation totale peut donner ses chances à la révolution technique qui est d'abord révolution mentale. Et pourtant, cette condition nécessaire n'est pas

1. *Chavatte, ouvrier lillois. Un contemporain de Louis XIV*, Flammarion, 1979.

suffisante : Chavatte donne l'exemple d'une superposition sans entraînement ou, si l'on préfère, d'une culture de rêve et d'évasion. Les humbles alphabétisés ne sont pas nécessairement en transit, hors du champ de la culture traditionnelle qui continue à transmettre son héritage par ouï-dire et voir-faire ; cependant, c'est en leur sein seulement que les modifications des gestes, l'amélioration des outils, la rationalisation des actes productifs sont le plus susceptibles de se produire et de se propager.

Le processus d'alphabétisation explose au XVIIIe siècle ; il était enclenché depuis la fin du XVe et le début du XVIe. La Réforme, pour faire tache d'huile, suppose de larges plaques de liseurs potentiels, un ensemble de moyens pour multiplier et diffuser l'écrit. Une fois consommée, la scission entre les deux chrétientés a tendance à accentuer une différence qui existait au départ. La Réforme protestante, sous cet angle, est non une cause, mais un accélérateur de déséquilibre. L'alphabétisation suppose d'abord un commencement d'uniformisation linguistique, qu'elle contribue ensuite à accélérer. Au service de l'uniformisation, nous trouvons bien sûr l'Église et l'État.

En Italie le toscan, en France le dialecte d'entre Seine et Loire, l'allemand moyen à l'est, l'anglais contre les gaéliques de l'Ouest profond et retardataire — la réforme du pays de Galles au XVIe s'est faite en gaélique ; en Espagne, dans l'espace castillan privilégié, le bien-dire de Tolède le cède, début XVIe siècle, à celui de Burgos et de Valladolid, mais le catalan-valencien résiste, après avoir perdu l'Aragon ; le portugais se détache du galicien et surmonte au XVIIe siècle la tentation de s'effacer devant le castillan. Plus subtilement au XVIIIe, le français tente, à la dimension de l'Europe, au niveau des élites de la terre et de l'État, le coup qui lui a ouvert le contrôle des 200 000 km^2 des dialectes d'oc. L'opération culmine en Allemagne, vers 1770, puis reflue en profondeur sous l'action revendicatrice de la *upper middle class*, en Russie, quinze ans plus tard, au moment où Rivarol proclame l'universalité de la langue française. Pour réussir, il a manqué l'État.

Une géographie linguistique subsiste au XVIIIe, qui est comme une géographie culturelle. Le Roy Ladurie l'a vue naître au XVIe. Dès le XVIe siècle, deux Midis s'opposent, un Midi prématurément bilingue, gagné par la Réforme, qui signe chez les notaires, et un Midi profond imperméable au français. Le français, à l'autre extrémité de son aire géographique, a gagné, autour de la Cour du XVIe au XVIIIe, le centre de Bruxelles et fait basculer au niveau des villes et des élites la Wallonie ambiguë, carrefour d'influences romanes et thioises, dans le camp de la francophonie. Revenons au Midi et empruntons à Le Roy Ladurie une image éclairante : la coulée du français vers le sud, le long du versant rhodanien du Massif central, devient « cette frange pionnière du défrichement culturel », « elle fait contraste avec les zones d'ombres voisines [...], toutes régions arriérées et qui le resteront longtemps : en 1570, d'après les statistiques des signatures, en 1680-1686, d'après les cartes de Maggiolo, la dégradation culturelle s'accentuera progressivement quand on ira, par régions successives, du bas Rhône à la haute Garonne. »

Toutes choses étant égales, un deuxième front s'ouvre un peu partout en France, à la hauteur des années 1680 il suffit de se reporter au classique *Lire et écrire* de F. Furet et J. Ozouf : alphabétisation, francisation, de 5 à 10 p. 100, la grande œuvre du premier XVIe siècle. A la limite, vers 1680-1700, dans toute l'Europe (Pologne et Russie exclues). L'alphabétisation de l'élite urbaine et de l'aristocratie campagnarde suppose, partout sur les trois quarts du territoire européen, un bilinguisme de fait. Ce bilinguisme pour une élite plus mince est en réalité un trilinguisme, en raison du latin. A Toulouse, occitan, français, latin. En Pologne, en Hongrie, dans l'Est profond, on revient à un bilinguisme de fait : le latin poursuit, au XVIIIe, son rôle ailleurs révolu de langue véhiculaire de culture.

L'avance de l'Europe protestante est ancienne et considérable. Voyez l'Angleterre et l'Écosse. Elle se répercute à tous les échelons. Lawrence Stone distingue cinq degrés. Au niveau 1 on déchiffre. C'est celui que mesurent nos paroissiaux. Il ne permet pas une acquisition autonome. Le niveau 2, difficile à cerner, est celui de la véritable mutation, l'accession à une lecture utile, l'écriture et le calcul. C'est le niveau que dispensent la plupart des écoles paroissiales de l'Église presbytérienne d'Écosse, le niveau d'une partie du plat pays anglais. Le niveau 3 permet la tenue d'une comptabilité. Le niveau 4, qui est plutôt un niveau 3 bis pour une autre catégorie sociale, comprend l'acquisition de la culture classique. Le niveau 5 est le niveau universitaire (universités et *Inns of Court*). Nous ne mesurons que le niveau 1 avec certitude, mais une corrélation existe entre celui-ci et les autres degrés. La véritable révolution culturelle s'est faite en Angleterre au XVIIe siècle. Comme le prouve la rapide montée du niveau 1. En 1600, 25 p. 100 des

L'EUROPE ÉDUQUÉE

L'alphabétisation des hommes (par les signatures des registres paroissiaux) est suivie ici en France, Angleterre, pays de Galles et Écosse. La courbe française est la plus sûre. L'Angleterre a pris son avance au XVIe siècle. Elle est dépassée par l'Écosse au XVIIIe. La France commence son rattrapage dans la seconde moitié du XVIIIe siècle. En fait, la France juxtapose en Normandie, autour de Paris, dans l'Est, des secteurs aussi alphabétisés que les Lowlands et les environs de Londres, avec des cantons (Midi, Auvergne) qui se tiennent entre 10 et 20 p. 100 seulement. Par-delà les nuances, ce qui compte plus encore, c'est l'énorme décalage entre l'Europe alphabétisée (Grande-Bretagne, France, Rhénanie, Pays-Bas) et une Europe traditionnelle profonde à l'est et au sud.

hommes lisent et signent (15 p. 100 en Écosse, 16 p. 100 en
France, d'après Valmary et Fleury). En 1675, l'Angleterre
atteint 45 p. 100, la France, entre 1688 et 1720, 29 p. 100.
L'Écosse est partie plus tard, mais monte plus rapidement ;
elle est en tête à partir de 1680. Le rythme de l'alphabétisation est le même en France et en Angleterre au XVIIIe, ce qui
veut dire que l'Angleterre conserve son avance proche de
l'ordre du simple au double sur l'horizon 1680 des
Lumières. Or, si l'on se reporte à la très large ouverture
sociale du recrutement universitaire au XVIIe siècle, il est
évident — voyez la proportion élevée des *yeomen* et *husband-
men* (laboureurs et haricotiers) qui lisent et signent — que
l'avance anglaise sur le continent est bien plus considérable
encore, aux niveaux 3 et 5 de la diffusion de la civilisation.
C'est au XVIIe que l'Angleterre acquiert les atouts de son
envolée de la fin du XVIIIe. Le XVIIe anglais a investi dans les
cerveaux. F. Crouzet a bien montré cette avance, hier, au
niveau de l'économie. Cette révolution s'accompagne d'une
victoire générale de l'anglais qui refoule, d'une manière
irréversible, les dialectes celtiques vers un Ouest de plus en
plus profond et arriéré.

Un calvinisme sociologique, qui coïncide avec une lecture
profonde et précoce, prend en écharpe l'Europe des
Lumières, Le Roy Ladurie l'a durement caricaturé : « [...]
restriction formelle au plaisir, tolérance tacite à l'usure,
ascétisme par proclamation, capitalisme par prétérition » ; il
a, du moins, le mérite d'avoir fait coïncider exactement deux
révolutions. Son pouvoir est durable sur la pâte humaine :
« Le Cévenol de 1500, paillard et gaillard, épris de danse
jusqu'à la folie, papiste, superstitieux et sorcier, sombre
dans la nuit de l'oubli et dans les profondeurs du subconscient. Un peuple nouveau naît [...] religion épurée, *libido*
censurée, épargne bourgeoise et liberté chrétienne. Ce
peuple est triste et libre : il survivra tel qu'en lui-même,
bien au-delà des camisards [...] Et l'on évoque une autre
histoire tellement plus vaste et tellement semblable : celle
qui conduit de la *Merrie Old England* à l'Angleterre puritaine. » L'Angleterre puritaine gagne la seconde manche et
la révolution industrielle. La Réforme catholique, la
Réforme catholique augustinienne surtout, c'est-à-dire à la
française, emboîte le pas un peu plus tard. Il lui arrivera, en
Bretagne par exemple, d'être à la fois plus ambitieuse et plus
modeste, en tentant de faire l'économie de la langue
véhiculaire nationale de culture.

Sur une seconde ligne de l'acculturation conquérante par

le livre, la masse énorme du corps français. La « frontière » pionnière du défrichement culturel se lance un peu partout, à la fin du XVIIᵉ siècle, à la conquête du grand Ouest. Deux fois plus d'hommes, mais dix fois plus de liseurs, lisant plus et mieux. La « frontière » pionnière de l'essentiel met en mouvement, vers 1680, le grand multiplicateur des possibles, faut-il ajouter l'accentuateur des disparités ?

Ce que l'initiative privée a mis en place au XVIᵉ, ce que les consistoires réformés ont fait, ici et là, préparant ainsi les succès futurs des *Dissenters,* les grands États des Lumières l'ont ordonné. Louis XIV, en 1698, prévoit pour le géant France l'école élémentaire généralisée ; l'exécution demande les trois quarts d'un siècle. L'attaque de la « frontière » est rapide, là où existent de fortes élites de liseurs : voyez la coulée rhodanienne qui aligne ses signatures précoces dans la masse difficile des pays d'oc, voyez la Normandie qui signe à 90 p. 100 pour les hommes et 60 p. 100 pour les femmes vers 1770-1790... dans le pays d'Auge, le Bessin, une partie du Nord Cotentin, avec, de-ci, de-là, des pointes à 90, 95 p. 100, hommes et femmes. La France qui lit la première tourne autour de Paris, frange la Normandie, pousse à l'est et descend le Rhône. A quelques avatars près, les lecteurs du XVIIIᵉ préparent la France industrielle des XIXᵉ et XXᵉ siècles. Et c'est un peu dans le même temps, au cours de la seconde moitié du XVIIIᵉ siècle, que l'avant-dernière étape de la conquête du territoire national par la langue française est franchie. Elle est indissociable de l'alphabétisation au niveau révolutionnaire explosif, proche des 50 p. 100. Ce sont l'État, les besoins d'une administration envahissante qui brisent patois et dialectes, F. Brunot l'avait déjà noté, au stade où « l'ignorance du français » devient « une gêne et un danger ». Avec l'annonce, le 25 juin 1787, de la généralisation d'un régime municipal sur l'ensemble du territoire, la vie pratique va faire de l'usage courant du français, d'abord pour les hommes et sensiblement plus tard pour les femmes, une obligation de la vie quotidienne.

La Prusse agrandie de la Silésie va faire son rattrapage à la fin du XVIIIᵉ et rejoindre définitivement l'Ouest culturel. Du moins, telle est la volonté de Frédéric. « Après la guerre de Sept Ans », dans ce royaume qui a dépassé cinq millions d'âmes, « il rend obligatoire l'école élémentaire entre cinq et treize ans. Les parents paient pour l'entretien des maîtres et sont responsables de l'assiduité de leurs enfants. Le caractère utilitaire de l'Édit apparaît avec l'obligation pour les instituteurs d'avoir préalablement appris au Séminaire de Berlin " la culture de la soie ", les vieux soldats, les invalides de guerre feront, à l'en croire, d'excellents maîtres d'école sous la surveillance des pasteurs. » (François Bluche.) Rôle identique, un peu plus discret, en France, des vieux soldats : les armées du XVIIIe ont été les auxiliaires de la « frontière » conquérante de l'écrit. A la différence de la horde baroque de Wallenstein, les soldats formés au *drill* ont conduit à leur manière quelque essentiel *Kulturkampf*. En trente ans, la Prusse, cette Allemagne slave incertaine, cette colonie retardataire pour techniciens étrangers, ce terrain de manœuvre privilégié de la *diaspora* huguenote, a réussi l'un des plus beaux rattrapages culturels de l'histoire. L'école prussienne, fille de la caserne, prépare l'Allemagne des prix Nobel des années 1890-1930.

En tête de l'Europe calviniste, l'Écosse presbytérienne des Lowlands, l'Angleterre dissidente ; presque à égalité, l'Allemagne minoritaire, « réformée », piétiste. Elle fournit, en outre, quelques ferments à la frontière pionnière américaine. La *diaspora* huguenote a fait bouger la Prusse, elle a été l'artisan du rattrapage de la Poméranie, du Brandebourg, de la Prusse, du *take off* culturel de l'Europe baltique. Le plus spectaculaire des gains — la performance est moyenne —, c'est encore la France. La Réforme catholique dans sa modalité acculturante de masse, la modalité augustinienne, en a été le ferment ; elle conserve cette vocation à travers la lente dégradation du XVIIIe siècle. Voyez en Italie le rôle des écoles pies ; en Espagne, le catholicisme éclairé du second XVIIIe siècle est superficiellement touché, mais le retard est de deux siècles.

La structure moléculaire qui rend compte de la juxtaposition des comportements démographiques s'applique à la révolution culturelle. Une France pauvre au sud et à l'ouest s'oppose désormais à une France riche au nord et à l'est, France d'oïl et France d'oc, France de l'isthme européen, donc de la communication, avec des niveaux genevois d'alphabétisation populaire profonde, de lecture intense et difficile, France celte de bout du monde, de finistère, France cul-de-sac paradoxalement océane.... France riche de nouveau au nord-ouest, mais sur les mers bordières, les *narrow sea* du Channel, normande et picarde. Le Roy Ladurie a délimité un Sud à l'écart de la mutation, l'Est aquitain, le sud du Massif central, Poitrineau a plongé au sein d'une lamentable Auvergne, exportatrice de gueux analphabètes avant l'inversion du XXe siècle. Le premier sondage de l'INED publié délimite un Ouest profond (cinq départements bretons, Maine-et-Loire et Vendée) : de 16,1 à 23,2 p. 100 pour les garçons, de 7,5 à 11,8 p. 100 pour les filles. L'enquête de Maggiolo situait déjà la Bretagne, l'Anjou, la Vendée dans les régions les plus en retard. En 1786-1790, l'ensemble de la France donnait 47 p. 100 pour les hommes, 27 p. 100 pour les femmes, avec une amplitude de 10 à 90 p. 100 suivant les régions de haute et basse scolarisation.

On voit une nette croissance de l'alphabétisation de 1750 à 1770. En Normandie, elle porte les paroisses heureuses de 60 à 90 p. 100 pour les hommes, de 30 à 60 p. 100 au moins pour les femmes. Un classement par générations (dates de naissance et mariages) permet d'apprécier, dans l'Ouest lointain, le plafonnement parfois plongeant des dernières années de l'Ancien Régime et l'effondrement de l'époque dite révolutionnaire, en raison « de la désorganisation de l'enseignement paroissial ». La France, de nouveau, marque le pas par rapport à l'Angleterre.

L'alphabétisation de la masse n'est qu'une étape, la plus directement et globalement mesurable ; elle n'est pas la première, nous l'avons vu ; elle est suivie, au début de l'ère industrielle, d'une troisième vague, le passage de l'alphabétisation à une véritable instruction primaire. La Prusse réussit à superposer rapidement la deuxième et la troisième vague, cela fait partie du rattrapage de l'Allemagne de l'Est. L'avance, au XVIIIe siècle, de la frange pionnière de la frontière culturelle vers les couches profondes de l'Europe traditionnelle dépasse largement la marée de 1450 à 1550. En masse, non en difficultés, en volume, non en pourcentages, l'Europe des Lumières a gagné à la civilisation écrite dix fois plus d'hommes que le XVIe ne s'en était acquis. Par rapport au niveau de base initial, 1450 ou 1680, le gain relatif est comparable.

*

Cette victoire est indissociable de la victoire sur la mort. Elle s'est faite sans éclat. Les éclats viennent à l'aube du XIXe siècle, avec la vaccine de Jenner (1798). Pierre Darmon en écrit l'histoire. De sursis en sursis, l'Européen moyen du XVIIIe a arraché près de dix ans sur la mort ; dix ans après vingt-cinq ans, c'est beaucoup plus qu'un doublement de la vie adulte. Au bénéfice de l'enfance. L'universelle passion du XVIIIe siècle pour l'éducation résulte en partie de cette constatation implicite, presque toujours inconsciente. On n'investit pas sur la mort; l'alphabétisation générale n'est rentable qu'avec une espérance de vie suffisante. Les plus hauts degrés d'alphabétisation (Angleterre, Écosse, Scandinavie) sont concurrents d'une réduction massive de la mortalité juvénile; les plus bas niveaux accompagnent des mortalités infantiles archaïques.

Les grandes victoires du XVIIIᵉ siècle ont toujours été des victoires modestes. La plus grande de toutes découle d'un ensemble presque imperceptible de succès modestes. La démographie cyclique l'avait noté. L'atténuation de l'amplitude cyclique, c'est l'espacement, la réduction progressive des rencontres périodiques collectives avec la mort. La modification, dégagée récemment par Philippe Ariès, de la sensibilité et des gestes collectifs devant la mort découle pour une part appréciable de cette mutation. La mort se replie au for familial. A la limite et dans un premier temps, la mort, au XVIIIᵉ siècle, pour des générations qui ont connu les hécatombes de 1693 et de 1709, se fait discrète. Voyez toutes les séries paroissiales, mieux, provinciales et nationales... Le rabotage des courbes de mortalité est impressionnant sur la longue durée. Voyez surtout les courbes nationales, là où elles existent; imaginons une courbe européenne qui ne peut être qu'hypothétique : les accidents cycliques ont, au XVIIIᵉ siècle, tendance à s'éliminer. L'accident est local, il est bref, la mort frappe là, puis s'arrête.

La mutation modeste des communications est le facteur numéro un de la lutte contre la mort. La faim aiguë, la faim qui tue, disparaît à peu près totalement, à l'ouest du Niémen, devant une mobilité légèrement accrue des vivres et des hommes. Les céréales de secours circulent par mer. Dans la Méditerranée du XVIᵉ siècle, Fernand Braudel avait évalué à 2 millions d'hectolitres, chiffres ronds, le commerce maritime du blé. Ce chiffre est peu de chose à côté des mouvements de blé de la Baltique au XVIIIᵉ. La capacité des flottes a décuplé. Un volant de blé maritime de plusieurs milliers de quintaux assure la protection des côtes de l'Europe contre la faim. Grâce à la route et au canal, une partie de l'Europe, à l'ouest, est devenue côtière. L'Angleterre riche, tout entière, est incluse, à partir de 1750-1760, dans la zone de la protection côtière. Une partie de la France y entre. Il y a prime évidente d'est en ouest en faveur de l'Europe riche qui est aussi l'Europe mince.

Révolution du pavé et du canal. A l'ouest, les choses ont tendance à aller au-devant des hommes. A l'est, à l'inverse, les hommes vont au-devant des choses. Mais le résultat est le même. La Prusse circumbaltique, sous la protection stratégique du blé russe et de finances relativement solides dans une zone de monnaie faible, s'entend à merveille à drainer à son profit les victimes de l'archaïsme économique de l'Europe centrale. De 1740 à 1786, la Prusse, malgré la guerre de Sept Ans, avec ses relents sauvages, ses grands flots barbares de Hongrie et de Russie, ses remontées d'un temps révolu à l'ouest depuis la guerre de Trente Ans, passe de 2,4 à 6 millions d'âmes. Là-dessus, 1,2 pour la conquête de la Silésie (1 million) et de la Prusse polonaise (200 000). Le doublement en quarante-six ans, de 2,4 à 4,8 est imputable pour l'essentiel au croît naturel et à l'immigration. Henri Brunschwig évalue le solde à 285 000 âmes. Frédéric II fixe la part de la colonisation interne dans l'accroissement prussien à 1,1 million d'âmes. Les 285 000 migrants jeunes ne sont pas tellement incompatibles avec le 1,1 million du roi de Prusse.

La colonisation, à l'époque du Grand Électeur, avait été une colonisation de cadres et de techniciens huguenots et hollandais. Frédéric II remplit la Prusse avec les *morituri* en sursis de l'Europe archaïque. Le parapluie baltique de la Prusse et les communications améliorées du XVIIIᵉ sauvent, au profit de l'Allemagne de l'Est, les sursitaires de la mort des conjonctures anciennes de l'Europe continentale.

Le tournant, c'est la guerre de Sept Ans. Avant 1756, les agences de Hambourg et de Francfort-sur-le-Main recrutent encore, par vitesse acquise, à l'ouest, un matériau cher et rare. Déjà, les migrants hussites, que la misère en Bohême et l'intolérance mettent en marche, fournissent les gros bataillons : 3 200 familles travaillent à canaliser l'Oder et à drainer sa vallée. Le vieux Fritz se frotte les mains dans son français des Lumières. Le *Drang nach Osten* est d'abord une poussée vers le nord et une poussée vers la mer. « Frédéric fixe [...] à la même époque, dans le duché de Magdebourg, un grand nombre de saisonniers venus de Thuringe [...] L'œuvre devient systématique après la paix de Hubertsbourg [...] entre Oder et Netze, en dix ans, 15 000 colons. » (François Bluche.) Dans le pays de Magdebourg, 2 000 familles sur d'anciennes terres de la Couronne. De 1740 à 1775, 13 000 familles dans le duché de Prusse, entre 1763 et 1780, 40 000 personnes en haute et basse Silésie... 50 000 colons pour la Baltique-Poméranie, 12 000 pour la vieille marche électorale de Brandebourg, plus proche de la saturation.

Mais voilà 1770-1771, une conjoncture d'une amplitude

dépassée, de nouveau, sur l'Europe continentale :
40 000 misérables, menacés par la mort, prennent la route
salvatrice du nord. « Les disettes des années 1770 et 1771
ayant dirigé 20 000 Saxons et autant de sujets de Bohême
vers les États de Frédéric II, " ils furent, dit ce dernier,
reçus à bras ouverts " : une partie de ce flot est bientôt
orientée vers la Prusse polonaise, zone à germaniser, province que les travaux du génie entrepris entre Netze et
Vistule ouvrent à la colonisation [...] »

À l'ouest, la conjoncture ne tue plus, parce que le blé
arrive. Parce que la pomme de terre n'a pas attendu
Parmentier, en Angleterre et en Irlande ; la pomme de terre,
cette « frontière » technologique, remplit l'estomac des
pauvres. À l'est, la conjoncture ne tue plus, mais elle met en
mouvement. Elle chasse, pousse en avant, vers des frontières qui ne sont pas toutes lointaines. La conjoncture
archaïque de l'Europe continentale contribue aux taux de
croissance verticaux des « frontières » intérieures. Nous
avons vu la Prusse. Tout cela, bien sûr, est un gain pour
l'homme. Les Saxons et les Tchèques en route vers le
paradis prussien annoncent les Irlandais du XIXᵉ siècle en
route vers le paradis américain.

Atténuation puis disparition de la mort cyclique. Quelles
en sont les conséquences pratiques ? La fin de la mort
cyclique transforme le subconscient collectif, elle modifie la
pyramide des âges. Le mal cyclique était, nous l'avons
rappelé dans l'*Europe classique,* après dix ans d'études
passionnées de la crise par toute une génération d'historiens,
une mort sélective. Elle écourtait la vie des vieillards,
accessoirement elle élaguait quelque peu le tronc de la
pyramide, elle creusait surtout au niveau des nouveau-nés et
des enfants. Le rabotage séculaire de la courbe des morts
est, d'abord et essentiellement, une réduction de la mortalité
infantile. Une chance supplémentaire pour les appelés à la
vie, donc un encouragement à leur consacrer le temps d'une
éducation plus soignée, cette éducation qui confère à son
tour une chance de vie supplémentaire.

Chute de la mortalité globale. Au lendemain de la crise
sévère de 1690-1720, des avancées de la vie tiennent en
partie aux morts anticipées des mauvaises années : elles sont
sans précédent par l'amplitude bénéfique. Voyez la Suède en
flèche. De 1711 à 1735, le district central de Närke se tient
entre 23 et 24 p. 1000. Un taux de la fin du XIXᵉ à l'ouest.
Supposons réglé le problème de l'enregistrement, l'effet de

récupération effacé, les taux de ce quart de siècle ne sont pas intégralement consolidés. La Suède, le Danemark et la Norvège, pourtant, restent en dessous de 30 p. 1000, cette barre de malheur du passé. La Finlande fait mieux et la Nouvelle-Angleterre détient le record. En tête pour le recul global de la mort, les bordures et les frontières maritimes froides de l'Europe. L'Angleterre en seconde ligne. Elle remonte en première ligne après 1780. De la fin du XVIIe au milieu du XVIIIe, l'espérance de vie à Colyton passe de 37 à 42 ans, mais ce n'est qu'une récupération. L'Angleterre, au début du XVIIIe siècle, est globalement mal placée sur le front pionnier de la conquête sur la mort ; nos sources hésitent un peu ; 1701 à 1740, la mort gagne : 1701, 28,6 p. 1000, 1731-1740, 35,8 p. 1000 ! L'Angleterre fait en partie les frais d'une urbanisation record et de facilités nouvelles dont les conséquences sont mal appréciées. Londres, le gigantesque mouroir londonien (10 p. 100 de l'Angleterre ; Paris, 2 p. 100 de la France) et l'alcoolisme, lors de la catastrophe nationale de la *gin drinking mania* qui culmine peu avant 1740, se combinent avec les séquelles des mauvaises récoltes et des épidémies persistantes de 1709. A partir de là, le progrès est constant. L'affaiblissement de la mortalité de 1741 à 1750 : 33 p. 1000 au lieu de 35,8 p. 1000 dans la précédente décennie, est de récupération. 1750 marque le point de départ de la longue marche du front pionnier contre la mort : 1751-1760, 30,3 p. 1000 ; 1791-1800, 26,9 p. 1000.

La France vient assez loin derrière. Mais toutes les données concordent. Tout d'abord, les moyens directs. « En Beauvaisis, la proportion des plus de 60 ans dans le total des décès d'adultes variait de 28 à 40 p. 100 au XVIIe ; elle est de 43 à 61 p. 100 pour la période 1771-1790. Dans le Saumurois, on passe de 35-38 à 47 p. 100. » (M. Reinhard.) Partout, recul de la mortalité infantile, de 27, 35 p. 100 à 25 p. 100, de 32,8 à 28,7 p. 100, de 24,7 à 15,9 p. 100. Nous avons presque toujours dans les secteurs de la Normandie heureuse des taux inférieurs à 15 p. 100.

Dans le pauvre Languedoc, l'espérance de vie des adultes est passée par un minimum à la fin du XVIIe, imitant le mouvement anglais, sous l'action d'une recrudescence de la variole et du pourpre ; elle remonte dans la seconde moitié du XVIIIe. Mortalités infantile et juvénile reculent. En Auvergne, la vie des adultes reste précaire, mais les chances des enfants et des jeunes sont meilleures après le cap du milieu du siècle. La grande bataille se livre au niveau de l'enfance. Les disparités régionales sont énormes, signe d'archaïsme. Elles vont des 180, 140 p. 1 000 de nos exemples bas normands aux 244 et 286 de Sotteville-lès-Rouen et d'Ingouville (près du Havre), en passant par les 177 de la banlieue sud de Paris et les 191 de Thézels-Saint-Sernin en Quercy. J. Dupâquier, pour vingt paroisses rurales du Vexin français, suit les aléas de la victoire sur la mort.

1738-1743, 243 p. 1 000, premier maximum ; 1749-1758, 161 p. 1 000, le minimum est bien creusé. La France, à la fin de l'Ancien Régime, n'a pas encore doublé le cap des 30 p. 1 000. Le Hainaut oscille, de 1774 à 1787, de 26,7 à 34,3 p. 1 000. « Pour l'ensemble des généralités [...] de 27,3 à 38,9 p. 1 000 pour la période 1770-1779 », avant la remontée de l'Ancien Régime, lors de la mauvaise décennie prérévolutionnaire : « 28,2 à 44,3 p. 1 000 pour la période de 1780-1787 ».

L'espérance de vie, pourtant, a bougé. Pour le médiocre ensemble Bretagne-Anjou-Vendée, le cap des trente ans est largement dépassé (hommes, 34 ans ; femmes, 38 ans). Une autre approche donne 32,5 ans pour les générations nées entre 1740 et 1749, 40 ans pour celles nées entre 1750 à 1759. Bourgeois-Pichat fait apparaître de son côté, de 1775 à 1800, une mutation brutale de l'espérance de vie, à la naissance, à un an, à 5 ans et à 14 ans. La France rattraperait même, au cours de cette fin de siècle, en dépit de l'accident des années 1780-1784, une partie du retard pris par rapport au cas exceptionnellement favorable de la Suède.

On peut suivre avec une particulière précision l'avance du front contre la mort dans les milieux favorisés. Pour les *Europe's ruling families* de Peller, la mutation de la vie humaine se situe bien au XVIIIe siècle, là et exclusivement là. Sur 100 personnes appartenant aux familles dirigeantes de l'échantillon, les chances respectives d'atteindre 70 ans sont par rapport à la naissance :

	Hommes (p. 100)	Femmes (p. 100)
1500-1599	6,9	10,2
1600-1699	6,3	12,6
1700-1799	16,8	19,2
1800-1849	25,5	34,3
1949-1951 (Blancs, U.S.A.)	51,7	67,5

Pour ceux qui survivent à 50 ans, les chances d'atteindre 70 ans suivent la même évolution. Gain substantiel au niveau aussi de l'âge adulte : à 50 ans, l'espérance de vie qui était de 11,2 au XVIᵉ siècle, 12,9 au XVIIᵉ, passe à 13,9 et 15,2 au XVIIIᵉ et pendant la première moitié du XIXᵉ pour les hommes (12,5, 13, 14,5 et 15,2 pour les femmes). Aux différents âges de la vie, le calcul de Peller situe de même et sans conteste le progrès décisif. La transformation la plus significative est celle qui se lit sur l'espérance de vie des hommes à 15 ans. Le gain est de 9 à 10 ans, un quart de vie adulte en plus. Les familles ducales anglaises de Hollingsworth réagissent plus vite et plus clairement encore, l'Angleterre est bien au sommet, à la pointe de la révolution et de l'hygiène :

| | Espérance de vie à la naissance | | | |
| | Morts violentes incluses | | Morts violentes exclues | |
	H	F	H	F
1480-1679	27,0	33,1	30,1	33,9
1680-1729	33,0	33,6	34,7	33,7
1730-1779	44,8	48,2	45,8	48,2
1780-1829	47,8	55,4	49,5	55,5
1880-1954	54,6	70,2		

La mortalité des enfants de moins de cinq ans était passée, dans le même temps, de 34,27 p. 100 à 20,18 p. 100 pour les garçons, de 29,28 p. 100 à 15,9 p. 100 pour les filles. Dans l'ordre de la mortalité infantile, l'avance anglaise du XVIIIᵉ siècle est énorme. Elle est acquise, simplement, sans découverte médicale importante, par le respect scrupuleux des règles élémentaires de propreté et de bon sens. On a observé que, dans la *gentry* britannique, au début du XIXᵉ siècle, la mortalité infantile était moindre que dans les quartiers pauvres de New York en 1930. L'hygiène de vie et le repos des mères pendant la grossesse faisaient mieux que toute la science médicale du XXᵉ siècle, avant la révolution des sulfamides et des antibiotiques.

L'allongement de la vie humaine est bien, à la limite, la seule grande affaire du XVIIIᵉ siècle. Il est dû à un ensemble de petites causes multiples qui ont formé, insensiblement, une masse critique de transformation. Le caractère à la fois géographique et social de la mise en marche du front contre la mort conduit à des solutions simples. Les conditions matérielles de la vie — l'Angleterre est en tête aussi des transformations économiques : une nourriture plus abondante, moins carencée, plus équilibrée, un toit de tuiles à la place de la « glue », le chaume qui protège mal contre le froid et l'humidité, et retient parasites et bactéries ; une maison un peu mieux construite, le progrès de la cheminée, des fenêtres plus larges, ce luxe qui complique la construction des murs et demande de la menuiserie et du verre (le papier huilé disparaît même chez les pauvres au XVIIIe siècle). Voilà pour l'économique, l'État vient ensuite. Il veille sur la circulation de modestes connaissances. Les intendants implantent en France des écoles de sages-femmes. Ils bouclent Marseille, distribuent des boîtes de quinquina, envoient les médecins de peste, ces dictateurs redoutés de l'hygiène publique. De par le roi, la peste ne doit pas tuer hors de Marseille et d'une mince tranche du Midi provençal et languedocien. De par le roi... La vie des sujets fonde la richesse du prince.

Retenons, pour finir, un certain regard sur les choses de la vie, sur le corps, sur les objets, les aliments, le cadre de la vie quotidienne. La première victoire sur la mort est empirique. Il n'est pas surprenant que cette victoire soit anglaise. Tous ceux qui se sont penchés récemment sur cette importante question sont unanimes dans leur diagnostic : séries statistiques péniblement élaborées, d'un côté, grandes étapes de l'histoire médicale, de l'autre. Le grand bond en avant de la frange pionnière de la vie sur la mort précède largement les progrès de la médecine. La connaissance médicale avance par paliers : le XIIIe, le XVIe, la mutation du début du XIXe siècle, la mutation pastorienne, la mutation depuis 1942.

La révolution de l'allongement de la vie humaine précède de cinquante ans au moins la clinique de Laennec, de vingt ans l'invention de Jenner. Revenons à Jenner : l'inventeur de la vaccine n'est pas prophète du XIXe siècle, il est le plus grand des empiriques du XVIIIe siècle. Les sciences de la vie piétinent au XVIIIe siècle ; elles n'en sont pas aux modèles opérationnels. Les hypothèses de Lepecq de La Clôture et de Vicq d'Azyr, sur les influences du climat, de l'environnement et du sol, sont, *in abstracto*, intéressantes. Au moment où elles sont formulées, faute de moyens, de mesures, d'une connaissance des structures cellulaires, en raison des corrélations multiples qu'elles appellent, les pistes de Vicq d'Azyr sont de fausses pistes, elles supposent l'informatique. Une médecine trop hâtivement scientifique, au XVIIIᵉ siècle, est vouée à l'échec. Mais il lui reste l'observation, l'attention, le bon sens, l'amour du monde et de la vie. L'hygiène empirique du XVIIIᵉ a changé les dimensions de l'œkoumène, elle est à 50 p. 100 responsable de la condition préalable la plus importante du décollement et de la croissance soutenue. Elle est clef de l'environnement sans lequel la pensée du XVIIIᵉ siècle n'aurait pu aller jusqu'au terme de sa propre évolution mais elle est, avant tout, le produit le moins contestable de la pensée des Lumières. Derrière Jenner, il y a aussi Locke et Bacon. Une confiance dans la donnée des sens, qui est le complément contradictoire du *cogito*, porteur de la mathématisation des Lumières.

Point sensible entre tous, voici l'obstétrique. En Angleterre, dans la seconde moitié du XVIIIᵉ, l'accouchement dans des établissements hospitaliers apparaît. Ne pas se hâter de porter le fait dans la colonne des profits. Les maternités ont été des mouroirs jusqu'à la révolution pastorienne, des foyers endémiques de fièvre puerpérale. Reportons-nous aux statistiques plus fines du XIXᵉ siècle : L. Lefort, en 1866, chiffre, en France, les pertes des femmes en couches à 34 p. 1 000 en maternité, 4,7 p. 1 000 à domicile ; même disparité en Angleterre, avec une moyenne générale plus basse : 4,83 p. 1 000 pour l'ensemble, de 1855 à 1867. Les maternités ne constituent pas, *a priori*, un progrès. Voir, cependant, à qui elles offrent leurs services. La chambre de maternité dans un hôpital de Londres, vers 1760-1770, vaut mieux que les bouges où les filles-mères de Nantes se font voler, accouchent et meurent à la même époque. Les forceps sont apparus très tôt en Angleterre, mais leur utilisation progresse lentement dans la seconde moitié du XVIIIᵉ siècle. La France, sous l'impulsion de quelques intendants, suit. Une source évalue à un cas sur 1 500, environ, le recours à une délivrance artificielle. Mac Keown et Brown observent que l'élément décisif fut moins un changement dans la technique obstétricale qu' « une amélioration de l'hygiène dans la salle de travail ». C. White, dans un important traité d'obstétrique, *A Treatise on the Management of Pregnant and Lying in Women,* paru à Londres en 1773, recommande avec force la propreté et une ventilation généreuse des lieux. Les remarques de White vont loin, elles constituent à elles seules une petite révolution médicale. Un long combat sera nécessaire pour que soit admise dans le corps médical et dans le corps social l'influence de l'environnement sur la santé et la maladie. Les idées de White gagnent du terrain dans l'Angleterre préindustrielle, avec la possibilité de les faire passer dans la pratique : le savon, le verre, la brique cuite à la houille, les cheminées qui tirent, produits meilleurs, moins chers, plus abondants. Dans la *upper* et dans la *middle class,* la maison anglaise s'ouvre à l'air et au soleil ; le bilan reste à faire de ces micromodifications qui s'additionnent en un grand progrès.

Il est tôt pour aller plus avant. Les maladies obéissent à des cycles que nous entrevoyons à peine : recul de la lèpre, poussée de la syphilis, avances récurrentes de la peste, poussées du typhus, avances du choléra que les communications font sortir des bastions de l'Est ; poussée de la variole jusqu'à Jenner, malgré la dangereuse variolisation, grandes avancées de la scarlatine au début du XVIIIe siècle, avancées des terrains typhiques ici et là dans les décennies 1770-1780... Montée de la tuberculose, cette punition de l'urbanisation rapide au nord de la Méditerranée, en dehors du bouclier des ultraviolets des ciels bleus du 40e parallèle.

Nous avons suivi, jadis, les dernières convulsions de la peste. Traquée en France, battue en Angleterre, elle reflue sur les bords, s'accroche longtemps en Espagne où Cadix est menacée, au début du XIXe siècle ; elle a poussé ses raids, à l'aube du XVIIIe siècle, sur la Baltique. Sur son chemin, elle a trouvé les officiers du roi, là où la monarchie a donné naissance aux puissants rouages d'une machine administrative. On cloisonne l'espace, on brûle les hardes, on multiplie les lazarets et la quarantaine en ces points faibles, par excès de communications, que sont les ports.

Marseille [1], en 1720, prouve au moins deux choses : la peste est un archaïsme ; la peste roule autour de l'axe médian de l'Europe nombreuse qui accumule les moyens et prépare les pensées de la grande mutation. Marseille, en contact direct avec les Échelles, foyers endémiques, et par elles avec l'Inde profonde, est en première ligne, tellement sur ses gardes, tellement maîtresse de ses moyens empiriques et sûre, à force de jouer victorieusement avec le feu, qu'elle se laisse surprendre, Marseille ne croit plus à la peste. Mais devant le vieux danger proche aux mémoires, l'Europe des Lumières fait bloc, oubliant guerres et frontières.

« [...] En ce mois de mai 1720, Marseille ne pensait pas à la peste. Elle avait pour la dernière fois frappé en 1630 et en 1649. Personne ne s'en souvient; quant aux marins, à Constantinople et aux Échelles, ils la connaissent comme un mal endémique, exotique, avec lequel ils sont habitués à compter, le paludisme des coloniaux du XVIIIe siècle. » En 1719, 265 navires étaient revenus du Proche-Orient, « 5 000 matelots s'étaient répandus dans la ville, qui, peut-être, sans le savoir, l'avaient frôlée, au détour d'une escale ». Entre le danger et les 100 000 habitants, l'écran d'une protection efficace. « Les Infirmeries — ce superbe lazaret créé par Colbert — recevaient marchandises et équipages pour les quarantaines purificatrices. » La meilleure organisation sanitaire de la Méditerranée. « Soixante-dix années d'efficacité signifiaient soixante-dix années d'oubli. » Cette ville nombreuse, 93 000 habitants, un peu plus peut-être, est une ville dense, 1 000 habitants à l'hectare, dans les quartiers populaires; c'est une ville catholique, d'une piété bien méditerranéenne, exubérante et sincère, au sommet, une grande figure d'évêque, digne de la Réforme catholique, un Gascon de souche protestante, Mgr de Belsunce, prélat qui réside, trop froid, trop digne, trop rigide pour plaire, résolument en faveur de la Bulle, ce qui lui vaut de solides inimitiés jansénistes.

Au début de 1720, Marseille doit faire appel, ce qui ne pose pas trop de problèmes, au volant des blés du Nord baltique et de la Méditerranée. Une certaine tension sur le marché, mais Marseille a de quoi manger : elle fournit, depuis mars, du blé à la Provence.

« Le 20 juin rue Belle-Table, étroite et sombre [...] que les beaux quartiers ignorent [...] une femme meurt en quelques heures. Signe ? Un charbon sur la lèvre. » Marie Dauplan, 58 ans, une miséreuse. Huit jours s'écoulent, un décès sur une centaine. Le 28 juin, Michel Cresp, tailleur, meurt subitement, 45 ans. Aucun signe. Le 30 juin, Anne Durand, 37 ans, sa femme réfugiée chez sa mère, le suit. Trois morts, trois rues, aucune réaction. Marseille ne fait pas le rapprochement, ne croit pas à la peste. Le 1er juillet, deux nouvelles victimes, deux femmes encore, un charbon sur le nez, « signe connu, presque rassurant, mais l'autre, des bubons ». La mort frappe encore, plusieurs fois par jour, du 1er juillet au 9 juillet, cantonnée aux bas quartiers. « Morts négligeables, donc Marseille les écarte. »

Le 9 juillet, un adolescent (13-14 ans) mourant dans un beau quartier, de vrais médecins, les Puysonnel, père et fils, à son chevet. Le diagnostic tombe sans barguigner : « C'est la peste, disent-ils aux échevins. » Dans la maison du petit Issalenc, le mal fait tache. Alors seulement les premières mesures. « On attend la nuit, et sur les onze heures, M. Moustier, premier échevin, s'y rend sans bruit, fait venir des portefaix des Infirmeries, les encourage à monter dans la maison, et ayant descendu le mort et la malade, les leur fait porter, avec des brancards, hors de la ville, dans les Infirmeries : y fait aussi conduire toutes les personnes de cette maison, les accompagne lui-même, avec des gardes pour que personne ne s'en approche et il revient ensuite faire murer à chaux et à sable les portes [...] Aucun ne survit et pour tous, signe du danger perçu, enterrement dans la chaux vive. » La peste, maintenant, est aux Infirmeries. La ville, cependant, essaie encore de nier la relation entre l'accident de la rue Jean-Galant et ce qui se passe au lazaret. Il y va des relations commerciales de Marseille avec le reste du monde. Pendant quelques jours encore, la comédie continue. Et pourtant, dans les bas quartiers, déjà, comme des mouches, les pauvres meurent. M. Sicard, le fils, médecin, en a donné nouvel avis, le 18 juillet. Le 26 juillet seulement, les échevins décident la mise sur pied du dispositif d'alarme progressivement élaboré par les médecins hygiénistes vainqueurs de la peste au XVIIe siècle. Chaux, cantonnement, renvoi des pensionnaires, évacuation du bétail. Le 31 juillet, 3 000 mendiants sont chassés. « L'éminente dignité du pauvre ne les protège plus. » Un retour de flamme du XIVe siècle. Le 2 août, le grand feu de sarments sur les remparts tente d'exorciser la peur par la peur, des centaines de maisons sont murées. Aux « morituri » emmurés, les « commis étapiers » distribuent les vivres pour une courte et morose survie. Les corbeaux en plein jour transportent vers la chaux des Infirmeries leurs lots de cadavres. La fuite des aisés et des prudents est maintenant bloquée. Les chemins de la fuite se sont, les uns après les autres, fermés. La peste est dans les églises ; plus de jeux, plus de réunions, plus de culte. Le 9 août, les premiers tombereaux à cadavres brinquebalent. « Il meurt alors cent personnes par jour. » Mi-août, « il meurt alors trois cents personnes par jour ». Fin août, cinq cents morts par jour. Début septembre, mille morts par jour. Les crochets à cadavres maniés par des forçats transformés en croque-morts, bardés de toile cirée, presque plus de prêtres. Le viatique donné au bout de pinces de 2,60 m de long. On meurt dans la rue... « Seuls sont enlevés les corps les plus atteints, qui, séjournant dans les rues depuis une dizaine de jours, tombent en morceaux quand on les touche [...] corps monstrueux, enflés et noirs comme du charbon, d'autres également enflés, bleus, violets et jaunes, tous puants et crevés, laissant la trace du sang pourri. » Les grandes fosses communes égalisatrices et la chaux...

Se dévouant sans relâche, calmes, courageux, dérisoires, magnifiques et tragiques : des échevins, le Père Millet de la Compagnie, quelques religieux qui contrastent avec le clergé paroissial, généralement terré ou enfoui, « Henri François Xavier de Belsunce de Castelmoron, évêque de Marseille, abbé de Notre-Dame des Chambons, conseiller du roi [...] Vêtu d'une soutane de soie, relevée " très haut " sur le bras, une éponge trempée dans le vinaigre sous le nez, seul, parcourt la ville », distribuant aumônes, réconfort, confessant les mourants.

Crescendo, decrescendo. Le 15 octobre, il ne meurt plus que cent personnes par jour ; 18-20 octobre, 20 morts par jour... Du 6 au 15 novembre, la mortalité remonte à 50 ; légère rechute encore à la mi-décembre. Au début de 1721, avec la vie, on voit apparaître le premier corbillard, de la décence dans la mort. « [...] Il véhiculait au grand jour son cadavre inoffensif. Voiture rassurante, elle était curieusement symbole d'espoir ; elle disait que le Moloch insatiable était redevenu le commensal habituel et raisonnable de la vie des hommes. » Marseille se retrouvait en 1721 avec 50 000 habitants. Une fringale de mariages et la montée des baptêmes n'effacent pas d'un trait les effets durables de cette grande et archaïque saison des morts.

Marseille marque la fin de la peste dans l'Europe nombreuse. Par la surprise au départ : Marseille ne se serait pas laissé prendre sans une fausse assurance, fille d'une génération française installée dans la sécurité. L'ampleur, l'efficace de la réaction, au plan national et international, montre la possibilité d'une action rationnelle délibérée, modeste mais utile, une prise non négligeable sur les choses ; cette irruption du Moyen Age montre que pour l'étroite Europe des Lumières vacillantes, le Moyen Age est révolu. La surprise, le mécanisme en a été démonté. Place, donc, à l'événement. Qu'un coup de dés, jamais, ni la science sociale ne sortiront, pas plus que le hasard, totalement du champ de l'histoire. Le *Grand-Saint-Antoine*, capitaine Jean-Baptiste Château, de Marseille, après dix mois et trois jours d'ab-

sence, rentre le samedi 25 mars 1720 ; il avait fait escale à
Smyrne, Mosconossy, Chypre, Seyde, Sour, Tripoli, Chypre, Livourne. De la routine. Deux cent cinquante entrées
comparables chaque année, en provenance de terres où la
peste tranquille est simplement endémique. Le *Grand-Saint-
Antoine* a eu cinq morts suspects en cours de route, mais il a
des patentes de santé en bonne forme et un certificat en règle
du médecin de santé de Livourne, un expert pourtant. Le
25 mai, le bateau « s'ancra à l'île de Pomègue, comme
n'importe quel navire venant du Levant ou de Barbarie »,
pour la purge traditionnelle. La peste est à Damas et dans
ses environs, en janvier 1720. Château a chargé, sans s'en
douter, des marchandises infestées, des balles de coton
(brut), six portefaix mourront à Marseille pour les avoir
maniées. Un Turc embarqué était certainement pestiféré...
Château, enfin, grosse imprudence, l'enquête le révèle, avait
acheté à Tripoli des « cordages et une méchante toile
provenant d'un vaisseau anglais dont tout l'équipage, selon
la rumeur publique, était mort de la peste ». Marseille avait
« toute confiance en la solidité et l'herméticité de son
complexe sanitaire ». Une série de petites négligences l'ont
rendu perméable. Ajoutez à cela, faute d'expérience, un
diagnostic mal ou tardivement fait, le linge des marins en
quarantaine distribué aux familles ; par le linge, les puces, et
par les puces, la peste.

En symétrique inverse, l'ampleur des mesures qui blo-
quent le mal. Nous avions signalé jadis le cas du Régent
acceptant de bonne grâce, contre la lettre des traités, les
mesures prises à Cadix. Marseille, ville morte et isolée, par
mer d'abord, et par terre, du reste du monde. Le parlement
d'Aix, le 30 juillet 1720, interdit les communications aux
muletiers et aux voituriers à peine de la vie. La ville est
ravitaillée par mer, au bout de la pique, sans aucun contact.
L'interdit de Marseille s'étend aux autres ports français. La
France, un an plus tard, n'est pas libre de communiquer
avec Marseille sous peine de subir le boycott de l'Europe.
Témoignage d'une grande peur, mêlée d'un peu de malveil-
lance. Il faudra trois ans et deux mois pour que Cadix finisse
par s'entrouvrir au commerce de Marseille avec mille
réserves et restrictions.

La dernière grande peste de l'Occident (à Marseille, en
Languedoc, en Provence, on lui doit bien 100 000 morts,
50 000 sûrs à Marseille) est une peste à puces, sans rat. La
peste, on le sait, se présente sous trois formes, elle se
transmet du rat à l'homme, normalement par la puce du rat.

La peste, maladie endémique du rat noir, explose en épidémies périodiques, l'épicentre est dans l'Inde, les relais en direction de la Méditerranée, aux Échelles du Levant. Des populations de rats noirs sont atteintes par la peste ; ils meurent en grand nombre ; les puces qu'ils portent les abandonnent massivement pour l'homme ; quand les rats meurent en masse, l'homme est menacé.

La peste de Marseille n'appartient pas au cycle classique, mais au second, plus rare, de la peste interhumaine, à un seul vecteur, la puce non plus du rat mais de l'homme. « La simple addition des cas humains dus à la piqûre des puces de rat ne peut donner, au plein feu de l'infection, qu'une morbidité ne dépassant pas 5 p. 100 en un mois par exemple, alors que la multiplication des cas par transmission interhumaine peut amener une morbidité de 80 p. 100 dans le même laps de temps [...] » « En somme, la puce du rat additionne, celle de l'homme multiplie. »

Peste bubosepticémique interhumaine : une épidémie à peine sur dix prend cette forme. La peste de Marseille appartient à la famille des hécatombes historiques, celles du XIVe (1348, pulmonaire, exclusivement), du XVIe et, sans doute, du début du XVIIe, non aux épidémies méditerranéennes classiques que l'on connaît au Moyen-Orient et au Levante espagnol (dans la décennie 1680). La lente réaction des médecins y trouve son excuse. Bubosepticémique interhumaine : normalement, c'est par millions qu'on aurait, quelques siècles plus tôt, compté les victimes. De 100 000 au million, la différence est à porter au bénéfice des États. Le magistrat interdit à la peste de tuer les sujets du roi. Du même coup, on comprend les réactions un peu insolites et quelque peu démesurées, en France, en Espagne, en Italie, au Portugal, dans l'Empire, en Autriche, dans la Hanse, en Hollande, en Angleterre. Ne pas oublier, toutefois, que dans son bon combat, Dieu a aidé le roi. Le rat noir reste le meilleur allié de la peste. On ne peut juguler facilement le cycle de la peste. Depuis la fin du XVIIe siècle, le rat noir recule, chassé par un concurrent plus fruste et mieux doué, le rat d'égout, ou surmulot, venu de Norvège. Il atteint la France, à la fin du premier tiers du XVIIIe siècle. Ce rustaud refuse le rôle traditionnel de second vecteur. Ce bienfait venu du nord s'ajoute à d'autres. Il n'y aura plus de peste de Marseille.

*

La mort, au XVIIIe siècle, change de face. Marseille, janvier 1721 : « On commença, alors, à voir des funérailles pour les morts de maladie ordinaire. On voyait avec plaisir un enterrement parce qu'on était accoutumé à voir jeter les cadavres pour ainsi dire à la voirie, de sorte que ce qui était un objet de tristesse dans un autre temps était dans celui-ci un sujet de joie. »

Toute la pensée des Lumières se détourne du scandale de la mort. Elle a refusé la parenthèse cartésienne, étendu l'hypothèse mécaniste là où elle n'a pas de point d'insertion, tenté de faire basculer sur le temps l'eschatologie. Il lui faut une mort discrète, qui puisse se faire oublier. Bien regardé en face, le corbillard propret et rassurant de Marseille suffit à donner sa minuscule mesure à l'énorme effort appliqué de la philosophie des Lumières. En un mot, la mort n'a plus droit dans la cité ; elle est affaire personnelle, évacuée, avec tout un essentiel encombrant, sur le for intérieur et le cercle de famille.

La mort publique est devenue familiale. Suivons Philippe Ariès. L'Europe et l'Amérique, c'est-à-dire la chrétienté, ont connu quatre styles de mort. Première étape, la mort silencieuse, vétéro-testamentaire, du premier Moyen Age qui se survit chez les paysans de Tolstoï, le visage tourné contre le mur, le dos aux vivants, face à face avec Dieu. Seconde étape, la mort publique, baroque déjà, du second Moyen Age au XVIIe siècle. Moment décisif de la vie sociale, mort-spectacle pour l'édification des vivants. Troisième étape, le cercle se rétrécit. La mort reste consciente, mais dans un cadre social réduit au cercle familial (le XVIIIe siècle est solidaire, là aussi, du XIXe, enraciné dans les mutations du XVIIe). Quatrième étape, la mort de plus en plus clandestine, dissimulée au mourant, puis aux vivants, par l'effacement du deuil, cette ultime concession. « La mort d'autrefois, note Ariès, était une tragédie — souvent comique — où l'on jouait à celui qui va mourir. » Voltaire a excellé dans ce genre : il a répété vingt fois, mais assez mal mimé, le dernier acte, en juillet 1778. « La mort d'aujourd'hui est une comédie toujours dramatique où on joue à celui qui ne sait pas qu'il va mourir. »

Les trois premières étapes s'opposent globalement, certes, à la quatrième. Le passage de la seconde à la troisième demande un siècle environ. Le peuple retarde de cent ans sur l'aristocratie. Ce tournant important permet d'approcher un essentiel des Lumières.

Au XVIIIe siècle, comme au XVIIe, depuis toujours « il était entendu comme une chose normale, que l'homme savait qu'il allait mourir, soit qu'il s'en aperçût spontanément, soit qu'il eût fallu l'avertir [...] La mort était alors rarement subite [...] et la mort subite était très redoutée, non seulement parce qu'elle ne permettait pas le repentir, mais parce qu'elle privait l'homme de sa mort. Il fallait être fol pour ne pas voir les signes, et moralistes et satiristes se chargeaient de ridiculiser les extravagants qui refusaient l'évidence. » Le rôle des proches, des amis spirituels, c'est d'être, quand il le faut, des *nuncii mortis*. Le médecin de don Quichotte, mécontent de son pouls, lui recommande « quoi qu'il en fût, qu'il pensât à la santé de son âme, parce que la santé de son corps connaît un grand péril ».

« Plus on avance dans le temps, plus on monte dans l'échelle sociale et urbaine, et moins l'homme sent de lui-même sa mort prochaine [...] » Le médecin du XVIIIe siècle a renoncé au rôle de *nuncius mortis*. Les amis n'ont plus à intervenir, le repliement sur le noyau familial s'est opéré. Progressivement. Dans les milieux populaires, dans la première partie du XVIIIe siècle, la mort, le plus souvent, reste publique. « Le mourant ne devait pas être privé de sa mort. » Il fallait aussi qu'il la présidât... Dès que quelqu'un « gisait au lit, malade », sa chambre se remplissait de monde, parents, amis, voisins, membres de confréries. Les fenêtres et volets étaient fermés. On allumait les cierges. Quand, dans la rue, les passants rencontraient le prêtre qui portait le viatique, l'usage et la dévotion voulaient qu'ils le suivissent dans la chambre du mourant, même s'il était inconnu. L'approche de la mort transformait cette chambre en une sorte de lieu public. D'où le sens de la phrase de Pascal, « on mourra seul », dont le paradoxe voulu souligne, par contraste avec la foule des présents, la solitude psychologique du mourant. Bien sûr, les prêtres avaient essayé de mettre un peu d'ordre dans cette cohue, les médecins des Lumières, à la fin du XVIIIe, veulent éteindre les cierges et ouvrir les fenêtres par hygiène.

Chacun avait vu tant et tant de fois mourir qu'il répétait sans trop de mal les paroles et les gestes qui, au moment de la mort, lui revenaient en mémoire. Cette humble occupation des dernières heures aidait les vivants et le moribond.

Le XVIIIe siècle a suivi lentement le repliement de l'élite. Restif de la Bretonne (*Les Nuits de Paris*) fournit un témoignage sur un style de mort parisien du second XVIIIe siècle. « Certain soir, comme il passait rue de l'Égyptienne, aujourd'hui disparue, Restif fut attiré par un son de clochette : un prêtre accompagné d'un clerc portait le viatique. » (Pierre Gaxotte.) Alors le pornographe, l'ami des philosophes, retrouve le beau geste de la tradition chrétienne : « Restif se souvient [...] il suivit, répondant avec le prêtre au psaume que le clerc récitait. En la petite rue Verdet, on monta au cinquième, chez un pauvre scieur de bois à brûler. » « Mon frère, lui dit le prêtre, votre vie a été innocente et pénible, espérez en la bonté de Dieu ; vous n'avez eu que peines dans votre vie ; les biens vous attendent dans l'autre ; quand on a été avec résignation aussi malheureux... — Moi, interrompit le moribond, mais j'ai été le plus heureux des hommes, j'ai eu la meilleure femme, de bons enfants, du travail, de la santé... j'ai été des plus heureux. Le prêtre pleura, l'embrassa et prenant le viatique : — Mon Dieu ! voici un temple digne de vous. Il communia le malade, et s'agenouilla pour réciter le Te Deum. » (XVIIIe siècle larmoyant !) Interprétation limitée, mais, bien plutôt, solidité de la tradition intacte, profondeur du mystère chrétien.

L'humble et noble scieur de Restif mourait à Paris à la veille de la Révolution comme un paysan du XVIIe siècle. Au sommet, la modification était commencée, la mort accaparée par le cercle familial. La captation familiale de la mort au XVIIIe siècle relève de deux structures. Elle est un aspect de la promotion familiale générale. L'enfant et le mourant appartiennent plus que jamais au petit cercle des proches. La famille conjugale saisit une part sans cesse accrue d'affectivité. Mais aussi, la société ne peut plus intégrer la mort. La pensée des Lumières a, par commodité, largué, en France du moins, et en Angleterre — mais l'Angleterre se repent — tout prolongement eschatologique. Devant la stupidité du tombeau, elle est sans réponse ; au nom commode du *distinguo* laïciste et du repli au for intérieur, l'élite des Lumières se décharge de la mort et du mourant sur le cercle restreint de la famille conjugale.

Et pourtant, sur la lancée du christianisme épuré de la double Réforme, dans un souci d'hygiène, l'élite au XVIIIe siècle (le confort des vivants d'abord) n'hésite pas à perturber gravement les gestes essentiels de la société traditionnelle. On enterre vite au XVIIe et au XVIIIe. Jusqu'aux alentours des années 1720, on enterre le lendemain, dans l'église. De-ci de-là, entre 1720-1750, un cruel et sans doute nécessaire combat chasse la dépouille des humbles de l'église, pour la terre bénite mais précaire du cimetière. Au même moment, l'évêque de Lisieux interdit le mariage le dimanche. Lutte contre la superstition du cadavre. Méfiance du sexe jusque dans le sacrement qui l'autorise, religion de l'âme, pensée de l'élite. Les exigences de l'hygiène introduisent pourtant une inégalité nouvelle devant la mort. L'hygiène ne chasse pas les nobles et les clercs de la nef et du chœur. Placer, en dehors du toit protecteur du temple et de la présence rassurante et réelle du sacrement de l'autel, les pauvres qui sont légions, suffit. L'éminente dignité des pauvres ! Sous leurs traits, savoir discerner le visage du Christ du Jugement ! Ces pensées sont peut-être familières au scieur de la rue Verdet. Elles seront sous peu étrangères à l'élite. Aux philosophes, bien sûr, et aux chrétiens. Ame et pureté, grandeur de Dieu, primat moral, et pensées claires, une richesse conquise en chasse une autre. Animisme des pauvres ? Mystère de l'Incarnation !

Pour lors, les hommes des Lumières sont fiers de leur courte victoire sur la mort. Dix ans de sursis, donc multiplication par deux. Les cadavres au cimetière et une agonie discrète. « Le sommeil de la raison engendre des monstres. » Goya a illustré avec son génie baroque cette pensée classique. Les lumières de la raison n'ont rien à dire. Les premières générations des Lumières ont éludé. La sûreté des gestes acquis, les impressions d'une enfance chrétienne les y auront aidées. Pas indéfiniment. Le second XVIIIe siècle, hors de France, aura fini par le comprendre.

CHAPITRE III

AU SOMMET
DE LA PYRAMIDE SOCIALE
L'ÉTAT DES LUMIÈRES

Dans l'espace-temps d'une Europe dilatée, les dimensions
de l'homme ont, pour la première fois, réellement changé.
La dilatation de l'homme est la première donnée objective
que saisit la philosophie des Lumières. Elle l'encourage à
pénétrer dans le domaine réservé de la politique et de la
religion. Cette dilatation de l'homme commande, de l'extérieur, la pensée de l'*Aufklärung;* elle est indissociable de
l'État, agent actif, agent efficace de cette conquête de
l'homme sur lui-même.

Par sa volonté d'espace et de puissance, l'État a poussé en
avant les franges pionnières; par souci de mieux saisir, de
mieux compter l'homme, l'État a construit la donnée
statistique de base. Sans elle, donc sans l'État, pas
d'arithmétique sociale, pas de débordement, faute de données, de l'esprit scientifique, mécaniste, en direction de
l'homme. L'État se trouve à l'origine de la science sociale,
cette nouvelle promue du XVIIIᵉ siècle. L'État a conduit la
lutte contre le mal qui lui prend ses sujets, l'atteint dans sa
richesse. L'État — et le surmulot, le rat gris de Norvège —
sont venus à bout de la peste : « *A fame, a peste, a bello,
libera nos, Domine.* » La faim est plus rare et la guerre s'est
humanisée.

L'État bourgeois, l'État superstructure ? Si l'on veut,
mais structure décisive et fluide. Il est au centre de toute
construction sociale, moteur de changements. L'État est
force de transformation. Inégalement. Son rôle relatif est
plus grand dans l'Europe périphérique que sur l'axe médian
nombreux. L'État des Lumières s'est attaqué à une tâche
gigantesque : le rattrapage, aligner les « frontières » sur le
centre, construire d'ouest en est et du nord au sud, par

l'émulation et les impératifs de l'équilibre, à grands traits, un espace-temps homogène. Ainsi il n'est pas question d'évacuer l'État d'un essai d'explication des Lumières. La tentation irait plutôt à l'inverse : accorder à l'État une place démesurée. A la limite, l'État des Lumières reste, pour l'essentiel, le legs brillant du passé.

Comment échapper aux rapports entre l'État et la pensée ? Partie souvent d'une méditation politique, il est fatal que la pensée des Lumières revienne sur l'État et qu'elle influence ceux qui conduisent son destin. Un regard sur les choses incite à discerner, au-delà de l'apparence, les grandes articulations de l'espace. Au centre, sur l'axe médian, une forme d'État référence évolue peu, dans la mesure où la révolution pour lui est d'hier ; autour, sur les franges, le véritable État des Lumières, un État aux prises avec une réalité qu'il s'efforce de maîtriser : l'État de la quête passionnée du rattrapage.

*

Le XVIII⁺ siècle, en Europe, n'est pas un siècle de bouleversement dans l'ordre politique. L'espace commande. De 1680 à 1780, la carte a souvent changé ; elle a même été profondément remaniée en 1713 ; ces changements s'effectuent dans un ordre logique qu'il est facile de comprendre. Deux Europes s'imposent au regard, de part et d'autre d'une ligne Hambourg-Trieste : d'un côté, stabilité, ancienneté, croissance soutenue, rapide mais sans à-coups et toujours maîtrisée ; de l'autre, mouvements et à-coups d'un espace non entièrement saisi ; un Ouest stable s'oppose à un Est plus fluide ; les frontières se déplacent à l'est plus facilement qu'à l'ouest, d'autant qu'à l'ouest, les rapports des hommes et de l'État sont étroits. L'État, en France, en Angleterre, aux Pays-Bas, dans les Provinces-Unies, agit directement sur les hommes. A l'est, il est l'État des seigneurs, *junkers*, magnats, grands propriétaires. Entre lui et le plat pays des paysans défricheurs, une structure seigneuriale et domaniale s'interpose : partager la Pologne, c'est redistribuer dix mille domaines ; assimiler l'Alsace, c'est faire œuvre de longue haleine, conduite avec tact et magnifiquement réussie en cent cinquante ans d'efforts, sans fausse note. Les États, à l'ouest, ne se confondent pas toujours avec une réalité nationale avancée, sauf en France et en Angleterre ; cependant, à l'intérieur d'un cadre territorial ancien, de vieux rapports d'habitude se sont établis qu'il n'est pas facile de

bouleverser. A cet égard, bien mesurer le niveau des
réalités : les dix provinces du Sud aux Pays-Bas, le duché de
Milan, Naples constituent des ensembles d'habitudes ; est
grave ce qui taille, plus que les translations au sommet :
l'annexion du Roussillon en 1659 qui démantèle le principat
catalan, la lente érosion des Pays-Bas espagnols, de 1659 à
1679, par la France de Louis XIV, le déplacement de la
frontière traditionnelle, en 1748, entre Lombardie et Piémont qui provoque transferts de population et oscillations
démographiques. Ces petites modifications sont de réelles
modifications. De même, à la rigueur, l'annexion de la
Silésie par la Prusse, entre 1740 et 1742, constitue au niveau
des hommes un événement plus important que le premier
partage, en 1772, d'une Pologne qui n'existe plus.

Quand, en 1713, par contre, Utrecht rattache à la
monarchie autrichienne la périphérie de l'empire européen
de l'Espagne, Pays-Bas, duché de Milan, royaume de
Naples, Sardaigne (en 1720, Sardaigne et Sicile permutent
du Piémont à l'Empereur), il crée un nouvel équilibre au
sommet, sans rien modifier des rapports des hommes avec le
prince, dans le cadre de la réalité d'habitude qui les lie. Il
importe peu, à la limite, que les Pays-Bas espagnols
deviennent autrichiens ; Pays-Bas, Milan, Naples, Sicile
sont seuls des réalités. L'État est à ce niveau. Le système
dynastique n'est pas beaucoup plus, au départ, qu'une
alliance un peu contraignante.

Plaçons-nous à la hauteur de la réalité principale, l'État
territorial constitué du XVᵉ au XVIᵉ siècle. A l'ouest, zone de
fort peuplement, de relations anciennes de l'homme avec
son milieu, l'État a trouvé ses limites et s'y maintient.
Depuis 1680, rien de plus que des ajustements sur les bords,
le travail de l'État se fait à l'intérieur de limites confirmées.
La géographie politique a perdu pour un temps toute
plasticité. Pas d'autres jeux qu'un peu d'équilibre veillant à
l'affirmation du *statu quo,* à la défense des intérêts, au
renforcement de la richesse de l'État.

Voyez la France : de 1680 à 1780, deux modifications
importantes seulement, l'incorporation progressive de ce qui
reste, en 1766, de la Lorraine, l'achat de la Corse en 1768.
Les variations à grande amplitude se situent aux colonies.
Elles affectent la prospérité de l'État, non son corps.
L'Angleterre affirme sa position dominante à l'intérieur des
îles Britanniques. Depuis 1703, l'union avec l'Écosse n'est
pas seulement dynastique, les structures du Royaume-Uni
s'ébauchent sur un plan d'égalité entre Anglais et Écossais.

La colonisation, au XVIIᵉ, du nord-est vide de l'Irlande a contribué à affirmer la solidarité anglo-écossaise. Dominée par les grands propriétaires, soit anglais, soit ralliés à l'espace culturel et économique anglais, l'Irlande, en pleine croissance démographique, ne fait pas problème. Le processus uniformisateur s'achève en 1800 par le *bill* d'Union. Iles Britanniques, France, 80 p. 100 de l'Europe médiane, l'espace des réussites est politiquement bien cerné. A l'intérieur de l'Italie, les changements sont dynastiques, non territoriaux, à l'exception de la frontière Piémont-Lombardie. L'Allemagne, à l'ouest et au sud, n'a subi, en 1713, que des ajustements limités. L'équilibre atteint, au terme de trente ans de guerres, en 1648, est maintenu entre une Allemagne catholique qui stagne et une Allemagne protestante qui bouge, suivant un stéréotype qui flatte philosophes et protestants, au temps de l'*Aufklärung*. Les Pays-Bas, les Provinces-Unies et Liège ont eux aussi trouvé des limites stables. L'Espagne n'a été affectée qu'en apparence par le traité d'Utrecht. Elle est allégée des responsabilités impériales qu'elle avait cessé d'assumer et dont la tradition l'écrasait. La politique italienne des Farnèse vise un nouvel équilibre en Méditerranée, elle donne satisfaction à l'Espagne catalane, valencienne, l'aide à accepter l'hégémonie politique centralisatrice renforcée de la Castille. A l'ouest, bon gré mal gré, l'État travaille en profondeur, car les places sont chères.

France, Espagne, 500 000 km², îles Britanniques, 315 000 km² d'unification politique et de prise de conscience nationale à des degrés différents. L'Europe médiane est aussi le domaine des États moyens : le Portugal, 90 000 km², Naples, 70 000 sans la Sicile, un peu plus de 100 000 avec la Sicile ; Venise a reculé, son territoire italien couvre 31 400 km², à la fin du XVIᵉ siècle, les possessions extérieures en doublaient l'étendue ; depuis 1720, la Sérénissime, avec l'Istrie, la côte dalmate et les îles Ioniennes, n'atteint pas tout à fait 50 000 km². Grosso modo, c'est la taille du royaume de Sardaigne, 62 500 km², et des États de l'Église (44 000). Les Pays-Bas autrichiens et les Provinces-Unies tombent à 27 000 et 30 000 km². Le Milanais s'est vu ramené de 16 650 km² (1600) à 8 350 (à la fin du XVIIIᵉ). La Toscane est à 20 000, Parme à 5 700, Gênes, sans la Corse, à 5 000. L'électorat de Mayence, le plus grand des électorats ecclésiastiques, couvre 6 150 km² ; Hanovre, le plus petit des électorats laïcs, 13 000 (son sort depuis 1714 est étroitement lié à l'Angleterre), la Bavière (un million d'habitants) et la Saxe se tiennent sur la ligne des 30 000 km².

L'Europe occidentale a conservé aussi de petits États, grosses seigneuries de l'Ouest allemand, républiques suisses groupées ou non à l'intérieur du lien lâche de la Confédération. Genève a un caractère exemplaire : son exemple implicite sous-tend les démonstrations politiques de Jean-Jacques Rousseau. Tout l'espace à l'ouest est partagé entre quatre grandes masses : îles Britanniques, France, Espagne, Portugal, les petits États et les États moyens occupent le flanc est, dans l'axe Italie, Alpes, Rhénanie, entre Rhin et Elbe. Ils font tampon entre l'Ouest et les nouvelles étoiles qui grandissent et hésitent à l'est.

L'est de l'Europe, pays en plein rattrapage de peuplement, avec ses franges pionnières à l'intérieur et à l'extérieur, n'a pas trouvé son assiette territoriale. Là seulement, la géographie des États est en pleine évolution. Cela tient à l'échec des vieux systèmes territoriaux, les États nébuleuses, le Saint-Empire, la Pologne. La Pologne (850 000 km²), confédération de diétines et républiques de magnats, entendez dix mille grands domaines, attend le partage (1772, 1793, 1795). La constitution ultérieure d'un État national polonais passe par la destruction préalable d'un système politique contemporain, à l'ouest, du xe siècle. Aucun État territorial ne s'étant révélé capable d'être l'Ile-de-France ou la Prusse de ce grand espace incertain, l'intervention du dehors était fatale : elle sera salutaire. L'Empire, par sa superficie et sa structure, s'apparente à la Pologne. A la différence toutefois de la Pologne, l'espace allemand voit émerger de grosses unités territoriales : l'Autriche massive mais excentrée, la Prusse plus modeste mais mieux placée, qui préparent une organisation spatiale plus conforme aux besoins de la croissance économique.

L'Empire n'a cessé de se vider lentement du peu de substance politique que lui avaient laissé la catastrophe démographique de 1630-1640 et la paix de Westphalie (1648). La tension traditionnelle Nord-Sud, sur un critère religieux (Allemagne protestante-Allemagne catholique) mis au goût des Lumières (efficacité/lumières-obscurantisme/ immoralité), ne facilite pas la survie du mythe impérial. Lorsque Nicolaï se livre à des jugements aussi sévères qu'injustes sur la Bavière, il traduit un mépris du Nord pour le Sud : « Autant la Bavière est encombrée de couvents et d'ecclésiastiques, autant elle est dépourvue d'écoles » ; jugement injuste, comme celui de Risbeck sept ans plus tard, en

1788. L'Allemagne catholique du Sud se venge, à sa manière et à ses dépens, en refusant tout ce qui se fait en dehors d'elle. Gellert, Kleist, Klopstock, Wieland, Lessing, Kant et le jeune Fichte ne sont pas ses contemporains. On est tenté d'évoquer deux espaces-temps non communicants au plan de la culture. Le Nord, que caressent les séductions prussiennes, ne pardonne pas aux États catholiques du Sud de regarder en direction de l'Autriche.

Ce qui reste d'Empire achève de craquer, au début du xviiie siècle, sous le poids d'une Autriche devenue démesurément danubienne. « Entre 1648 et 1707, il y a eu une véritable tentative de politique économique impériale. » (F. Dreyfus.) Des textes publiés, de 1676 à 1689, sous l'aiguillon de la menace française ont tenté d'établir des règles commerciales communes applicables à l'ensemble des États territoriaux de l'Empire. Ingomar Bog risque aujourd'hui l'image osée d'une sorte de marché commun. Mais Leibniz ? Il est bien le contemporain de Spinoza et de Locke. Spinoza a lancé le *Tractatus* au secours de la cause perdue du parti républicain ; Locke est le théoricien des vainqueurs de la *Glorious Revolution* et Leibniz, l'irénique, le conciliateur des contraires, l'homme de la continuité infinitésimale, a livré un combat pour l'Empire, sa pensée s'est modelée sur un défi politique. Leibniz est le plus grand, il n'est pas seul : pendant longtemps, les juristes s'appliquent à parfaire une définition juridique de l'Empire, une pléiade de jurisconsultes s'y emploient. Voici Reinking, Seckendorff, Aramäus, Limnäus, Conring, Chemnitz, Pufendorf... et Leibniz. L'excentration danubienne de l'Autriche compromet le rêve impérial. Un parti hostile à l'Autriche se renforce. H. Henniges, dans ses *Meditationes ad Instrumentum Pacis Caesareo-Suecicum* (dix gros volumes parus à Halle, dans l'orbite de la Prusse, de 1706 à 1712), attaque les constitutions impériales : « [...] la guerre de Sept Ans accentue bien, évidemment, le conflit juridique sur l'Empire. Les pamphlets anti-impériaux fleurissent, l'on voit même des rééditions d'œuvres anti-Habsbourg contemporaines de la guerre de Trente Ans. »

La Diète siège désormais à Ratisbonne, sur le Danube, trop au sud, trop près de l'Autriche. Elle est formée de trois collèges : Collège des Électeurs, Collège des princes et Collège des villes, Mayence, Trèves et Cologne, les trois ecclésiastiques rhénans ; Saxe, Brandebourg, Palatinat, Bohême, auxquels sont venus s'adjoindre la Bavière et le Hanovre. Au milieu du xviiie siècle, Auerbach dénombre, siégeant de droit dans la Diète des princes : « 31 princes ecclésiastiques, 39 prélats, 59 princes séculiers, 75 à 80 comtes immédiats. A cet ensemble s'ajoute le Collège des villes où sont représentées 52 villes d'Empire. » 269 États sont présents à la Diète, mais tous les États jouissant d'une indépendance de fait n'y sont pas représentés. Depuis 1663, la Diète siège en permanence, sans que l'empereur ait besoin de la convoquer. A sa tête, le Directoire d'Empire est exercé de plein droit par l'Électeur de Mayence. En matière religieuse, la Diète se scinde en deux sections : une section catholique présidée par l'Électeur de Mayence, une section évangélique, par l'Électeur de Saxe. Cette division fait apparaître le curieux anachronisme des institutions impériales : l'Empire est protestant à 65 p. 100, la Diète en majorité catholique, catholiques l'Empereur et le Directoire. Un publiciste huguenot s'en plaignait jadis : « Il y a tant d'évêques, tant d'abbés et d'abbesses qui ont voix dans les Collèges des princes [...] qu'ils y étouffent pour ainsi dire les protestants. » On comprend la désaffection du Nord à l'encontre d'une institution dans le sillage de l'Autriche.

Les frontières politiques flottent à l'est, en raison de la faiblesse de l'État. L'Empire, la Pologne, inadaptés, sont au couchant. Le cas de la Suède traditionnellement associée est très différent. La Suède avait constitué, au XVIIᵉ siècle, un *mare balticum, mare suecicum*. Son installation en Poméranie, aux embouchures de l'Elbe, de la Weser et de l'Oder, avait un caractère commercial, son installation en Carélie, Ingrie, Estonie, Livonie, une empreinte coloniale. La mort de Charles XII, du moins, aura débarrassé la Suède de cet encombrant héritage. Le traité de Nystad (1721) contribue à faire de la Suède un État national pourvu en Finlande d'une large frange pionnière. On a vu, face à la mort, la qualité au XVIIIᵉ du succès suédois.

L'effondrement de l'archaïque empire baltique de la Suède sanctionne une réalité : la montée de la Prusse, de la Russie et de l'Autriche. La constitution de l'Autriche, comme géant continental, pièce maîtresse de l'équilibre européen, se situe à la hauteur des années 1680. 650 000 km² d'un seul tenant, plus, en 1713, les quatre cinquièmes de l'Italie espagnole (115 000 km² sur 143 000) et les Pays-Bas (25 000 km²), une armée permanente de 150 000 hommes, des finances détestables. Construction brillante mais hâtive, trop vite poussée, englobant des territoires de fort peuplement et de vieilles traditions contradictoires, et 300 000 km² de territoires coloniaux à peupler, à construire. Les excroissances italienne et belge affaiblissent l'Autriche. Leur réduction en étendue, après Aix-la-Chapelle (1748), est la condition *sine qua non* du travail en profondeur entrepris par Marie-Thérèse.

La Prusse est, sur le plan de l'État, la construction la plus intéressante du XVIIIᵉ siècle, avec la Russie. L'État russe est le nouveau venu du demi-siècle ; sa construction hâtive repose sur une simplification décisive : la Russie de Catherine II est, plus encore que la Prusse ou que l'Autriche, une construction à deux étages, une construction qui se distingue de la Pologne. La Pologne n'est qu'une confédération de magnats, la Russie, tout bien pesé, un « petit État » qui exerce une autorité directe sur 2 millions d'hommes, un gros électorat, d'une certaine manière, qui disposerait des ressources que lui concèdent les propriétaires — par dizaines de mille — de 20 millions de paysans.

Laissons le monde scandinave — Suède, Finlande, Danemark, Norvège appartiennent, en fait, à l'Ouest —, monde aux contours fermés, bien délimités. L'Autriche, la Prusse et la Russie se partagent l'Europe orientale, elles refoulent la Pologne-Lituanie et la Turquie, poussant à l'intérieur et à l'extérieur une frange pionnière en marche. La géographie politique de l'Europe de l'Est, tard venue à l'État, par suite plus simple, n'offre que de grandes masses : la Prusse, ramassée, limitée, solide, tout en profondeur ; l'Autriche, lourde et contradictoire, mais riche en hommes et en ressources, vieille déjà parmi les jeunes ; la Russie, terre dynamique, empêtrée d'espace, puissante, lointaine et barbare. Ces jeunes États sont instables et revendicateurs d'espace. Leur croissance et la réduction des distances compliquent le jeu de l'équilibre européen.

Au début du XVIIᵉ, un jeu simple : France-Espagne, avec, en réserve, les petits États de l'Europe protestante pour faire l'appoint contre la puissance catholique de l'Espagne (Hollande, nord de l'Allemagne, Angleterre et Suède). 1680-1720 : tout se joue à trois. France, Angleterre, Autriche. La France remorque l'Espagne réduite à la péninsule et mal reliée aux Indes, l'Angleterre fait l'appoint avec la Hollande, l'Autriche avec ce qu'elle peut d'Empire. Depuis 1689, tout est dominé sur le continent par la querelle franco-anglaise, dont l'enjeu est un ensemble de « frontières » lointaines. La France nombreuse mais engagée, bon gré mal gré, sur le continent, dans le jeu de l'équilibre européen, finit par perdre le terrain conquis. L'Angleterre reste maîtresse, par la mer, des nouvelles « frontières » ultramarines. 1776-1783 ne modifie pas en substance le verdict prononcé, au terme de la guerre de Sept Ans, en 1762 et 1763. Le jeu à trois se joue à partir de cette donnée ; puis, à partir de 1740, il se joue à quatre, la Prusse s'ajoutant à la France, l'Angleterre et l'Autriche, et finalement, à partir de 1756, à cinq avec la participation de la Russie.

Ce jeu est capital pour la Prusse, qui double sa mise de 1740 à 1786 ; pour l'Autriche qui consolide les trois quarts de ses fantastiques conquêtes de 1683 à 1719 ; pour la Russie qui va y gagner un morceau de Russie blanche et une large porte sur Azov, la mer Noire et la Crimée. La France, protégée par l'Europe médiane des États moyens, ne risque plus grand-chose. Personne ne conteste plus sa définition territoriale après 1713, la monarchie administrative n'a pas beaucoup de revendications extérieures ; quant à l'Angleterre, elle cherche sécurité et richesse : protéger un équilibre politique contre le danger jacobite, qui est, aussi, refus des extrémités, Écosse, Irlande, nord de l'Angleterre, contre l'hégémonie du bassin de Londres ; paralyser la France sur mer, par la terre, et s'assurer ainsi le monopole des nouvelles frontières outre-mer.

En revenir, enfin, aux vraies questions — et d'abord les prix : que coûtent ces inévitables frottements aux bords des États, les appétits bienfaisants des jeunes rassembleurs de terre à l'est ? La question est légitime. Faute d'une recherche conduite à temps, on ne peut encore répondre. Risquer une pesée grossière : les armées permanentes, 500 000 hommes au début de notre période, 800 000 un siècle plus tard. L'accroissement des armées est plus faible en moyenne que celui de la population. Le soldat du XVIIIe est un technicien entraîné ; son modèle, en Prusse : les grenadiers du roi de Prusse coûtent cher. La guerre au XVIIIe est savante, elle est intelligente, le coût du soldat entraîné protège contre le massacre inutile. Les exceptions sont à l'est : l'armée massive des Hongrois et des Russes dans la guerre de Sept Ans exhale un fumet désagréable à la Wallenstein. Le dernier mot, pourtant, reste au *drill* du roi de Prusse : les victoires de Frédéric II sont des victoires de l'intelligence sur la barbarie. Entre le XVIIe et la période révolutionnaire, le XVIIIe, domestiqué, policé, apparaît comme le siècle où le prix démographique de la guerre a été le moins lourd. Sur l'autre plateau de la balance, faut-il placer ce que les armées apportent ? Elles sont un facteur de mobilité sociale, un front de diffusion des techniques et du savoir ; fait évident pour la France, et bien plus pour la Prusse, les armées y ont joué un rôle capital dans la promotion sociale, culturelle et intellectuelle d'une fraction non négligeable de la population. Elles ont détourné vers l'extérieur des tensions, désarmé des troubles potentiels. A côté des sanglantes explosions sociales de la première moitié du XVIIe, le XVIIIe, en dépit du *motín de Esquilache* (1766) ou des jacqueries de Bohême et de Moravie (1770-1771-1775...), est un siècle de paix intérieure, payée au prix d'une catharsis de guerre disciplinée aux frontières. Une recherche comparative ne manquera pas d'établir que le XVIIIe a réussi, à un prix relativement bas, une canalisation presque parfaite des pulsions agressives. La Suède est à peine gênée par la grande guerre du Nord, les records de la croissance sont contemporains, presque partout, des deux plus grands conflits du XVIIIe, Succession d'Autriche et guerre de Sept Ans. Au tribunal de l'histoire quantitative, l'État des Lumières à la recherche d'un équilibre européen gagne à coup sûr son procès : efficacité, rentabilité ; loin de gêner la croissance, en outre, les rivalités entre États auraient été, dans la seconde moitié du XVIIIe siècle, accordons-le à David S. Landes, un facteur d'émulation, une condition préalable au *take off*.

*

L'État, au XVIIIe siècle, a bien mérité des Lumières. La pensée du XVIIIe siècle est une pensée politique. La philosophie naturelle mécaniste est née d'une extension analogique paradoxale : l'application à la nature créée par Dieu des techniques, méthodes et recettes de l'art de l'ingénieur de la Renaissance. Les sociétés humaines dans leurs rapports organiques complexes ne seraient-elles pas, à leur tour, susceptibles de la même analogie de l'être ? Peut-on imaginer que les bourgeois méthodiques et appliqués, libérés par la montée de la rente et le retrait du profit, associés par l'office à la gestion de la chose publique, promus au genre de vie aristocratique, résistent à la tentation de soumettre la donnée sociale aux méthodes affirmées et affinées dans le secteur de la philosophie naturelle ? La division entre l'ordre social et l'ordre naturel est, à la limite, insoutenable. La gestion de la cité échapperait-elle à l'*imperium* de la raison ? L'analogie ontologique par où Dieu livre à l'homme l'emprise sur la nature ne trouverait-elle pas son point d'insertion sur cette pointe du social, le domaine de la cité, des institutions, les rapports d'ordre, la politique ?

La crise de conscience européenne est, en premier lieu, le point d'application au secteur jusque-là réservé à un comportement purement traditionnel, malgré Machiavel et malgré Bodin, des démarches de la révolution scientifique ; l'évidence rationnelle et la séduction des idées claires, la recherche de la légalité dans l'observation méthodique des apparences, la voie des fils de Descartes et des fils de Bacon.

Le xviiie siècle a ses maîtres à penser ; ils appartiennent tous à la génération du xviie siècle finissant : Locke, universellement avoué, Spinoza, renié et redouté, Leibniz, le maître de la pensée allemande. Dans la mort, Spinoza entre le premier, en 1677 ; Locke en 1704 ; Leibniz ferme la marche en 1716. Ces hommes ont joué ou voulu jouer un rôle politique. Leur pensée, de toute manière, est une pensée pratique, cela est à peine moins évident pour Spinoza. Appartenant à une minorité ethnique et religieuse difficilement tolérée, sauf dans le refuge d'Amsterdam, minoritaire de la minorité, menacé à l'intérieur de son groupe, Spinoza a profondément ressenti et apprécié le privilège de vivre en Hollande, sous le gouvernement des frères de Witt. On a pu discuter sur l'ampleur, les modalités et la nature des interactions entre l'œuvre et l'environnement. Une chose est sûre : les deux traités politiques représentent la moitié de la production du philosophe et le *Tractatus theologico-politicus*, paru en 1670, est le seul ouvrage publié du vivant de l'auteur. Que le second traité, le posthume *Tractatus politicus*, soit ou non directement influencé par le drame de 1672, au point d'être l'apologie passionnée des frères de Witt, comme le veut Gebhardt, est une question secondaire. Spinoza tire à sa manière la leçon de l'histoire telle qu'il la connaît, au seuil du siècle de l'érudition, et la leçon des événements de Hollande tels qu'il les a intensément vécus. Le libre exercice de la pensée constitue la fin supérieure de la cité ; le sous-titre même du *Tractatus* de 1670, le traité des autorités théologiques et politiques, en pose le principe : « où plusieurs démonstrations sont données de cette thèse : la liberté de philosopher ne menace aucune ferveur véritable ni la paix au sein de la communauté publique. Sa suppression, bien au contraire, entraînerait la ruine de la paix et de toute ferveur. » L'admirable plaidoyer *pro domo :* ce minoritaire, toujours un peu menacé, mais matériellement assuré grâce au profit commercial accumulé par la génération précédente et devenu rente, en ce siècle de la rente, Spinoza propose, pour la première fois, comme fin suprême à la cité, cette forme exquise de bonheur individuel : la liberté absolue de penser, de publier, de s'exprimer, de convaincre, d'écrire.

« Dans ses lignes les plus accentuées, la position de Spinoza est nette : la démocratie, ou gouvernement du peuple, serait le régime le plus simple, le plus naturel, le mieux fondé en raison. A l'appui de la démonstration théorique s'offre l'exemple de l'État des Hébreux [...] à défaut seront jugés acceptables les régimes où l'exercice du pouvoir est resté collectif, sans que, rigoureusement, l'exercice du pouvoir s'y conçoive selon les règles d'un gouvernement par le peuple entier. Dans la proche expérience, les Provinces-Unies et plus particulièrement la province de Hollande — avec ses Régents — répondaient à cette définition large de l'État libre. » (Madeleine Francis et Robert Misrahi.) La dureté, il faudrait dire la haine, qui perce dans le ton, voilà ce qui frappe d'abord, en dépit des pesanteurs latines. Voltaire, soixante ans plus tard, est léger, presque timide, dans ses critiques. *La superstition est le plus sûr moyen auquel on puisse avoir recours pour gouverner les masses* [...] bien entendu, le grand secret du régime monarchique et son intérêt vital consistent à dompter les hommes, en travestissant du nom de religion la crainte dont on veut les tenir en bride [...]. En revanche, on ne saurait imaginer ni entreprendre rien qui soit plus désastreux dans une libre république ; car la liberté générale de toute évidence n'admet point que le jugement individuel soit assiégé de préjugés ni soumis à une contrainte quelconque. »

Écrit en 1665, publié en 1670, au sommet de la Hollande patricienne, le premier *Tractatus* est impensable sans la Hollande. Spinoza est bien autre chose. Notons seulement que sa réflexion est partie d'un ensemble de données politiques. De la réalité de son temps, elle dégage le fondement logique d'un usage concret de politique au sein d'une forme concrète d'État. Ce qui est vrai du premier *Tractatus* l'est plus encore du second. « En réalité, le *Tractatus politicus* est un ouvrage plus théorique et plus objectif encore que le *Tractatus theologico-politicus*. Les allusions copieuses à l'histoire hébraïque ont disparu, Spinoza reprend toute la thèse centrale : entre les gouvernements sous lesquels les humains se trouvent devoir vivre, le meilleur est la démocratie. A défaut, on apprécierait les qualités de tout gouvernement collectif, aussi réminiscentes que possible, dans la pratique, de la démocratie [...] : dans

le *Tractatus theologico-politicus,* l'auteur parlait, historiquement, du régime populaire, dont les deux autres régimes
découlaient par dégradation progressive. Dans le *Tractatus
politicus,* il part analytiquement du régime où la personne
souveraine est un individu humain, pour s'élever, après une
série de condamnations subjectives, d'abord au gouvernement d'une fraction du peuple minoritaire, puis au gouvernement du peuple entier [...] » (Madeleine Francis.)

Reprenons le sous-titre du second *Tractatus ;* il semble
résumer le programme politique des Lumières dans la
première moitié du XVIIIe siècle ; programme individualiste
de dégagement, à la fois modeste et ambitieux : « Traité de
l'autorité politique, dont l'objet est de montrer quelles
devraient être les institutions dans une société de forme
monarchique — et dans celle également où gouverne une
élite — si l'on veut que le régime ne dégénère pas en
tyrannie, mais que la paix et la liberté des citoyens y soient
préservées de toute atteinte [...] »

Toute la vie de Locke, ce fils de marchand qui hésita entre
la cléricature anglicane et la médecine, est pétrie de politique. Médecin particulier de lord Ashley, comte de Shaftes-
bury, il accompagna son maître en France (en 1672, de 1675
à 1679). Lié aux adversaires de l'absolutisme catholicisant,
Locke vit cinq années encore, de 1684 à 1689, en exil
politique. Il rentre avec le prince d'Orange et la *Glorious
Revolution.* Le nouveau régime reconnaît sa dette par une
proposition flatteuse d'ambassade auprès de l'Électeur de
Brandebourg, qu'il décline pour raisons de santé.

La plupart de ses œuvres sont politiques, elles répondent
à des problèmes politiques. Outre les *Anatomica* (1668) et le
De Arte medica (1669), on lui doit un ensemble de réflexions
inspirées par la situation religieuse de l'Angleterre sous la
restauration. Dans le *Sacerdos,* dans ses anodines *Réflexions
sur la République romaine,* le haut clergé anglican, lié au parti
de la prérogative royale, est visé sous un masque transpa-
rent. Du contingent (l'Acte d'uniformité *antidissent* de
Charles II), on passe insensiblement au général. L'*Infaillibi-
lis scripturae interpres non necessarius* dit tout dans son titre :
la Bible et la Bible seule, le titre contient tout le programme
du radicalisme protestant au XVIIIe. L'*Essai sur la tolérance*
(1666) limite le bénéfice de la tolérance aux non-confor-
mistes protestants, dont les catholiques sont naturellement
exclus au nom de l'intérêt de l'État. Quant à l'*Essai sur
l'entendement,* point de départ au XVIIe siècle de toute théorie

sur la connaissance, n'est-il pas né, suivant le témoignage de
James Tyrrell, de problèmes pratiques de politique religieuse ? Dans ses conversations de l'hiver 1670-1671 avec
James Tyrrell et David Thomas, Locke se serait aperçu que
« les principes de la morale et de la religion révélée » (le
quid, déjà, de la morale) ne pouvaient être établis solidement
avant d' « examiner notre propre capacité et de voir quels
objets sont à notre portée ou au-dessus de notre compréhension ». Kant, qui place les plus hautes spéculations de l'être
dans le prolongement des évidences de la raison pratique,
fondant une ontologie aux ambitions réduites sur les certitudes de l'expérience morale, procède de la même manière.

C'est la philosophie politique de Locke qui commande
l'*Essai sur l'entendement*, et non l'*Essai sur l'entendement* qui
commande son analyse politique.

« Locke a lutté [...] contre la théocratie anglicane [...]
contre ces deux thèses solidaires : le pouvoir du roi est un
pouvoir absolu et de droit divin ; le pouvoir du roi est un
pouvoir spirituel non moins que temporel et il a le droit
d'imposer à la nation une croyance et une forme de culte. »
(Bréhier.) Ce corollaire-là est particulièrement dangereux :
manié sans retenue, il est susceptible, comme au temps de
Laud, de faire sauter l'équilibre instable sur lequel repose la
paix sociale anglaise. Il est, dans ces conditions, d'intérêt
primordial de bloquer tôt la logique infernale de l'absolutisme anglais. Le pouvoir royal apparaît dans ce système
« comme une donnée impénétrable à l'analyse, un mystère ». Pour critiquer la théorie du pouvoir royal, Locke met
au point la méthode qui lui servira pour la rédaction, plus
tard, de l'*Entendement* : décomposer les idées complexes en
facteurs simples. Avant de s'en prendre aux idées innées
dans leur ensemble, Locke s'est exercé sur le pouvoir royal.
A la différence de Spinoza, Locke ne recourt pas à l'histoire.
L'idée du pacte social est courante à la fin du XVIIᵉ siècle.
L'État social n'est pas naturel, le parti pris sous-tend et
justifie la parenthèse cartésienne. Étudier, d'abord, ce
qu'est l'homme à l'état de nature. Locke tourne résolument
le dos à Hobbes (1588-1679). Le redoutable cynique n'a-t-il
pas été le théoricien du pouvoir absolu, d'un pouvoir absolu
fondé sur une construction rationnelle de la société, « d'où
se déduit cette conséquence que toute révolution est illégi-
time » ? Décidément, la philosophie anglaise s'écrit en
termes politiques. Locke, bien sûr, penche du côté de la
thèse du droit des gens ; une *lex insita rationi*, une loi morale
naturelle s'impose avant le pacte. A titre de droit naturel,

Locke admet le droit de propriété (repris par Jefferson en
1776) fondé sur le travail, donc strictement limité à l'étendue du sol que peut couvrir le labeur du *pater familias*.
Locke refusant l'innéité, il lui faudra démontrer les règles de
justice : empiriste et chrétien, il s'appuie sur le Dieu de la
Bible : « Tu ne déroberas point [...] Tu honoreras ton père
et ta mère [...]. Le « pacte social » de Locke est un contrat
très limité, il ne crée aucun droit nouveau, « il est un accord
entre des individus qui se réunissent pour employer leur
force collective à faire exécuter ces lois naturelles, en
renonçant à les faire exécuter par leur propre force ». Ainsi
se trouve justifiée la pratique traditionnelle anglaise, que les
Stuarts, après les Tudors, s'acharnent à combattre. La
conception purement nominaliste et utilitaire de Locke
limite rigoureusement le pouvoir civil. Du moins fonde-
t-elle parfaitement, en pays protestant, dans le *Bible Kingdom*, un pouvoir d'autant plus solide qu'il est restreint. Le
citoyen ne doit obéissance au pouvoir que s'il agit selon les
lois permanentes et non selon des décrets improvisés. Il y a
donc un pouvoir législatif. Le droit naturel de propriété
interdit au souverain de lever un impôt qui ne serait pas
consenti. Voici, philosophiquement fondé, le rocher du
contrôle parlementaire. Entre le sujet et le roi, le pacte est
bilatéral. Le droit à la révolte est la sanction populaire à la
violation par le souverain du pacte social.

Locke apporte la justification théorique de la *Glorious
Revolution* compartimentée de 1688. Il apporte également
un fondement théorique à cette pratique anglaise commandée par la complexe diversification du protestantisme
anglais. Il ne s'agit pas ici, comme en France, en Italie (ou
plus tard dans l'Autriche de Joseph II), de limiter les
empiètements sur le pouvoir civil d'un pouvoir spirituel
autonome — l'Église d'Angleterre s'intitule « Église protestante d'Angleterre établie par la loi » —, mais bien de fixer
les limites jusqu'où peut aller cette législation. Locke va
donc chercher la justification théorique de la tolérance
doublement limitée dans la pratique whig, tolérance au sein
du *Bible Kingdom*. Le souverain n'a pas à intervenir dans les
croyances de ses sujets, « sinon dans le cas où ces croyances
s'expriment dans des actes contraires au but de la société
politique » : le papisme qui encourage, souvenir des Pou-
dres, l'intervention d'un gouvernement étranger,
l'athéisme, entendez le refus du Dieu de la Révélation
biblique strictement ou largement interprétée (du fondamentalisme au libéralisme extrémiste, en passant par toutes

les nuances de l'orthodoxie), puisque Dieu, et Dieu seul —
avantage ou fragilité du rejet de l'innéisme —, fonde ces
droits naturels que la société politique a pour but et
justification de préserver. Même si, chez Locke, le refus de
l'histoire et l'artifice du contrat l'opposent dans une certaine
mesure à Spinoza, il n'est pas douteux que la pensée de
Locke découle de l'observation de la pratique anglaise,
qu'elle fournit au parti whig un corps systématique de
doctrine.

Le passage en extension de la pratique politique anglaise à
la théorie globale de la connaissance, atomisme mental de la
réduction de la pensée à la donnée simple, aboutit à la
construction d'une philosophie non plus en relation avec une
idée scientifique de l'univers, mais avec la donnée d'un
ensemble et d'une pratique institutionnels. Locke nous
permet ainsi de mesurer la portée, les conséquences et les
dangers de l'entrée des nouvelles démarches à l'intérieur de
la parenthèse cartésienne.

Leibniz (1646-1716), le luthérien, est objectivement le
plus grand des trois, même si son influence est moindre.
Conseiller à la Cour suprême de l'Électorat catholique de
Mayence, chargé d'une mission en France, en Angleterre et
en Hollande, il finit bibliothécaire du duc de Hanovre.
Mathématicien incomparable, — sa formulation du calcul
infinitésimal va beaucoup plus loin que celle de Newton —,
il passe une partie de sa vie à constituer les sources
historiques de la maison de Brunswick (les *Scriptores rerum
brunswicensium illustrationi inservientes*, 1701...). On doit à ce
rassembleur de vouloirs la fondation, en 1682 à Leipzig, des
Acta eruditorum. La vision politique de Leibniz va bien au-
delà de la vision de Spinoza et de Locke. Nul, cependant, ne
peut nier l'insertion historique profonde de son action. Il a
parcouru l'Empire et l'Europe à l'heure du péril turc, il a
mesuré les menaces qu'engendre la division; il a cherché,
pour y faire face, la paix religieuse, l'union de l'Empire et de
la chrétienté. L'union ne peut sortir de l'atomisme simpliste
de Locke. Leibniz répond : combinatoire, monade, infini-
tisme. La pensée de Leibniz s'est attaquée aux problèmes
fondamentaux de son temps. Sans rien rejeter de la tradition
aristotélicienne, tout en conservant l'acquis cartésien, Leibniz dépasse les contradictions de l'univers infini. Le calcul
infinitésimal marque, dans l'histoire de la pensée, une étape
presque aussi importante que le *Discours* cartésien. Du
même coup, la pensée de Leibniz est susceptible de

s'accrocher à des problèmes politiques d'une complexité beaucoup plus grande. Il n'a jamais séparé, dans son désir d'ordre et de dépassement combinatoire, le destin politique de la nébuleuse allemande et de la chrétienté déchirée et les difficultés issues de la prodigieuse multiplication de la connaissance.

République de Hollande, monarchie tempérée en marche vers le glorieux compromis de 1688, poussière allemande et contradictions issues du retrait de la chrétienté devant la réalité tangible des États territoriaux sont bien au point focal des maîtres à penser des Lumières. Est-il excessif de dire que la réalité politique des années 1680-1690 est à la pensée des Lumières ce que l'art de l'ingénieur hydrographe et l'astronomie, après Tycho Brahé, sont à l'époque de la révolution mécaniste, entre 1620 et 1650 ? Aux alentours de 1670-1680, l'État est entré au cœur de la réflexion théorique et il n'en sort plus.

Le modèle anglais est inlassablement présenté en France, tout au long de la première moitié du XVIIIe siècle, par les plus grands : Voltaire et Montesquieu. Le parti philosophique ne rejette pas le système politique français. Il trouve suffisamment d'appui au niveau des Conseils ; du Régent à Choiseul, en passant par les frères d'Argenson et Malesherbes, dans la mesure où il a conquis la ville, entendez la haute robe parisienne, la bourgeoisie en transit de noblesse ; il a bonne prise sur l'État. Il offre au pouvoir une alliance tactique contre la résistance des cadres moyens de l'administration, attachés par vitesse acquise à des attitudes commandées par des mentalités du XVIIe siècle. La proposition anglaise est tout au plus une indication de tendance, une proposition d'infléchissement. Le *Tractatus theologico-politicus* est plus cité que véritablement utilisé. Il faut attendre la seconde moitié du XVIIIe siècle, le *Contrat social*, pour qu'une seconde étape s'ouvre dans les relations entre la pensée politique des Lumières et l'État. En dépit des épines d'une polémique quotidienne, Voltaire est bien trop historien pour céder, en politique, à la tentation du « théorico-déductif », trop historiciste et trop anglomane pour partir d'une construction *a priori*. Il faut se garder de l'équivoque. L'*a priori* de Locke est un faux *a priori*. La position de ce révolutionnaire pour le continent est éminemment conservatrice. L'apriorisme de Locke, l'artifice du contrat, découle en réalité d'une volonté de justification *a posteriori*. Son but : consolider l'acquis et compléter l'œuvre de la *Glorious Revolution*. Voltaire, c'est Locke et l'Angleterre ; Voltaire, c'est le siècle de Louis XIV, la monarchie administrative colbertienne animée par un personnel (ministres et intendants) gagné aux idées du jour. Descartes réduit à la méthode, la physique de Newton, tolérance à l'égard des mal-pensants de la religion populaire, déisme, morale et religion naturelle. Voltaire, la bourgeoisie de basoche et d'affaires (par affinité élective), n'a besoin que d'être protégé contre les prétentions archaïques des ducs de Rohan ; la monarchie administrative, éclairée par les lumières de la raison, satisfait son besoin d'ordre et d'efficacité. Elle assure l'enrichissement de l'élite, elle protège la liberté de pensée contre l'obscurantisme de la populace, le primat de l'élite éclairée sur la masse en proie à la connaissance traditionnelle, au fanatisme, à la superstition. Montesquieu représente une nuance capitale. *L'Esprit des lois* est l'œuvre d'un Locke qui aurait étendu son champ d'observation à la totalité du temps de l'histoire et à l'œkoumène, tel qu'une connaissance sociale neuve permet de l'atteindre. Montesquieu propose à l'Europe deux modèles : le modèle anglais, difficilement exportable, ou une monarchie administrative amodiée par le renforcement des corps intermédiaires esquissé dans la contre-révolution avortée de la Régence.

Avant 1762, pas une fausse note. La réflexion politique des Lumières est efficace dans la mesure où elle accepte l'existant, dans la mesure de son réformisme modéré, empirique ; elle part, même quand elle affecte de le dissimuler, d'un modèle issu de l'observation rationnelle d'une réalité politique et sociale complexe. Après 1762, Rousseau reprend, avec beaucoup plus de force, l'hypothèse du *Contrat*. Est-il besoin de le rappeler, lui aussi a son modèle implicite, la cité de Genève. Superficiellement, Rousseau est, par rapport à Genève, dans la relation de Locke à la constitution traditionnelle anglaise, de Voltaire au siècle de Louis XIV ou de Montesquieu à la contre-révolution du temps de la Régence. Mais l'analogie est superficielle ; les modèles implicites de Locke, Montesquieu et Voltaire sont, si l'on veut, des modèles opérationnels, le modèle genevois de démocratie directe est lié à un archaïsme, une survivance dans un secteur où les contingences de l'histoire ont entraîné un ratage de l'État territorial étendu ou moyen. De ce fait, appliqué à l'Europe concrète du second XVIIIe, le modèle de Rousseau est irréaliste, révolutionnaire. Après les sommets atteints par la rigueur scientifique de Montesquieu, il tourne la pensée politique européenne vers l'utopie, une utopie

utile, qui servira de moyen d'expression aux revendications
prématurées des obscurs et des rétrogrades de l'évolution.
Ce que la modalité française de la nécessaire révolution
bourgeoise véhicule d'archaïsme et de prophétisme verbal,
elle le doit en partie à Rousseau. Dans la brèche ouverte par
le *Contrat social*, une pensée régressive et récessive alourdit
les Lumières d'un courant d'utopie, Gabriel Bonnot de
Mably (1709-1785), le frère de Condillac : « Communisme,
suppression de la propriété individuelle, éducation destinée
à préparer le peuple à l'égalité, simplification de la religion,
enseignement de la morale par l'État », tels sont les principes d'une œuvre qui se dégage progressivement des
*Entretiens de Phocion sur le rapport de la morale avec la
politique* (1763) et, surtout, de la *Législation ou Principes des
lois* (1776). Au moment où l'économie anglaise se prépare au
saut décisif du décollement, on mesure ce que peut avoir de
rétrograde ce courant utopiste, vénéneuse excroissance sur
le rameau théorico-déductif de la constructive réflexion
politique des Lumières.

Diderot représente assez bien la politique de l'*Encyclopédie*. Une réflexion un peu courte sur la nature et la structure
de l'État, le pragmatisme des Lumières. Diderot a été
l'agent stipendié de Catherine. Maupertuis, La Mettrie,
Grimm, Helvétius et *a fortiori* Voltaire, à la génération
antérieure, avaient été beaucoup plus libres au service de
Frédéric II. A la fin de sa vie, après le séjour forcé de 1773,
Denis Diderot déchantera. Fini le temps des beaux projets
(les Mémoires pour Catherine II). Il lui arrivera de distiller
un peu de fiel, de faire preuve de clairvoyance et de laisser
percer quelque désillusion. S'arrêter là serait rester à la
surface des choses. Diderot est Diderot, mais l'alliance de
l'*Encyclopédie* et du despotisme éclairé qu'il scelle par son
mariage « mystique » avec la Grande Catherine, comme
l'alliance beaucoup plus digne de d'Alembert avec Frédéric II, correspond à une réalité profonde. L'État existe, il est
une des grandes réalités de l'Europe, une des clefs de sa
grandeur, de son efficacité. La philosophie des Lumières est
une philosophie de la nature sociale, elle tourne le dos à une
systématique impossible pour une action pratique immédiate. Le personnel de l'État est, socialement, pour l'essentiel, gagné au « Parti ». Ou bien il est réellement, comme en
Angleterre et en France, acquis aux trois quarts aux idées
nouvelles, ou bien, comme Frédéric II et Catherine, il
affecte, pour une raison tactique d'efficacité, de compter au
nombre des nouveaux religionnaires. Entre l'État tel qu'il

est et le programme des Lumières, il y a, pour l'essentiel et à court terme, coïncidence d'objectifs. L'élite des philosophes de l'État vit à l'ouest ; ils sont d'expression française ou anglaise. Les philosophes qui parlent latin ou allemand sont de vrais philosophes. Avant Kant et Fichte, la politique n'a jamais été au cœur de leurs méditations. Attendons la systématique de Hegel. Les philosophes d'expression française, s'ils se montrent réservés parfois sur le modèle de la monarchie administrative française qu'ils veulent amodier de pratiques anglaises, sont au service idéologique sans réserve du despotisme éclairé : parce qu'il exerce son pouvoir ailleurs, sur l'Europe périphérique, l'Europe de la croissance, son service est de rattrapage, sa visée plus économique que sociale, plus administrative que politique. Mais de cela la pensée des Lumières n'a cure, elle se satisfait des apparences. Pensée pragmatiste, réformiste, l'alliance de la philosophie des Lumières et du despotisme éclairé n'a rien qui puisse choquer : elle est dans la nature profonde des choses.

*

Deux modèles politiques, deux formes d'État dominent l'histoire politique des Lumières. La monarchie tempérée anglaise, l'État profondément refondu par la *Glorious Revolution,* l'Angleterre de Locke et de Gregory King, bientôt l'Angleterre de la pratique accidentelle et logique du cabinet, l'Angleterre du grand commerce triomphant, de la nouvelle agriculture, des canaux, des premières machines. La monarchie administrative française, telle que le personnel de Colbert l'a portée à sa pointe de perfection au siècle de Louis XIV. Le modèle français souffre de son ancienneté relative. L'Angleterre offerte en modèle est celle d'après 1688 et surtout d'après 1714, quand la conjoncture hanovrienne introduit et renforce la pratique du cabinet. Ne pas se laisser prendre aux apparences : l'opposition France-Angleterre est un jeu d'école français et anglais, plus français même qu'anglais. Depuis l'Europe périphérique, la nuance s'estompe. Modèles français et anglais sont modèles d'efficacité ; faut-il dire les monarchies de l'État efficace, appuyé sur des finances assurées, une flotte invincible et la plus forte des armées permanentes ?

L'insularité britannique n'accepte plus d'autre modèle qu'elle-même. L'irrédentisme jacobite peut être interprété comme un refus de la domination anglaise par la périphérie celte (Écosse, Irlande, nord-ouest de l'Angleterre), dans une perspective de *sectional division*, un phénomène de sous-développement relatif, révélateur des disparités de croissance. On a trop tendance, en France, à diminuer la portée du danger jacobite : se rappeler l'ampleur du mouvement en 1715, la persistance des craintes en 1722, le regard anxieux longtemps vers l'Écosse, l'Irlande et le continent. Une partie des combinaisons politiques continentales du cabinet répondent à une estimation, peut-être excessive, d'un danger réel. Oui, le siècle de Hobbes est passé, qui proposait implicitement aux Stuarts l'exemple de l'absolutisme français. La pensée politique anglaise ne trouve plus d'exemple qu'en elle-même, voire éventuellement dans les expériences constitutionnelles de la libre et plastique Amérique.

Mais la France : la pensée politique y balance entre l'Angleterre et un proche passé. La monarchie, oui, mais au sommet du siècle de Louis XIV ; Voltaire aime l'efficace et le gouvernement des bourgeois, l'*Encyclopédie* manie le mythe de Henri IV, Montesquieu a ses faiblesses pour les formes inachevées du XVIe siècle, le modèle anglais est proposé du bout des lèvres, Montesquieu l'a démonté dans *L'Esprit des lois*. Un ensemble institutionnel est dicté par un environnement : le déterminisme géographique de Montesquieu est naïf, certes, et contraignant, commandé par la dynamique de l'histoire. Un modèle, donc, ne se copie pas. L'Angleterre offre des exemples, le modèle anglais est anglais, valable pour la seule Angleterre, l'excellence de la réussite britannique peut utilement inspirer législateurs et magistrats. La pensée politique française cherche pour la monarchie française des solutions françaises ; elle est efficace, donc modestement réformiste : les intendants des Lumières n'ont-ils pas transformé la province française en un champ ouvert d'expériences fécondes ?

La France et l'Angleterre sont, à leur tour, le modèle universel de tout le reste de l'Europe, constituée comme une énorme périphérie, consciente de son retard, province d'une métropole bicéphale. Sur la périphérie orientale ou méridionale de l'Europe, ce bipolarisme de fait ne place pas la France et l'Angleterre à égalité au plan des représentations. La prime accordée en France à l'expérience anglaise est un signe de développement. Rares sont les bons esprits qui, hors de l'axe médian de l'Europe des réussites, préfèrent la nuance anglaise à la nuance française. La monarchie administrative de Louis XIV revient constamment sous la plume de Frédéric II. L'Italie multiple, l'Espagne en procès d'unification, Marie-Thérèse à Vienne, tous pensent à Versailles. L'Europe de l'Est souffre encore, au XVIIIᵉ siècle, d'un inachèvement de l'État ; rares ceux, au niveau de l'élite — mais l'élite seule dans l'Europe de l'Est est susceptible de penser en termes d'État —, qui n'en ont pas claire conscience. La limitation de la prérogative royale, seul moteur de la construction administrative, est un luxe ; il faut, pour la vouloir, que le quadrillage administratif soit chose faite. La fascination à l'égard du modèle anglais est une attitude française. La périphérie européenne n'est pas isochronique à son centre de rayonnement. La pointe d'archaïsme du modèle français le rend plus attrayant et plus accessible.

L'État anglais s'est profondément transformé au sommet, de 1688 à 1720-1730. La Couronne dangereusement affaiblie reprend quelque poids après 1760, grâce à la brillante personnalité, au départ, de George III ; cependant le gouvernement de cabinet est irréversiblement acquis. Il assure plus qu'ailleurs la domination sur l'État d'une classe dirigeante constituée par l'association, en équilibre parfois délicat, des grands propriétaires fonciers et des maîtres du grand commerce. Les manufacturiers, issus du sommet de la classe moyenne, sont représentés provisoirement par le *moneyed interest* du grand commerce. Leur entrée dans la classe politique est postérieure à 1832.

A la hauteur des années 1780, une certaine lassitude se manifeste dans l'opinion de la classe moyenne à l'encontre de l'oligarchie parlementaire. Cela est sensible notamment, lorsque se pose en 1784 la question du patronage de la Compagnie des Indes orientales, qui échoit finalement, sous la pression d'une opinion politique hors cens, à la Couronne. L'Angleterre, vers 1780, au sortir de l'épreuve de la guerre d'Amérique, sent le besoin d'un pouvoir arbitral que l'affaiblissement de la Couronne, sous les deux premiers rois germanophones George Iᵉʳ et George II, avait diminué. Le retour des tories au pouvoir, les premières années du ministère du second Pitt marquent une tentative de rajeunissement administratif.

Le système anglais est très fluide au sommet : il assure une parfaite harmonie entre les impulsions successives du pouvoir et les besoins de la classe dirigeante. Cette fluidité au sommet s'accompagne d'une grande rigidité à la base. Il en va à l'inverse dans la nuance française : la rigidité est au sommet, le gouvernement des ministres et des conseils a perdu progressivement la possibilité de sentir les courants et les besoins de l'élite très large de la nation. C'est là sa faiblesse. Cette rigidité au sommet est compensée par une administration à la base, sous l'impulsion des intendants, plus active, plus entreprenante que la vieille administration anglaise assurée, pour l'essentiel, par les corps privilégiés de marchands à l'échelon urbain, par la *gentry* locale à l'échelon rural. Les raisons profondes de la divergence franco-anglaise sont plus sociales que politiques.

En fait, la clef du modèle social anglais doit être cherchée beaucoup plus haut : le siècle décisif — nous le comprenons mieux aujourd'hui —, c'est le XVIᵉ. *Mutatis mutandis*, l'Angleterre a fait en partie, au XVIᵉ, ce que la France fait d'un coup, et brutalement, à la fin du XVIIIᵉ siècle. Un double transfert social s'est produit au XVIᵉ. La confiscation des biens du clergé régulier s'est faite, pour une large part, au bénéfice de la noblesse, en échange d'un affaiblissement des redevances seigneuriales. Une nuit du 4 août, incomplète, mais précoce et diffuse. Du même coup, la principale barrière qui s'interpose entre la noblesse et le sommet de la hiérarchie villageoise et urbaine s'efface. Peter Laslett a montré qu'au XVIIᵉ siècle, déjà, les cadets, garçons et filles de la *gentry*, épousent normalement filles et garçons de la *yeomanry*, en s'adaptant aux activités économiques et au genre de vie de la upper middle class, situation proprement impensable sur le continent. D'où l'extrême fluidité sociale. La noblesse n'a pas besoin de se constituer en caste. Elle joue le jeu plus avantageux de la croissance économique.

De toute l'Europe, la noblesse française est proportionnellement la moins nombreuse. Depuis les grandes réformations du ministériat de Colbert, la noblesse est passée, en gros, de 3 à 1,5 p. 100. La mise en place au XVIIᵉ de la monarchie administrative a contribué à renforcer la tendance à la « castification » de la noblesse française ; le mécanisme en a été étudié par Jean Meyer, à partir de l'exemple breton. « La réformation de 1668 fait partie de tout un programme, lié à la politique fiscale de Colbert dont elle est l'une des pièces essentielles [...] », elle découle d'une option de politique sociale qui marque d'une manière irréversible, pour plus d'un siècle, l'histoire de la France. A la limite, l'explosion de la fin du XVIIIᵉ en découle. La réformation fait partie d'un choix, la mise à l'écart de la noblesse d'une part des responsabilités essentielles à l'intérieur de la monarchie administrative. Le contraste est particulièrement évident avec la Prusse et l'Autriche. La noblesse française compense cette mise à l'écart par un renforcement de ses privilèges, essentiellement fiscaux. Ce qui implique l'infléchissement de la noblesse très ouverte du XVIᵉ à la noblesse relativement close de la fin du XVIIIᵉ.

Cet infléchissement se retrouve au niveau de la répartition des richesses. La noblesse française représente un cas unique en Europe. Nulle part la fraction de la terre qu'elle tient directement n'est aussi réduite. Les tentatives de reconquête du sol du XVIᵉ siècle sont stoppées au XVIIᵉ. Dans toute l'Europe, la part de l'exploitation noble d'Espagne en Angleterre, d'Angleterre en Allemagne, d'Autriche en Russie, est supérieure. La noblesse française s'est réfugiée dans une forme archaïque de propriété. Elle tire, à la fin du XVIIIᵉ, presque autant de la propriété proprement nobiliaire de l'ensemble de ses droits sur les tenures paysannes que de son domaine propre. Cette structure freine les transformations économiques ; elle constitue un grave obstacle sur la route de l'extension territoriale de la nouvelle agriculture. Elle est partie prenante d'une structure sociale et mentale : la noblesse française, après les réformations, a misé massivement sur la rente. Cette mentalité de rentier explique l'ancienneté des comportements malthusiens au sommet. La crise passée, la noblesse anglaise, après 1730, renonce à la limitation des naissances ; la noblesse française y recourt par secteurs successifs et contribue à conférer à ces attitudes devant la vie un prestige nobiliaire qu'elles n'ont nulle part ailleurs. Le climat économique de la fin du XVIIᵉ se prêtait au repli seigneurial de la noblesse (masse salariale stable, légèrement en hausse, recul du profit, hausse rapide de la rente). La conjoncture du XVIIIᵉ se renverse (masse salariale en hausse modérée, hausse rapide du profit, chute de la rente). Prisonnière de la rente, la noblesse française répond par une extension de ses prises : droits seigneuriaux, nouvelle marche en avant des champarts sur la tenure paysanne, mainmise sur l'État. Elle y cherche moins la puissance et la décision que la rente. La noblesse française pratique la politique des emplois réservés — voyez la marine, l'armée, l'épiscopat —, moyennant quoi elle laisse Necker au Contrôle général. La politique des réformations a contribué à l'explosion sociale de la fin du XVIIIᵉ.

Partout se renforce, à travers l'Europe, une conscience de l'élite. Elle prend des formes différentes. En Espagne, l'élite tend à se confondre avec la noblesse. Les ministres éclairés des Bourbons se sont inspirés de la politique des réformations. Le corps, de toute manière, en dépit de conditions très différentes, subit la séduction du modèle français. En

Angleterre, la conscience de l'élite est vive ; elle rapproche propriétaires fonciers et maîtres du grand commerce, de plus en plus brassés par une politique d'intermariages. En France, une conscience de l'élite se constitue entre noblesse d'épée et haute robe, elle tient à l'écart la haute bourgeoisie. La France est, avec l'Espagne (que son archaïsme protège contre une situation révolutionnaire), le pays d'Europe où la « castification » de la noblesse et son option sur toutes les formes de la rente paralysent la formation d'une conscience de l'élite.

Le modèle anglais fond l'ancienne noblesse, qui s'est ouverte en aristocratie, et la haute bourgeoisie en une classe dirigeante qui contrôle l'État. La classe dirigeante peut, par les *enclosures*, opter pour la *new agriculture*, c'est-à-dire le progrès économique, et préparer par l'élimination d'une petite propriété paysanne, facteur de retard technologique, les transferts de population vers le secteur industriel. Il en va autrement en France, où blocage social et politique vont de pair. L'échec de la réforme fiscale a été souvent décrit, il aboutit au coup d'État Maupeou de 1771, et à la reculade de 1774. La capitulation de Louis XVI en 1774 devant les anciens parlements condamnait à l'échec toute réforme politique importante. La monarchie administrative, qui avait fait preuve de 1660 à 1680 d'une rare plasticité, achève de se bloquer en 1774. Repliée sur elle-même, coupée du profit, condamnée à la spéculation immobilière, au formariage et à la rente, en période de reflux, la noblesse part, à contretemps dans un but défensif, à la conquête de nouvelles positions (quatre quartiers, regards sur les communaux par droits de triage, etc.). La réaction aristocratique, dans la mauvaise conjecture des années 1770, menace l'État et l'équilibre social. Cela ne doit pas masquer l'essentiel. A savoir, la véritable dimension des grands États des Lumières et leur lent progrès. La France vient en tête, suivie d'assez loin par l'Angleterre.

L'État s'est accru, lentement, méthodiquement, tout au long du siècle, pour le plus grand profit, tout bien pesé, de l'ensemble du corps social. Pour la France, deux prises très simples. Roland Mousnier nous donne l'état numérique de la fonction publique. La grande mutation se situe aux XVIe et XVIIe siècles. Un office pour 10 km^2 et 380 habitants en 1665. Avec les familles, le service de l'État occupait, armées exclues, 230 000 personnes au début de notre période. Il n'est pas beaucoup plus nombreux un siècle plus tard.

La masse globale de l'impôt offre une autre prise. On peut

toujours se reporter à la vieille étude de Clamageran. En 1690, les rentrées d'impôt atteignent 110,8 millions (directs, 40,8 ; indirects, 70) de livres. En 1715, 175 millions ; 156 en 1733 ; 567 en 1786, soit, compte tenu de la dévaluation, 832 tonnes d'équivalent argent en 1690 ; 2 541 tonnes en 1786. La population s'est accrue d'un tiers, les prix ont doublé. En gros, la puissance financière de l'État en France, prix et population constants, s'est accrue de 1690 à 1788 de 10 p. 100 environ. La révolution, à l'ouest, est en arrière ; le XVIIIᵉ siècle est un siècle de consolidation.

Le malaise français est rarement perçu du dehors. La France, parée des prestiges du siècle de Louis XIV, donne toujours le modèle de la monarchie administrative ; elle est portée par le rayonnement de la langue qui a supplanté l'italien et le castillan, puis le latin, même en Hongrie, dans les pays scandinaves et aux Provinces-Unies, comme langue universelle de culture, à partir des années 1630-1640. Le sommet de la francisation culturelle de l'élite européenne se place entre 1760 et 1770. A partir de 1770, l'allemand reprend progressivement son droit de cité dans l'Empire et part à l'assaut des classes moyennes dans toute l'Europe danubienne. La position du français, incomparable jusqu'à la fin du siècle, contribue à imposer le modèle français de monarchie administrative. La monarchie administrative française à travers le mythe du siècle de Louis XIV est aux sources d'inspiration du despotisme éclairé. Il a suscité une énorme littérature ; le mot, la problématique, l'intérêt appartiennent à l'historiographie allemande du XIXᵉ siècle ; dernier en date, l'excellent essai de François Bluche : « Monarchie absolue rénovée, Louis XIV sans les jésuites, mise de l'État au service des Lumières (point de vue de l'*Encyclopédie*), mise des Lumières au service de l'État (point de vue des princes), coercition exercée dans un but raisonnable (avis intemporel des tenants de la dictature habile) [...] » Avant les formules, les faits. Frédéric II (1740-1786) est le prince par excellence, Louis XIV revenu sur la terre pour l'État au XVIIIᵉ siècle. C'est à travers la Prusse de Frédéric II que l'Europe de l'Est et du Sud au XVIIIᵉ s'applique à une imitation de la monarchie administrative louis-quatorzième ramenée à des proportions plus modestes et ajustée au goût du jour. Frédéric II, dans l'histoire de l'État des Lumières, aura joué en fait le rôle de médiateur.

L'État brandebourgeois prussien à partir de 1740, l'immense et diverse Autriche de Marie-Thérèse à partir de

1742, la Bavière de Maximilien III à partir de 1745, le Portugal de Pombal depuis 1750, Bernardo Tanucci à Naples (1755), Guillaume Dutillot, secrétaire des Finances à Parme (juin 1756), Charles III en Espagne (1759), Kaunitz à Vienne en 1760 ; Catherine II monte sur le trône en Russie (1762), Pierre-Léopold en Toscane (1765), en 1770 le Prussien Johann-Friedrich Struensee prend la direction des affaires à Copenhague aux côtés de Christian VII, pour peu de temps : le 19 août 1772, quelques mois après la chute de Struensee, Gustave III en Suède assure la direction effective des affaires ; Joseph II enfin, de 1780 à 1790, soumet l'ensemble disparate de ses États au rythme effréné de son réformisme tatillon. L'Europe danubienne, l'Europe méditerranéenne, l'Est profond, tel est l'espace ; il correspond à la quasi-totalité de l'Europe attardée. La chronologie est claire. 1740 est le point de départ. Le mouvement fait tache à partir de 1750.

Quel lien entre toutes ces expériences, en dehors du modèle : France de Louis XIV et relais prussien ? Le despotisme éclairé, dans la seconde moitié du XVIIIᵉ siècle, à l'époque du démarrage démographique, des « fronts pionniers », c'est l'État du rattrapage, une forme d'État adaptée aux espaces assez faiblement exploités, à des structures économiques et sociales archaïques, conduit par une élite de culture, de mentalité et souvent d'expression françaises qui s'efforce de combler un retard inégal. Cette forme d'État s'adapte mieux dans les espaces vides de l'Est que dans les vieux centres de peuplement de l'Europe centrale (Bohême, Autriche, Bavière) et méditerranéenne, en chrétienté non catholique qu'en pays catholique. Bluche met en garde : « Ce régime qui domine [...] les régions de l'Europe où le retard économique et social s'était longtemps opposé à la modernisation du gouvernement et de l'administration, ne saurait être confondu avec le triomphe des Lumières. » Oui, les structures sociales, la tradition nationale y pèsent plus lourd que les structures mentales transposées depuis l'Europe occidentale : « Le prince que l'on dit éclairé » n'est jamais un pur philosophe, ni tout à fait un physiocrate. Pourtant, sans le courant rationaliste de la fin du XVIIᵉ siècle et sans les complicités philosophiques de l'âge des Lumières, il est probable que le despotisme écairé n'eût trouvé ni sa doctrine, ni son style, ni les formes indispensables à un rayonnement séculaire. Comme le despotisme des physiocrates, le régime cher aux princes éclairés est une monarchie absolue, administrative, comme le système de Louis XIV, soucieuse de développement économique, afin de combler un retard préjudiciable à la force même de l'État. « Son originalité tient à trois éléments : l'ambiance des Lumières, l'imitation politique de la France du Grand Siècle, l'utilisation d'un outillage économique emprunté à l'Angleterre et qui faisait défaut à Louis XIV [...] Le despotisme éclairé nous apparaît aujourd'hui dans sa suite pratique, souvent cynique, parfois cruel. Il ne porte plus ces falbalas ; il s'est débarrassé de son clinquant : c'est Louis XIV sans perruque. » (F. Bluche.) L'histoire ne fait pas de saut. Grattez Saint-Pétersbourg, il reste le mir, le servage, une modalité propre d'existence, dix siècles de retard.

L'Europe médiane dense et l'Allemagne à l'est de l'Elbe appartiennent au même espace-temps. Le raccordement est ancien de cinq siècles environ ; des disparités subsistent, elles sont importantes, de degré plus que de nature. Le génie de Frédéric II est hors de cause. Né en 1712, mort en 1786, il a régné quarante-six ans (1740-1786) et laissé, en un français digne de Humboldt, plus de cent volumes. Mais la réussite du grand Frédéric suppose aussi le Brandebourg, très vieille avancée de l'Europe à l'est. Le Brandebourg a bénéficié de la fantastique mutation de l'Europe à l'est. Cet ancien finistère devient un centre-relais, une charnière entre l'Ouest dense, développé, et l'Est profond, retardé. Il suffit de comparer le voyage de Voltaire en Prusse, en 1750, et celui de Diderot en Russie, en 1773. 22 jours d'un côté, 53 ou 119 de l'autre, le Brandebourg est au centre de la nouvelle Europe.

Le second État allemand ne compte encore que 2 300 000 habitants en 1740, après le Grand Électeur (1640-1688) et Frédéric Ier (1688-1713, depuis 1701 premier roi de Prusse). Berlin, modeste « ville de bois et de brique endormie sur les eaux noires et lentes de la Sprée », compte 150 000 habitants en 1786. Elle est devenue, très loin derrière Londres et Paris, une des quatre à cinq capitales intellectuelles de l'Europe : 30 000 hommes de garnison, certes, mais un équipement de tout premier plan. Leibniz avait rédigé en 1707 les statuts de la future académie de Berlin, inaugurée quatre ans plus tard. Pour elle, Frédéric II prit une option résolument scientifique. Le soin en fut confié au Malouin Maupertuis (1698-1759) sur la recommandation de Voltaire. Maupertuis s'y consacra tout entier de 1740 à 1743. Il avait participé avec Clairaut à la mesure du méridien ; on lui doit la première formulation d'un transformisme intégral. Autour de Maupertuis, le petit

Berlin des années 1740-1750 se hisse au rang de capitale scientifique : Euler, d'Alembert, d'Argens, Diderot, Helvétius, La Mettrie, Voltaire s'y rencontrent et s'y succèdent. Très progressivement s'avance la relève allemande : Johann Heinrich Pott (1692-1777) s'attaque au bismuth, aux aluns, l'universel mordant de l'ancienne teinture — une science à la limite de la technique —, Andreas Sigismund Margraff, premier Berlinois admis à l'académie de Berlin, pour la soude, la potasse, la métallurgie du zinc... un autre génie pratique. Berlin réussit même à la fin du siècle le tour de force d'être tout à la fois la capitale hors-les-murs de l'Europe francophone et la capitale incontestée de l'*Aufklärung* protestant d'expression allemande. En 1773, Frédéric II ne faisait-il pas obligation à l'Académie de publier en français ? « Les académies, pour être utiles, doivent communiquer leurs découvertes dans la langue universelle. » Et c'est encore Berlin qui, en 1782, propose le prix que gagne Rivarol, ce qui n'empêche pas Lessing, Mendelssohn, Frédéric Nicolaï de se tourner vers ce même Brandebourg. Mendelssohn, figure de proue d'une bourgeoisie intellectuelle juive toute neuve à l'est, Lessing et surtout l'infatigable Frédéric Nicolaï animent à Berlin le « Club du lundi ». Après avoir créé à Leipzig la bibliothèque des Belles-Sciences (1757-1758), Nicolaï fixe à Berlin les grandes publications d'un rationalisme très largement et très positivement déiste. Voici successivement, les *Lettres sur la plus récente littérature allemande* (Berlin, 1759-1762), la *Bibliothèque allemande générale* (Berlin, 1765-1792), et la *Nouvelle Bibliothèque* (Berlin, 1793-1805). N'est-ce pas, là encore, auprès de la bourgeoisie juive de Berlin, si proche et mentalement si loin des Jérusalem hassidites de Lituanie, dont l'essor est favorisé par la tolérance active de la Cour, que se forment, dans les années 1785-1786, Alexandre et Guillaume de Humboldt ?

Avoir fait pousser sur les sables de la Sprée cette Athènes du Nord constitue le grand titre de gloire de l'État prussien. « Si la Prusse périt, l'art du gouvernement retournera vers l'enfance », ainsi parle Mirabeau, cet enthousiaste. Bluche le rappelle avec raison : « L'État prussien n'est pas une création des Lumières. » La marche du Nord-Est y fixe, depuis le XVIIe, les techniciens du calvinisme occidental : ce sont eux les artisans, dans ce monde neuf, dans cette Amérique au petit pied, où tout est possible, d'un État « contre les États ». Frédéric II est d'abord le continuateur. L'État prussien se caractérise encore, par rapport au modèle français du XVIIᵉ siècle, par deux archaïsmes qui facilitent le relais vers l'est : la place des paysans, le rôle de la noblesse. L'émancipation paysanne, à l'est, n'est pas commencée. En Prusse, du moins, le servage ancien n'empire pas.

Frédéric II, après quelques velléités, s'est adapté à cette situation. En 1763, il avait bien ordonné la suppression du servage en Poméranie ; l'année ne s'était pas écoulée qu'il abandonnait la partie : « Il demeure fidèle, toutefois, à la politique dite de conservation des sujets », patriarcale et fiscale, « qu'il a héritée de son père [...] et qu'il pousse plus hardiment », et à un ensemble de mesures modestes mais efficaces. « A défaut de révolution [...] une importante évolution : dans le royaume de Prusse le serf devient un mainmortable. » (F. Bluche.)

La noblesse, à l'est, est nombreuse comme en Espagne, à la différence de la France, mais c'est une noblesse active, liée au sol, rompue au service ; elle se confond, à peu de chose près, avec l'élite : « Des milliers de *junkers,* formés dans les compagnies de cadets-gentilshommes ou dans les cadres de l'administration, ont remplacé un amour-propre, stérile et particulariste par l'orgueil qu'inspire le service du roi et celui de l'État. » « La noblesse encadre les 150 000 ou les 200 000 hommes » de l'armée ; elle fournit tous les cadres moyens et supérieurs de l'administration. Noblesse prussienne, voire noblesse étrangère mais noblesse « parce que d'ordinaire la noblesse a de l'honneur ». Saluons cette pensée commune à Frédéric et à Montesquieu. « Le roi de Prusse ne prétend pas imposer une révolution à un pays qui ne la souhaite pas. » Le progrès ne se décrète pas.

Utilisation efficace, en habile dépassement dialectique, des structures mentales des Lumières. Déiste, d'un déisme sec, plus vide de perspective eschatologique que le faux athéisme panthéiste de Maupertuis et de Diderot, Frédéric II entend sauver coûte que coûte l'État du reflux ou de l'effondrement de l'espace-temps chrétienté. La tradition prussienne, en harmonie avec la tradition du continent, fonde l'autorité du prince et la souveraineté de l'État par le droit divin et les « lois naturelles », légalité d'une *natura naturata* voulue par Dieu. Frédéric relève le défi, il part donc de Locke et de son contrat accordé aux réalités d'une société archaïque et à la tradition de l'État fort. « Pour Frédéric II, qui rejoint ici Hobbes et Wolf, le peuple a consenti, une fois pour toutes, à ce que tous les pouvoirs soient confiés au monarque. Consentement philosophique et tacite, qui n'a pas besoin d'être exprimé par des institutions, des paroles ou des actes. Ce consentement est légitime, par le fait que la dynastie royale est appliquée au bien public, qu'elle seule a de ce bien public une notion juste et claire. Pour Frédéric II, la royauté n'existe que parce qu'elle rend des services. Ce contrat tacite crée les " liens indissolubles " entre le monarque et la nation : " Le prince est à la société qu'il gouverne ce que la tête est au corps. " »

Grâce à ce tour de force logique, la réalité objective de l'État fort, soutenu auprès du peuple par l'enseignement des Églises protestantes et amplement justifié par l'immensité des services rendus, par les exigences concrètes du rattrapage, se trouve mise au goût de l'élite de l'Ouest. L'élite des Lumières, en France et en Angleterre, qui se contente à bon compte, peut continuer de prêter son aide psychologique au rattrapage périphérique du despotisme éclairé.

L'Allemagne orientale est le seul secteur géographique de l'Europe périphérique où conditions au départ et efficacité de l'action conduite ont permis la réussite de l'opération rattrapage à 100 p. 100. En seconde position, l'Allemagne catholique, le vieux glacis Habsbourg et la « frontière » danubienne. Maximilien III, Joseph de Wittelsbach (1745-1777), conduit bon train la modernisation de la baroque Bavière. A Munich comme à Vienne, toutefois, les résistances sont plus grandes que sur la Sprée.

La poussée de la « frontière », au lendemain du Kahlenberg, suffisait. Le malheur voulut qu'une partie des forces fût dilapidée dans l'héritage anachronique de la périphérie espagnole. L'Autriche sortait grandie, mais tiraillée et alourdie du traité d'Utrecht. La guerre de Succession est l'inévitable conséquence de cette dualité. Qu'elle s'en soit sortie est à la fois miracle et l'honneur de Marie-Thérèse. Grâce à une excentration vers l'est, c'est autour de la jeune Hongrie que l'empire danubien de Vienne est finalement sauvé. Haugwitz, chancelier d'Autriche (1748) et de Bohême (1749), et Kaunitz (1760-1780) ont tenu compte d'une dualité qui masque une diachronie. La Hongrie a sauvé l'État danubien : les magnats ont reçu le prix de leur fidélité sous la forme d'une sorte de droit à l'archaïsme. Les 300 000 km^2 de la partie hongroise sont un compromis entre une frontière interne de peuplement et un lointain Moyen Age. Les transformations technologiques se situent en Bohême, en Autriche ; la Hongrie reste agricole, son commerce extérieur se limite aux exportations des grands domaines, en dépit des rendements très bas, liés à une faible densité de peuplement et à un médiocre niveau de vie. Beaucoup de souplesse, en revanche, envers « les possessions éloignées, Pays-Bas et Milanais ».

Un État sans moyens au départ, auquel on a donné des moyens. Jean Meyer a calculé avec précision le *poids de l'État*. Les rentrées au début du règne se situent à 20 p. 100, pour une population sensiblement égale, des rentrées fiscales françaises, une armée permanente de plus de 100 000 hommes. De tous les pays de la vieille monarchie, c'est la Bohême, proche de la Silésie devenue concurrente, qui est la plus profondément transformée. Les troubles de 1770-1771 et 1775 sont le signe d'un malaise, mais aussi d'une importante mutation, voyez une croissance démographique record. C'est en Bohême que Raab (l'année de la suppression des jésuites), conseiller au Conseil du commerce, un physiocrate, ose s'attaquer au servage : un processus commence, qui s'achève en 1848 seulement. La Bohême, est à peu près sur la ligne de développement du Brandebourg, de la Poméranie et de la Prusse, le reste de l'Europe danubienne plusieurs siècles en arrière.

Avec Joseph II, le rythme change. « A Vienne, un jeune Empereur, dévoré d'ambition, avide de gloire, n'attendait qu'une occasion pour troubler le repos de l'Europe », proclame Frédéric, le bon apôtre. Joseph II entend déborder le triangle de transformation délimité par les ministres de sa mère. Il enclenche un procès de germanisation de l'Europe danubienne, par commodité. Son imprudence aux Pays-Bas, vieille terre de liberté municipale, partie prenante de l'Europe développée, provoque une résistance proche de la révolte. L'œuvre économique est considérable, elle achève de préparer les bases du *take off* industriel du triangle Bohême-Moravie-Autriche au XIXe siècle.

Le joséphisme, cette politique religieuse qui fait tache d'huile sur toute l'Europe catholique, s'oppose à la tolérance pétrie d'indifférence pragmatique de Frédéric II. Faut-il parler d'intolérance éclairée ? Joseph II est trop chrétien pour ne pas avoir tenté de mettre sa puissance au service de ses préférences pour un catholicisme éclairé, à l'opposé de la sensibilité baroque de ses peuples : un culte, une religion intellectuelle de rapport ontologique ; une pratique axée sur le respect scrupuleux d'une morale de la pureté du service, on dirait volontiers de la présence au monde. Des options qui sont, au demeurant, celles des Lumières. Elles entraînent une *diminutio capitis*. Comme les meilleurs de son siècle, « il refuse la vie contemplative tout entière, l'ascétique et la mystique [...] il semble ignorer la communion des saints et la réversibilité des mérites. » (F. Bluche.)

Personne n'a poussé aussi loin ce qu'on a pu appeler l'« intégrisme » de la politique laïque. Son sens de la primauté de l'État retrouve la théologie politique de la seconde génération réformée. « Le droit divin révélé par la Sainte Écriture, et le droit naturel reconstitué par la raison humaine sont les deux bases du pouvoir monarchique. Leibniz, Wolf ou Martini, en laïcisant les théories de Bossuet, consolident la souveraineté puisque celle-ci a désormais la double caution du fondement religieux et d'un soutien rationnel. »

Partant de là, tout valse dans l'Église : divisions diocésaines, désignation aux charges, formation des clercs, réduction de la puissance régulière. « Mon frère, le sacristain » — le mot est de Frédéric II — entre dans le détail : guerre aux statues, réduction du luminaire, censure des sermons, pour un prêche pratique, ordonné au bien du royaume terrestre, civique et moral.

Point positif, l'édit de tolérance de 1781, malgré ses limites et ses arrière-pensées. Il vise à éviter l'exode des minoritaires tchèques en direction de la Silésiie devenue prussienne. La tolérance se borne aux grandes confessions chrétiennes, limite l'exercice du culte au strict minimum, permet toutefois le doublement, en moins de dix ans, des protestants dans les États héréditaires germaniques : 73 000 en 1782, 136 000 en 1788. Ajoutez, avec trente ans de décalage sur la Prusse et un peu plus de réserve, l'insertion sociale des juifs (1781, fin de l'obligation de résidence en ghettos et des signes distinctifs sur le vêtement), l'ouverture des universités : à Vienne comme à Berlin, la bourgeoisie juive en profite largement, l'histoire intellectuelle en porte témoignage.

Le changement de rythme de 1780 ne favorise pas forcément l'alignement de l'Europe danubienne sur les niveaux de développement de l'Ouest. Le « joséphisme » préfigure l'erreur des révolutionnaires français. Le déiste Frédéric a moins choqué les consciences chrétiennes que le catholique sincère que fut Joseph II. On ne gouverne pas les consciences. Il n'a pas compris la valeur du catholicisme baroque, sa parfaite ordination au legs de la culture traditionnelle des campagnes. Pour utiliser cette richesse, il fallait d'abord comprendre et aimer. Le drame du joséphisme résulte d'une modalité des tensions et de la distance qui sépare la civilisation de l'écrit de la richesse culturelle du niveau traditionnel de la transmission.

A partir de ces deux pôles du despotisme éclairé, il y a dégradation dans le succès. L'espace méditerranéen est peut-être le plus résistant. La transformation de l'Espagne, au XVIIIe siècle, est profonde, mais elle ne date pas de l'avènement de Charles III. Dans l'ordre de l'arithmétique politique, voyez l'énorme effort du marquis de La Ensenada. La phase farnésienne du règne de Philippe V, déjà à la hauteur des années 1717-1718, annonce une modalité avant la lettre de despotisme éclairé. Peu de choses subsistent pourtant de l'œuvre énorme des Patiño, Ensenada, Aranda, Floridablanca, Godoy au XIXe siècle. La crise atroce de 1808-1814 arrive trop tôt, elle compromet en outre l'idéologie au nom de laquelle les ministres de la monarchie centralisatrice et uniformisatrice avaient agi. Quant à Pombal (1750-1777), en dépit et sans doute en raison d'une agressivité tapageuse, il n'a pas réussi à combler le retard du Portugal (le Nord surtout), qui est globalement le finistère d'un finistère. Ses meilleurs succès se situent en Amérique. L'Italie fournit un modèle d'explication qu'on peut étendre au Portugal.

L'effort le plus considérable est fourni à Naples. L'échec y est flagrant. Au nord (Toscane, Parme, Plaisance), où se multiplient les résistances, le bénéfice est durable et le solde positif. Voyez la Toscane où se tiennent, en 1786, au synode de Pistoïa, les grandes assises du catholicisme éclairé, dans sa modalité janséisante au terme d'une évolution vers un réformisme radical et une pratique purement intellectualisée. C'est dans l'Italie du Nord des écoles pies, plus modérément mais progressivement alphabétisée, que se pépare le XIXe siècle, les conditions du tardif rattrapage de l'Italie. Alors, tournons-nous vers le social : ce qui paralyse l'Italie, c'est le *latifundium*, l'habitat rural excessivement concentré, le vieil assolement biennal qui a échappé à la mutation technique des XIIe-XIIIe siècles, l'incapacité à vouloir et à payer l'insertion populaire dans la civilisation écrite. Du même coup, la clef est fournie du succès relatif de l'Italie toscane, piémontaise et lombarde ; il tient à un certain prix de l'homme et à l'effort qui lui est consacré. Ajoutons que joue à plein, en Toscane, la superposition entre la langue parlée et la langue écrite.

L'échec relatif du despotisme éclairé dans le Midi méditerranéen est dû à une population nombreuse, difficile à remuer. Peu de « frontière » intérieure (Sierra Morena, Èbre aragonaise...), l'Amérique est trop lointaine, l'Italie sans vides. Restent les marécages, mais les techniques manquent pour les réduire. Une population dense, fière, attachée à un long passé, une élite qui a échappé au tournant de la révolution scientifique et qui est tentée d'en appeler du présent, ou d'un passé proche, à un passé plus lointain. Qui dira le poids, dans la Toscane du XVIIIᵉ, du trop brillant *Quattrocento*, le poids, pour la Rome du XVIIIᵉ, de la Rome impériale et chrétienne ? Trop d'hommes, trop de passé ; le despotisme éclairé arrive trop tard, avec un décalage d'un siècle au moins, pour assurer l'essor de l'Espagne et de l'Italie. L'Espagne part sans assise, l'Italie décolle à peine. Le XIXᵉ siècle y est mal préparé, un peu mieux dans l'Italie la moins méditerranéenne que dans la péninsule Ibérique, un peu mieux en Catalogne, en Biscaye et aux Asturies qu'au Portugal et en Andalousie.

Peut-on parler encore de despotisme éclairé en Scandinavie ? A peine. Les structures scandinaves s'ordonnent progressivement au XVIIIᵉ siècle sur le modèle anglais. L'État suédois tend vers une sorte de compromis entre l'Angleterre de la *Glorious Revolution* et le Brandebourg de Frédéric. La Norvège est à l'écart, mais le Danemark a quelque chose de hanovrien, il souffre d'une pointe d'archaïsme ; la Suède sort renforcée de l'épreuve où elle perd la Baltique : population croissante, mortalité la plus faible d'Europe, une espérance de vie qui talonne les records absolus de la Nouvelle-Angleterre et surtout une alphabétisation poussée et précoce ; la modernisation de l'État suédois s'opère lentement, donc sûrement : liberté de la presse, par étapes, dans un pays qui a le goût de lire, les dispositions de l'édit de 1766 sont confirmées par l'ordonnance du 26 avril 1774. Tolérance pour les catholiques (mieux qu'en Angleterre) et promotion allemande de la minorité juive urbaine. Tout un investissement culturel, enfin : tels le nouvel opéra de Stockholm d'Adelcrantz, et l'académie des Dix-Huit, en 1786, sur le modèle français.

Le Nord profond est à l'est : c'est la Russie, une fois franchi l'écran polonais. Quand une infime pellicule de grands propriétaires polonais prend conscience de la menace qui pèse, à court terme, sur les frontières de l'État nébuleuse, il est trop tard. Et pourtant, la Pologne, nous l'avons vu, participe à la prospérité orientale du second XVIIIᵉ siècle. Le premier partage de 1772 lui a donné comme un souffle en détachant deux provinces vides (Russie blanche et Prusse polonaise) et le lourd complexe galicien qui apporte à l'Autriche plus de difficultés que de moyens, avec son inestimable réseau religieux et ethnique. En voulant bien ignorer quelques millions de paysans, Léo Gershoy a pu s'émerveiller : « [...] après ce coup terrible, une nouvelle idée de liberté se fit lentement jour à travers le pays ». Dissolution des jésuites, une évolution des rapports de l'Église et de l'État empreinte d'un super-joséphisme (on dit ici febronianisme), sous l'action du chancelier Zamoyski. Le fait majeur est le fameux statut de l'éducation nationale fixé par la commission de 1773 : pour alimenter la réforme, les biens confisqués de la Compagnie. Éducation, économie, Zamoyski essaie même par l'exemple d'encourager les grands propriétaires à desserrer l'étreinte du servage. « Le mouvement de réforme devait atteindre son apogée [...] avec la nouvelle constitution de 1791, qui instaurait une monarchie héréditaire selon le modèle de la monarchie française réformée [...] » Tout cela arrive trop tard ; on ne remonte pas trois siècles en vingt ans. Russie et France prennent le devant après s'être concertées en 1793. L'œuvre de réveil qui s'ébauche à partir de la commission pour l'éducation nationale de 1773 a manqué de temps, certes, elle est allée pourtant à l'essentiel. Elle s'est attaquée au retard culturel de la Pologne : ses choix simples en faveur d'une culture scientifique et d'une alphabétisation massive sont excellents. L'apparition des noms polonais dans les sciences mathématiques et physiques dès le début du XIXe part de cet effort, le reste suit.

Restait la Russie, le grand mirage des Lumières. Entre la mort de Pierre le Grand (1687-1725) et l'avènement de Catherine II (1762-1796), Catherine Ire (1725-1727), Pierre II (1727-1730), Anna Ivanovna (1730-1741), Élisabeth Petrovna (1741-1761) et Pierre de Holstein (1761-1762) que son épouse allemande fait assassiner préventivement au cours d'une révolution de palais, un relent de sérail. Il y a deux mondes, en Russie, qui s'ignorent : une paysannerie qui s'enfonce dans un servage renforcé et que l'aspiration de la « frange pionnière » soulage un peu, un monde plaqué qui respire par Saint-Pétersbourg. Sur une société archaïque et orientale, un effort commence au XVIIe pour fabriquer *ex nihilo* un État à l'occidentale ; Catherine ne tombe pas du ciel, « elle arrive sur un terrain étroit mais assez bien préparé. A l'ancienne " douma des boïars ", anarchique et féodale, a succédé un organe neuf de gouvernement, le Sénat

[...] plus ou moins calqué sur le modèle suédois [...] créé en 1711, renforcé en 1720, organisé en 1722. » Le Sénat russe tient à la fois du Conseil privé de Louis XIV et du directoire prussien de 1723, celui-là même que Frédéric II mit en veilleuse. Sur une structure sociale paysanne, legs d'une évolution sans interférence occidentale, une économie d'échanges est venue se plaquer. Avant les grandes mutations technologiques de la fin du XVIIIe, le fer au bois de l'Oural concurrence sur le marché anglais le fer de Suède.

Voyez fonctionner, en Russie, l'État du rattrapage. Au départ, Catherine était la vraie tsarine de l'aristocratie féodale, mais elle renoue avec Pierre le Grand. Elle cherche à être mieux que la tsarine du *dvoriantso*, tout en parcourant l'empire elle lance des appels à l'intelligentsia occidentale. Elle correspond avec d'Alembert, achète Diderot, étudie Montesquieu (1764-1766) et Beccaria (1767), *Le Traité des délits et des peines* dont la lecture est réconfortante au pays du knout. La grande commission législative étale ses travaux de 1767 à 1768 : elle réunit des représentants de toute la Russie légale, entendez le petit État, les 2 à 3 millions d'hommes, d'un Brandebourg assis sur 20 millions de serfs. La commission est installée à Moscou le 30 juillet 1767, transférée à Pétersbourg en janvier 1768, brutalement dissoute le 18 décembre. Elle travaille sur l'*Instruction pour la commission chargée de dresser le projet d'un nouveau code de lois*, le *nakaz*, « l'un des documents les plus célèbres de l'histoire idéologique du despotisme éclairé. Il s'ajoute au mécénat, à la correspondance politique, au souci de propagande et de publicité pour assurer à la tsarine sa réputation d'impératrice philosophe. » (Bluche.) De l'effort de réforme, un point paraît durablement acquis, l'élargissement du *dvoriantso* aux dimensions d'une élite.

Alors, le bilan : la Sémiramis du Nord ne mérite ni l'encens qu'elle a reçu de ses thuriféraires naïfs ou vénaux, ni la sévérité qui, aujourd'hui, poursuit son œuvre. Elle n'a pas rompu avec une option en profondeur, esquissée au XVIe, renforcée au XVIIe, caricaturée sous son règne. L'État russe des Lumières est une réalité, mais une réalité modeste. Catherine gouverne une Russie légale, une Russie réelle de 2 à 3 millions de sujets. Elle abandonne à 100 000 propriétaires et quelques dizaines de milliers de fonctionnaires 15 à 25 millions de paysans. Cette princesse allemande gouverne un gros électorat, un Brandebourg-Prusse comparable à celui que Frédéric II hérita du Roi-sergent et qu'elle n'a pu ni su porter à la dimension objective de la Prusse du vieux

Fritz. Mais la Prusse, après 1763, ne vaut-elle pas presque une Autriche ? Nettement plus qu'une Russie... Non, Catherine n'a rien fait pour intégrer la masse paysanne dans une nation qui ne commence à s'élaborer qu'après les réformes, au XIXᵉ, du tsar libérateur.

La Russie de Catherine nous rappelle seulement cette vérité : l'Europe des Lumières compte à son service 180 millions d'êtres à la fin du XVIIIᵉ siècle, sur le territoire de l'Europe strictement entendue, mais l'appartenance à l'Europe de la meilleure partie de ces hommes est pour l'essentiel fictive. La véritable Europe des Lumières, celle qui lit les 30 000 exemplaires des éditions de l'*Encyclopédie* après l'*Encyclopedia* récensées par Robert Darnton, qui pense et s'exprime dans un système de pensée qu'il nous reste à essayer de définir, n'a jamais dépassé deux dizaines de millions d'hommes concentrés, pour les neuf dixièmes, sur l'axe médian nombreux que nous avons proposé.

Reprocher à Catherine de n'avoir rien tenté pour annexer la Russie aux Lumières, voire plus modestement à la civilisation de l'écrit... Procès dérisoire : franchir cette étape dépassait son pouvoir. Le travail qui se poursuit, grâce à l'État, en Russie, à la fin du XVIIIᵉ siècle, n'est superficiel qu'en apparence : la Russie — comme la Prusse avec le décalage chronologique de l'épaisseur d'une génération — se dote, sous l'égide de l'État, d'un équipement culturel limité à un petit nombre. Voilà pourquoi, au tableau d'honneur de l'intelligentsia occidentale, la Sémiramis du Nord, à la hauteur des années 1770, remplace l'Athènes du Nord des années 1750 : l'engouement successif pour les deux grands despotes (Frédéric, 1750 ; Catherine, 1770) correspond à un *take off* de l'équipement intellectuel, culturel et scientifique. A la séduction intellectuelle s'ajoute l'attraction des places. Les louanges de l'intelligentsia marquent *a contrario* le point de mise en place d'un équipement culturel de type européen occidental et de classe internationale.

Non, on ne brûle pas les étapes, et la première étape passe par la constitution d'une élite. En Russie, plus qu'en Prusse, le rapport au nombre des élites, par référence aux normes de l'Ouest, est dérisoire : la supériorité numérique du vieil Ouest est écrasante. Cependant, les élites nordiques et orientales, les élites du rattrapage ont bénéficié de choix assurés par les meilleurs experts. En Russie, à peine moins qu'en Prusse, ce choix a porté sur les parties les plus neuves, les plus dynamiques de la nouvelle civilisation ; ce choix joue en faveur des sciences et plus particulièrement des mathématiques.

En Pologne la commission de l'Éducation de 1773, en Russie l'effort qui suit la grande et vaine commission de 1767-1768, le *take off* intellectuel de l'Europe des Slaves du Nord aboutissent à la formation d'une élite restreinte au niveau le plus élevé dans l'ordre de la science la plus abstraite. Gain modeste, mais sans prix : entre 1770 et 1790, se préparent, au niveau de cette élite étroite, les conditions du renfort scientifique du premier XIXe siècle. De l'Est, bientôt, les prophètes d'un nouvel âge se lèveront, de Nicolas Lobatchevski (1792-1856) à Dimitri Mendeleïev (1834-1907). Le génie suppose d'abord l'honnête transmission de l'acquis. Dans ce secteur, et là seulement, le rattrapage a été complet.

*

Moscovici disait hier : le XVIIIe siècle a été par excellence le siècle de la politique, donc le siècle de l'État. L'État est au cœur de ses pensées, mais il est d'abord au cœur de son histoire. L'État est au cœur de l'histoire du XVIIIe, dans la mesure simplement où il s'y accomplit de grandes choses. L'État, ce secteur où on lit et, infiniment plus encore, où l'on écrit, l'État qui appartient presque tout entier au domaine du voulu, du délibéré, l'État, pourtant, est au terme d'une longue tradition. La plus belle des constitutions du XVIIIe siècle n'a jamais été écrite et ne le sera jamais. L'État modèle par excellence, l'État qui a porté la réflexion de Locke, est coutumier. L'État, au sommet de la civilisation écrite et de la culture traditionnelle, appartiendrait-il, lui aussi, dans une certaine mesure, au domaine du voir-faire et ouï-dire ? Partiellement, il est le secteur des codes, des ordonnances, le fabricant n° 1 des longues archives et leur conservateur, mais il est aussi du ressort des tours de main, des habitudes de service, de révérence et d'obéissance, qui font la puissance et la force, la durée qui assure le succès et la croissance, générateurs de la grande mutation d'ordre et de puissance de la fin du XVIIIe au dernier tiers du XXe siècle. On peut avoir renoncé à toute eschatologie, tomber du déisme à un athéisme de fait, se mouvoir dans un néant de pensées absurdes et, comme Frédéric II, croire à l'État. L'État a été légué au XVIIIe siècle. Les formes les plus élaborées datent des années 1660-1680 (France), 1689-1720 (Angleterre) ; c'est alors qu'elles ont cristallisé. Toutes les autres sont des formes dérivées, plus frustes, qui s'acharnent à assurer le rattrapage. Le rattrapage — la grande tâche de l'État des Lumières, non de l'État à l'époque des Lumières — à son tour modèle l'État : il fait éclater son utilité, il lui vaut un supplément de révérence et de crédibilité. L'État n'est pas sensiblement transformé en un siècle, de 1680 à 1780, mais il est multiplié.

L'État a, tout bien pesé et totalisé pour l'ensemble de l'Europe, quatre à cinq fois plus de moyens en 1780 qu'en 1680 ; il a suivi dans ses conquêtes les fronts pionniers, les secteurs de développement, mais il est resté très semblable à la donnée reçue au départ. L'État est aussi secteur des lentes, des fructueuses sédimentations. L'État, cette pointe subtile de l'équilibre social, a contribué à la croissance et, bien plus encore — voyez les équipements culturels —, au développement. Le ressort essentiel qui meut les hommes au sommet comme à la base de la pyramide de l'État est l'émulation.

La chance de l'Europe, une des clefs de l'explosion de la croissance soutenue, comme jadis la chance de la Grèce, c'est la division, et sans doute les guerres qu'elle engendre. Sans la division de l'Europe en États jaloux, craintifs et rivaux, pas de rattrapage. Paradoxalement, la division politique de l'Europe a mieux assuré un pouvoir uniformisateur dans l'entropie, donc la croissance par les tentatives toujours vaines de rattrapage. Le rattrapage, but imposé par l'État, assure la croissance de la périphérie sous-développée, relance le désir de « distance garder » de l'axe médian des hautes réussites. Rattrapage et dépassement, méfiance, expansion et recherche d'un équilibre précaire contraignent l'État à une action transformatrice en profondeur.

Le cosmopolitisme de l'élite francophone du XVIIIᵉ siècle est le fruit, non le moindre, de l'heureuse division de l'Europe en États de taille inégale et rivaux. La division utile au démarrage. Sans jugement sur l'avenir. Pour maintenir les tensions à un niveau tolérable, les États ont leurs armées et leur diplomatie. Au-dessus, se situe le travail constructif des iréniques, de Leibniz qui propose seulement la substitution d'une guerre interne à une guerre externe sur la « frontière », à ce bon abbé de Saint-Pierre (*Mémoire pour rendre la paix perpétuelle en Europe*, Cologne, 1712, *Projet pour rendre la paix perpétuelle en Europe*, Utrecht, 1713, *Projet de paix perpétuelle entre les souverains chrétiens*, Utrecht, 1717) qui, jusqu'à sa mort en 1743, s'efforce de trouver le passage de l'équilibre des diplomates à la paix perpétuelle d'une chrétienté éclairée.

L'émulation, avec le profit, moteur de rattrapage de la périphérie, de développement de l'axe médian, aura été, sans que la pensée des Lumières en ait eu toujours la claire vision, un des plus sûrs apports de l'État traditionnel à la grandeur de l'Europe, au moment où se préparent les conditions de tous les dépassements.

DEUXIÈME PARTIE

LA MISE
EN MARCHE
DES PENSÉES

Dans le système que nous proposons pour une intelligence si possible utile du XVIIIe siècle — la fin du XVIIIe siècle nous porte tous —, les Lumières sont à l'intersection de deux structures génératrices de mouvement. Deux structures en mouvement, mais à des rythmes différents : un cadre de vie très ancien, un système de pensée révolutionnaire hérité du siècle précédent.

Au XVIIIe siècle, un cadre de vie et un système de pensée relativement indépendants : la fondamentale modification des pensées, de 1620 à 1650, a été le fait d'un tout petit nombre d'hommes, dans un espace réduit ; la petite Europe scientifique se confond avec la petite Europe politique, moins la Méditerranée qui, après Galilée, sort pratiquement du jeu. Jamais la civilisation du langage écrit, renforcée, désormais, d'une civilisation du langage mathématique, n'avait atteint un tel degré d'autonomie. Bien sûr, la philosophie grecque a besoin de la cité. Aux constructeurs de l'univers infini du XVIIe, l'État territorial assure, avec la tranquillité de la rente, ce calme tragique, face aux exigences d'ordre qu'ils ont reçues de la Révélation et des méthodes comptables. Beaucoup sont fils de bourgeois, sortis à une ou deux générations de l'échoppe d'un vendeur de drap ou de quelques lointains et proches collecteurs de taille. Bien sûr, la pensée au départ se dégage lentement et difficilement des choses, des environnements, du pratique donc du social, mais bientôt elle atteint un degré d'indépendance qu'il est commode d'exprimer par une structure. Cette large autonomie de la pointe entraînante de la pensée découle d'une part d'un saut irréversible dans l'abstraction, de l'autre de la sage parenthèse cartésienne. Sur cette sagesse, le développement des pensées s'effectue de 1630 à 1680, au rythme jamais ralenti d'une progression géométrique, facilitée par la rigidité de l'environnement.

Le XVIIIe siècle a vu la modification insensible de cet environnement. Nous l'avons suivie sous trois angles, dilatation de l'espace, multiplication du nombre des hommes et surtout prolongement de la vie humaine, le tout favorisé par un perfectionnement de l'État. Une des conditions de la révolution du décollement des connaissances se trouve modifiée : le quasi-paramètre de la civilisation matérielle, du cadre économique et social de la vie entame un processus de modifications accélérées. Le moment arrive où cette modification est perçue, où elle rencontre la mutation, au sommet, des pensées. Au vrai, dans le global du vécu, rien n'est aussi totalement séparé. Mais notre artifice d'analyse recoupe quand même une réalité. Après cinquante ans libérateurs d'une étonnante autonomie de la connaissance, une remontée se produit de la structure des choses sur les pensées, une volonté de dépassement des maîtres de la pensée, un regard impérialiste sur le domaine réservé de la politique et de la religion. Après la linéaire croissance de 1630 à 1680, la révolution scientifique change de rythme et de style. Le faisceau de ses ambitions s'élargit.

Il nous faut retrouver les pensées, au moment où elles sont de nouveau tentées par les choses. La révolution des pensées de 1620-1650, le bond en avant des sciences mathématiques et de la mécanique céleste de 1650 à 1680 se développent désormais suivant une logique propre que nous allons essayer de comprendre. Après les structures de l'environnement, revenons à la pensée, au moment où la structure de la pensée recoupe les environnements. La structure de la pensée subit dans les sciences abstraites les premiers effets du freinage des rendements, le monde des appelés à la spéculation s'élargit, un certain recul de l'abstraction en découle. Ce que la pensée perd en force, elle le gagne en étendue. L'environnement mutant du XVIIIe se trouve ainsi incorporé aux structures de la pensée. Après avoir répondu à l'incitation superficielle des choses, le retour massif de la pensée sur les choses transforme en révolution la marche mutante des conditions matérielles de la vie. Nous serons alors arrivés, en 1780, au seuil déjà de la troublante histoire de notre temps...

CHAPITRE IV

ÉLARGISSEMENT DU CHAMP
DE LA CONNAISSANCE

Une révolution qui a cinquante ans est déjà une vieille révolution. Et pourtant, même au niveau des quelques dizaines de milliers d'hommes qui l'ont profondément vécue, elle n'a pas épuisé ses effets, elle n'a pas achevé de remporter la victoire.

La réduction phénoménologique de la science aura été peut-être le combat le plus difficile à gagner ; Descartes, après l'avoir emporté, s'est empressé de le perdre. Il pense que sa mécanique globale du monde atteint à une saisie véritable de l'être. Descartes confond, *de facto,* physique et métaphysique. Entendez que, jusque vers 1730, la confusion est courante sur tout le continent. Il faudra s'en souvenir pour comprendre le dogmatisme de la réduction mécaniste qui durcit le climat de la philosophie de la crise de conscience européenne. Mersenne avait poussé très loin le scrupule phénoménologique : « notre science refait l'image des choses, mais les choses ont leur nature propre » ; quant à Descartes, il savait qu'au-delà de sa physique quelque chose de la réalité échappait encore. Lui, mais pas forcément les cartésiens forcenés des écuries de Fontenelle dans les années 1700-1730. Le modeste Newton le sait mieux encore. En restreignant son champ à celui des phénomènes, la philosophie mécaniste dégageait la place d'une connaissance autonome de la science en cours de formation, de la théologie, qui suppose la donnée objective de la Révélation, une métaphysique, au sens précis du terme, une ontologie. Malebranche, dans une formule heureuse — elle aura un long retentissement —, a dit approximativement : « Laissons à la métaphysique l'étude du mystérieux pouvoir " efficient " des causes, la science doit se contenter de

connaître les lois. » Le xviiie siècle ne maintiendra pas
facilement l'équilibre, la philosophie vulgaire du xviiie
rejettera même jusqu'au distinguo malebranchiste, et dans
sa prisée légitime de la science phénoménologique il lui
arrivera de reléguer la métaphysique au niveau de l'opinion.

Cette réduction de la science à l'état phénoménologique,
au xviie siècle, aboutit en fait à la démolition d'une structure
plusieurs fois millénaire de l'affectivité, au niveau d'abord
de l'élite. La masse des lisants, en majorité, n'est pas
immédiatement effleurée par le nouvel ordre des pensées.
Le collège est humaniste, la littérature des grandes civilisations parle les catégories d'Aristote, quant à la littérature des
pauvres, elle conserve dans un fabuleux imaginaire une
civilisation morte au sommet. La masse même des lisants
continue à sentir le monde de la connaissance, avec le
langage courant et l'ordre catégoriel d'Aristote.

C'est Galilée sans doute qui, dans le *Dialogo*, en 1632,
avait le mieux exprimé l'émoi des savants, disons des
connaissants de la vieille école. « En les détournant des
" natures " éternelles, on leur démolit " cet asile, ce Pryta-
née " où ils s'abritaient. » (Lenoble.) Pour répandre la
science nouvelle, « il faut d'abord travailler à refaire les
cerveaux des hommes ». Plus que le cerveau, tout l'ordre
des valeurs est en cause.

Les cieux inaltérables, pour un peuple brusquement
atteint de cécité et de surdité, auront cessé de chanter la
gloire de Dieu, les étoiles décrochées de la sphère des fixes,
dénuées de masse, après les planètes, au cours de la seconde
moitié du xviie, seront alignées comme tous les corps jadis
célestes sur la matière terne du sublunaire. Pourquoi
inaltérables ? La vie désormais s'identifie au mouvement.
Prisée du mouvement, du transitoire, donc du cycle de la
naissance et de la mort, des générations et des corruptions.
L'inaltérabilité perdue, confondue avec la mort, la déchirure
affective est profonde.

Alexandre Koyré a brossé en des termes inoubliables le
passage du monde clos à l'univers in(dé)fini. Nous en avons
tiré les conséquences affectives et religieuses. Le monde
infini s'accommode de la théologie du Dieu caché, il gomme
l'alternative religieuse d'un anthropocentrisme reposant. La
représentation d'un univers infini, confondu avec l'espace
géométrique euclidien, interdit toute théologie qui ne placerait pas en son centre le mystère de l'Incarnation. Mais si elle
s'accommode de l'Incarnation historique, point de rencontre
éternel du Dieu transcendant et de la totalité du créé et du

temps, elle exclut pratiquement l'incarnation diffuse à laquelle se plaît l'expérience religieuse populaire au niveau de la société traditionnelle. Le nouvel univers, enfin, de la philosophie mécaniste opère dans le temps une mutation plus troublante encore, mais comparable à la mutation spatiale. Le monde a une histoire, et puisque la Terre est un morceau refroidi, détaché du Soleil, une histoire de la Terre s'impose : le P. Kircher en a écrit le premier chapitre géologique dans son baroque et saisissant *Mundus subterraneus* (1664-1665). Le monde perçu, en outre, s'agrandit, grâce aux multiplicateurs sensoriels, d'un au-delà de la perception. On devine l'effort épistémologique exigé par l'intégration des deux dimensions supplémentaires, de l'atome à l'étoile, du ciron à Sirius. Que viennent, à la hauteur des années 1670, le défi du dynamisme newtonien et l'agression du microscope manié par le grand et étrange Leeuwenhoek, et voilà l'Europe intelligente projetée, enfin, aux limites de la première étape de la révolution scientifique.

Avec les lois de Newton, en effet, le mécanisme simpliste au départ se dépasse en dynamisme. La perception fine, l'ouverture à l'investigation scientifique d'un au-delà de la perception qui est, pourtant, de même nature, un sensoriel en extension, non un au-delà sensoriel, grâce aux multiplicateurs visuels, microscopes et lunettes, appelle d'autre part un nouvel outil conceptuel. Faut-il dire tout simplement le nouveau calcul ? Calcul des fluxions, développement du binôme, calcul infinitésimal qui permet le dépassement pratique, opérationnel du fini et de l'infini et, aux portes de ce nouvel univers plus vaste, mais aussi plus hermétique : Newton et Leibniz. La mystérieuse attraction de Newton, la petite perception de Leibniz, l'infiniment petit de Leeuwenhoek ont risqué, un instant, de jeter à terre la science nouvelle. Au moment où Picard mesure la distance de la Terre au Soleil, au moment où Olaus Römer, le 22 novembre 1675, livre la véritable dimension de l'univers (mais cela, il l'ignore) en calculant la vitesse exacte de la lumière, la philosophie mécaniste menace de se briser. Une atmosphère de panique, presque de tension : Malebranche contre Leibniz et tous contre Newton. De petits noyaux étroitement cartésiens continueront à rompre, jusque vers 1730, les lances au service du mécanisme vulgaire du début du XVIIᵉ. En fait, la révolution scientifique, pour être pleinement consommée, suppose les deux grands acquis des années 1670-1680, la deuxième révolution scientifique, à savoir le nouveau calcul et la gravitation universelle. La gravitation, c'est-à-dire la légalité à l'état pur, dépouillée de la représentation sensible de la physique de la poussée. Newton, sans le secours panpsychique que lui-même n'a pas totalement rejeté, c'est l'ascétique de la légalité. Or la révolution scientifique comporte bien, avec le langage mathématique, l'avènement de la loi comme structure intelligible de l'univers.

Oui, Newton c'est aussi la réduction phénoménologique radicale de la science. « Comme à Leibniz, le dynamisme [permettait à] Newton de rétablir la finalité : dans la nature, de trouver Dieu le " Pantocrator " dans la " Philosophie naturelle ", c'est-à-dire au sommet de la physique. » Le mécanisme cartésien des cartésiens attardés est présenté du même coup par une apologétique un peu courte comme un ferment d'athéisme. Et pourtant, ce qui était ridicule du temps de Descartes n'est pas dépourvu de vérité à partir de 1680. En acceptant sans chercher à la matérialiser, après l'avoir enserrée dans un modèle mathématique, la force mystérieuse qui structure l'univers, Newton s'approchait en tâtonnant, sans l'atteindre, de l'aboutissement philosophique des Lumières, « la distinction kantienne du réalisme empirique et de l'idéalisme transcendantal ». Le passage se fait hardiment à la limite. Se méfier toutefois des anticipations hâtives.

Le progrès de l'astronomie et de la physique mathématique, à l'aurore du deuxième jour de la révolution scientifique (les années 1680 donc), influence le tournant philosophique des Lumières. La métaphysique comme systématique et ontologie se dévalue après Malebranche et peut-être à cause de lui. Sa naïveté choque. Elle blesse les scrupules des croyants, Jurieu dénonce l'irrévérence inconsciente de l'oratorien. Plus nombreux sont ceux qui refusent de soumettre la connaissance à l'autorité de la Révélation. Mais laissons Malebranche. Le mystère du siècle qui commence par refuser le mystère, c'est la connaissance. Quel rapport entre le moi connaissant et l'ordre des apparences ? Perception, raison, connaissance et connu, moi et univers. Son problème est là. Au ras des choses et de l'humaine condition. La réduction phénoménologique de la science libère, dans le premier temps, le secteur d'une philosophie autonome. Elle entraîne dans un second temps la réduction de la métaphysique à une philosophie de la connaissance, tout un siècle passionné d'efforts contradictoires.

En développement logique, au terme de la seconde révolution scientifique, l'historien des idées ne manquera pas d'entr'apercevoir déjà la révolution philosophique. Cette réponse tardive à une question clairement posée s'appelle la *Critique de la raison pure*, 1781, un siècle plus tard.

*

La philosophie mécaniste puis dynamique entraîne une dilatation de la connaissance qui implique un fractionnement de la connaissance en secteurs de développement de plus en plus autonomes obéissant à des structures propres. La première de ces cassures est celle qui sépare le domaine des lettres d'un domaine des sciences au sens restreint que lui confèrent trois siècles d'évolution sémantique. Georges Gusdorf a cherché le tournant, il le place vers 1730. En 1683, Bernard Lamy, dans les *Entretiens sur les sciences*, appelés à un grand succès, garde l'ancienne acception, à savoir toutes les disciplines qui peuvent être objets d'enseignement. En 1723, Fontenelle prononçant l'éloge funèbre de Leeuwenhoek retrouve Lamy. Mais, en 1751, Duclos, dans ses *Considérations sur les mœurs de ce siècle*, distingue expressément « les lettres, les sciences et les arts ». Paradoxalement, la séparation *de facto* aura précédé l'évolution sémantique. Voyez les académies, ces académies qui forment une pièce de ce qu'il est commode d'appeler le multiplicateur.

Une fois le processus enclenché, la nouvelle connaissance appelle la nouvelle connaissance, le succès, le succès. Voilà le multiplicateur, la boule de neige. Le multiplicateur dépend d'abord du volume global des communications, entendez du nombres des hommes, qui double de 1680 à 1780 et, pour l'essentiel, de 1730 à 1780. La communicabilité est plus grande en milieu urbain. La population urbaine s'accroît plus vite. Elle fait un peu mieux que tripler de 1680 à 1780 avec quintuplement de ces centres privilégiés que sont les métropoles de plus de 100 000 habitants. Du même coup, le réseau augmente. La mutation est sensible et bénéfique à l'est, où des seuils sont franchis. Voyez le Brandebourg et la Prusse. Les réseaux de communications mutent, en Angleterre à partir de 1740, en France à partir de 1760. Voilà pour le multiplicateur physique.

Mais la structure de la population se modifie aussi : plus d'adultes, donc plus d'hommes doués de longue mémoire. Le frein le plus insurmontable à la transmission du savoir est que tout se trouve chaque fois compromis par la mort, l'acquisition recommence, avec chaque homme, de zéro ;

voilà pourquoi l'effet d'un prolongement de dix ans de la vie humaine dans le secteur de la vie adulte est, de toutes les pièces du multiplicateur, la plus efficace. Le XVIIIᵉ siècle, qui se trouve au début du processus de l'allongement (un gain de vie adulte est d'abord allongement, avant d'être vieillissement), en recueille tous les avantages, et seulement les avantages. Plus tard, avec la restriction des naissances, qui creuse le pied de la pyramide, viennent les aspects négatifs. Il est difficile de chiffrer l'effet cumulatif de tous ces facteurs. Bout à bout, au XVIIIᵉ siècle, l'avantage est énorme.

L'essentiel est dû à la transformation et à la multiplication des moyens consacrés à la transmission et à l'acquisition des connaissances. La carte de l'alphabétisation commande tout, les chances du progrès scientifique sont en corrélation, non avec la population totale, mais avec la population ayant libre accès à la culture écrite, c'est-à-dire, en fait, avec le seuil de l'acquisition autonome, beaucoup plus difficile à atteindre que celui de l'alphabétisation. Ce seuil dépend beaucoup de la nature de l'instruction reçue. Au tableau d'honneur, voici de nouveau les dissidents religieux d'Écosse, d'Angleterre et de Nouvelle-Angleterre. De bons systèmes d'acquisition scientifique aussi, dans les pays neufs protestants, à l'est ; à côté de l'Écosse, encore la Prusse. Cependant, entre ces systèmes et l'alphabétisation, une corrélation persiste. Alors, face à cet essentiel, l'aptitude à participer à la transmission, à la diffusion et au progrès d'une culture préscientifique, agissant sur les choses ; une carte idéale de l'Europe peut être imaginée, sinon dressée. On y verrait l'Angleterre et l'Écosse combler la plus grande partie de leur retard démographique sur la France. Pour un tiers de la population de la France, un poids spécifique des trois quarts. L'Irlande serait un point à peine perceptible, l'Espagne difficilement discernable. L'Italie pèserait une Belgique et la Hollande deux à trois Italies, la Prusse à peu près autant que toute l'Allemagne. Deux points forts en Europe centrale, le Brandebourg et la Bohême ; l'Allemagne protestante écraserait l'Allemagne catholique. La Prusse arriverait à 50 ou 60 p. 100 environ de l'Angleterre ; l'ensemble allemand à 70-80 p. 100 de la France, la Prusse (6 millions) pesant trois fois la Russie (30 millions). Cette carte préfigurerait celle des réussites scientifiques de la première moitié du XIXᵉ siècle : France, Angleterre, Allemagne du Nord, avec une flèche en direction de la Bohême et de l'Autriche, en direction de la Pologne russe et de la Russie, et très peu de chose au sud.

Un exemple précis : la France. Les jésuites, ces éducateurs de la haute classe moyenne, avaient compris très tôt — les *Mémoires de Trévoux* le montrent — l'intérêt de la philosophie mécaniste. Ils acceptèrent de faire place assez large aux mathématiques à côté du latin et renoncèrent sans drame, dans la pratique, à la physique d'Aristote ; le R. P. de Dainville l'a bien vu. L'implantation est acquise dans les dernières décennies du XVIIe siècle, mais elle a progressé, en qualité et en profondeur, au XVIIIe. On mesure du même coup quelle victoire de l' « obscurantisme éclairé » a représenté en France, comme partout, l'expulsion de 1762. La Prusse ayant réalisé, à quatre-vingts ans de distance, l'étonnant doublet de recueillir les jésuites français après les huguenots.

« En 1700, cinq provinces françaises de la Compagnie de Jésus enseignaient la physique dans 80 collèges sur 88. » Plus important, l'enseignement mathématique. Outre cinq chaires d'hydrographie, les jésuites enseignaient, en 1761, « les sciences exactes dans 21 collèges. Qualité des maîtres : désormais, dans la majorité des cas, les " mathématiciens " sont des professeurs de carrière. » De toute manière, s'opère une prise de conscience de l'importance de la culture scientifique au moment même où s'opère l'évolution sémantique que nous avons retenue. « Les mathématiques doivent s'apprendre dès la jeunesse [...] », notait-on avec pertinence. Parmi ce personnel, beaucoup de gens estimables et, à défaut de chercheurs originaux, toute une série de traducteurs et d'adaptateurs des travaux de pointe parus en Angleterre. « [...] Le P. Pézenas traduit Harrison et Smith. Son élève, le P. Rivoire [...] Michell et Canton (1752) [...] Brook Taylor (1757). Les PP. Blanchard et Dumas donnaient une édition augmentée des *Tables de logarithmes* de Gardiner, " plus belle et plus correcte que l'original anglais ", déclare Lalande. » Pour ne pas rebuter les élèves, les bons pères ont une tendance à enseigner, dans la ligne de Pluche, une physique plus descriptive et expérimentale que mathématique ; les jeunes nobles ont pu, du moins, dans d'honnêtes embryons de laboratoire, contracter très jeunes le goût des cabinets de physique. Dimension nouvelle encore, la place faite à l'histoire de la science. Rien n'est plus susceptible, en effet, de dégager concrètement la notion envahissante de progrès, que l'impact de la structure d'environnement contribuera à étayer d'exemples, à condition de trouver pour l'accueillir un esprit formé. Grâce à ce type d'enseignement et aux courants littéraires, la condition sera de plus en plus souvent réalisée. « Il n'est pas de cours, note le R. P. de Dainville, où on ne rencontre des exposés précis des conceptions d'Aristote, d'Épicure, de Descartes, de Gassendi, ou des chimistes sur la matière des divers systèmes du monde. »

Bien sûr, les choses ne vont pas toujours sans tirage. La XVe Congrégation générale avait rompu des lances pour un retour offensif de l'aristotélisme. Vain combat d'arrière-garde. Soutenue par le parlement de Toulouse, notamment, la science nouvelle continue sur son irrésistible lancée. Paradoxalement, le ralliement cartésien des années 30 et 40 n'est pas pur d'arrière-pensées. Il s'agit pour beaucoup de contrer la vogue naissante du newtonisme. Le P. Castel suspecte Newton, vers 1720, de ressusciter « les amitiés, les exigences, les appétits, les appétences des philosophes nos aïeux, dont Descartes avait débarrassé la science [...] » (F. de Dainville), contrecoup des craintes formulées au sommet, quarante ans plus tôt, par Malebranche et Leibniz. Une querelle des nations, mais aussi une opération technique. On assiste à de curieux retournements. Contre Newton, propagé en France par Voltaire et Maupertuis vers 1730 et les encyclopédistes au-delà de 1750, les jésuites ont pris appui sur le spiritualiste Descartes contre le camp newtonien taxé de matérialisme. La querelle de l'attraction universelle avait du moins servi à purger des qualités la physique des collèges. Le cap est bien doublé entre le premier et le deuxième tiers du XVIIIe siècle, avec un siècle d'avance sur l'Espagne et un demi-siècle sur l'Italie. C'est au niveau de l'enseignement des mathématiques que fut conduit le grand, l'ascétique combat pour l'abstraction. Le tournant, là aussi, se place vers 1730-1740.

Si le travail des jésuites l'emporte par la masse, il n'est pas isolé. La ligne de l'Oratoire est parallèle. Étienne Broglin l'a montré à Juilly. Par affinité, l'Oratoire est cartésien et scientifique. Les liens se sont serrés au XVIIIe siècle : « [...] grâce à l'élan donné au XVIIe siècle par des savants comme le P. Malebranche, le P. Lamy, le P. Jaquemet, le P. Prestet, l'Oratoire a pu connaître une lignée de maîtres comme le P. Reyneau, le P. de Mercastel, le P. Mazières, dont les élèves [...] ont assuré, jusqu'à la Révolution, un véritable foyer de culture scientifique. Le P. Cotte, l'un des créateurs de la météorologie, en est un des derniers témoins, à la veille » de la Révolution. (Pierre Costabel.) L'Oratoire a compté parmi ses maîtres Joseph-Nicéphore Niepce (1765-1833), futur inventeur de la photographie, parmi ses élèves, Cassini IV, Laennec, Monge et Bernard Lamy (1640-1715) qui, entre autres titres, a été l'auteur de bons manuels de mathématiques longtemps réédités. Le mouvement est général puisque même les bénédictins, mauristes surtout, comprirent la nécessité de réduire le temps consacré aux langues mortes, au profit des sciences.

Le point faible de l'enseignement scientifique, en France, découle du vieil appareil universitaire, totalement incapable de se réformer. Il faut en sauter l'échelon. Quel contraste avec l'Allemagne de l'Est (voyez Halle), l'Écosse, et même l'Angleterre ! Rien, ou presque, entre le collège qui donne les bases et les nombreuses sociétés, foyers de transmission informelle du nouveau savoir.

C'est en dehors du cadre supérieur traditionnel que l'indispensable instrument de la transmission et du progrès se constitue. Voyez la médecine : à côté du médiocre noyau central, formé par les facultés et les collèges de médecine, « vingt-deux facultés et vingt-deux collèges de médecine au début du XVIIIe siècle » (Pierre Huard), voici les éléments d'un réseau de secours : Collège royal et Jardin du roi, à Paris, enseignement hospitalier déjà, les dynamiques écoles de santé dépendent de la guerre et de la marine, sans parler des écoles privées fondées par des particuliers ou des ordres religieux. « Enfin, des sociétés savantes, des journaux spécialisés, des encyclopédies contribuaient à centraliser les informations médicales et réalisaient un enseignement post-universitaire à l'usage des praticiens. » Faut-il évoquer aussi la qualité des relations intermédicales ? Les contacts les plus fructueux se nouent avec l'Angleterre. « [...] Morand, Fr. Hunauld, Durocher (1783), Tenon (1786), Antoine Dubois, Chopart, Dezoteux, de Jussieu, J.-J. Suë (1783), Brousson-net vont faire des voyages d'étude en Angleterre [...] Inversement, Élisabeth Nihell, la meilleure sage-femme de Londres, W. Smellie, le grand accoucheur, A. Monro, William Hunter (1743-1748), Callisen (1755), Pringle, Sharp (1750), Mathieu Baillie (1788), Tobias Hawkins, Smollett, Rigby, Bromfield, Gardiner, Cadwalader, Bul-finch, Jones, John Jefferies (1785), Bell, Morris, John Morgan, Astley Cooper (1792) viennent sur le continent. L'Académie royale de chirurgie et la Société royale de médecine ont de nombreux associés anglais, comme la Royal

Society de Londres s'est associée plusieurs Français. » La qualité, le niveau et la facilité des échanges internationaux constituent bien une des grandes chances du XVIIIᵉ siècle. Ils compensent largement le recul du latin comme langue médicale internationale. Le plus grand courant de traduction se fait dans le sens de l'anglais au français, d'où l'importance des traducteurs. « Certains sont à la fois médecins et philologues. » A côté d'un Lefebvre de Villeneuve (1732-1809), à côté de Bosquillon († 1816) ou Jault, professeurs au Collège royal, un grand nombre de médecins savent assez couramment l'anglais pour assurer la traduction de l'indispensable outillage, voyez Lassus, Sabatier, Thion de La Chaume, Duchanoy, Baron, Coste, Chaussier, Pinel, Le Bègue du Presle, Suë. D'autres traducteurs ne sont pas médecins mais assez versés en matière médicale pour faire œuvre utile; dans cette catégorie, on retiendra Le Moine, Genest, Audibert.

La matière médicale avait été, autour de 1650-1660, le centre d'un combat entre tenants de l'aristotélisme et amants des nouvelles doctrines. L'enseignement de la pharmacie n'avait disposé, en France, jusqu'en 1777, que de moyens modestes. « A Paris, une institution domine [...] C'est la fondation, en 1576 [...] d'un établissement charitable qui devait contenir [entre autres] une officine pour la confection des médicaments [...] et un jardin botanique pour la culture et l'étude des simples. Cet établissement fut bientôt le lieu de rendez-vous préféré des apothicaires. Leur communauté l'ayant pris en sa charge, dès 1624, il devint le " Jardin des Apothicaires ", siège, plus tard, en 1777, du Collège de pharmacie [...] » (Charles Bedel.) La chimie fit une entrée prudente et progressive, en raison des méfiances hippocratiques à l'encontre de cette fille supposée de Paracelse. Au XVIIIᵉ siècle, le verrou est poussé. Parmi les plus célèbres enseignants, Étienne-François Geoffroy (1672-1731), l'auteur des *Tables des affinités chimiques*, et son jeune frère, Claude-Joseph Geoffroy (1685-1752). « Louis XVI, le 25 avril 1777, décida de réunir [...] maîtres apothicaires et [...] apothicaires privilégiés de Paris en un seul collège [...] le 10 février 1780 [il édicta des] statuts. » Un pas était franchi. En province, seul Montpellier se plaçait sur un pied comparable, et Nantes, loin derrière.

Progrès, partout, des sciences. Voyez le Collège royal : « Au commencement du XVIIIᵉ siècle [d'après le Registre des délibérations en date du 6 novembre 1707], sur vingt chaires d'enseignement, onze sont consacrées aux lettres [...] Neuf chaires aux sciences : deux de mathématiques, quatre de médecine, chirurgie, pharmacie, botanique, une chaire de Ramus [fondée par Ramus, destinée à l'enseignement et au progrès des mathématiques], enfin deux chaires de philosophie grecque et latine » (Jean Torlais) qui, évolution révélatrice, tout en ayant conservé leur ancienne appellation, avaient glissé vers un enseignement presque exclusivement scientifique. L'obligation du latin, jalousement conservée, est un signe tenace d'archaïsme. Le Collège a abrité le mathématicien Philippe de La Hire (1640-1718), l'homme des mathématiques appliquées à la navigation, à l'art des télescopes et des microscopes, Antoine René Mauduit (1731-1815), l'abbé Jean Terrasson (1670-1750), Pierre Charles Le Monnier (1715-1799), Nicolas Andry (1658-1742), rédacteur du *Journal des savants*, Louis Daubenton (1716-1800), le célèbre naturaliste.

Dans le domaine en plein essor des sciences de la nature, le Jardin du roi élargit son champ d'action : « De 1635 à 1718 s'étend ce que l'on pourrait appeler la période " médicale " de l'histoire du Jardin royal. » (Yves Laissus.) C'est l'époque où tous les moyens sont bons pour tourner le rempart aristotélicien, hippocratique et galliénique, ce monstre de tradition qui s'appelle faculté de médecine. Le bon combat livré est gagné ; le Jardin royal des plantes médicinales, bientôt appelé symboliquement Jardin royal des plantes, et plus simplement Jardin du roi, peut être considéré comme la base logistique privilégiée de la diffusion des connaissances de pointe dans le secteur des sciences naturelles et physico-chimiques. Point sensible de cette évolution, le « droguier, créé dès 1695 et considérablement enrichi par Fagon, perd son ancien aspect d'officine et, désormais consacré aux trois règnes de la nature, devient, en 1729, " Cabinet d'histoire naturelle " [...] En 1739, quelques jours avant de mourir, Du Fay [...] dans une lettre au ministre Maurepas, désigne Buffon. Buffon portera cinquante ans le titre d'intendant [du Jardin du roi]. » (Yves Laissus.) Il lui imprime durablement sa marque. De plus en plus, le Jardin s'ouvre à des savants de tous horizons. Parmi les géants, entre 1784 et 1793, Lacépède, Faujas de Saint-Fond, Lamarck et Geoffroy Saint-Hilaire.

La botanique reste à l'honneur. En 1636, La Brosse donne une liste de 1 800 plantes, il y en a déjà 4 000 en 1665. En 1788, l'école compte 6 000 plantes. Avec Bernard et Antoine de Jussieu, on herborise de plus en plus en dehors de Paris. La promotion de la chimie est symbolisée par la désignation de Fourcroy, en 1784. L'anatomie, science auxiliaire et paramédicale, avait fait son entrée (désir toujours de tourner la Faculté) avec un personnage curieux de l'entourage de Séguier, ami de mal-pensants, distillateurs et autres personnes de mauvaise réputation, Marin Cureau de la Chambre, en 1636. Son fils François lui succède. Après lui, Dionis, qui prêche Harvey, subit l'assaut du Parlement et, dans un épilogue digne de Tartuffe, est sauvé par le roi. Après Dionis, plus que des grands : Duverney, Hunauld, Winslow, Petit, Portal.

Énorme promotion intellectuelle, réduction progressive d'une barrière millénaire, legs de la cité grecque qui oppose citoyens et esclaves, la science, disons plus exactement la philosophie naturelle, ne fait plus fi de la technologie. Descartes et Galilée ont réhabilité l'art de l'ingénieur. On ne saurait faire la part trop large dans la diffusion, la transmission et les progrès de la révolution scientifique, aux grandes écoles d'ingénieurs de l'État. La France, dans ce domaine, a servi de modèle à l'Europe et au monde. Elle a été étroitement imitée, en Prusse, en Russie, en Autriche, par tout l'effort de rattrapage du despotisme éclairé et, aussi, dans l'Espagne de Charles III, et jusqu'au Mexique.

Au tout premier plan, les ponts et les mines. « De 1747 à 1775, on assiste à la curieuse évolution du Bureau des dessinateurs qui [...] se transforme peu à peu en école d'ingénieurs. De 1775 à la Révolution, définitivement reconnue comme école par un acte de Turgot, elle fonctionne de manière harmonieuse » (Gaston Serbos) et constitue un remarquable exemple de parfaite adaptation.

Dans la constitution très progressive d'un corps, on suit, du même coup, la lente promotion de la route, simple travail de terrassier et de maçon jusque vers les années 1660-1670. Un arrêt du 12 janvier 1668, à l'initiative de Colbert, stipule qu' « un architecte ou ingénieur devait être nommé pour la conduite de ces ouvrages ». Dans un arrêt du 7 mars 1676, le titre d'architecte du roi fait son apparition, bientôt prolongé éventuellement en commissions d' « ingénieurs de S.M. » ; les ingénieurs sont encore des « temps partiels ». Le plus gros effort se déploie aux frontières. « Parmi les ingénieurs commissionnés, des moines appartenant à l'ancienne congrégation des " frères pontifes " [...] Le frère Romain [...] est finalement nommé ingénieur de la généralité de Paris par un arrêt du 11 novembre 1695. » (G. Serbos.)

Un corps se constitue par étapes avec, à l'origine, la lente mais sûre montée des besoins. 1715, 1716, 1733, 1743 donnent les jalons, Trudaine lui imprime sa marque. Trudaine (1703-1769) n'était pas un technicien au départ. « Il avait reçu la formation classique de la plupart des grands commis. » Avocat au parlement de Paris, maître des requêtes, intendant de généralité, il est chargé, en 1741, du détail des ponts et chaussées ». Au départ de la rationalisation, le désir de tirer meilleur parti du travail des corvéables. Dans ce dessein, Trudaine établit « à Paris, en 1744, un bureau spécial composé à l'origine de trois dessinateurs ». Le bureau s'accroît. Le dessin des routes appelle la carte. « Trudaine eut l'idée de faire donner, au bureau même, une certaine instruction scientifique et technique aux employés [...] » Trudaine fait donc appel à Jean David (alias Jean Rodolphe) Perronet, en 1747. La jeune école lui doit beaucoup : « Perronet va, pendant quarante-sept ans, façonner cette école, tout en assurant la construction de vingt et un ponts dont plusieurs étaient encore en service avant la dernière guerre. [En raison du haut niveau requis, parallèlement à l'école proprement dite], de bonne heure les aspirants élèves prirent l'habitude de faire une instruction préparatoire dans une école créée en 1739 par le grand architecte Jacques François Blondel (1705-1774). » (G. Serbos.) Un système de recrutement extrêmement sélectif permet la constitution d'un véritable corps d'élite où s'illustrèrent « de Cassart, Chézy, Gauthey, Lamandé, Brémontier, Lamblardie, Liard, Sganzin, Prony, Gayant, Bruyère, Tarbé de Vauxlaire... » L'École des ponts, avec les Écoles des mines, prépare la voie aux réalisations révolutionnaires.

La minéralogie est intimement liée, au XVIIIe, aux techniques minières. Dans ce domaine, les Allemands furent longtemps rois, rattrapés au cours du siècle par les Anglais. Le rôle des traducteurs est considérable. Traduction de l'allemand et du suédois à travers l'allemand. On doit à l'initiative de d'Holbach la traduction, en 1753, de *La Minéralogie ou Description générale des substances du règne minéral* du chimiste suédois Wallerius, d'après une édition allemande. On doit, dans le même temps, à d'Arclais de Montamy, la *Lithogéognosie ou Examen chymique des pierres et des terres en général* de Pott. (D'après Birembaut.)

La constitution d'un corps des mines, en France, contribue à combler un retard (un des rares secteurs où l'Ouest est en retard sur l'Est). Au départ, le souci du Régent et un homme, le chimiste Jean Hellot (1685-1766). « Essayeur en chef à la Monnaie, Hellot était alors attaché au contrôle

général des finances. » (A. Birembaut.) Hellot charge Baron
d'une mission, en 1742, auprès des principales mines de
charbon. Une circulaire d'Orry, en septembre 1742, marque
le tournant d'une prise de conscience et le mariage science-
technologie. « Les explorations pour la fouille et l'exploitation des mines de charbon de terre se sont, depuis plusieurs
années, multipliées dans le royaume et peuvent devenir
extrêmement utiles par l'emploi que l'on peut faire à
différents usages du charbon de terre au lieu du bois dont la
rareté commence à se faire sentir dans plusieurs provinces
[...] » Le travail préparatoire aboutit à l'arrêt du Conseil du
14 janvier 1744 « portant règlement pour l'exploitation des
mines de houille ou charbon de terre ». Dans un premier
stade, formation commune des deux corps, les élèves pour
les mines furent formés à l'École des ponts et chaussées.
« Trudaine offrit aux directeurs [...] des mines d'admettre à
l'École des ponts et chaussées les jeunes gens qu'ils croi-
raient devoir recommander. [Auparavant,] Orry avait
envoyé, en avril 1742, Étienne François de Blumenstein, âgé
de vingt-six ans, en Saxe et au Hanovre [se former aux frais
de l'État. Palliatif.] Quatre élèves au moins furent admis, en
1751, à l'École des ponts et chaussées, pour y recevoir la
formation conçue par Trudaine. Le plus brillant, Antoine
Gabriel Jars (1732-1769), dont le père était aussi dans les
mines de pyrite de Saint-Bel et de Chessy [...] ne reste que
deux mois à l'école. » Un arrêt du Conseil du 21 mars 1781
créa quatre inspecteurs des mines et des minières du
royaume : Monnet, Duhamel, Gabriel Jars et Pourcher de
Bellejeant.

Les transformations de Paris multiplient dangereusement
les fouilles. Un accident survenu en 1776 dans une exploitation de la région parisienne hâte la prise de conscience ; elle
incite à une réglementation contenue dans un arrêt du
15 septembre.

Antoine Dupont, apprécié par Turgot et Malesherbes,
« tenait, rue Neuve-Saint-Médéric, une école où il donnait
des " cours de mathématiques théoriques et pratiques sur les
éléments et sur la haute géométrie ", ainsi que des cours sur
la marine et l'hydrodynamique. [L'arrêt du 25 septembre
1776 autorise Dupont] à ouvrir une école de géométrie
souterraine [...] » (A. Birembaut.) Solution d'attente. Longtemps après la Bergakademie de Freiberg (novembre 1765),
un arrêt du 19 mars 1783 porte création d'une école des
mines. La direction en est confiée à Sage, titulaire de la
chaire de minéralogie docimastique. L'enseignement est

couplé avec celui de Daubenton au Collège royal de France. Dans les quinze dernières années de l'Ancien Régime, les traités de technologie minière en français se multiplient : les ouvrages de Sage, de Duhamel remplacent ceux d'Antoine-François de Gensanne (?-1780).

Technologie scientifique, l'hydrographie. L'évolution sémantique traduit à sa manière le progrès des sciences. « L'hydrographie, au XVIIᵉ siècle, englobait au sens large l'ensemble des sciences et techniques de la mer. » (Russo, S. J.) C'est le sens que lui donne le P. Fournier dans sa classique *Hydrographie* (1ʳᵉ éd., 1643). A partir de la fin du XVIIᵉ, et durant le XVIIIᵉ siècle, le sens se restreint à l'art de naviguer, l'art du point et du rumb. Les manuels disaient plus modestement : « art du pilotage », « art de naviguer ».

Un effort d'enseignement, marqué par un changement de rythme et de cap, à partir des années 1670-1680. Aucune technique n'appelle davantage une formation mathématique. L'incidence est donc considérable. Les collèges jésuites ont ouvert la voie, préparé les sentiers. Les besoins de la marine poussèrent à l'institution. 1683, trois écoles furent créées pour les futurs officiers. L'enseignement scientifique en est confié aux jésuites.

Le XVIIIᵉ a découvert la technologie. Secteur après secteur, la technologie change de plan. De l'apprentissage par voir-faire et ouï-dire, elle passe au livre — manuels et grands traités —, de l'enseignement mutuel à l'enseignement encadré et institutionnalisé. Dans le même temps, elle est, par pans successifs, gagnée par la philosophie mécaniste ; la rigueur mathématique née des besoins de l'ingénieur, purifiée et renforcée par l'ascèse de l'abstraction pure, fait retour à la technologie qu'elle fortifie, transforme et pousse vers de nouvelles conquêtes. Rien de plus important que ce va-et-vient technique-science, science-technique.

Point de départ d'un véritable enseignement technique, élémentaire et moyen, les écoles gratuites de dessin. En 1746, à Paris, le projet du peintre A. Ferrand de Monthelon (1686-1752) ; Rouen suit (1746), puis Toulouse (vers 1750), Reims (1752), Marseille (1753), Lille (1755), Lyon (1756), Amiens (1758). En 1766-1767, l'école gratuite devient École royale gratuite de dessin. Ainsi étaient jetées en France les bases d'un enseignement des beaux-arts.

Voici encore les constructeurs de la marine où l'on retrouve la marque du grand et universel Duhamel du Monceau (1765). Euler s'est penché sur ces problèmes, établissant le lien science-technique. A Duhamel succède Borda, en 1784.

Au milieu du siècle, avec les énormes besoins de la levée des territoires nationaux de l'Europe, les géographes et géomètres, longtemps formés sur le tas, passent à l'apprentissage scolarisé. « Trudaine eut l'idée d'un bureau qui forme " les géographes et dessinateurs des plans et cartes des grandes routes et chemins du royaume ", sous la direction d'un ingénieur expérimenté. » (F. de Dainville.) A Perronet ce soin, en 1747 : il avait créé à Alençon, en 1742, un petit bureau de ce genre. L'institution fait tache d'huile. Lorsque Cassini se vit confier par Louis XV, le 7 juillet 1747, la tâche écrasante d'étendre à l'ensemble du royaume le bijou d'exactitude qu'il avait réalisé pour la Flandre, il commença par créer une école d'ingénieurs qui lui fournit ses propres techniciens. Sans la formation mathématique reçue au collège, les problèmes de recrutement, de toute manière difficiles, eussent été impossibles. Plus modeste, mais dans le même esprit, et dans la foulée physiocratique, voici l'École de boulangerie (1780), sur des idées lancées par Cadet de Vaux et Parmentier.

Le plus gros consommateur, la pépinière de la formation, de la diffusion, du progrès scientifique, fut l'armée. L'enseignement scientifique fait de rapides progrès dans les écoles militaires et d'artillerie. Les grandes écoles d'artillerie datent de 1720. L'émulation entre États joue son rôle. Le modèle français fuse et diffuse. Autrichiens, Espagnols, Piémontais emboîtent le pas les premiers ; la balistique est consommatrice de mathématiques. A partir de 1758, le génie se sépare. Le niveau scientifique s'élève si vite qu'il faut bientôt créer ces écoles préparatoires et d'accompagnement que sont les écoles militaires élémentaires.

Comme pour les ingénieurs des ponts, nous voyons fonctionner un aspect particulier du multiplicateur, le processus de remontée. On crée un enseignement technique supérieur, le niveau scientifique de compréhension s'élève rapidement qui rend obligatoire un enseignement technique préparatoire, à dominante scientifique. On pourrait étendre encore la démonstration à l'enseignement des gardes de la marine (les officiers du pont), où l'ordonnance de 1764 établit, avec le système des trois classes, le principe de l'avancement au mérite. Le privilège de la naissance dans le plus aristocratique des corps ne dispense pas des fourches caudines de la trigonométrie, de l'astronomie et de l'analyse. Il en va de même pour l'École royale du génie de Mézières.

L'État et l'intérêt souvent désintéressé des particuliers contribuent au multiplicateur. Voyez la physique expérimentale, non pas celle qui est au point de départ des malheurs de Candide, mais celle de l'abbé Nollet : elle fut la coqueluche des honnêtes gens. Faut-il dire le « virtuose » à l'anglaise ? Ne soyons pas trop sévère. Le XVIIIe a entrepris la transformation décisive du goût, il a créé un climat d'opinion qui porte la philosophie naturelle mécaniste en marche vers la science.

Au départ de tout, court-circuitant la résistance aristotélicienne de l'Université, les académies. Coexistence pacifique, en Angleterre, où l'Université et la Royal Society « ont bon nombre de membres en commun ». En Italie et en France, les académies jouent pleinement le rôle d'universités suppléantes et souvent de contre-universités. L'État territorial moderne a prêté sa caution. La première, l'Académie florentine del Cimento (1657-1667). La Royal Society suit à Londres en 1662 ; l'Académie des sciences, à Paris, en 1666.

La philosophie mécaniste est portée, au départ, comme un grand dessein.

Multiplicateurs des académies, si bien étudiées par Daniel Roche, prolongées par les sociétés de pensée, ces laboratoires de l'utopie révolutionnaire chères à Cochin ressuscité par F. Furet ; plusieurs centaines se piquent de physique expérimentale au milieu du XVIIIe. Multiplicateur des journaux ; les revues scientifiques « sont le lien d'une société des esprits, sans engagement ni constitution, qui s'étend en droit au monde entier, selon l'esprit de l'idéologie sous-jacente que développe le programme de Oldenburg. Les *Philosophical Transactions,* bras séculier de la Royal Society, sont, avec le *Journal des savants* pour l'Académie des sciences, le plus puissant de ces moyens. Les deux revues commencent en même temps, 1665. Les *Philosophical Transactions* sont publiées à Londres en anglais, traduites à Amsterdam en latin pour le monde savant de l'Est qui continue à penser latin, l'Académie des sciences à Paris se les fait traduire en français. Les *Philosophical Transactions,* en outre, répondent mieux à l'esprit nouveau ; marquées par la personnalité de Newton, elles sont plus exclusivement consacrées (comme leur nom l'indique) aux sciences exactes. Grâce à Leibniz, Leipzig a depuis 1682 les *Acta Eruditorum :* la Hollande des imprimeurs et des libraires ne pouvait rester en arrière. Elle s'exprime en français, avec une orientation un peu différente : Bayle donne les *Nouvelles de la République des lettres* (1684). En 1687, Bayle et les *Nouvelles* s'effacent devant Basnage de Beauval et son *Histoire des ouvrages des savants*. Parallèlement, avec une pointe philosophique et littéraire, le théologien protestant Le Clerc publiait sa *Bibliothèque universelle et historique*. Ces monopoles sont trop puissants. Ils appellent la concurrence. En 1701, la Compagnie de Jésus se dote d'une manière de *Journal des savants : Mémoires pour l'histoire des sciences et des beaux-arts*, universellement connu sous le titre de *Mémoires de Trévoux*.

Voyons l'instrument à l'œuvre : « [...] les sociétés savantes constituaient autant de bureaux de poste, centres actifs de correspondance auprès desquels des secrétaires comme Oldenburg [l'Anglais] ou Fontenelle ont pu jouer un rôle capital d'aiguilleurs intellectuels ». Pas de meilleure illustration que le cas du plus génial des autodidactes, le géant de l'exploration de l'ultrasensible microscopique, Leeuwenhoek (1632-1723). « Ses immenses recherches ont été exposées dans trois cent soixante-quinze lettres adressées à la Société royale de Londres à partir de 1673. Par l'intermédiaire des *Philosophical Transactions*, observe Georges Gusdorf, et des publications qui s'en inspiraient, les découvertes de Leeuwenhoek ont pris l'ampleur d'un phénomène européen. » Le XVIIIe siècle a hérité ses instruments, il les multiplie, il augmente les tirages, accélère la diffusion.

Les journaux, les livres, au départ un ensemble de techniques. Qui n'est pas sensible à la régulière démultiplication du système par excellence de diffusion de la pensée ? Où sont les impressions incertaines de la première moitié du XVIe siècle dont les caractères friables s'écrasaient rapidement après trois cents tirages ? Le livre s'assure. Épreuves mieux corrigées, caractères bien détachés, formats plus commodes ; entre le format minuscule des libelles et l'immaniable *in-folio*, l'*in-octavo*, l'*in-quarto* plaident les exigences du livre moderne : 1660-1680, 1720-1740.

Entre la première et la seconde moitié du XVIIe siècle, la géographie du livre s'est profondément modifiée. Anciennement : le nord de l'Italie, Pays-Bas, axe rhénan, avec Lyon, Anvers, Venise et Bâle. La géographie du livre de 1660 à 1750 fait apparaître les nouvelles lignes de force de l'intelligence et de l'économie. Une France parisienne et circumparisienne avec des articulations sur Rouen et la Champagne, un repli de l'Allemagne rhénane, un mouvement de retrait des Pays-Bas sur la Hollande, l'effacement de l'Italie et l'affirmation puissante de l'Angleterre. Au-delà de 1750, à ce centre inchangé, une frange s'ajoute, l'Allemagne de Gutenberg reprend sa place et les capitales du Nord et de l'Est profond s'allument une à une sur le tableau de bord du livre.

A cette géographie nouvelle correspond une modification de l'aspect et des coûts. Le livre imprimé se détache de ses origines, il s'aère, il multiplie les blancs avec la baisse de prix du papier. L'objet précieux et rare prend l'aspect robuste et simple d'un objet courant accessible aux échelles intermédiaires d'une élite de l'intelligence et de l'aisance.

Il faudra poursuivre une histoire quantitative du livre. Henri-Jean Martin l'a entreprise au niveau de la production. On peut la concevoir également à l'arrivée. Les inventaires après décès, le contenu des bibliothèques, ce que nous entrevoyons nous permet de supposer, entre 1680 et 1780, dans l'Europe de l'Ouest, où l'implantation du livre est ancienne, un décuplement du stock existant. Cette multiplication se fait par deux voies. Dans le milieu aisé et qui lit, là où l'on trouvait cinquante livres, on en trouve facilement deux cent cinquante. Le livre est un objet qui s'use peu et qui se conserve facilement. Avec l'extension et la modification du contenu de l'alphabétisation, le livre franchit pour la première fois des portes closes. Les bibliothèques bleues, les contes, qui foisonnent fin XVIIᵉ, sont le signe de conquête culturelle et sociale. La lecture qui est ainsi diffusée à travers les bibliothèques populaires est une culture de rêve, archaïsante et rétrograde. On regrette les livres de la piété populaire du XVIᵉ, qui s'adressaient, il est vrai, à une autre couche. Et pourtant, même la Bibliothèque bleue est un instrument de progrès; elle contribue au perfectionnement de la lecture par récompense immédiate, elle dégage peu à peu, parmi les lisants déchiffrant, des lisants capables d'une utilisation difficile du langage écrit, dans la catégorie des lecteurs à haute voix, notamment à la veillée collective au coin du feu, éclairée par les cosses de haricots, chandelle du pauvre. Pour cela, il fallait un outil abondant, bon marché. Voyez les coûts. L'étude, pour l'essentiel, reste à faire.

La presse du XVIᵉ est en bois, avec quelques revêtements métalliques. D'où usure, fragilité et résistance par frottement. Les premières vis de pression en métal apparaissent à Nuremberg vers 1550. La frisquette (fin XVIᵉ) empêche les taches sur la feuille : gain de qualité et maniement plus rapide. Mais l'acquisition la plus importante est apparue à Amsterdam, chez W. Jansew Blaeu : « [...] au barreau de

pression, il adapta un contrepoids au moyen duquel la
platine était automatiquement relevée, sans que le pressier
fût obligé de repousser de la main le barreau de pression. »
(Maurice Audin.) La presse hollandaise, bientôt améliorée,
peu à peu diffuse du Nord.

Début XVIIIᵉ siècle, un certain nombre d'améliorations du
matériel d'imprimerie font un instrument simple, de maniement facile, robuste, d'un prix relativement abordable : les
presses de cabinet. Le cabinet dérive du progrès de la
culture et du goût de la collection. Bijoux, tableaux,
porcelaines, chinoiseries, herbiers, livres s'accumulent, et
au début du XVIIIᵉ les presses de cabinet. Construites sur le
modèle des presses d'imprimerie, elles permettent, sans
connaissances particulières de l'imprimerie, d'imprimer
catalogues, pièces ou écrits pour une diffusion restreinte à
l'intérieur d'un public éclairé. « L'engouement [...] pour ces
machines fut grand : nous en trouvons l'écho dans de petites
livraisons mises à la disposition des " amateurs éclairés ".
Les machines à imprimer de cabinet illustrent une loi que
nous avons déjà formulée. Elle correspond au développement d'un besoin, un siècle et demi avant les premières
machines à écrire.

L'imprimerie semble saisie, au milieu du XVIIIᵉ siècle,
d'une sorte d'inquiétude fébrile, elle a joué sur les marges,
tiré le maximum de ses possibilités. La demande la pousse,
elle piétine dans l'attente du moteur et de l'impression
rotative. « On s'en prend donc, en attendant, à des problèmes mineurs : facilité du maniement des pages issues de
la typographie — possibilité de conservation de ces éléments
— presses de formes révolutionnaires et mieux adaptées à
leurs fonctions — recherche de matières premières plus
abondantes — fabrication plus rapide de ces supports, etc. »
(M. Audin.) Sous l'action d'une croissance exponentielle de
la demande, une prérévolution des équipements périphériques isole le goulot d'étranglement de l'impression à plat.
Vers 1750, quelque chose d'essentiel commence à bouger :
suppression de l'étançonnage qui gêne le développement des
cordes destinées à porter les feuilles de papier imprimées.
Cette obligation conduit à augmenter le poids du socle. En
1772 apparaît à Bâle, vieille capitale de l'imprimerie, la
première presse métallique massive, sans les jumelles de bois
qui ornent encore les planches de l'*Encyclopédie*. L'appareil,
à partir de 1787, diffuse à travers l'Allemagne et la Suisse.

Après Bâle, Paris : 1781-1783, Laurent Anisson, directeur de l'Imprimerie royale, et François-Ambroise Didot se

disputent la paternité d'une invention capitale, la presse à platine à un coup. 1784, Philippe-Denis Pierres et Robert parviennent à supprimer le barreau de pression. Pierres puis Genard perfectionnent la machine. 1790, William Nicholson introduit l'encrage au rouleau, la possibilité, donc, d'un encrage automatique. En 1795, enfin, dans l'Angleterre de la révolution industrielle — mécaniciens nombreux et experts, métal de qualité bon marché, capitalisme entreprenant à l'affût de la technique —, lord Stanhope, aidé de son mécanicien Walker, fabrique une machine entièrement en métal qui totalise tous les progrès techniques depuis 1750. Une merveille produite déjà en petite série. Depuis 1770, ce qui compte, c'est le rythme de diffusion du progrès. Là où il fallait un demi-siècle, la diffusion s'opère en cinq ans, à travers l'Europe nombreuse, sous la pression d'une demande qui s'affole.

Tous les moyens techniques cumulés ont permis, à titre d'hypothèse, la multiplication par dix du stock de lecture de l'Europe médiane, de 1680 à 1780 ; par vingt à l'est, dans les secteurs de rattrapage ; entre dix et vingt, donc, pour l'ensemble de l'Europe. Volume global de l'imprimé, très bien ; mais des livres, pour quoi faire ? François Furet s'est penché sur le problème avec des méthodes et une problématique d'historien quantitativiste. La France, peu ou prou, parlera pour l'Europe. « La chance veut qu'au XVIIIe siècle l'historien se trouve fort, dans le domaine du livre, d'une série de sources quantitatives très précieuses : celles de l'administration de la librairie [...] Depuis la Renaissance, la monarchie française a conquis la haute main sur la production littéraire du royaume. Elle en tient soigneusement registre à la chancellerie, qui délivre la permission d'imprimer, ou au dépôt légal qui reçoit les ouvrages parus [...] » (F. Furet.) Ces sources suppléent à la défaillance des bibliographies.

« Le roi de France permet plus de livres que n'en supportent la Sorbonne ou les grands magistrats. » Voyez la crise de l'*Encyclopédie*. L'autorité monarchique qui a confié pendant douze ans la Librairie à Malesherbes pousse dans le sens de la diffusion des Lumières, du moins des Lumières raisonnables, qui favorisent le progrès et ne menacent pas l'État.

« Entre 1723 et 1727 — date où recommencent les registres, après une lacune qui va de 1716 à 1723 —, on peut dénombrer 31 716 ouvrages qui demandent un privilège

[...] », 12 610 se contentent d'une permission tacite. La pratique plus souple (elle offre moins de garanties aux auteurs et libraires) de la permission tacite ne se répand vraiment qu'après l'entrée en 1751 de Malesherbes à la Direction (24 par an avant ; 126 après ; à partir de 1767, privilèges et permissions s'équilibrent sensiblement). Bien sûr, même mises bout à bout, les deux séries ne couvrent pas la totalité de la production française, mais les rapports internes, à l'intérieur de cette série couvrant plus des trois quarts (?) d'un total insaisissable, ne peuvent être contestés.

Deux mille livres de privilèges, entre 1723 et 1727, font « apparaître comme une priorité l'importance des fondements surnaturels du monde social : plus d'un tiers d'ouvrages de religion ». Peu de commentaires de l'Écriture, nous sommes en terre catholique, après la condamnation de Quesnel, moins de patrologie, peu d'Augustin, le jansénisme se vide. Cependant une énorme littérature de dévotion populaire, étroitement surveillée, de sensibilité quesnelo-arnaldienne. Importance, encore, du droit canon.

La place généreuse de l'histoire ne peut manquer de frapper, d'une histoire moderne, presque exclusivement européenne, mais où la nouvelle périphérie tient une large place : France, certes, mais Angleterre, Espagne, Italie, et Russie, Pologne, Suède. « Le monde extra-européen est celui des voyages, qui transforme le présent non plus par le temps mais par l'espace. »

L'essentiel du savoir profane est constitué par « les sciences et les arts ». Sciences, arts et belles-lettres approchent de la moitié. La culture change de cap. La réponse est déjà trouvée à la question hâtivement formulée : des livres, pour quoi faire ? Des livres au service de la nouvelle civilisation. Le multiplicateur fonctionne, dès 1723-1727, en France, à plein. L'Angleterre et l'Allemagne protestantes donneraient un son de cloche comparable. France, Angleterre, Hollande, Allemagne protestante produisent environ 90 p. 100 des livres autour de 1725. La morale et la métaphysique dominent les lettres, la médecine prend le pas à l'intérieur des sciences. Trait caractéristique d'un XVIIIe siècle fortement engagé. Toutefois — archaïsme et bouchon solide à faire céder —, les « arts libéraux » (dont la musique forme l'essentiel) écrasent de leur volume l'agriculture et les arts mécaniques.

Un sondage au milieu du siècle (1750-1754) et un à la fin (1784-1788) permettent de suivre le mouvement : respectivement, 1 793, 2 728 et 2 285 livres. D'une part les constantes relatives, d'autre part le mouvement. « Les permanences [...] expriment à travers tout le siècle le maintien d'un grand type d'écriture et de sa demande sociale. » (Furet.) Le droit s'enrichit des développements de la jurisprudence, l'histoire se laïcise, elle gagne ; elle conserve ses orientations modernes et proche-orientales, mais l'histoire ecclésiastique rétrocède de 25 à 15 et 11 p. 100. « Au fil du siècle, le grand nombre de livres consacrés à l'ancienne France — carolingienne notamment — traduit la formation d'une conscience nationale antiabsolutiste, où la nostalgie nobiliaire des assemblées franques s'infléchit en pédagogie constitutionnelle. » Stabilité relative et stabilité des articulations internes, dans la rubrique belles-lettres, avec deux nouveautés, la poussée des dictionnaires et l'effacement des classiques latins (sur lesquelles Furet s'interroge, hésitant à voir trop tôt le point de départ d'une tendance).

Plus importantes, quand même, les modifications : le recul de la préoccupation religieuse, la montée de la culture scientifique et technique ; « [...] à travers les livres, toute une culture [...] apparaît comme une durée et comme une grande habitude sociale, deux des catégories bibliographiques échangent, au contraire, leurs dimensions respectives entre 1724 et 1789 : la théologie, les sciences et les arts [...] Les deux mouvements semblent très progressifs et réguliers ; ils ne confirment pas l'hypothèse de Daniel Mornet qui confine au premier demi-siècle la grande bataille antireligieuse. » (Furet.) Les deux positions se placent simplement à deux niveaux différents de la réalité sociale. La campagne antireligieuse conduite au sommet avant 1750 porte ses fruits après 1750, dans un secteur moyen. Avec le malthusianisme, l'implacable processus de déspiritualisation est une spécificité française et cause profonde d'échec relatif. Le reflux est grave : il porte sur les livres de la liturgie et de la dévotion et ne laisse subsister qu'une apologétique (vérités chrétiennes « philosophiquement » démontrées) rationaliste médiocre.

Le secteur majoritaire : « les sciences et les arts », de 330 à 686 et à 742, de 25,6 p. 100 à 40 p. 100 à la fin du siècle. Ce « ne sont pas seulement les instruments de la laïcisation du monde. Ils apparaissent déjà [...] non plus ornement, ni même simple savoir, mais moyens spécifiques de l'homme, atouts de son aventure. » (Furet.) Le livre est un outil, il appartient au multiplicateur, il met ses forces accrues au service d'une nouvelle éthique du savoir. Un savoir qui découle, comme le veut la démarche des Lumières, de la raison et des sens.

Les sens : au niveau de la civilisation, la grande bataille livrée au XVIe siècle a été gagnée au XVIIe siècle, de la vue sur l'ouïe. Ouï-dire est cantonné au secteur rétrograde du traditionnel. Les sens : Bacon prend, au XVIIIe, une tardive et incertaine revanche sur Descartes. Le besoin a multiplié l'organe ; la victoire des multiplicateurs sensoriels a renforcé la confiance dans l'attestation des sens. La répartition de l'industrie des instruments de mesure, au XVIIIe, recoupe la carte du développement industriel et scientifique : Provinces-Unies et Grande-Bretagne restent en tête. Vitesse acquise et privilège ancien ; la Hollande, par ailleurs en crise, garde le meilleur. Au-delà de 1750, l'Angleterre la dépasse et surclasse la France. En Angleterre, les fabricants d'instruments scientifiques se sont regroupés librement à l'intérieur de la Clockmakers Company et de la Spectacle Makers Company. Fin XVIIIe, toutefois, une remontée relative de la France et de l'Italie s'esquisse.

La fabrication d'instruments de mesure est une industrie de pointe de plus en plus dépendante d'un niveau technologique global. Voyez le problème de l'alésage qui, dix ans durant, bloqua Watt dans la réalisation de sa machine, jusqu'à la solution obtenue en 1774 par J. Wilkinson. Dans le système d'échanges qui s'instaure, l'industrie des instruments scientifiques procure plus qu'elle ne reçoit. D'où l'intérêt de son implantation ancienne. Daumas évalue à trente ou quarante ans en moyenne l'avance anglaise sur la France, au XVIIIe siècle, pour la qualité et l'homogénéité des métaux.

Le milieu anglais, en outre, est entraînant. Vaucanson, le premier, réalise « en 1760, un tour parallèle muni d'un porte-outil à déplacement mécanique » (M. Daumas). Mais ses prouesses techniques sont restées sans écho.

La victoire technologique est liée au remplacement du bois par le métal : c'est évident pour le tour. Au progrès de l'horlogerie, elle-même productrice d'instruments de mesure, l'industrie des appareils scientifiques doit le meilleur de son acquis. Pendant cinq siècles, les horlogers furent, à chaque époque, les constructeurs des mécanismes les plus précis. « Très tôt, ils imaginèrent des outils permettant d'effectuer avec sûreté les opérations les plus délicates : machine à fendre et à égaliser roues et pignons, à tailler les fusées, à adapter la longueur des palettes de l'échappement et leur écartement à ceux des dents de la roue de rencontre, à calibrer les engrenages. » (Daumas.) Mais quelles exigences, aussi, quant à la qualité de la matière ! L'horlogerie mit en application les premières connaissances précises sur les propriétés thermiques des métaux. On sait l'importance du régulateur thermique pour les montres de marine. 1715 : voici Graham, un Anglais bien sûr, avec son balancier compensé à godets de mercure ; « en 1726, Harrison invente son gril bimétallique ». Pour étudier les propriétés thermiques des métaux, pyromètres, dilatomètres sont dus à l'industrie des horlogers. Berthoud, qui réalisa, en partant de Harrison, le premier véritable chronomètre de marine, réussit le premier une étude à température constante. Et voilà encore le premier thermostat, que Berthoud appelle pyromètre.

Au XVIIIᵉ, la technique progresse indépendamment de la science, la science reçoit plus de la technique (voyez Descartes et l'art de l'ingénieur) que la technique de la science. Condorcet, dans l'émouvant éloge qu'il fit de Vaucanson devant l'Académie des sciences, a marqué assez clairement le rapport, en même temps que le processus, du progrès mécanique. « [...] Le génie, dans cette partie des sciences [la mécanique appliquée], consiste principalement à imaginer et à disposer dans l'espace les différents mécanismes qui doivent produire un effet donné, et qui servent à régler, à distribuer, à diriger la force motrice [...] On peut inventer des chefs-d'œuvre en mécanique sans avoir fait exécuter ou agir une seule machine comme on peut trouver des méthodes de calculer les mouvements d'un astre qu'on n'a jamais vu. »

Le besoin de l'astronomie prime encore au XVIIIᵉ siècle. L'Europe des Lumières continue à regarder le ciel. L'infra, le microscopique de Leeuwenhoek la déroute ; redoute-t-elle cette complexité du grand œuvre de Dieu ? L'astronomie d'observation, au XVIIIᵉ, est mue par les besoins de l'explosion géographique de la carte et de la route maritime, plus encore par le noble désir de vérifier Newton. L'astronomie de position est consommatrice d'appareils de précision. L'emploi du flint, le polissage des grands miroirs répondent.

Au début, deux observatoires dominent l'Europe et le monde : l'Observatoire royal de Paris, 1672 ; Greenwich qui suit de peu, en 1675. Paris est lié à quatre générations de Cassini, qui s'y succèdent jusqu'en 1793. La liste des instruments est limitée. Chaque observateur amène son matériel. C'est ainsi qu'à la mort du grand Picard (1620-

1692), Louis XIV racheta ses appareils pour pallier une lacune. Langlois a été, au XVIIIe, le fournisseur attitré de l'Observatoire et de l'Académie. Ce matériel cher se renouvelle lentement : « [...] le quart de cercle fabriqué par Langlois en 1742 a été employé d'une façon continue jusqu'en 1793 [...] Il avait été redivisé en 1779. » Outre l'Observatoire royal, M. Daumas dénombre à Paris plus d'une douzaine de petits observatoires, Luxembourg, la Marine... L'abbé de La Caille travaillait à l'observatoire du collège Mazarin, Lalande à l'observatoire du Collège de France. En province, quinze observatoires sérieux.

Greenwich débute modestement : Flamsteed, premier astronome royal, en est aussi, à partir de 1676, le premier utilisateur ; Halley lui succède. Le grand William Herschel, l'inventeur du monde des étoiles, travaille à Plougth. Oxford et Cambridge sont en bonne place. L'Italie est favorisée par son ciel, mais elle n'a plus de constructeurs ; elle se fournit donc en France et en Angleterre.

La géographie des observatoires permet de suivre la montée de l'Allemagne de l'Est et du Nord. Leibniz avait pesé, pour la création de Berlin décidée en 1700, achevée en 1711. Après Nuremberg, Berlin, voilà Göttingen, Magdebourg, Kassel, Giessen, Mannheim, Altdorf, Schwezing, Wurtzbourg. Bernoulli, en tournée d'étude en 1768, est assez favorablement impressionné, il l'a dit dans ses *Lettres astronomiques* de 1771, mais il constate que le matériel est anglais. L'Autriche suit à distance. A Vienne, deux observatoires seulement, et tardifs ; celui du collège des jésuites, symboliquement le premier (1735). Viennent ensuite Gratz, Tyrnau (Hongrie), Cremsmunster (des bénédictins en haute Autriche). L'observatoire de Vilna est fondé en 1753, Saint-Pétersbourg en 1725, Upsal et Stockholm en 1739. La Hollande possède Leyde depuis 1690, Utrecht depuis 1726. Genève, Cadix, Séville et Lisbonne se placent en bon rang.

La couverture géodésique de la France et de l'Europe nombreuse, les opérations de mesure du méridien en Laponie et au Pérou exigèrent un important matériel. A quoi s'ajoute une demande croissante de la part des cabinets de physique, où d'authentiques savants cohabitent avec des gens du monde, amateurs curieux, parfois éclairés. Un des plus grands inventeurs et réalisateurs d'appareils d'expérimentation de cabinet fut le Hollandais Jan Van Musschenbroek qui travaille, entre autres, à la demande du physicien 's Gravesande, professeur à l'université de Leyde, qui lui rend hommage dans ses *Elementa mathematica experimentis confirmata* en 1719. Il semble même que Musschenbroek, 's Gravesande et Desaguliers, le huguenot réfugié en Angleterre, rénovateur de la franc-maçonnerie, aient fait un moment équipe.

La Hollande, grâce à Leeuwenhoek, reste le centre privilégié de l'exploration visuelle de l'infiniment petit au XVIIIe; le microscope bute sur un certain nombre de murailles techniques, qu'il ne réussit pas à faire sauter. Comme pour l'imprimerie, l'amélioration, énorme certes, est presque uniquement périphérique. En fait, cette limite ne constitue pas nécessairement une gêne scientifique. Bien au contraire, la biologie balbutiante, purement typologique et descriptive, sans assise physico-chimique, est littéralement submergée par une masse écrasante d'informations due à une multiplication par cent du pouvoir de l'œil, première escale sur la route de l'infiniment petit; elle ne parvient pas à utiliser, ni même à classer; on peut parler d'indigestion et d'affolement. « Depuis Leeuwenhoek, Hooke et Huygens jusqu'à Fraunhofer et Chevalier en 1825, le système optique des microscopes ne s'est pas amélioré. Les microscopes simples restèrent d'une façon générale supérieurs aux microscopes composés. » (Daumas.) L'habileté de l'observateur est, dans ces conditions, un facteur très important. Elle assure à Leeuwenhoek une supériorité inégalée. Le pouvoir séparateur ne suit pas le grossissement. C'est la grande infériorité des appareils du XVIIIe sur ceux postérieurs à 1845. Van Cittert a donné les limites du matériel du XVIIIe. Les microscopes simples ont un pouvoir séparateur de 1/100 de millimètre pour un grossissement de 20; de 1/800 de millimètre pour un grossissement de 360. 1/800 de millimètre : la limite extrême du regard en profondeur du XVIIIe siècle. Les microscopes composés, pouvoir séparateur de 1/400 pour un grossissement de 250, font moins bien.

Autour de ce mur de l'acuité visuelle, la marge de l'ingéniosité technique est considérable : parmi les acquisitions durables, mentionnons « mouvement rapide et mouvement lent, condensateur de lumière, platine à déplacement micrométrique ». Les progrès de l'équipement périphérique micrométrique sont évidemment liés aux progrès de l'horlogerie fine : problèmes d'alésage, de filetage, technique de la fabrication des roues dentées et des vis, toute une microtechnologie de pointe dont le périphérique micrométrique bénéficie.

Les progrès sont importants au cours de la décennie 1740-

1750 : les deux mouvements, platine dégagée d'accès facile, accessoires multiples et rationalisés. Ces progrès sont dus à des constructeurs français et anglais, et, fait nouveau, signe de l'importance des besoins de l'information et du volume de l'économie, ils sont désormais rapidement diffusés et commercialisés. Deux noms : John Cuff et, un peu plus tard, le duc de Chaulnes.

À l'autre extrémité, même problème : le XVIIIe a multiplié, rentabilisé, tiré profit des multiplicateurs sensoriels du XVIIe siècle. La fin du XVIIe a légué, en matière de lunettes et de télescopes, des monstres qu'un siècle d'efforts parvient, progressivement, à domestiquer. L'astronomie du premier XVIIIe reste une astronomie du proche système solaire, une astronomie donc à la lunette. Le télescope (comme le microscope à réflexion conçu par Descartes) bute sur le miroir. Pendant la première moitié du XVIIIe siècle, on est réduit donc aux télescopes de Gregory : ces petits objets de salon ne rendirent aucun service à l'astronomie. La découverte du platine dans le Nouveau Monde, qui, avec le laiton, donne un alliage facile à fondre et à polir, permet un pas, mais son prix est un obstacle. La mise au point pratique se situe en 1786 seulement, avec Carochez. « Vers le milieu du siècle, les télescopes de Short commencèrent à garnir les observatoires. Short en fabriqua pendant plus de vingt-cinq ans, de 1732 à 1768. » Le télescope de Short est un Gregory grandi, répondant cette fois aux besoins de l'observation scientifique.

On pourrait poursuivre. L'exploration de la nature suppose des moyens, un souci de précision, le refus de l'à-peu-près. Deux leçons éclairent le jeu du multiplicateur sensoriel. Un palier a été atteint à la hauteur des années 1680. Le XVIIIe n'innove pas, il domestique progressivement la fantastique machine que le XVIIe lui a léguée. Le XVIIIe est le siècle des équipements périphériques des multiplicateurs sensoriels du XVIIe, rien de fondamentalement nouveau n'apparaît avant le second quart du XIXe siècle. Ce ralentissement est plutôt bénéfique. La science du XVIIIe ne peut assimiler et traiter suivant les épures de la philosophie mécaniste toutes les informations fournies par les multiplicateurs sensoriels. Se rappeler que la quantité d'informations varie suivant le carré du pouvoir séparateur du microscope. La loi des multiplicateurs sensoriels peut donc s'écrire ainsi. Quand leur efficacité objective croît suivant une progression arithmétique, la quantité d'informations procurées avance suivant une raison géométrique. D'où le vertige des années

1680 devant le microscope trop habilement manié par Leeuwenhoek. Les difficultés des systèmes optiques permettent le rattrapage malgré ou en raison des progrès des systèmes périphériques dans la première moitié du XVIII⁰. Au-delà de 1750, la tendance se renverse. Les multiplicateurs sensoriels sont progressivement rattrapés par les besoins de la science. La rapidité de diffusion des améliorations en rend compte. A partir de 1770, sous la pression de la demande, le rythme des améliorations de détails se précipite. On aboutit à un véritable étranglement jusqu'à la mutation de l'outil après 1825. Les systèmes optiques ont donc joué pleinement au XVIII⁰ siècle leur rôle de multiplicateurs d'informations.

Voilà grossièrement retrouvés, dans quelques axes importants, les « mécanismes » du « multiplicateur » de la connaissance. Ils partent de l'homme, du nombre, de l'allongement de la vie adulte, de l'alphabétisation élémentaire, de l'éducation secondaire, des organes de la recherche, et de la pensée, des progrès des moyens mis au service du langage écrit, jusqu'à la multiplication par cent et mille de l'information reçue grâce aux systèmes optiques multiplicateurs du sens par excellence. Sans cet environnement en partie reçu, en partie né des besoins de la philosophie mécaniste, l'aventure de l'esprit serait insaisissable. Il fallait commencer par ce long détour avant de déboucher sur quelque essentiel.

*

La modification se poursuit sur l'horizon 1680 dans le secteur moteur de la révolution mécaniste, la mathématique, structure de l'univers, donc l'astronomie. 1675, la vitesse de la lumière, les dimensions véritables du système solaire. Avant William Herschel (1738-1822), ce Leeuwenhoek du ciel, l'astronomie à la lunette perfectionnée est une astronomie du système solaire. La mutation opérée par Herschel part du début du XIX⁰ et dure jusqu'au *red-shift* de Hubble (1925) et l'agression des radiotélescopes (1962-1963).

Avec Römer et Picard, l'éclatement du cosmos clos d'Aristote cesse d'être spéculation, il est mesure. Les calculateurs de la décennie 1670 ont marqué la première étape de l'astronomie expérimentale. L'étape 1675, *mutatis mutandis*, correspond, dans l'histoire de la pensée en action, à juillet 1969 : un simple aboutissement. Mais cet aboutissement est un point de départ ; Newton calcule à partir de ces données. De l'intuition des météores à la réalité de 1675, moins de quarante ans se sont écoulés, peut-être un millénaire pour la pensée et plus encore pour la sensibilité. Car c'est bien la sensibilité de l'élite consciente de la république des savants qui est affectée par les glorieux calculs de la décennie 1670.

L'intuition mécaniste, la nature écrite en langage mathématique, supposait l'outil mathématique. C'est pourquoi l'essentiel des années 1630-1640, c'est évidemment l'analyse algébrique, arrivée à point dans la masse critique de transformation de la révolution mécaniste. L'élément capital de la mutation des années 80 se trouve également au niveau de l'outil mathématique. L'analyse de Descartes et de Fermat s'est émoussée devant la complexité insoupçonnée de l'univers. « S'il fallait résumer [...] l'essentiel des découvertes du siècle (le XVIIe), on signalerait d'abord l'analyse spécieuse de Viète [...] et ses deux prolongements, théorie des équations algébriques, géométrie analytique, puis l'analyse infinitésimale avec ses deux branches d'abord distinctes : calcul différentiel et calcul intégral qui ne trouveront leur lien étroit et leurs dénominations mêmes que chez Leibniz et Newton. » (J. Itard.) Une étape, les indivisibles, vieux problème de la mathématique grecque, relancé et désembourbé grâce à l'algèbre littérale par Cavalieri, Descartes, Fermat et Roberval. Une étape importante est franchie par un autodidacte anglais de génie, John Wallis (1616-1703) ; le principal mérite de Wallis et de ses études : les séries convergentes. Huygens qui est un homme de formation savante (1629-1695) s'attaque à ces problèmes : Pascal et Wren (1632-1723), l'architecte, le reconstructeur de Londres, travaillent sur le cycloïde.

Le coup de pouce en direction de la seconde mutation fondamentale de la mathématique est dû à Huygens et à son pendule : « Il lui faut trouver la forme des lamelles réglant la longueur du fil pour que la masse du pendule simple décrive bien la roulette. » (J. Itard.) Le jeu instructif des développés et des développantes.

Le mérite de la grande synthèse appartient à la troisième génération ; ramasser toutes les données éparses, en dégager les leçons, jeter les ponts, forcer la difficulté, Newton (1643-1727) et Leibniz (1646-1716). Le pas franchi, Newton et Leibniz reçoivent le renfort d'un élève tardif, Huygens (1629-1696), de quinze ans leur aîné, pour les besoins du pendule.

C'est en 1676, à quelques mois d'intervalle, que le cap

décisif de ce que l'on peut vraiment considérer comme le calcul infinitésimal a été franchi, même si la mise en forme définitive attend encore plusieurs années. La formulation de Newton est plus claire, plus directement accessible, la voie de Leibniz plus riche d'avenir. Newton a bénéficié des travaux de Huygens et d'Isaac Barrow (1630-1677). Vers 1665, à vingt-deux ans, il avait fait les premiers pas déjà vers le calcul des fluxions. Les écrits latins de 1669 et 1671 sont publiés en anglais, respectivement en 1711 et 1736. Ils ont alors un intérêt essentiellement historique. Une partie, pourtant, des procédés du nouveau calcul, diffusés antérieurement par le canal des communications inter et extra-académiques, sont publiés dans les deux traités fondamentaux de 1687 et de 1704, les *Philosophiae naturalis principia mathematica* et l'*Opticks*. Leibniz a mûri la grande découverte entre 1672, lors de sa visite à Paris qui lui permet un contact avec Huygens, et 1675 ; la publication définitive en est contenue dans deux articles célèbres des *Acta Eruditorum* de 1684 et de 1686.

Oui, Newton et Leibniz sont bien, sur l'horizon 70-80, les coïnventeurs de l'analyse infinitésimale moderne. Ils puisent certes directement dans l'acquis de la génération qui précède, mais la mutation qui se produit autour de 1680 est une des plus importantes, tant pour l'histoire des mathématiques que pour l'histoire de la pensée logique et de la pensée tout court. Pour la première fois, l'opérationnel entre dans l'infini, il passe à la limite, il jette un pont entre le fractionnel et le continu. La victoire de 1680 est du même ordre que celle de 1630. Pour trouver une date comparable, il faut attendre 1880 (quand les intuitions de Riemann et de Lobatchevski, après leur mort, commencent à porter), voire 1898-1915, le temps du second miracle de la science.

Ajoutons à cela que c'est en 1686 que la mécanique céleste newtonienne reçoit sa formulation, et, avec elle, la première équation globale de l'univers. Outil mathématique et architecture macroscopique de l'univers en relation étroite. Mais la vie, mais l'autre dimension dans l'emboîtement des mondes ? William Harvey (1578-1657) avait été, avec le *De motu cordis* en 1628, le Descartes et le Fermat des sciences de la vie. La haine lucide des aristotéliciens de la Faculté, au temps de Guy Patin et de Molière, le prouve. Sur l'horizon 70-80, une mutation comparable avec les spermatozoïdes ; le grand, le presque unique problème de la biologie, au XVIIIᵉ, est celui de la génération. Aux portes d'un autre infini : Leeuwenhoek, l'observateur au microscope.

Depuis vingt à trente ans, l'étude de la génération s'était placée sur le plan rassurant de l'ovisme et de l'épigénèse. L'ovisme est aristotélicien. Pour Aristote, tout vient de l'œuf, la machine formatrice du fœtus et la nourriture nécessaire à son accroissement; la semence mâle n'intervient qu'en communiquant le mouvement. Le XVIIe siècle, poussé par le principe d'unité et de simplicité, avait été tenté d'étendre la théorie aux vivipares. Le premier préoccupé par ce problème fut Harvey. Harvey, le premier des ovoïstes, n'avait pas vu les ovaires (pour lui, l'œuf, *ovum*, est produit par l'utérus), pas plus qu'il n'avait vu le liquide séminal pénétrer dans l'utérus. C'est à Nicolas Sténon (1638-1697) qu'appartient, en 1667, à Florence, sur une femelle de chien de mer, la découverte ou la redécouverte des ovaires comme producteurs de semence. Sténon publie en 1667; il lance l'idée que « les testicules des femmes doivent être analogues aux ovaires » (Émile Guyénot), et que l'ovaire envoie dans l'utérus « des œufs ou quelque matière apparentée aux œufs ». Les *Philosophical Transactions*, à qui rien n'échappe, y font écho dans un numéro de février 1668.

La théorie tenace de la préformation et de l'emboîtement des germes est lancée : « Soit un œuf qui renferme un fœtus destiné à devenir une fille. Or un fœtus possède déjà ses ovaires contenant des œufs où se trouvent les fœtus de la génération suivante. Autrement dit, les fœtus des générations successives se trouvent emboîtés les uns dans les autres, de plus en plus petits. Cela revient encore à dire que notre mère Ève possédait dans ses œufs emboîtés les uns dans les autres, les fœtus de toutes les générations passées, présentes et futures. » (Guyénot.) La théorie enchante Swammerdam. Il entrevoit un bon parti d'apologétique chrétienne : « Toute l'humanité [...] contenue dans les lombes d'Adam et d'Ève » d'y asseoir sur ce principe « la cause de la tache originelle [...] [tous les hommes étant] cachés dans les reins des premiers parents ». Hartsoeker, en 1694, s'amuse à calculer la taille des fœtus préformés de la génération du Jugement dernier dans le ventre d'Ève.

Or, en 1697, dans une lettre adressée au secrétaire de la Royal Society, Leeuwenhoek fait part d'une découverte qui va bouleverser les sciences de la vie, l'équivalent de la mesure de Römer, deux ans plus tôt. « Un jeune étudiant du nom de Ham [ayant apporté à Leeuwenhoek du sperme humain dans lequel, avec le microscope], il avait observé des animalcules vivants », le célèbre drapier hollandais, qui voit

UN REGARD SUR LA VIE

Leeuwenhoek a tout vu. A commencer par les spermatozoïdes qu'il a su isoler dans le liquide séminal du chien. Remarquez la précision du dessin : la tête et le flagelle. L'observation est signalée dans une lettre à Brouncker, secrétaire de la Royal Society ; elle est publiée au n° 142 (1678) des Philosophical Transactions.

tout, regarde, décrit, commence la plus passionnante des interprétations : il y a bien dans le sperme des organismes vivants ; Leeuwenhoek se passionne ; de l'homme, il passe à une large gamme de vivipares et peut affirmer que la semence de différentes espèces, homme compris, « renferme un nombre immense [d'animalcules mobiles] munis d'une queue ayant cinq à six fois la longueur du corps » (Guyénot.) L'alerte donnée par les *Philosophical Transactions,* on cherche des animalcules. Homberg, Geoffroy, Lister, Camerarius, Lancisi, Vallisneri, tous confirment : Leeuwenhoek a bien vu, il a raisonné juste, la génération ne se fait pas par le moyen d'œufs imaginaires emboîtés et préformés ; ces animalcules ou vermicules de la semence mâle jouent un rôle important dans la génération. Bien sûr, rien n'est joué, et le XVIIIᵉ siècle hésite. La biologie de la génération butera bientôt sur l'insuffisance du microscope, qui paraissait si merveilleux et si affolant à la fin du XVIIᵉ. Il faut attendre Caspar Friedrich Wolff (1733-1794), le père de l'embryologie descriptive, entre 1759 et 1768, Lazzaro Spallanzani (1729-1799) surtout, qui, malgré ses préjugés ovistes, fait avancer la connaissance, grâce à l'étude expérimentale de la fécondation mise au point par lui chez des animaux (grenouilles, crapauds) que leur mode de reproduction extériorisée désigne tout particulièrement pour ce genre d'expériences ; Wolff, Spallanzani, un siècle en moyenne après le génial regard de Leeuwenhoek.

L'horizon 1670-1680 n'a-t-il pas entrevu la cellule ? « Tous les micrographes, au XVIIᵉ siècle, ont vu et figuré des cellules végétales [les plus lisibles] ou tout au moins leurs membranes cellulosiques. » (Guyénot.) La première mention en est faite par Robert Hooke (1635-1703), en 1667. Examinant au microscope une lamelle de liège, il « lui semble apercevoir des pores ». Intrigué, Hooke fait une nouvelle préparation plus mince de la même substance : « Je puis, dit-il, me rendre compte qu'elle était perforée et poreuse comme un gâteau de miel [...] » « Il compta qu'il y avait soixante de ces *cellules* [le mot y est] placées, bout à bout, dans un dix-huitième de pouce, ce qui en fait plus d'un million (1 666 400) dans un pouce carré, c'est-à-dire un nombre à peine croyable. » (Guyénot.) Hooke, dans les mois et les années qui suivent, ne s'arrête pas là, il traque systématiquement et trouve partout dans le monde végétal cette structure cellulaire entrevue sur le liège. Oui, il y a bien, en biologie aussi, un merveilleux horizon 1680.

De là, la connaissance scientifique s'avance au rythme soutenu du XVIIIᵉ. Elle est dotée d'un instrument mathématique perfectionné, elle a pris les dimensions exactes du système solaire ; elle a effleuré, aux sources de la vie, le jeu du *yin* à côté du *yan*, elle a noté, sans bien la comprendre, la structure cellulaire des végétaux.

Le miracle de l'horizon 80, moins d'un demi-siècle après cette espèce de miracle grec, celui de l'horizon 1630-1640, ne se renouvellera plus. La pensée ne mute plus vraiment avant 1825-1840 ici, 1880-1910 là, 1940 ailleurs. Il lui faut plus d'un siècle pour assimiler. 1680 est le contrecoup du choc de 1630. Dans l'ordre des pensées, 1630 et 1680 sont une gigantesque et double « *conquista* ». Le long XVIIIᵉ siècle scientifique, de 1680 à 1825, inventorie, occupe le terrain, n'en finit pas d'exploiter, d'organiser, de tirer vanité de l'élargissement fabuleux du domaine de la pensée, une pensée devenue hargneuse qui s'ébroue sans obstacle et sans limite. Le XVIIIᵉ siècle laisse jouer le multiplicateur. Ne simplifions pas.

En fait, l'image du siècle de la croissance facile des pensées (je dirais volontiers le siècle de la roue libre) s'applique surtout aux années qui vont de 1700 à 1750. Le dogmatisme simpliste de l'*Encyclopédie,* son rationalisme pataud, apte à rallier les foules des nouveaux venus de la culture écrite, s'explique aussi par sa position sur la chronologie du savoir. L'*Encyclopédie* est au bout de la roue libre : loin de l'élan merveilleux, mais aussi de l'angoisse des grandes époques... A partir de 1760 ici, 1780 là, les difficultés surgissent. Il ne suffit plus de déduire, de suivre, de vérifier. Les multiplicateurs sensoriels eux-mêmes déçoivent. Pour comprendre mieux la vie, il faudrait aller au-delà, dix fois, vingt fois, mille fois au-delà du pouvoir séparateur des microscopes ; pour sortir utilement du système solaire, il faudrait mieux que la lunette et le télescope de Short, l'outil mathématique lui-même s'enferme dans une sorte de perfection formelle, avant l'agression des hérétiques du XIXᵉ siècle.

C'est aussi ce qui rend la pensée plus exaltante à la fin du XVIIIᵉ siècle ; au sommet du moins, voici enfin le trouble qui avait déserté un instant le siècle de Voltaire et de Mᵐᵉ du Châtelet. Bien sûr, l'angoisse des vraies interrogations intellectuelles risque d'échapper à une histoire à grands traits. François Furet note avec raison, au niveau d'une écriture de masse, la récitation des banalités, l'encyclopédisme vulgaire à l'époque des éditions de Panckoucke. Nous n'en aurons pas fini avec les fils des petits côtés de Voltaire.

Toute coupe structurelle dans le langage d'une époque est géologique. L'horizon qui affleure vers 1730, au sommet, celui de l'exaltation agressive du nouveau savoir, peut être recouvert, déjà, d'une mince pellicule en 1780, une coupe en révèle la pénétration en profondeur. L'esprit voltairien affecte plus de monde en 1780 qu'en 1730. Cela dit, notre interrogation pour l'heure est au sommet. Or, au sommet des pensées, sur le front de la recherche, on voit se constituer peu à peu, de 1760 à 1780, les premières interrogations, les premiers éléments d'une masse de transformations qui conduit aux explosions scientifiques du XIXᵉ siècle, 1825-1840... 1880-1910... plus loin encore 1940...

Le « Grand Siècle, c'est le XVIIIᵉ que je veux dire [...] » Michelet entendait marquer ainsi sa préférence pour un siècle qui invente plutôt que pour une période qui illustre. Les perspectives doivent être inversées. Le XVIIᵉ et le XIXᵉ inventent, le XVIIIᵉ illustre, accumule et prépare. Le milieu du siècle est lisse, les sommets sont sur les bords.

Sur sa lancée du nouveau calcul, la fin du XVIIᵉ aboutit à une sorte de classicisme de l'outil mathématique. Dès le milieu du XVIIIᵉ, Diderot, qui n'est pas orfèvre, traduit le sentiment qu'un sommet est atteint, un absolu qu'on ne pourra plus dépasser. Son panpsychisme latent, qui le fait osciller du déisme à un athéisme apparent, en restant toujours fidèle au panthéisme, le détourne des mathématiques. Le XVIIIᵉ, qui a, dans la lignée sans portée des Helvétius, d'Holbach et La Mettrie, poussé le mécanisme jusqu'à l'absurde, a failli renoncer à l'axiome même de son succès, la nature écrite en langage mathématique du *Saggiatore*.

Pour deux raisons au moins, la montée des sciences nouvelles : le XVIIIᵉ a eu la passion de la vie ; les sciences de la nature prennent le pas ; l'histoire et les sciences sociales balbutiantes font une entrée massive. La mécanique céleste, la mathématique pure ont un siècle. Elles n'en sont plus au stade des découvertes faciles, ni de la nouveauté qui séduit. Les femmes savantes du XVIIIᵉ ne jouent plus à la lunette, elles suivent l'abbé Nollet et se passionnent pour le mystère électrique. La chimie ne commence qu'à l'extrême fin du XVIIIᵉ, la théorie atomistique se dégage au milieu du XIXᵉ siècle. Sans une physico-chimie atomistique, les mathématiques n'ont pas de prises sur la nature complexe de la matière et *a fortiori* de la vie. La poussée des sciences naturelles ramène la connaissance au stade typologicodescriptif. Pour Diderot, bon public, les mathématiques donnent la clef de la mécanique céleste, mais elles sont sans prises sur la complexité du réel.

Seconde raison de ce retrait par rapport au panmathématisme du XVIIe, la complexité même des mathématiques nouvelles qui décourage l'amateur. Les pédagogues jésuites du XVIIIe avaient raison de dire que l'initiation devait s'en faire jeune.

Le progrès de la mathématique conduit le mathématicien dans un ghetto doré qui contraste avec la position qu'il tenait au XVIIe siècle. Trois étapes à peu près évidentes : un énorme foisonnement au début, dans la foulée des inventions de Newton et de Leibniz ; une génération du milieu du siècle dominée par Euler, d'Alembert et Lagrange ; le sommet du classicisme mathématique, avec la publication des grands traités de l'école de Paris, Lagrange, Laplace, Monge, Legendre et Lacroix. A noter que la mathématique, au XVIIIe, reste cantonnée à l'Europe nombreuse : France en tête, Angleterre et Suisse avec les frères Bernoulli et le grand Euler.

René Taton a pu prêter aux Suisses, aux pépinières de Genève et de Bâle, patries des Bernoulli, des Hermann, des Euler, un rôle décisif dans l' « évangélisation » mathématique de l'Europe qui réanime les foyers italiens en veilleuse et prépare la levée des glorieuses moissons du XIXe à l'est, quand Russes et Polonais formés à la fin du XVIIIe siècle contribueront à la naissance du troisième âge mathématique.

Le mathématicien est, au XVIIIe, le premier savant technicien — c'est le prix, avantage et handicap d'une antériorité et d'une primauté — sollicité, à prix d'or, par les princes soucieux du rattrapage à l'est, mobilisé par les opérations géodésiques et géoastronomiques du siècle. Fini le temps des amateurs, fini aussi celui des génies universels : il n'y aura plus de Descartes ni de Leibniz. Le fractionnement de la culture, c'est, comme le veut Gusdorf, la grande cassure qui détache les belles-lettres, la philosophie de l'arbre de la connaissance, en même temps qu'elle spécialise une culture scientifique, mais le fractionnement de la culture, c'est aussi la grande cassure dans la famille scientifique *stricto sensu* qui isole le mathématicien pur, par sa technicité, du rameau commun. Paradoxe qui a failli briser le miracle scientifique au milieu du XVIIIe, quand biologie, sciences naturelles, physique anecdotico-expérimentale flottent, séparées du regard vigilant de la première en dignité de toutes les connaissances strictement humaines. Au début et à la fin des Lumières, une comparaison s'impose entre les deux plus grands esprits du siècle.

Leibniz, le dernier avant Hegel des grands philosophes à système, est, plus que Newton, le coïnventeur du nouveau calcul. Newton, le mécanicien du ciel, est, en revanche, aussi un peu philosophe, au sens où nous l'entendons. A l'autre bout, Kant n'ignore rien de la science de son temps. On lui doit même la première ébauche de la théorie cosmologique que l'on prête d'ordinaire à Laplace, mais on n'imagine pas Kant collaborant avec Laplace et Monge au perfectionnement de la géométrie descriptive ou à la mécanique céleste. La philosophie mécaniste avait établi un empire mathématique sur la connaissance ; le multiplicateur des connaissances, la course à l'abstraction aboutissent à une conséquence paradoxale : la fermeture de la mathématique séparée de l'univers des connaissances du langage commun, dans un premier cosmos clos de l'abstraction pure. R. Taton a défini le XVIIIe mathématique comme un monde interdit déjà à l'amateurisme. Le cloisonnement mathématique est exemplaire, d'autres suivront. Sur ce point encore, le processus mathématique précède et entraîne. Le mathématicien est le polytechnicien avant la lettre d'un monde qui reconnaît son empire. Le mathématicien du XVIIIe est un peu dans la position du théologien du XIIIe et du logicien du XVe. « Euler s'intéresse aussi bien à la musique qu'à l'optique et à la théorie de Newton. » (Taton.) D'Alembert, philosophe publiciste, traite de musique et de mécanique appliquée. Laplace débouche sur la théorie de la chaleur. Monge, Legendre, Meusnier et Laplace contresignent, en 1785, le procès-verbal de la grande expérience de Lavoisier sur la composition de l'eau.

Dans un premier temps, formalisation, développement, perfectionnement du nouvel outil : grand feu sur l'analyse infinitésimale. Elle commande, il est vrai, par-delà l'histoire des mathématiques, le progrès de toutes les connaissances. La première volée est celle des analystes anglais, depuis C. Hayes (1704), H. Ditton (1706), J. Hodgson (1736) ; la seconde est celle des Suisses et des Français : Daniel Bernoulli (1700-1782), Euler (1707-1783), Clairaut (1713-1765), d'Alembert (1717-1783), suivis par Lagrange (1736-1813), Monge (1746-1818), Laplace (1749-1827) et Legendre (1752-1833). Calcul des variations, approfondissement de la notion générale de fonction, avec Euler surtout, puis Lagrange. Progrès massif de l'algèbre qui occupe désormais la place d'armes que la géométrie avait tenue dans la citadelle, avec les imaginaires, les algorithmes illimités, la théorie des nombres. Parce que la bonne société du XVIIIe a la passion du jeu, Moivre, Stirling, Maclaurin et Euler prennent la suite de Pascal, Fermat, Huygens et Jacques Bernoulli, dans le secteur des probabilités. Probabilités et statistiques sont bien en avance sur les besoins timides d'une science humaine dans l'enfance.

Et pourtant, le XVIIIe a eu aussi ses grands et purs géomètres : la perspective utile à l'artiste, la géométrie descriptive, la géométrie analytique. Monge, en 1777, entreprend ses premières recherches qui vont faire muter la géométrie infinitésimale. Le XVIIIe a poussé à sa perfection la mécanique classique. Nécessité dictée du dehors par l'astronomie pendant et après Newton. Euler marque, en 1736, l'acte de naissance de ce que l'on peut appeler sans anachronisme la mécanique rationnelle, suivi par d'Alembert dont le *Traité de dynamique* de 1743, publié à vingt-six ans, consacre une jeune gloire internationale. Avec la mécanique des fluides, où alternent de nouveau Euler et d'Alembert, la mathématique tend la main en direction de la « philosophie naturelle ».

L'astronomie du XVIIIe siècle cesse d'être l'antichambre de la métaphysique ; c'est une rigoureuse astronomie de position qui, ayant renoncé aux inquiétudes ontologiques du XVIIe, loin des problèmes de cosmogenèse des astrophysiciens de l'ère des radiotélescopes, jardine son système solaire, vérifie Newton et travaille à la défaite radicale des cartésiens obstinés du continent. Il faut attendre la fin du siècle pour que Herschel (1738-1822) pose un regard interrogateur des planètes sur les étoiles. Simple passage de la topologie à la topographie céleste, l'astronomie stellaire, *a fortiori* l'astronomie galaxienne, demande des moyens et une théorie physico-chimique de la matière qui s'élaborera plus tard, à partir seulement des intuitions de Mendeleïev et des travaux de Planck.

S'éloigne-t-on de la mécanique céleste, le domaine par excellence de la mathématisation, la part du descriptif s'accroît. L'optique est depuis longtemps gagnée. Descartes en a fait une annexe de la géométrie. Au XVIIIe, la voilà au cœur de la querelle pour ou contre Newton. Le continent hésite. Voltaire a jeté tout son talent littéraire dans la balance. *Les Éléments de la philosophie de Newton* paraissent à Londres en 1738. Grave problème : le rayon lumineux subit-il l'attraction universelle ? Newton et Voltaire s'interrogent, il est vrai, sur la nature de la lumière. Voltaire, comme Newton, pense que la vitesse de la lumière est affectée par la densité du milieu. On discute, on vérifie, on s'acharne, les amateurs s'en mêlent : Marat, l'ami du peuple, et Goethe, tandis qu'Euler continue à défendre une théorie vibratoire. L'optique géométrique a épuisé son champ. L'étude de la lumière débouche sur la structure de la matière. L'acoustique, au siècle de la musique, la physique de la chaleur, au siècle de Réaumur (1683-1757), des premiers thermomètres et des besoins industriels d'énergie, se constituent.

Aux portes de l'anecdotique et du mystérieux, la troublante électricité. Magnétisme et électricité ont contribué à la substitution du « virtuose » à l'honnête homme. Au centre de la physique des salons, ils ont aidé au ralliement de l'opinion publique, ils ont été les catalyseurs de l'évangélisation scientifique de la société. Enfin, et c'est là l'important, ils rendent tous leurs droits à l'observation. Le XVIIIe s'est appuyé sur quelques minces constatations de Hooke, de Picard, de Hauksbee et de Guericke. Au début du siècle, un Anglais et un Français, Stephen Gray (1666?-1736) et surtout Charles François Du Fay (1698-1739) apportent des faits rigoureusement contrôlés, Gray sur la conductibilité, Du Fay sur l'électrisation par influence et, découverte capitale, sur les deux électricités. On n'est pas loin des notions de charge et de champ. Du Fay meurt trop jeune, mais il a fait des disciples : l'abbé Nollet, dans salons et cabinets de France et des Europes, infatigable missionnaire de l'évangile électrique. Pour l'amusement des foules et les expériences des savants, le milieu du siècle perfectionne ses machines électriques et jette dans la bataille la fameuse bouteille de Leyde. Il appartiendra à un dissident de la plus lointaine « frontière », le Pennsylvanien Benjamin Franklin, de systématiser cet acquis : conservation de l'électricité, électricité positive et négative, sans omettre l'application pratique du paratonnerre. A la fin du siècle, l'électricité ébauche son tournant avec Priestley et Coulomb.

Lavoisier (1743, mort sur l'échafaud en 1794) fit sortir la chimie, entendez la connaissance de la structure intime de la matière, du Moyen Age où elle piétinait. Pendant un siècle, l'hypothèse ingénieuse de la phlogistique avait fait écran ; la chimie avait un long combat à mener pour se dégager des structures mentales alchimiques ; il lui manquait un point d'insertion quantitatif et un instrument de mesure sûr, la balance perfectionnée. A Lavoisier, aidé par une admirable épouse, le mérite d'avoir trouvé, par le cycle de l'oxygène, le point d'insertion du quantifiable.

Le XVIIᵉ a eu la passion du ciel et le ciel l'a récompensé : la mécanique céleste était le point d'insertion rêvé de la mathématisation. Le XVIIIᵉ a eu la passion de la terre et de la vie. Ce changement de regard découle de la logique même des choses. Le succès du quantitativisme fait tache d'huile. La conquête systématique du savoir s'opère depuis le bastion premier conquis. Ce glissement n'est pas sans rapport non plus avec la réduction eschatologique. Le regard sous la terre et dans le mécanisme de la vie va soulever des problèmes de concordance que les philosophes du XVIIIᵉ sont heureux de lancer dans la polémique antichrétienne. Deux affaires émergent : les fossiles et les balbutiements du transformisme.

Les fossiles sont d'observation courante. Deux mille ans, au moins, de réflexion stérile préparent une éclosion tardive dans la seconde moitié du XVIIIᵉ. Et bien voir que l'obstacle vient moins du littéralisme biblique que de l'antimécanisme foncier de la tradition aristotélicienne. Le concordisme étroit n'est pas dans la droite tradition théologique ; c'est une arme d'adversaires. Les cieux de Newton chantent, bien plus que ceux d'Aristote, la gloire de Dieu. La théologie du *Deus absconditus* est absolument libre d'identifications hâtives ; elle prépare le repli au for intérieur. Voyez Th. Burnet, ce bon protestant un peu fondamentaliste : il publie à Londres, en latin, en 1681, sa *Théorie sacrée de la Terre*. Tout y est scientifiquement expliqué, pas un iota de la Genèse qui ne soit intégré. La mode est anglaise. Elle rend compte, un siècle et demi à l'avance, du choc de Darwin. Quinze ans après Burnet, Gregory King calcule la croissance de la population de la Terre, de deux unités à 500 millions en un peu moins de six mille ans. Mais passons sur le continent. A propos de Burnet, Bossuet juge : « C'est un roman bien écrit, et un livre qu'on peut lire pour s'amuser, mais qu'on ne doit pas consulter pour s'instruire. » L'obstacle à une histoire de la nature est profond. Le concordisme n'intervient qu'après coup.

Et pourtant, Burnet est un bon témoin. Le XVIIᵉ siècle qui s'achève en 1680 avait établi une minéralogie plate, descriptive, rigoureuse et précise. Robert Hooke (1635-1703), « qui utilisa le microscope pour l'étude des petits animaux fossiles » (R. Furon), en rapprochant la structure des images fossiles de celle des plantes et des animaux connus, peut même être classé parmi les lointains précurseurs inconscients du transformisme. Contemporain de Hooke, le *Mundus subterraneus* (1664) du R.P. Athanasius Kircher (1601-1680) allie à la masse d'informations tirée de l'expérience des mineurs allemands, un peu du romantisme tellurique de l'Europe germanique. Voilà pour le passé.

Ce stratisme descriptif est révolu. Vient 1680. On passe à une histoire de la Terre. Elle est, d'entrée de jeu, marquée par la polémique religieuse. Burnet ouvre naturellement la marche des diluviens, fils naturels du *Bible Kingdom* anglais. Après Burnet, John Woodward publie en 1702 son *Histoire de la Terre* et toute une théorie aussi ingénieuse que fragile de la liquéfaction universelle. Le déluge a totalement dissous l'écorce terrestre, et la matière ainsi brassée s'est ensuite déposée en couches concentriques. Et des pages sont consacrées aux coquilles du déluge protégées des eaux par leur consistance fibreuse. L'introduction de la dimension historique a d'abord marqué une régression. Après Woodward, Whiston encore en 1708. Le déluge est daté : 24 novembre 2349 avant J.-C. La Terre ayant séjourné deux heures dans la queue d'une grande comète (se rappeler l'ébranlement de la comète), qui est faite de vapeurs, il en résulte des pluies extraordinaires (*et cataractae coeli apertae sunt*, traduit la Vulgate). « Sous l'influence de l'attraction exercée par la comète [Whiston publie vingt-deux ans après les *Principia*], les liquides contenus dans le grand abîme, agités de mouvements violents, rompirent l'écorce terrestre et se répandirent à la surface du globe (*et rupti sunt fontes abyssi*). » Toutes ces eaux devaient affaiblir la Terre. Depuis, les hommes vivent moins vieux, les animaux aussi, la Terre est mille fois moins peuplée, mille fois moins fertile... Buffon aura belle de censurer. Le Zurichois Jean Scheuzchzer emboîte le pas. Les diluviens appartiennent tous à l'Europe protestante, où le trouble est profond.

Rien de plus difficile à manier que la dimension historique au commencement d'une science, le XVIIIe reprend vite la collecte du document. Des centaines de collectionneurs modestes de cabinet alignent des fossiles. De temps en temps, on se livre. Nicolas Lange de Lucerne publie à Venise, en 1708, *De l'observation brute à l'observation orientée*; voilà, en 1718, une anodine remarque d'Antoine de Jussieu (1686-1758) sur les pierres des environs de « Saint-Chaumont » (Saint-Chamond en Lyonnais). Ce sont presque toutes des plantes étrangères qui approchent ce que l'on observe couramment en Amérique et aux Indes occidentales et orientales. Jussieu est-il sur la voie de l'histoire des

climats? Non. Et pourtant aucun concordisme ne le gêne.
Sinon le bon sens. Toute observation, à longueur de vie
humaine, continue d'enseigner la donnée immuable : « Ce
qui a été, c'est ce qui sera... Quoi de neuf sous le soleil? »
Le transformisme suppose une mutation de toute la structure mentale. Il attend avec le progrès, dans l'environnement, un changement observable à vue humaine. Jussieu
fait un saut logique qui n'est pas le nôtre. Pour nous, le
temps implique devenir. Pour Jussieu, le changement ne
résulte pas d'une évolution, il implique une catastrophe.
Peut-être parce que l'environnement, en ce début du XVIIIe,
donne plus d'exemples encore de ruptures en catastrophe
que d'évolutions progressives. « Quant aux plantes elles-
mêmes, elles se seraient développées bien loin dans les
Indes » (où elles sont, donc où elles ont été... Voyez
l'*Ecclésiaste*); des Indes, elles seront venues à Saint-Chamond sous l'influence de « révolutions prodigieuses et
subites ». Comment? La mer les aura arrachées et transpor-
tées jusqu'en Europe pour les « déposer dans les lieux où
l'eau n'était plus qu'une petite quantité et pouvait s'éva-
porer ».

Pour ébranler le fixisme, il aura fallu plus qu'un cataclysme, un siècle de progressive avance de l'historicisme, le
poids d'une structure sociale, d'un environnement où, le
progrès ayant fait son ouvrage pratique, la plasticité des
choses, des êtres et des structures devient peu à peu donnée
d'expérience humaine quotidienne, d'un vécu concret dans
le laps d'une vie d'homme, statistiquement prolongée de dix
ans. Pour comprendre le saut logique de Jussieu, il faut
remonter au vieux bon sens de la société traditionnelle. Pas
besoin de faire intervenir le concordisme biblique. Ou alors,
il faudrait annexer Voltaire aux concordistes chrétiens. Dans
une lettre de 1746, dans l'article « coquille » du *Dictionnaire*,
Voltaire a décoché maintes flèches à la paléontologie naissante : les poissons pétrifiés? des poissons rares, rejetés de la
table des Romains parce qu'il n'étaient pas frais; les
coquilles? des pèlerins de Syrie les ont rapportées, dans le
temps des croisades, etc. Voltaire refuse de voir les fossiles,
sa sensibilité se braque, même devant les amoncellements
des falaises de Touraine. Buffon, plus tard, tire la conclusion : « Se peut-il que des personnes éclairées et qui se
piquent même de philosophie, aient encore des idées aussi
fausses à ce sujet? »

La dimension nouvelle de la création, une sorte de
démesure géologique, voilà ce qui fait peur à Voltaire, à

beaucoup de chrétiens et à la majorité des hommes du XVIIIᵉ. Après l'éclatement de l'espace, voici le temps et son insupportable interrogation. Voltaire accepte bien de rire des six mille ans de l'exégèse fondamentaliste et anthropomorphique de la Genèse, mais le temps qu'il propose, le temps chargé de l'histoire, reste un temps méditerranéen, à la taille du cosmos clos transposé de la cité grecque au *Siècle de Louis XIV*. Voltaire hait la dimension religieuse du temps géologique. Peut-être a-t-il peur pour la science ? En ce sens, sa légèreté même est raisonnable. Se garder de tout entreprendre en même temps. Voltaire, notez-le, retrouve par ce biais la parenthèse cartésienne. Bien plus, a-t-il peur pour l'option humaniste fondamentale des Lumières. Dieu était au centre, cinquante ans plus tôt, à l'époque de la théologie théocentrique du *Deus absconditus*, l'homme a pris sa place dans l'humanisme militant des Lumières. Cela implique une sagesse de la science, nulle démesure n'est plus dangereuse que celle du temps. Qu'aurait pensé Voltaire du mur des quinze milliards d'années du modèle *standard* ?

Le refus de Voltaire de meubler le temps d'une histoire de la Terre indépendante de l'homme traduit une démarche extrêmement profonde de l'esprit. Voltaire n'était pas un sot. Que l'homme qui a diffusé Newton, que l'auteur de l'*Essai sur les mœurs* ait eu ce haut-le-cœur devant la première esquisse de transformisme, s'explique par l'influence de l'environnement traditionnel et peut-être aussi par une conception fixiste de l'espace, qui contamine le temps. Se rappeler que l'univers de Voltaire, solidaire de l'espace de Leibniz, et encore de l'espace et du temps de Kant, est un espace unifié, donc anthropomorphisé. « Tous les conseils de prudence de l'esprit scientifique, note Jacques Merleau-Ponty se référant à l'espace-temps du XVIIIᵉ et du XIXᵉ antérelativistes, ne pouvaient prévaloir contre des assertions fondamentalement audacieuses comme : l'espace est partout euclidien, le temps partout uniforme ; une horloge cosmique bat la seconde pour tout l'univers, une grande équerre marque l'angle droit à l'échelle des astres, géométriquement semblable à l'équerre infinitésimale qui permet de repérer l'incidence du rayon lumineux sur la surface de la molécule : une sorte de panthéisme de la mesure protégeait secrètement du vertige sceptique l'agnosticisme métaphysique du physicien [qui n'est pas encore celui de Newton, mais qui est celui auquel tend incontestablement Voltaire]. Le *primum movens* d'Aristote avait mal supporté la réforme de la dynamique ; un *primum metiens* avait pris sa place. » L'espace à l'équerre et le temps uniforme exigent, par assimilation psychologique, au-delà de l'histoire humaine jalonnée, un temps vide, un temps qui n'a pas le droit d'être. Ne pas surestimer les possibilités du XVIIIᵉ siècle moyen. Son principal mérite, savoir garder raison, savoir marquer donc le pas et les étapes. La vraie victoire du transformisme, le triomphe pratique du darwinisme, est contemporaine de l'atomisme quantique. Le XVIIIᵉ siècle invente simultanément le fixisme qui est dans son génie, tandis que certains esprits hétérodoxes, de Buffon à Maupertuis, en route vers Lamarck, réunissent les éléments d'une révolution qui réalise, à la fin du XIXᵉ siècle, l'égalisation, en dignité dans la connaissance, du temps sur l'espace.

La notion d'espace était pour la biologie une conquête capitale. Carl von Linné (1707-1778) appartient à la Suède de la connaissance. Fils d'un pasteur, il fit ses études à Lund et Upsal, voyagea autour de la Baltique. Linné appartient à l'Europe qui s'exprime en latin, et nous restons tributaires de sa systématique végétale. A ce stade, ce qui vaut, c'est l'acuité du regard. Sa méthode, « basée sur la disposition des organes reproducteurs [...] et appelée fréquemment système sexuel [repose en effet] sur le nombre des étamines, sur leur soudure, ainsi que sur la sexualité des fleurs » (Adrien Davy de Virville). Partie des hypothèses de Linné, la systématique se constitue à pas de géant.

C'est aussi à cette nécessaire étape intellectuelle que se heurtent les hérétiques de l'historicisme naturel. Dans la préhistoire du transformisme, Guyénot fait un sort à De Maillet qui publia à Bâle en 1749 un ouvrage curieux, plein des idées les plus fécondes, avancées sans un commencement de preuve, et des conceptions les plus folles, sous un titre dans le goût de la mauvaise didactique des Lumières : *Telliamed ou Entretiens d'un philosophe indien avec un missionnaire français sur la diminution de la mer, la formation de la Terre, l'origine de l'homme, etc.* La sagesse vient de loin, dans la tradition de l'Orient philosophique. Tous les terrains sont sortis de la mer, à preuve les fossiles que l'on retrouve jusqu'au sommet des montagnes.

Buffon (1707-1788) est sérieux. Leibniz faisait de la Terre et des planètes autant d'anciens soleils fluides. Descartes avait eu, dans les météores, l'intuition d'une Terre détachée du Soleil. Buffon admet plus clairement que « toutes les planètes avaient fait partie d'un même astre dont le Soleil représente la partie centrale. La Terre allant en se refroidissant, il se formait un noyau central encore très chaud

constitué par une matière vitrifiée, et une écorce solidifiée
[...] » : en embryon, toute la théorie qui culmine au début
du XXᵉ siècle chez Suess. Une ébauche des âges de la vie,
avec les seuls animaux actuels, l'apparition de l'homme en
dernier, tout cela est esquissé dans l'*Histoire de la Terre*, dès
1744, achevé dans les *Époques de la nature*, 1778. Nous voilà,
dans l'histoire de la nature, au seuil de ce que Serge
Moscovici nomme joliment « l'univers froid et l'univers
chaud ».

L'évolution de Buffon est extrêmement intéressante. Ce
grand touche-à-tout appartient presque à un autre âge, on
pense aux chimistes hétérodoxes, aux antimécanistes anti-
aristotéliciens du XVIIᵉ, aux hommes de l'univers chaud
hantés par le froid. Lui aussi a été hanté par la chaleur et le
refroidissement de la Terre, qu'il essaie de saisir dans
l'expérience puérile des boulets portés au rouge, une
gymnastique prétexte qui a aussi peu de portée scientifique
et autant de valeur psychologique que la langue de bœuf de
Montesquieu. Buffon et les préévolutionnistes échappent à
la rigueur mécanicienne. Le seigneur de Montbard, l'anti-
mécanicien, avec son regard lourd sur les choses de la vie et
du sexe, est l'introducteur de la durée dans une philosophie
naturelle devenue histoire naturelle. L'agression qu'il
commet blesse, au-delà du concordisme biblique fondamentaliste qui ne fait pas problème, toute une structure de la
pensée. Il force la parenthèse du temps extra-humain. C'est
pourquoi, à la limite, Buffon est dangereux. Introduites trop
tôt, ses idées auraient risqué de gêner l'achèvement de
l'édifice du mécanisme qui est pédagogie et propédeutique
de la science.

Revenons aux *Époques de la nature* et suivons la marche
insidieuse du temps. Le XVIIIᵉ s'achève. Nous sommes en
1778. La condamnation très partielle de la Sorbonne n'a pas
gêné le maître de Montbard, nouveau patriarche d'un autre
Ferney. Il n'y aura plus de procès Galilée, seulement
l'assassinat de Lavoisier. La Sorbonne ne représente pas
l'Église ; en outre, la condamnation vise les digressions plus
que le fond même. Le fond, c'est l'histoire ; l'histoire qui a
conquis péniblement le social et le politique, l'histoire qui a
bousculé la parenthèse cartésienne et que l'univers mécanique n'est pas encore tout à fait prêt à recevoir, parce qu'elle
introduit une quatrième dimension dans l'épure, et que cette
complication soudaine risque de tout compromettre.

Buffon, le premier, « ose exprimer une opinion précise
sur la durée des temps géologiques : " Les couches strati-

fiées [...] résultent d'une sédimentation sous les eaux qui s'est prolongée pendant des millénaires et non pas seulement pendant les quarante jours du déluge. " Divisant, lui aussi, l'histoire de la Terre en ses époques, il a l'extrême audace d'en fixer la durée minimum à 75 000 ans. » (R. Furon.)

Est-ce là tant d'audace ? Descartes et Mersenne, cent cinquante ans plus tôt, jouaient volontiers sur quelques dizaines de millénaires, en plus des six mille de la chronologie biblique fondamentaliste. Mais, en réalité, ils n'avaient que faire de ce temps inutile. Le monde d'Aristote, clos dans l'espace, est temporellement infini (et non pas éternel comme on a coutume de le dire) : saint Thomas d'Aquin s'en était fort bien accommodé. C'est aussi que le temps, avant la double remontée historisante, naturelle et humaine du XVIIIe siècle, est un temps creux, vide, sans conséquence. Le temps de l'histoire naturelle de Buffon, comme le temps historique de l'*Essai sur les mœurs*, auquel il s'apparente en dépit de tout ce qui sépare les deux hommes, est un temps du XVIIIe, un temps concret, meublé, non pas le temps vide des philosophes. « Aux objections qui lui sont faites, il répond en créant la méthode de calcul de la durée de sédimentation. [L'application apparaît dérisoire et inopérante.] Constatant la minceur des feuillets des ardoises, il observe qu'une marée ne peut guère déposer que 1/12 de ligne d'épaisseur de sédiments, ce qui [...] nécessite 14 000 ans pour le dépôt d'une colline argileuse de 1 000 toises [...] » (R. Furon.)

Une machine est mise en place, les mécanistes orthodoxes la craignent confusément. On pourrait suivre les cheminements tâtonnants d'une prégéologie, d'une prépaléontologie, d'une préhistoire dont les balbutiements, comme les intuitions de Buffon elles-mêmes, appartiennent à peine au XVIIIe siècle. L'espace abstrait de la mécanique céleste est limpide, compatible, par son acte de baptême, avec l'esprit des Lumières ; les épaisseurs encombrantes des temps géologiques sont difficilement réductibles, préromantiques. C'est que l'esprit des Lumières est fragile, les Lumières sont menacées par leur succès. Le monde allait se clore, géographiquement, au XVIIIe ; mais le XVIIIe a créé une autre « frontière », plus dévorante, qui n'a cessé de croître : la « frontière » de la connaissance et de l'information. Le multiplicateur des Lumières a eu raison, définitivement, de l'unité de la culture.

*

Le temps géologique est un tard venu. Il est tenu en réserve jusqu'au moment où la pensée scientifique peut l'assimiler. Le temps, dans l'histoire humaine de la nature, est contemporain de la physique quantique. L'horizon 1680, pourtant, s'est nourri de temps. Mais le temps des Lumières est un temps humain. Le XVIIIe siècle se joue sur l'histoire ; il est aussi le siècle de la constitution d'un secteur autonome des sciences humaines. Deux sommets en témoignent : *L'Esprit des lois*, 1748, l'*Essai sur les mœurs*, 1756.

A-t-on bien mesuré le travail, derrière ces deux maîtres livres du XVIIIe ? Pour Mme du Châtelet, qui n'aimait pas l'histoire, Voltaire écrivit un essai sur l'histoire générale, qui porte finalement le titre d'*Essai sur les mœurs*. Bien sûr, il y a un antihistoricisme des Lumières, il est bruyant, il fait illusion. La révolution mécaniste a tourné le dos à l'histoire. La légalité scientifique exclut l'événement. Quand, sur l'horizon 1680, une famille d'esprits pénètre le domaine réservé de la politique et de la religion, la construction hâtive que les rationaux entendent substituer à la sagesse de la tradition et à la vérité contenue au dépôt de la Révélation est calquée sur l'apriorisme cartésien des années 1630. L'entrée des rationaux dans la parenthèse cartésienne est cartésienne, au mauvais sens du mot, aprioriste, théorico-déductive. Les rationaux sont des théologiens auxquels manque seulement une Parole de Dieu.

Rousseau appartient à cette espèce, et Diderot. Toland, en Angleterre, fait partie de la famille. « Quand Rousseau s'enquiert de l'origine de l'inégalité, il commence par ces mots superbes : " Écartons tous les faits ". Après quoi, selon une impeccable dialectique, il déduit ce qui a dû être. » (R. Pomeau.) Diderot a trop d'imagination et son déterminisme étroit ne saurait admettre le caprice de l'histoire. Voltaire a écrit *Le Siècle de Louis XIV* de front avec la *Métaphysique de Newton*. Voltaire, malgré tout, est d'une autre taille ; il tient, lui, le XVIIIe siècle par les deux bouts : rationalisme postcartésien, empirisme et sensualisme anglais. Voltaire a franchi la Manche, il est à cheval sur deux empires. René Pomeau a pu écrire avec finesse : « Entre les philosophes de Cirey, l'*Essai* naît d'une reprise du dialogue de Leibniz avec Locke, poursuivi à travers tout le siècle. A l'ordre de la raison raisonnante, Voltaire oppose la réalité empirique de l'histoire. Il veut faire comprendre à son amie [et à son siècle] que l'humanité n'a d'existence qu'historique ; que métaphysique et mathématique apparaissent seule-

ment dans les sociétés où les conditions favorables sont
réunies. Il veut convaincre Émilie qu'il vaut la peine de
s'intéresser à l'histoire ainsi conçue comme étant celle de
l'esprit humain. » L'*Essai* a mûri pendant dix-sept ans ;
d'édition en réédition (1756, 1761, 1769, 1775), Voltaire l'a
retouché. La publication de l'*Histoire de Charles XII* date de
1731-1732, *Le Siècle de Louis XIV* s'échelonne de 1739-1740
à 1751, les *Remarques sur l'histoire* sortent en 1741, les
Nouvelles Considérations sur l'histoire en 1744. Le *Précis du
règne de Louis XV* a connu plusieurs éditions depuis 1751,
l'*Histoire de la guerre de 1741*, 1755-1756, l'*Histoire de
l'Empire de Russie sous Pierre le Grand* sort en 1763. C'est
dire assez la place de l'histoire au sommet de l'effort de toute
une vie.

Le temps de Voltaire est un temps proche : *Le Siècle de
Louis XIV*, dont il a proposé l'exemple aux despotes
éclairés, est pour lui, et pour toute l'Europe des Lumières,
le point de départ du nouvel âge ; son temps historique est
celui des étapes de la civilisation. Sa chronologie est à mi-
chemin entre la périodisation traditionnelle, qui est catastrophique, et le temps continu et cyclique de Kant à Hegel.
« Quatre âges heureux » sont retenus au début du *Siècle de
Louis XIV*, qui sont « ceux où les arts ont été perfectionnés,
et qui, servant d'époque à la grandeur de l'esprit humain,
sont l'exemple de la postérité ». Siècle « de Philippe et
d'Alexandre, et celui des Périclès, des Démosthène, des
Aristote, des Platon, des Apelle, des Phillis, des Praxitèle
[...] second âge [...] celui de César et d'Auguste [...] Le
troisième [...] celui qui suivit la prise de Constantinople, les
Médicis, Florence, les Italies [...] Le quatrième siècle est
celui qu'on nomme le siècle de Louis XIV [...] celui des
quatre qui approche le plus de la perfection. Enrichi des
découvertes des trois autres, il a plus fait [...] que les trois
ensemble [...] La saine philosophie n'a été connue que dans
ce temps [il est clair que le siècle de Louis XIV englobe le
temps présent] [...] il s'est fait dans nos arts, dans nos
esprits, dans nos mœurs, comme dans notre gouvernement,
une révolution générale qui doit servir de marque éternelle à
la véritable gloire de notre patrie. Cette heureuse influence
[...] s'est étendue en Angleterre, elle a excité l'émulation
dont avait alors besoin cette nation spirituelle et hardie, elle
a porté le goût en Allemagne, les sciences en Russie elle-
même, ranimé l'Italie qui languissait [...] » Tout est là, le
progrès, le choc en retour de l'environnement, la prise de
conscience du mouvement, la solidarité du XVIIIe avec le

XVIIe mécaniste, point de départ du progrès continu. Le partage de l'empire intellectuel du monde entre la France et l'Angleterre, la confusion, enfin, entre histoire et histoire du progrès de l'esprit humain.

Cette préférence pour un temps proche, qui est un temps dense, n'exclut pas chez Voltaire le souci d'un plus lointain passé qui rejoint le début de l'histoire de la civilisation. « Que gagne-t-on à redire que Ménès était le petit-fils de Noé ? », voilà pour le bon Rollin. Certes, Noé envoya sa famille voyager loin, son petit-fils Ménès en Égypte, son autre petit-fils à la Chine, je ne sais quel autre petit-fils en Suède. Les voyages alors formaient les jeunes gens [...] il a fallu, chez nous, nations modernes, des dix ou douze siècles pour s'instruire à un peu de géométrie, mais les voyageurs dont on parle étaient à peine arrivés dans des pays incultes qu'on y prédisait les éclipses [...] Confucius en cite trente-six. Mais ces faits n'embarrassent point ceux qui ont fait Noé grand-père de Fo-Hi [...] »

Progrès de l'historiographie ancienne, arrivée des autres civilisations : la question se posait depuis 1680. Bossuet y avait été sensible. Le concordisme biblique — l'a-t-on assez dit — est une réponse maladroite à une question posée, sans aménité, une question obtuse à la Smerdiakov. Voltaire utilise à fond l'erreur de ses adversaires : il leur doit l'élargissement de l'horizon historique. L'histoire de la Chine ancienne est une donnée des missionnaires de la fin du XVIIe. La chronologie de la Chine étant plus longue que celle de la Genèse (bien que la civilisation chinoise soit, objectivement, plus courte que celle de la Méditerranée), les exégètes s'efforcèrent de concilier l'une et l'autre. « Horn (1666) et le P. Pezron (1691) imaginèrent que Fo-Hi [premier empereur chinois de la chronique traditionnelle] n'était autre chose qu'Adam. » (R. Pomeau.) Solution idéale. Vallemont, plus modeste (1696), l'identifie avec Noé, et le P. Foucquet (1730) avec le patriarche Énoch. Quant à l'ancienneté des éclipses chinoises et l'exactitude des faits rapportés par la chronique, Voltaire emprunte, semble-t-il, à l'histoire de l'astronomie chinoise du P. Gaubil (1732), qui avait fixé à 2155 avant J.-C. la première éclipse observée par les observateurs chinois. De même que prétransformisme et fixisme sont un effet du multiplicateur des connaissances biologiques, concordisme et relativisme sont l'effet simultané du multiplicateur historiographique et géographique.

L'explosion de la Méditerranée en économie-monde est l'acquis des années 1480-1530. L'implantation missionnaire, le fait des années 1560-1650. Une masse énorme d'éléments d'information est réunie. Parce que la mission ne peut éviter totalement la transculturation, les missionnaires ont créé l'ethnographie, l'histoire et la géographie comparées des civilisations. Cette richesse revient sur l'Europe, après un temps moyen d'un demi-siècle. Le choc en retour se situe sur l'horizon 1680. Dans le domaine d'une information nécessaire à la constitution d'une science humaine, le miracle des années 1680 correspond au miracle scientifique de 1630.

Effet chinois du multiplicateur, effet plus proprement historique encore. Au chapitre X de l'*Essai sur les mœurs*, Voltaire se livre à un exercice proche avec une information plus étendue et une ironie plus lourde. Son érudition chaldéenne a été puisée à la meilleure source, chez les pères et les maîtres de l'histoire. L'érudition littéraire s'est emparée de l'épisode. Au cours de l'été 1754, pour éviter Maupertuis, l'ennemi en religion philosophique, à Plombières, et préparer en paix la publication de l'*Essai sur les mœurs*, Voltaire fait retraite à l'abbaye de Senones. Après Schoepflin et Pfeffel à Colmar : « Ces gens-là savent l'histoire comme nos Français savent des chansons », ce sera la rencontre avec Dom Calmet : « aller chez ses ennemis pour se pourvoir en artillerie ». Dom Calmet, une réplique du caractère d'Hermagoras ; « il " n'a jamais vu Versailles, il ne le verra point ; il a presque vu la tour de Babel, il en compte les degrés [...] " » : Dom Calmet, abbé de Senones, alors âgé de quatre-vingt-trois ans, n'a jamais entendu parler de Mme de Pompadour, mais il a écrit plusieurs dizaines d'infolio sur les deux Testaments, et même une histoire universelle. Auprès de ce puits de science, Voltaire cherche l'origine des commandements de l'Église. Il suit, l'œil inquiet, le vieillard se hissant au faîte de branlantes échelles pour atteindre d'énormes volumes. Tout le monastère s'attelle à l'œuvre impie de l'*Essai*, les moines trouvent les pages, les lignes et les citations [...] » (R. Pomeau.)

Jean Orieux, lui aussi, s'est arrêté à Senones : « Bienheureuse halte [...] Voici le diable fait ermite [...] il n'a pas besoin de jouer la comédie. Nous le voyons, ce clerc anticlérical, ce catholique pétri de catholicisme et de rébellion, nous le voyons chez lui. Il respire l'air de son enfance studieuse, l'air de sa vraie famille, celle de Louis-le-Grand. La bibliothèque le transporte. La frugalité du réfectoire, sa netteté, le pur, le pieux, le docte langage des moines le ravissent, la discipline, le travail, la paix, la douceur : c'est son idéal, il le trouve à Senones. Il dit qu'il y a vécu délicieusement. Il ne dit pas dévotement. Personne ne le lui a demandé. »

L'épisode est symbolique. Il marque une filiation. La science historique a de profondes racines chrétiennes unies. La suite le prouve : Voltaire quitte Senones pour Genève ; il y retrouve sa propre bibliothèque... « Il puise aussi dans la bibliothèque de Genève que dirige l'érudit Abauzit. Il ne se prive pas non plus de recourir à la science des pasteurs, ses amis, les Vernes, les Vernet, les Bottens. » (R. Pomeau.)

Fantastique travail préalable. Ce qui est vrai de l'*Essai* l'est combien plus encore de *L'Esprit des lois*. Derrière chaque ligne, les centaines d'in-quarto, d'in-folio de l'érudition déployée depuis un siècle se profilent. Pour écrire *L'Esprit*, Montesquieu, on s'en souvient, a parcouru l'Europe. Il a parcouru l'Allemagne en quête « de Grotius, de Pufendorf, de Barbeyrac, de Heineccius ». Nous lisons quelque part dans ses pensées (*L'Esprit des lois*, XI, 191) : « Je rends grâce à MM. Grotius et Pufendorf d'avoir exécuté ce qu'une grande partie de cet ouvrage demandait de moi, avec cette hauteur de génie à laquelle je n'aurais pu atteindre. » L'histoire littéraire, friande du jeu des sources, a relevé dans la liste de ses lectures (qui faillirent en vingt ans lui coûter la vue) des listes qui occupent des pages. Beaucoup plus encore que la science de l'*Essai sur les mœurs*, la légèreté de *L'Esprit des lois* résulte d'une prodigieuse érudition totalement maîtrisée.

Le multiplicateur de l'histoire et des « sciences humaines ». La philosophie mécaniste a fait trop souvent oublier cet autre aspect de la grande aventure de l'esprit. Elle n'a pas la même portée ; surtout, elle ne se déroule pas suivant le même schéma. Le développement des sciences humaines est beaucoup plus ancien. Il s'est fait par étapes. La philosophie d'abord, et l'étude critique des textes : elle atteint un premier point de perfection avec Laurent Valla (1411-1457) ; on connaît l'impact au moment de la Réforme ; elle essuie un certain discrédit à l'âge mécaniste. Surtout, technique d'approche et de compréhension du texte, elle n'a pas, au niveau des futures sciences de l'homme, le pouvoir fédérateur qui sera celui des mathématiques. C'est sur un modèle de science exacte, sur l'idée de légalité, que la science humaine s'organise au XVIIIᵉ siècle, en sautant à pieds joints sur la vieille ligne de développement philologique. « Les lois, dans la signification la plus étendue, sont les supports nécessaires qui dérivent de la nature des choses ; et dans ce sens tous les êtres ont leurs lois, la Divinité a ses lois, le monde matériel a ses lois ; les intelligences supérieures à l'homme ont leurs lois ; les bêtes ont leurs lois. L'homme a ses lois. » (*L'Esprit des lois*, I, i.) Notez bien l'enchaînement : « le monde matériel a ses lois [les lois de la philosophie mécaniste] [...] L'homme a ses lois ».

La philologie classique traverse le xviie sans éclat, et refait surface, à la fin du siècle, avec Du Cange et Richard Simon. Italienne au départ, elle tend à devenir un attribut de la basse germanité. Leyde, l'Athènes philologique, accueille les réfugiés de l'Allemagne protestante, Philipp Clüver (Cluverius), créateur de la géographie historique, Friedrich Gronow (Gronovius, 1611-1671), numismate et orientaliste. Plus tard, Hadrien Relandus (1676-1718) y travaille l'hébreu, le vieux persan, les langues de l'Inde et de la Malaisie. Leyde, proche de la capitale, de la Compagnie des Indes orientales, jette un pont entre l'Antiquité classique et l'Est profond.

La philologie a aussi son horizon 80. La renaissance scientifique allemande, au lendemain du trou noir démographique de la guerre de Trente Ans, a un axe philologique. Voyez le rôle de Christoph Keller (Cellarius, 1638-1707) dans la constitution de Halle : professeur et bibliothécaire, il est associé par le Grand Électeur à la création, en 1694, de l'université, que Christian Wolff (1679-1754) illustre au xviiie. Cellarius est à peu près contemporain de Du Cange (1610-1688). Vers la fin du xviie donc, la conquête scientifique du Moyen Age. Cellarius publie en 1677 un manuel de basse latinité, *Antibarbarus latinus sive de latinitate mediae et infimae latinitatis ;* son *Historia medii aevi* sort en 1688 ; elle suit de quelques années le *De re diplomatica* de Mabillon dédié à Colbert.

Les branches diverses des disciplines « hors philosophie mécaniste » se rapprochent, se pressent et s'entraînent pour une explosion de croissance, de 1680 à 1730 : elles forment le socle de connaissances sur lequel Montesquieu et Voltaire appuient les éléments de leurs synthèses.

Nous voyons naître une linguistique préscientifique, mais déjà rationnelle. Le latin a perdu, en Espagne dès le xvie, en France au xviie, en dépit des apparences, en Italie au xviiie. Ses derniers bastions, dans les deux premiers tiers du xviiie, sont au nord. Il se défend mieux dans les pays germaniques, mais l'allemand balaie le latin à partir de 1770. Dans le domaine linguistique comme dans tous les autres, l'horizon

80 des Lumières subit le choc de l'élargissement planétaire :
« Les 72 langues de la Tradition [qui avaient puni Babel] ont
fait place à des estimations qui varient entre 1 500 et 6 000
idiomes. » (Gusdorf.)

Le XVIIᵉ a préparé le travail du multiplicateur des
Lumières. L'étude méthodique et systématique des langues
européennes est champ privilégié des Allemands, des Hollandais et des Anglais. Roth, missionnaire, s'attaque au
sanscrit en 1664 ; mais le gros morceau, c'est le chinois. A
côté d'Athanasius Kircher (1667) et de Christophe Mentzel
(1685), les grands sinologues de la Compagnie de l'horizon
1680 des Lumières, les travaux pionniers de Bright au XVIᵉ
sont des balbutiements de préhistoire. A Leibniz apparten-
nent les premières intentions cohérentes d'une science
linguistique comparatiste. « Leibniz considère le domaine
linguistique comme un règne naturel. » (Gusdorf.) La
linguistique ainsi comprise fournirait des éléments pour une
histoire de l'esprit humain. Leibniz, dans ce secteur,
préfigure Montesquieu dans l'ordre du droit et des institutions comparées : « La méthode sera inductive : il faut
recueillir sur le terrain le plus grand nombre possible de
documents par une enquête appropriée. » Le chrétien
réformé et irénique Leibniz n'hésite pas à conclure alliance
avec ces maîtres de l'information, les missionnaires, à la fin
du XVIIᵉ encore presque toujours catholiques. D'une idée de
Leibniz devait sortir, grâce à Catherine II et à Pallas, les
*Linguarum totius orbis vocabularia comparativa Augustissimae
Cura collecta* (1787-1789).

Parallèlement à ces grands projets, les grammaires des
principales langues européennes se constituent. La France
s'honore de la *Grammaire générale et raisonnée* d'Arnauld et
Lancelot (1660), « inséparable, note Gusdorf, de *La Logique
ou l'Art de penser* d'Arnauld et Nicole (1662) », soit une
logique comme métalangage, avant d'arriver à la logique
actuelle comme métamathématique, tandis que les Anglais
avec John Wallis et John Wilkins s'orientent vers une
physique du langage.

L'herméneutique biblique constitue un chapitre des
sciences humaines en formation sur l'horizon 1680. Elle est
intimement liée à la crise de conscience.

Au centre des sciences de l'homme et du multiplicateur
qui a contribué au trouble des esprits à la fin de l'unité de la
culture, il y a l'histoire, que Voltaire puisait dans les in-folio
de Dom Calmet à Senones. Mythistoire et chronique pure
appartiennent à un passé qui culmine, peut-être, dans le

Discours sur l'histoire universelle de Bossuet (1681), prolongé par la polémique *Histoire des Églises protestantes* (1688). Bossuet est passé très près d'une parfaite réussite, victime — paradoxe pour un théologien catholique — de son trop strict vétérotestamentalisme. Il lui a manqué l'accès au mystère du temps de la patience. Ce catholique intelligent refuse l'élargissement, dans le temps et dans l'espace, que lui apportent missionnaires jésuites et moines bénédictins. Son espace-temps exclut par omission la Chine et l'Amérique du Plan de Dieu. Sa chronologie la plus courte (à la fin de sa vie, il concède les mille ans de plus des Septante) exclut du Plan de Dieu un lointain récemment acquis.

Il a fallu réhabiliter l'histoire. Les cartésiens de la main droite n'ont pas vu, longtemps, l'énorme travail qui s'accomplissait sous leurs pas. L'attitude hostile de Malebranche (1638-1715) est exemplaire, elle s'oppose à l'attitude ouverte de Leibniz (1646-1716). Malebranche est français, nourri de la *Logique de Port-Royal*, Leibniz est protestant, irénique et allemand, curieux de l'essor de l'historiographie catholique. Les résistances à l'histoire viennent d'abord du milieu cartésien et des chrétiens attachés à la donnée dogmatique. Voilà pourquoi le milieu port-royaliste et oratorien, la branche arnaldiste et plus tard malebranchisante de l'Église gallicane donnent le ton des attitudes ambiguës devant la dimension historique de l'horizon 1680, Louis Thomassin (1619-1695) et Bernard Lamy (1640-1715) entre autres.

Louis Thomassin, de l'Oratoire, théologien de la Grâce, historien du dogme ; le protestant Basnage qui l'attaque doit lui reconnaître « une grande connaissance des Pères et une profonde lecture ». Bernard Lamy, malebranchiste et jansénisant, avec Thomassin, « minor » capital des années 1680, a consacré sa vie à l'enseignement et au progrès de la philosophie mécaniste. Ses *Entretiens sur les sciences* sont maintes fois réédités, mais il a tout autant donné sur l'Écriture, l'Évangile et l'origine des fêtes de l'Église. « Vers 1674, au sujet de la dissertation de Mabillon *De Pane eucharistico azymo ac fermentato*, le Père, d'ordinaire si pacifique, se mit cette fois presque en colère, critiquant le bénédictin à propos de ce qu'il appela sans indulgence une érudition aussi intempestive que superflue. » (Gusdorf.) Cette réaction révèle une difficulté à voir développer dans un déroulement temporel une donnée dogmatique. Le P. Thomassin est malade d'une insolite mutation du temps. Sa réaction s'apparente à celle de Voltaire devant Buffon. Le multiplicateur des Lumières a incorporé aussi la révolution mauriste.

La mutation de l'histoire est liée sans doute à la rivalité de la chrétienté cassée en Europe protestante et Europe catholique. Aux *Centuries de Magdebourg*, la catholicité post-tridentine avait jadis répondu par les *Annales Ecclesiastici* de Baronius. La mutation historiographique est liée à une longue réponse catholique. Le concile de Trente ayant posé la continuité de la Révélation dans le déroulement temporel, en réponse au primat renforcé de l'Écriture, l'érudition catholique est condamnée à l'histoire tout comme la science protestante à l'herméneutique scripturaire.

Les bollandistes, d'abord Heribert Rosweyde. Comme il était logique, la nouvelle dimension historiographique de l'Europe est née sur une frontière douloureuse, la Flandre déchirée, à quelques kilomètres des terres réformées, Anvers, 1607. Donner à la communion des saints une dimension historique. Voici les *Acta Sanctorum*. De 1659 à 1714, la collection bénéficie de la direction de Papebroch (Daniel Van Papenbroek, 1629-1714). Papenbroek avait entretenu une correspondance avec une société européenne de l'histoire érudite : Muratori, Mabillon, Baluze, Du Cange, Le Nain de Tillemont, Leibniz, et combien d'autres... « Tous les saints de partout, y compris les saints orthodoxes, furent cités à comparaître, le but avoué étant de " désencombrer " l'histoire du christianisme de tous les éléments légendaires qui, peu à peu, ont proliféré dans les siècles passés. » (Gusdorf.) Beau programme des Lumières et point de départ de ce catholicisme éclairé qui forme, entre zélants et jansénistes, la charpente religieuse de l'Europe catholique au XVIIIe siècle.

Une seconde étape vise une histoire érudite, critique et savante de l'Église. Y travaillent Jean de Lannoy, Du Cange et Adrien Bailet (1649-1706) qui trouve grâce auprès de l'*Encyclopédie*. Mais les vrais maîtres de la révolution érudite, ce sont évidemment les bénédictins de Saint-Maur. Ils sont à la science historique ce que Viète est à l'algèbre, Newton à la mécanique céleste et Lavoisier à la chimie. Toute la France bénédictine se place, depuis 1618, sous le patronage de saint Maur.

La gigantesque machine mauriste construit sur des millions d'heures de travail le matériau de base des synthèses historiques des siècles futurs. Elle fixe les règles d'établissement du texte et du fait, suivant un processus rationnel que Laurent Valla avait aperçu et qui constitue aujourd'hui encore la charpente de la critique historique. Il est difficile de discerner les auteurs de ce géant collectif. Seuls les plus grands émergent : Jean Mabillon (1632-1707)... Bernard de Montfaucon (1655-1741). Autour du foyer de Saint-Germain, capitale érudite de l'Europe, quelques laïques même, au premier rang Du Cange (1610-1688), seigneur universel de la latinité médiévale et bénédictin par l'esprit ; port-royaliste notoire, Louis Sébastien Le Nain de Tillemont (1637-1698), historien à l'école de Port-Royal. Une famille de la grande robe parisienne où l'on respire la culture au berceau. Dans l'affaire du Formulaire, il est du côté des rigoristes. Cet historien qui annonce les Lumières est un spirituel du Pur Amour, un homme tout proche de Pascal. Ce théologien augustinien rigoureux est surtout un historien exemplaire de l'école érudite et antique. « Si l'*Histoire des empereurs* et les *Mémoires pour servir à l'histoire ecclésiastique* font sa réputation auprès des historiens du christianisme, sa renommée chez les médiévistes vient, de sa *Vie de Saint Louis*. » (Bruno Neveu.)

On pourrait poursuivre la démonstration. Replacés dans cet ensemble, Pierre Bayle (1647-1706) qui a été mal compris jusqu'aux études d'Élisabeth Labrousse, Richard Simon (1638-1712), Jean Le Clerc (1657-1736) perdent une partie de leur apparente agressivité.

1630 a fait éclater le petit monde clos d'Aristote ; 1680 a mesuré l'espace démultiplié du système solaire, donné à l'Europe classique, en train de s'ouvrir aux Lumières, la dimension historique. Le multiplicateur historique de la durée est une des explications de la pensée des Lumières. L'herméneutique biblique qu'elle apporte contribue à la donnée complexe de sa relation à Dieu.

CHAPITRE V

LA PENSÉE DES LUMIÈRES
LA RELATION A DIEU

Existe-t-il une pensée des Lumières ? L'historiographie du xixᵉ siècle en a accrédité l'idée, l'historiographie romantique dit oui et les deux réponses les plus qualifiées, depuis 40 ans, sont positives. Celle d'Ernest Cassirer et celle de Paul Hazard. Il n'est pas question bien sûr de s'inscrire en faux contre une évidence. Pourtant nuancer. Le xviiiᵉ siècle d'abord ne se confond pas avec le xviiiᵉ siècle français. La périodisation a son importance : savoir que le rythme anglais précède la France de dix ou quinze ans, que la France précède et bat la mesure des pensées du continent, qu'elles cheminent très vite en direction du quart nord-est protestant, que la Prusse fait relais, que la Hollande vit sur le continent à une heure plus anglaise que française, que l'Italie répond plus vite et mieux aux sollicitations françaises que la péninsule Ibérique.

Mais la nuance régionale va bien au-delà. Cela s'explique par l'existence, au xviiiᵉ siècle, d'espaces-temps de mieux en mieux caractérisés. Laissons l'Italie ; en dehors de Vico (1668-1744), elle a peu à dire et Vico est à part. Laissons l'Espagne. Elle répète sans avoir bien compris. Ses problèmes : se procurer, contre l'Inquisition, les hardiesses jansénisantes et précritiques du xviiᵉ siècle français. L'Espagne intelligente participe au xviiiᵉ par le catholicisme éclairé d'une étroite élite et le pragmatisme d'une alphabétisation tardive. Nous avons vu la latinité fuir vers le nord, où l'attend la mort du loup. Leibniz est un philosophe latin, largement polyglotte. L'enracinement latin de Leibniz (né en 1646) est plus fort que celui de Descartes, de cinquante ans son aîné, mais Kant, né en 1724, écrit pour l'essentiel en allemand et pense en allemand. La Hollande de Spinoza et la

Suède de Linné s'accrochent encore jusque vers 1770, qui
consacre la victoire de l'allemand, à l'est de l'Europe
française. 1770, le terme extrême de l'Europe latine. Au-
delà, elle n'est plus qu'anecdote. L'Angleterre a achevé de
franchir la barrière au début du XVIIIe siècle. Newton l'a fait
entre 1686 et 1704. Berkeley (1685-1753), comme Locke,
philosophe en anglais. Le *De Motu* (1720), écrit à Lyon, est
un accident. Alors comptons trois Europes, plutôt que
quatre, trois espaces culturels en liant le latin, la latinité
dispersée, cet archaïsme et cette peau de chagrin, à l'allemand. L'Europe des Lumières est trilingue. Anglais, toujours ; français, d'abord ; allemand en troisième position.

A ce niveau, la tentation n'est certes plus d'opérer la
réduction française des Lumières. La tentation est plus
pernicieuse : réduire les Lumières à la tension d'un couple.
Entre la France et l'Angleterre, les oppositions sont sensibles : empirisme, sensualisme, induction, rationalisme critique, systématique, déduction, les pensées française et
anglaise se complaisent dans leur particularité réciproque.
Le voyage continental est un voyage français ; l'anglomanie
atteint le niveau d'un système. L'altérité se réduit à une
dualité. Il y a la France, l'Angleterre et un reste du monde
gris. On est français, anglais, ou huron. De part et d'autre
de la Manche, axe des Lumières, il ne peut y avoir qu'une
seule qualité d'étranger.

Une véritable alternative existe pourtant : l'*Aufklärung*.
On peut trouver une modalité franco-anglaise des Lumières
dans la contrariété même des attitudes et des points de
départ ; les cheminements français et anglais s'attirent
constamment et se repoussent. Une ligne franco-anglaise est
plus riche. Cependant insuffisante. La pensée anglaise des
Lumières est bien plus qu'une nuance. Pour être parfaitement compréhensible, elle a besoin de venir s'inscrire sur
une des extrémités de l'Europe protestante, en position
charnière entre la France et l'*Aufklärung*. La pensée française des Lumières apparaît alors comme une aile marchante
d'un tout qu'elle est loin d'entraîner. Les Lumières ainsi
comprises cessent d'être antireligieuses : elles sont adaptation et réinvention. La philosophie allemande ayant échappé
à la tension nature/entendement, c'est à elle qu'il appartient
de dénouer la contradiction et de dépasser l'impasse dans
laquelle *via* française et *via* anglaise se sont enfoncées.

Il y a donc une chronologie, une périodisation et une
nuance régionale dans l'histoire des pensées. 1680-1715,
1715-1750, 1750-1790, pour la France, et, dans une large

mesure, pour l'Angleterre. 1680-1715, la crise européenne. Le choc du multiplicateur. Tous les contrecoups : de l'espace, des autres civilisations, du temps, du mécanisme triomphant.

1715-1750, la phase critique, la négation devient système. La crise de conscience déborde du cercle étroit des chercheurs de pointe pour constituer l'attitude de toute une élite. La période critique dure plus longtemps en France qu'en Angleterre et prend une forme que l'*Aufklärung* ignore. 1750-1790 : le glissement social et le retour aux systèmes.

Après les facilités de la destruction, les difficultés de la reconstruction. Les nouvelles Lumières s'articulent sur une métaphysique des mœurs, la nécessité de construire l'éthique, morale individuelle et morale de la cité. Rousseau et Kant. Sur cette ligne franco-britannique, l'*Aufklärung* apparaît comme une modalité propre et tardive. La phase critique est atténuée. La nouvelle herméneutique biblique prend une forme scientifique, dans un cadre universitaire d'Église. Le tournant se prend plus tardivement mais fortement entre 1770 et 1780 ; la direction intellectuelle de l'Europe glisse de Londres et Paris vers Kœnigsberg, l'empire est partagé. Un schéma sur la pensée des Lumières est nécessairement simplificateur. Reste en dehors la masse profonde des hommes. Et pourtant, les pensées de l'élite sont bien celles qui comptent.

*

La pensée des Lumières doit beaucoup à l'action du multiplicateur de la connaissance. Entre 1630 et 1680, l'information accumulée présente cinq fois peut-être le legs du temps qui précède. Vers 1680, cette réalité commence à être perçue. Elle éclate dans la querelle des anciens et des modernes. Qui peut échapper à la force de conviction des modernes ? Le succès de la philosophie mécaniste a fait merveille. On commence à mesurer la différence et la supériorité du modèle mécaniste, sur l'ancienne physique des qualités. La connaissance ancienne avait le mérite de s'exprimer dans un langage directement dérivé du langage commun, elle n'était qu'explication *a posteriori*. La science nouvelle ne permet pas encore de peser directement sur les choses, elle permet du moins d'en prévoir le cours.

Ce succès entraîne une confiance accrue dans l'efficacité des modèles rationnels sur la conduite des choses. Le mystérieux, qui échappait aux lois naturelles, voit son champ réduit. Y a-t-il un domaine qui échappe aux lois naturelles ? On peut, raisonnablement, s'interroger. La projection hâtive des progrès réalisés de 1630 à 1680 incite par induction à en écarter l'hypothèse. Est-ce même tolérable ? Voyez Montesquieu : « Les lois [...] sont les rapports nécessaires qui dérivent de la nature des choses et, dans ce sens, tous les êtres ont leurs lois, la Divinité a ses lois. Ceux qui ont dit qu'une " fatalité aveugle a produit tous les effets que nous voyons dans le monde " ont dit une grande absurdité, car quelle plus grande absurdité qu'une fatalité aveugle qui aurait produit des êtres intelligents ? Il y a donc une raison primitive ; et les lois sont les rapports qui se trouvent entre elle et les différents êtres et les rapports de ces divers êtres entre eux. Dieu a du rapport avec l'univers, comme créateur et comme conservateur : les lois selon lesquelles il a créé sont celles selon lesquelles il conserve. Il agit selon les règles, parce qu'il les connaît ; il connaît les règles parce qu'il les a faites, parce qu'elles sont en rapport avec sa sagesse et sa puissance.

« Ainsi la Création, qui paraît être un acte arbitraire, suppose des règles aussi invariables que la fatalité des athées. Il serait absurde de dire que le Créateur, sans ces règles, pourrait régler le monde, puisque le monde ne subsisterait pas sans elles. »

Manifeste des Lumières ? Il affirme la totale intelligibilité. Le monde et son principe, Dieu (Dieu ou Nature naturante), sont totalement intelligibles. L'homme n'en perçoit qu'une part infime. Le mystère subsiste, comme un momentanément ou un définitivement irréductible, non en raison d'une différence de nature, mais de dimension, entre l'intelligence du monde et ce faible reflet qu'est l'intelligence humaine. « Dieu créa l'homme à son image, il le créa à l'image de Dieu » (Genèse, I, 27) ; il n'y a pas dans cette perspective différence de nature, mais de taille. Les lois que nous atteignons sont vraies, comme la loi de l'attraction de M. Newton, mais elles sont partielles. Cette affirmation est un acte de foi qui s'apparente au pari de Pascal. La première génération de philosophes mécanistes l'avait formulée à peine moins clairement. Sans l'hypothèse préalable de l'intelligibilité, entendez de la réduction de la nature aux lois de l'esprit, tout effort d'exploration mécaniste du monde est voué à l'échec. Le Dieu qui se Révèle dans l'Écriture et à l'Église a été le garant d'ordre des constructeurs de l'univers mécaniste, sur l'horizon 1630. Dans la pensée de Montesquieu, le garant d'ordre subsiste, mais il n'est plus le même :

« [...] la création, qui paraît un acte arbitraire, suppose des
règles aussi invariables que la fatalité des athées [...] La
Divinité a ses lois [...] Il serait absurde de dire que le
Créateur, sans ces règles, pourrait régler le monde [...] » Le
garant d'ordre de Montesquieu est plus proche de la *Natura
naturans* de Spinoza que du Dieu de l'Exode, qui se définit à
la fois par la relation ontologique « Je suis celui qui Suis
[...] », mais surtout par la relation personnelle qu'Il choisit
d'établir avec l'homme : « Je suis le Dieu de ton Père [...]
J'ai vu la souffrance de mon peuple [...] » Le garant d'ordre
de Montesquieu est indifférent, sans doute « impersonnel »,
mais cet aspect est secondaire. L'affirmation centrale des
Lumières est celle de la légalité et de l'intelligibilité. Elle
n'est pas contradictoire avec le contenu de la Révélation,
qu'elle relègue au for intérieur. Ce qui peut être un moyen
de lui restituer son contenu et de l'épurer.

Paradoxalement, l'affirmation de totale intelligibilité
conduit à un agnosticisme pratique, à un retrait modeste. Le
multiplicateur de la connaissance révèle à la fois la solidité de
l'hypothèse et la différence du contenant et du contenu. La
vérité ne peut s'atteindre que partiellement, fragmentaire-
ment, non sur une intuition globale, mais sur une conquête
pièce à pièce du domaine naturel. Du même coup, dans une
deuxième phase, la philosophie mécaniste aboutit à un
scepticisme quant à la possibilité de lier la totalité de la
nature et de l'entendement dans une explication globale. Le
multiplicateur de la connaissance, en montrant un moyen
efficace d'atteindre une approche partielle de la réalité, en
dégageant la notion de phénomène, achemine la philosophie
naturelle mécaniste vers une phénoménologie : il conduit
donc au scepticisme face aux systèmes, dont la succession
même indique la vanité ; il tend, vers 1680 et encore vers
1710-1720, à une double attitude. D'une part la griserie du
sapere aude. Rien ne doit résister. Jamais tout ne sera atteint,
mais tout peut être atteint. Au départ, question de choix...
A la limite, question de temps. Mais toute autre recherche
de la vérité est vaine. On ne peut prendre la corde d'un arc.
La méthode de la philosophie mécaniste, qui ordonne les
apparences selon la logique des modèles mathématiques, est
la corde. Les autres chemins éloignent, ils égarent. D'où un
certain nombre de corollaires plus ou moins nécessaires.

Tout est intelligible, même la relation à l'être... Y aura-t-il
place pour la religion ? La parenthèse s'arrête-t-elle sur la
Révélation de Dieu ? Dieu a-t-il droit, avec l'homme, et
l'homme avec Dieu, à une relation particulière qui, sans

exclure la loi, déborderait la loi ? « Il agit selon les règles [...] parce qu'elles ont un rapport avec Sa Sagesse et Sa Puissance [...] » Non seulement ce monde, mais tous les mondes possibles, suivant une réminiscence leibnizienne, nous dit Montesquieu, ne peuvent se maintenir à l'être qu'au prix de règles constantes. Montesquieu interdit à Dieu d'établir la relation particulière que la Bible affirme : « Je suis le Dieu de ton Père [...] je t'ai appelé par ton nom. »

Ce choix est possible, il n'est pas nécessaire. L'*Aufklärung* ne l'a pas fait, tout en acceptant la légalité. Quand Montesquieu interdit à Dieu d'établir une relation particulière débordant la relation générale, il s'engage personnellement au for intérieur. Une Europe des Lumières chrétienne témoigne qu'ils sont des possibles non nécessaires de la philosophie mécaniste. Voyez Leibniz. Voyez Malebranche, conciliant légalité et particularité, la loi pour lui c'est l'ordre : la loi découle d'une nécessité qui est en Dieu. Et cela dès 1678. Nous lisons en effet, dans *La Recherche de la vérité* (Robinet) : « Il y a contradiction que Dieu n'agisse point par les voies les plus simples [...] Dieu ne peut employer plus de volonté qu'il n'en faut pour exécuter ses desseins, de sorte que Dieu agit toujours par les voies les plus simples par rapport à ses desseins. » La légalité, dans la philosophie mécaniste, a été au départ une projection intuitive découlant d'un besoin d'ordre placé en Dieu, mais qui devient un sujet d'expérience : elle découle du champ de la connaissance mécaniste constitué comme terrain épistémologique du savoir. Cette légalité donnée du multiplicateur peut être placée comme en dehors et au-dessus du *primum movens*. C'est la position de Montesquieu. Et c'est pourquoi son Dieu est si proche de celui de Spinoza. Il est lié du dehors. Dieu, c'est la légalité froide. Dieu n'est autre que la Nature naturante, position à laquelle Diderot arrive par des voies différentes. Mais la légalité peut être incorporée au vouloir de Dieu. Leibniz ici, Malebranche là le prouvent.

Au moment — vers 1730 — où les premières difficultés surgissent, le multiplicateur de l'environnement vient au secours du multiplicateur des connaissances, avec la prise de conscience du progrès dans les choses. La croissance du domaine de la légalité, les succès remportés entraînent en pratique des réductions par compensation. Le temps est valorisé. L'espérance s'y reporte, elle devient espoir ; voilà la réduction eschatologique des Lumières. La tentation existe d'un transfert. L'expérience allemande et, à moindre titre, anglaise, montre qu'elle n'est pas fatale.

Les Lumières, en fait, appellent de nouveaux équilibres à partir des nouveaux acquis. La réinsertion dépend de la tradition théologique. Elle diffère beaucoup d'une province à l'autre. Là où elle s'appuie sur une puissante construction scolastique (l'Europe catholique), le rééquilibre est plus difficile. En compromettant les bases philosophiques de la construction théologique, les Lumières semblent mettre en cause le contenu de la Révélation. Avec des constructions théologiques plus indépendantes du support philosophique, l'Europe protestante soutient mieux le choc, en apparence et au départ. Le tassement religieux au for intérieur s'y fait plus facilement, sans drame. D'où l'élan des grandes mystiques du Nord, à partir de 1770-1780.

L'entrée en jeu du multiplicateur a d'autres conséquences plus profondes : sinon la fin, la difficulté des systèmes. Après Malebranche et Leibniz, reste Wolff. En fait, Descartes, Spinoza, Malebranche et Leibniz ont proposé les derniers grands systèmes rationalistes. Jusqu'à Kant, qui tire la conséquence d'un échec. Kant, soixante ans après Leibniz, tire un trait sur une longue histoire de la pensée. Après lui, il n'y aura plus d'ontologie. L'ontologie échappe à l'homme. Elle est activité vaine. Du même coup, le rationalisme criticiste fonde en raison la légitimité du for intérieur, de la relation particulière à Dieu, la possibilité, sinon la nécessité d'une Révélation. Dans la conception kantienne, il y a place pour une activité religieuse, le rationalisme total et modeste de Kant laisse tout son champ à un christianisme refusant ce qui n'est pas l'essentiel : le rapport à Dieu, dans l'ordre du salut. Le rationalisme kantien tolère, mieux il appelle, une conception piétiste de la religion.

Mais Kant vient au terme d'un drame : la rupture du discours philosophique, en philosophie naturelle et en philosophie de l'entendement. Cette scission est latente depuis le XVIIe siècle. La connaissance de la nature, depuis le succès mécaniste, cesse d'être philosophique au sens courant : elle fait place à une philosophie mécaniste qui glisse de l'être aux apparences. La philosophie naturelle ne peut plus prétendre à une explication globale : elle ne peut progresser qu'historiquement. L'*Essai sur les mœurs* le dit, sans cesse la connaissance a besoin de la dimension historique. Elle est un *human progress*. « Les progrès de l'esprit humain sont si lents, il a fallu chez nos nations modernes des dix ou douze siècles pour s'instruire un peu de la géométrie [...] » (*Remarques sur l'histoire*.) Du temps pour un peu de géométrie. Voltaire découvre une durée que l'on ne soupçonnait pas ; le multiplicateur mauriste de l'historiographie la restitue, non pas d'une manière abstraite mais toute jalonnée concrètement de réalité historique, pour arriver au vrai savoir, qui est un peu de géométrie. La grande systématique tirée de l'enchaînement des idées claires doit faire place à la construction, pas à pas, de la science mécaniste. Même quand la philosophie mécaniste de la nature mute avec la prodigieuse intuition, la géniale induction de Newton, il faut un siècle de vérifications et le voyage de Laponie au Pérou, viseurs à l'œil et attirail de trigonométrie au dos, pour mesurer. La philosophie naturelle à l'époque des Lumières se sépare de la philosophie ; elle se résout en une science qui ne s'écrit plus, à partir des effets accumulés du multiplicateur sur l'horizon 1770, qu'au pluriel.

Les Lumières, de même, font raison de ceux qui ne représentent qu'une caricature des pensées du XVIIIᵉ siècle. Ainsi le matérialisme vulgaire n'est qu'une excroissance sans portée. Ni Helvétius, ni d'Holbach, ni La Mettrie : le premier publie *De l'esprit* (Amsterdam, Paris, 1758) ; l'intarissable baron d'Holbach (Paul Henri Dietrich) son *Système de la nature ou des lois du monde physique et du monde moral* (Londres, 1770, 2 vol.), toute la litanie vulgaire des pamphlets antireligieux ; le gros La Mettrie, qui mourut d'apoplexie, médecin de formation et bouffon du roi de Prusse de son état, quelques livres et un bon titre, *L'Homme machine*. Comme Cassirer l'a bien montré, ces systématiques grossières trahissent l'esprit des Lumières : ne sont-elles pas la négation la plus pernicieuse de la philosophie mécaniste ? Leur mécanisme est purement intuitif, il tourne le dos à la mathématique. Avec La Mettrie, plus de science, plus de morale, plus d'effort et, à la limite, plus de langage. Mais, surtout, le matérialisme vulgaire est un retour à l'ontologie, alors que la grande conquête du XVIIIᵉ réside dans la transformation phénoménologique progressive du savoir. Julien Offray (de La Mettrie) imagine l'homme sur le modèle de la chienne de Malebranche. Le matérialisme vulgaire sapait, en outre, par un passage hâtif à la limite, les deux bases de la pensée des Lumières, la morale et la connaissance. La morale, préoccupation du XVIIIᵉ : la nouvelle pensée revendique l'organisation du champ politique et les rapports sociaux qui appartenaient à un ordre traditionnel ; un parti, en outre, désire supprimer les Églises ; la morale, de ce fait, tend à devenir une métaphysique des mœurs. Jusqu'au jour où Kant propose de fonder ce qui tient lieu, désormais, d'ontologie, sur la donnée intuitive de la morale. Au terme d'une évolution commencée par le *cogito*, la philosophie criticiste, un siècle et demi plus tard, substitue l'impératif catégorique au *Cogito, ergo sum*. Le comportement moral de l'homme est une donnée aussi irréductible et aussi importante que le moi pensant.

L'ontologie, à l'époque des Lumières, cède la place à une métaphysique de l'entendement : la philosophie des Lumières saute à pieds joints sur Leibniz et revient à Descartes. Descartes avait renversé l'ordre traditionnel de la philosophie en fondant la certitude de la physique sur la connaissance de Dieu et de soi-même. Sa métaphysique est une théorie de la connaissance. Leibniz avait tenté de revenir à l'ordre du sens commun. Mathématicien comme Descartes, plus que Spinoza et que Malebranche, comme eux il est mécaniste. Mais ce mathématicien revient à la logique d'Aristote, ce mécaniste réhabilite les formes substantielles. Leibniz avait dit contre Descartes : « La question de l'origine de nos idées n'est pas préliminaire en philosophie et il faut avoir fait de grands progrès pour la bien résoudre. » Mais le multiplicateur de la connaissance et les progrès de la philosophie mécaniste ont raison de cette sagesse. Multiplication par cinq de la masse globale de l'information, de 1630 à 1680, par dix au moins de 1680 à 1780. Rien ne résiste à cette évidence. La réflexion philosophique se trouve face à face avec le problème capital. Construire, pour répondre au besoin d'une progression géométrique de la connaissance, une théorie valable de la connaissance. D'une part, parce qu'elle est l'affaire essentielle du XVIIIe, mais aussi parce que la connaissance à laquelle le XVIIIe a tout sacrifié est l'angoisse des Lumières. C'est là, à ce niveau central de l'activité humaine, que le XVIIIe siècle a besoin de certitude.

En même temps, sous l'effet de la réduction eschatologique et du multiplicateur de l'environnement, le bonheur. L'appel de Pope, « *Oh Happiness! Our Being's End and Aim! Good. Pleasure. Ease. Content! Wate'er thy Name!* », a été entendu, Mauzi le prouve pour la France. Et Jefferson le fixe, pour toujours, dans le texte de la Déclaration d'indépendance. Les chrétiens eux-mêmes se résignent et l'apologétique recourt au bonheur. « Dans ce mélange, on faisait entrer la santé. » Le gain de santé et l'allongement de la vie sont sensibles à la *upper middle class* à partir des premières années du XVIIIe, « non plus une prière pour le bon usage des maladies, mais des précautions pour que la maladie ne vînt point [...] ». De bonnes recettes prosaïques, en tête celle du marquis d'Argens, ce pédagogue en platitude qui fait fortune : plus de trente volumes et les romans. « Les *Lettres juives* ont eu au moins 10 éditions, les *Lettres cabalistiques* 7, la *Philosophie du bon sens* 13, les *Lettres chinoises* 8, sans compter une édition générale des œuvres en 23 volumes (1768). »

Plus encore que le bonheur, la raison est signe de ralliement. Une raison qui renonce à l'ontologie et se met, du même coup, à l'abri du doute. « Le pyrrhonisme, éternel ennemi, venait d'une ambition démesurée [...] Grâce à une modération qui est sagesse, le pyrrhonisme est vaincu. » Kant, en 1784, a lancé la meilleure formule : *sapere aude*. L'*Aufklärung*, c'est l'exigence et l'autonomie affirmées de la pensée rationnelle, mais le rationalisme allemand est rarement allé au-delà d'un protestantisme très libéral. Le maître à penser de l'Allemagne, dans l'interrègne de Leibniz à Kant, Christian Wolff, est le type même du chrétien éclairé, qui va jusqu'à l'extrême limite du libéralisme sans jamais perdre l'essentiel de la Révélation. L'incident dont il est la victime en 1721 prouve combien la piété allemande est restée, au XVIIIᵉ, sourcilleuse et profonde. Mais partout en dehors de l'Allemagne, où s'observent libéraux et piétistes, le Dieu des chrétiens est mis en accusation. On a peine à imaginer jusqu'où peut aller une haine qui s'exprime après avoir été longtemps contenue. A partir de d'Holbach, jusqu'aux déchristianisateurs de 1793-1794, la France a eu ses malades de la mort de Dieu, la petite cohorte des ennemis de Jésus-Christ. Elle se recrute en nombre parmi des émigrés de l'Est. Les exemples les plus révélateurs sont les plus anciens : Pietro Giannove (1676-1748), Johann Christian Edelmann, de famille luthérienne, né en 1698 et qui a survécu au milieu du siècle, sa *Göttlichkeit der Vernunft* date de 1741, et le curé Meslier, d'Étrépigny en Champagne.

Meslier est né en 1664 d'une famille ardennaise de paysans aisés. Un curé lui apprend à lire. Ordonné prêtre, pourvu d'un bon titre ecclésiastique de 100 livres, il prend possession de la cure d'Étrépigny le 7 janvier 1689. De 1689 à 1729, une vie sans histoire. Ce médiocre, ce vulgaire, laisse à sa mort le plus étonnant bréviaire de la haine macérée au cours d'une vie ennuyeuse d'imposture. Meslier a perdu la foi, mais il n'entend pas perdre sa place. En quarante ans, il a parachevé sa vengeance, une dogmatique du contre-pied et un catéchisme politique de l'antiphrase : il souhaitait « [...] que tous les grands de la terre et tous les nobles fussent pendus et étranglés avec des boyaux de prêtres ». Sur ces bonnes paroles, le doux pasteur invoque Brutus et Cassius (on a quelques lettres), appelle de ses vœux les Jacques Clément et Ravaillac de l'avenir. Le cas Meslier est intéressant, dans la mesure où Voltaire, Helvétius et d'Holbach l'ont salué comme un héros et un précurseur.

Plus que le dieu chrétien, ce qu'un fort courant littéraire refuse, c'est la Révélation : effet pratique du multiplicateur des connaissances à l'âge mécaniste. L'acquisition rationnelle de la connaissance s'est superposée, au niveau de beaucoup de consciences, à la notion chrétienne de la connaissance révélée. Le refus de la Révélation particulière est de l'ordre de la nouvelle foi. La violence de l'attaque antireligieuse, dans la première moitié du XVIIIe, a un caractère religieux : parce que les pensées nouvelles se glissent dans des structures mentales héritées du temps de chrétienté et qu'il y a substitution.

L'attaque suscite une réaction apologétique, de forme et de qualité diverses, rarement efficace. Laissons le cas ibérique. Au Portugal, quelques années avant Pombal, l'exécution capitale d'un mal-sentant, le 18 octobre 1738 ; après Pombal, en 1778, Francisco Manoel do Nascimiento, qui ne croit pas au déluge et au péché originel, est emprisonné et n'échappe à ses juges que par la fuite. A Orbec, une sorcière jurée est brûlée au début de la Régence, mais le cas est limité et la motivation religieuse des parlementaires de Rouen n'est pas prouvée. Il s'agit de répression dans un petit pays où la criminalité paysanne inquiète les magistrats. La Toscane est libérale, Rome et Naples sévères. A Berlin, tout est possible en matière religieuse, à condition de ne pas toucher à l'État. En terre philosophique, l'apologétique s'essaie au ton du siècle. « En 1757, l'*Histoire des Cacouacs* commença de courir Paris. » Par 48 degrés de latitude sud, assure plaisamment Moreau, on a découvert récemment une tribu plus ignorée que celles des Caraïbes, aux mœurs bizarres et transparentes : « L'origine des Cacouacs, si on les en croit, remonte jusqu'aux Titans, qui voulaient escalader le ciel. Le pamphlet antiphilosophique de Jacob Nicolas Moreau est plein de drôlerie, au point que ces messieurs de l'*Encyclopédie* le prennent mal et requièrent le magistrat. Les Cacouacs font rire, mais ne vont pas loin. En Angleterre la défense est meilleure. *The Trial of the Witnesses of the Resurrection of Jesus*, de l'évêque anglican Sherlock, paru à Londres en 1729, porte juste et fort.

Berkeley lance dans la bataille *An Apology for the Christian religion against these who are called Freethinkers*.

Deux hommes se détachent sur le front des apologètes : Warburton, évêque de Gloucester, avec l'*Alliance between Church and State* (1736) et l'habile *Divine legation of Moses* (1738). « Que les syllogismes de Warburton soient probants, note Hazard, c'est ce qu'on peut contester, mais qu'ils aient agi, c'est ce que prouvent abondamment les répliques de Voltaire. » Joseph Butler, élevé dans le *Dissent* mais futur évêque anglican, accepte Locke ; son apologie part de l'empirisme, d'où son succès. Butler ne se raidit pas, il concède à temps, part à la contre-attaque. L'excellence de l'*Analogy of Religion Natural and Revealed to the Constitution and Course of Nature* (1736) s'explique par l'habitude contractée d'une polémique sans recours au bras séculier. La résistance dans les pays catholiques est paralysée par la querelle janséniste et le coup qui frappe la Compagnie de Jésus. Ce coup est parti du Portugal en 1757, la France suit en 1764. En 1773, les jésuites exclus de toute l'Europe catholique ne trouvent plus guère de refuge qu'auprès de Frédéric II et de Catherine. Le pape s'incline. La bulle *Dominus ac Redemptor*, en date du 21 juillet 1773, dissout officiellement la Compagnie.

Sur le vide ainsi creusé, le parti philosophique propose : la religion naturelle, la morale, l'Être suprême suffisent, plus de culte. Mais combien de nuances... Dans son agnosticisme empirique, Locke, convaincu de la vérité de l'Évangile, ouvre une brèche que Milton avait déjà pratiquée. Locke n'a pas besoin de la dualité de substance ; il rouvre le procès sur l'âme, que Pomponazzi avait instruit jadis, ou, plus exactement, son agnosticisme empirique passe à côté de ce problème pour lui inutile. Une phrase de l'*Essay concerning human understanding* était passée presque inaperçue en Angleterre. Voici le passage, dans la traduction de Coste : « Nous avons des idées de la matière et de la pensée ; mais peut-être ne serons-nous jamais capables de connaître si un être matériel pense ou non, pour la raison qu'il nous est impossible de découvrir si Dieu n'a pas donné à quelques amas de matière disposés comme Il le trouve à propos, la puissance de percevoir et de penser ; ou s'Il a joint et uni à la matière ainsi disposée une substance immatérielle qui pense [...] »

Voltaire a détourné cette phrase, s'en est emparé et, après l'avoir déformée, en a fait l'arme de guerre de toute sa vie. C'est, au vrai, qu'en pays catholique, sur la tradition

scolastique et le renfort cartésien, l'immortalité de l'âme est
plus importante que la Parole de Dieu. L'ordre des facteurs,
pour Locke, était différent. Cela apparaît bien dans la
treizième lettre philosophique qui porte la bataille sur le
terrain de l'âme. Si elle affecte quelque prudence, la pensée
de Voltaire s'y montre éloignée de la pensée de Locke. C'est
pourtant le Locke voltairien qui sera adopté partout sur le
continent, contre le Locke véritable. Voltaire est revenu
plus de cent fois sur ce point, pour lui essentiel. Il s'exprime
sans ambiguïté dans sa lettre à La Condamine, le 22 juin
1734 : « Ma lettre sur Locke se réduit uniquement à ceci : la
raison humaine ne saurait démontrer qu'il soit impossible à
Dieu d'ajouter la pensée à la matière. Cette proposition est,
je crois, aussi vraie que celle-ci : les triangles qui ont même
base et même hauteur sont égaux. » La lettre commence par
une pointe anticartésienne, car on est en France : « Notre
Descartes, né pour découvrir les erreurs de l'Antiquité, mais
pour y substituer les siennes [...] s'imagine que l'âme arrive
dans le corps pourvue de toutes les notions métaphysiques
[...] ayant toutes les idées abstraites, remplie enfin de belles
connaissances, qu'elle oublie malheureusement au sortir du
ventre de sa mère. »

Voltaire avait porté un coup très dur à la religion
naturelle, poussé par la main gauche, l'aile radicale de
l'*Encyclopédie*. Il n'est pas sûr qu'il ait assez tôt compris son
erreur tactique. Ne pas brûler les étapes. Jean Ehrard tire
argument du revirement de Voltaire dans l'affaire de
l'athéisme des sages chinois. Penchant vers le déisme vide,
vers 1730, Voltaire semble avoir rallié, à la hauteur du
Dictionnaire philosophique, un théisme (le changement de
mot est révélateur) plus précis. Cette espèce de conversion se
placerait en 1751. Elle vient en réaction contre une aile
gauche compromettante. Elle n'est sans doute pas dépourvue de motivation sociale. Le Credo du théiste est à la fois
plus fourni et plus précis que celui du déiste. Le Voltaire
dernière manière a donné, dans un article de 1765 repris
dans le *Dictionnaire philosophique,* une définition du théiste
qui prend presque valeur de profession de foi : « Le théiste
est un homme fermement persuadé de l'existence d'un Être
suprême aussi bien que pensant, qui a formé tous les êtres
étendus, végétants, sentants et réfléchissants, qui perpétue
leur espèce, qui punit sans cruauté les crimes et récompense
avec bonté les actions vertueuses [...] Le théiste ne sait pas
comment Dieu punit, comment il favorise, comment il
pardonne ; car il n'est pas assez téméraire pour se flatter de

connaître comment Dieu agit ; mais il sait que Dieu agit et qu'il est juste. Les difficultés contre la Providence ne l'ébranlent pas dans la foi, parce qu'elles ne sont pas de grandes difficultés, et n'ont pas de preuves ; il est soumis à cette Providence, quoiqu'il n'en aperçoive que quelques effets et quelques dehors, et jugeant des choses qu'il ne voit pas par les choses qu'il voit, il pense que cette Providence s'étend dans tous les lieux et dans tous les siècles. »

Faut-il faire une classification de l'élite française ? Laissons l'athéisme aux barons de la finance, le déisme à la très haute bourgeoisie et le théisme à la *upper middle class*. Le mérite d'avoir donné un contenu affectif à la religion naturelle appartient à Rousseau. Et bien que l'itinéraire du vicaire savoyard soit aussi éminemment personnel que l'éducation réservée à Émile, cet itinéraire a une vaste portée. Rousseau, en fait, n'a guère de mérite. Il revient à la religion de Genève, calvinisme transformé par l'ultralibéralisme rationaliste, mais sauvé par *the light within* de la double inspiration. La réaction de Mgr de Beaumont est injuste, certes, mais lucide. C'est sous cette forme que la religion naturelle constitue un réel danger pour l'Église au niveau, non plus d'une petite élite, mais des 30 ou 40 p. 100 de ceux qui lisent. Le mandement, du moins, est à l'origine d'un chef-d'œuvre, la lettre de « J.-J. Rousseau, citoyen de Genève, à Christophe de Beaumont, archevêque de Paris ». La genèse de la profession de foi qui est le sommet de l'*Émile* (1762) se lit dans la sixième promenade du *Promeneur solitaire*. Mme d'Épinay rapporte, dans ses *Mémoires*, une incartade devenue célèbre après coup : « Et moi, messieurs, je crois en Dieu [...] Je sors si vous dites un mot de plus. » Outre Genève, Rousseau reçoit l'influence de l'Angleterre. Le déisme de Bolingbroke et celui de Pope ont une chaleur que n'a pas le théisme de Voltaire : « *Nature and truth are the same everywhere, and reason shows them everywhere alike* ». La première épître de l'*Essay on Man* paraît au mois de février 1733. La quatrième épître, signée cette fois du nom de Pope, en janvier 1734. Le succès de l'*Essai sur l'homme* est proprement fabuleux. Son action converge avec celle de l'*Émile* à partir de 1762. Rousseau connaît Pope, il cite Nieuwentyt. Prise et reprise avant d'être publiée, la profession de foi qui, au départ, tenait la balance égale entre philosophie et parti dévot, finit par pencher résolument vers un christianisme élargi, le christianisme libéral de l'*Aufklärung*, point de départ d'un courant de religiosité idéaliste, sociale, humanitaire et morale, qui conduit au moins jusqu'à Tolstoï.

Suivre la religion de son pays, tant qu'elle ne contredit pas la morale que Dieu a mise au fond du cœur. Je suis un être moral, donc je suis, remplace implicitement le *cogito* cartésien. « Je consultai les philosophes [...] je les trouvais tous fiers, affirmatifs, dogmatiques même dans leur scepticisme prétendu [...] Je pris donc un autre guide et je me dis : Consultons la lumière intérieure [*the light within* quaker, la première esquisse non formalisée de l'impératif catégorique, cet avatar rationaliste du piétisme allemand], elle m'égarera moins qu'ils ne s'égarent, ou, du moins, mon erreur sera la mienne... » La filiation calviniste de cette manière de dire et de sentir est confirmée par cet autre passage : « Je vous avoue aussi que la majesté des Écritures m'étonne [...] que la sainteté de l'Évangile parle à mon cœur. Voyez les livres des philosophes avec toute leur pompe, qu'ils sont petits près de celui-là. Se peut-il qu'un livre à la fois si sublime et si simple soit l'ouvrage des hommes ? Se peut-il que celui dont il fait l'histoire ne soit qu'un homme lui-même ? » Voilà donc la double inspiration, suivie d'un coup de chapeau au saint Socrate priez pour nous d'Érasme l'irénique et de tous les humanistes du XVIᵉ. « Quand Platon peint son juste imaginaire couvert de tout l'opprobre du crime et digne de tous les prix de la vertu, il peint trait pour trait Jésus-Christ : la ressemblance est si frappante que tous les Pères l'ont sentie et qu'il n'est pas possible de s'y tromper [...] »

Il n'est pas excessif de dire que le XVIIIᵉ pivote sur l'*Émile*. L'aile française se rabat sur la *via media* anglaise en route vers l'*Aufklärung* mystique. Le destin tragique de l'homme réémerge. Les dix ans de délai accordés par la mutation de la vie humaine n'ont rien modifié. Les cœurs, de nouveau, sont partagés.

L'érudition littéraire ne suffit pas. Venons-en aux philosophes, les vrais. Jamais la communication n'a été plus facile entre la philosophie et la littérature. Ces hybrides, que l'on dit philosophes à la française, ont d'ailleurs fait avec talent la liaison. La philosophie du XVIIIᵉ oscille entre une métaphysique des mœurs et une métaphysique de l'entendement.

Le XVIIIᵉ siècle a passé son temps à critiquer Descartes, dont il est issu : Voltaire, on s'en souvient ; Leibniz l'a fait au nom d'un rationalisme plus exigeant, d'une philosophie mécaniste amenée au stade du calcul infinitésimal, du retour à Aristote et au sens commun qui éclaire l'intérieur de l'extérieur. Leibniz avait bien vu comment la réduction substantielle cartésienne conduisait à Spinoza, l'écueil que, malgré la séduction exercée, le XVIIIᵉ siècle dans son ensemble a voulu passionnément éviter. La définition cartésienne de la substance, ou bien rend douteuse, comme on le voit chez Malebranche, l'existence du monde, ou bien porte en germe la négation de l'âme individuelle. Or le XVIIIᵉ veut bien l'alliance de Spinoza contre la religion révélée, mais il redoute plus encore de perdre le moi individuel, cet axe de la réussite occidentale, dans l'âme du monde.

« Tout le système de Leibniz est commandé par l'infinité du monde et par l'impossibilité d'y découper aucune réalité qui ne soit infinie à sa façon [...] » (Bréhier.) Cette projection de la complexité politique de l'espace allemand et de la philosophie mécaniste dans le champ de la conscience convient aux Allemands, mais elle ne convient guère aux Français et aux Anglais. C'est, au vrai, qu'en Angleterre, l'aristotélisme est toujours resté à la surface et que la France ne reviendra jamais sur l'inversion fondamentale du *cogito*. Remplacer l'ontologie par une métaphysique de la connaissance, c'est un tournant que Descartes a fait prendre aux Français, même quand ils croient s'inspirer de Locke.

L'*Essai* — *Essay on human understanding* — (1690) reste jusqu'à Kant le livre de chevet du siècle. « Pope raconte qu'une jeune Anglaise, qui faisait faire son portrait, voulut que le peintre la représentât tenant dans la main les œuvres de Locke [...] » (Hazard.) Destouches, « met en scène une jeune fille qui s'est fait passer pour folle, après quoi elle montre qu'elle est parfaitement raisonnable en expliquant la doctrine de l'*Essai* ».

Le point de départ de l'*Essai*, nous l'avons vu, est politique. En montrant la nature et les limites de l'entendement humain, il fonde la tolérance. Si Locke gagne, du même coup il écarte les systèmes qui ont atteint au seuil du XVIIIᵉ une sorte d'apogée. L'*Essai* de Locke est polémique, il réhabilite l'empirisme violemment attaqué par Cudworth en 1678. Dissociée, du même coup, l'idée que la démonstration de l'existence de Dieu implique une métaphysique des idées innées, que l'adage *Nihil est in intellectu quod non prius fuerit in sensu* conduit à l'athéisme que Locke exècre d'instinct. La pensée anglaise, en raison de son refus séculaire de la *via media* aristotélicienne, oscille entre une tradition foncièrement idéaliste et une tradition résolument sensualiste.

L'*Essai* est conduit comme une réfutation. Pour le lecteur continental, derrière Cudworth, Descartes semble visé. Le

XVIIIe siècle accepte le rationalisme du *cogito*, mais l'idéa-lisme fondamental qu'il implique le gêne. Locke va permet-tre aux esprits superficiels de conserver la religiosité rationa-liste de Descartes, sans s'embarrasser du Dieu garant de la connaissance et sans risquer de dissoudre le moi pensant dans la tentation spinozienne.

L'innéisme est une doctrine du préjugé, dangereuse en ce qu'elle amène à proclamer l'infaillibilité. Quant à l'existence de Dieu, pas de preuve ontologique, si difficile à manier, sous la plume de Descartes ou de saint Anselme. Locke s'en tient à une variété de la preuve *a contingencia mundi*, qui ne suppose pas une idée préconçue de Dieu. Contre les imaginations théologico-philosophiques du lyrisme rationa-liste (Malebranche et Spinoza), contre la folie mystique des sectes et l'oppression papiste, Locke oppose le caractère raisonnable de la *via media* chrétienne. Il publie en 1695 un traité, *The Reasonableness of Christianity*, à ne pas confondre avec le rationaliste *Christianity without mystery* de Toland (1670-1722), paru l'année suivante. Pragmatisme des Lumières au départ, dans le berceau britannique de la voie moyenne.

Comment « amener l'esprit à la nature inflexible des choses et à leurs relations inaltérables » ? En dépit de tout ce qui les oppose, Locke comme Descartes sont des idéistes. Locke cherche d'abord ce que sont les idées simples. Sont simples les idées qui ne peuvent nous être communiquées, si nous ne les tenons pas de l'expérience, telles que celles du froid, de l'amer, etc. Les idées simples se répartissent en trois catégories. Idées simples de sensation ; idées simples de réflexion ; idées qui sont à la fois de réflexion et de sensation, entendez les idées d'existence, de durée, de nombre. Chez Locke, comme chez Descartes, l'idée est représentation des choses. Cette adéquation, est le fondement même de toute la théorie de la connaissance. Mais le lien, chez Locke, est beaucoup moins rigide. En tant que physicien, Locke se rallie aux conclusions de Robert Boyle (1627-1691), pour qui seules les qualités d'étendue, figures, solidité, mouvement, existence, durée et nombre sont des « qualités premières ». Même ces idées simples, même ces qualités premières ne donnent aucune indication sur la substance réelle des choses. Ce relativisme de Locke est fondamental ; il peut conduire soit au phénoménologisme scientifique, soit à l'idéisme radical de Berkeley.

Pour Locke et pour tout le XVIIIe siècle, l'idée de sensation est l'élément dernier de la connaissance et la représentation, dans une certaine limite, de la réalité. Voltaire en reste là, et le continent derrière lui. « La spéculation de Locke sur les idées complexes doit [...] mettre fin à de vaines discussions philosophiques, en montrant qu'elles ne sont que " des combinaisons d'idées simples ". On arrive à une sorte d'atomisme psychologique. La substance, autre grave problème, n'est qu'une fausse idée simple, " une idée complexe prise pour une idée simple ". » (Bréhier.) Toute idée est représentative, mais incomplètement représentative. On aboutit à une distinction entre les sciences idéales (mathématique et droit) absolument certaines et les sciences expérimentales, sujettes à révision, par ratures successives.

Le système de Locke n'est, en fait, qu'un habile compromis, moyen terme entre « un art combinatoire qui composerait toutes les connaissances possibles avec les éléments simples définis [une application du mécanisme à la théorie de la connaissance] et un empirisme qui jugerait, d'après l'expérience et l'usage [...] Jamais il n'y eut un esprit plus sage, plus méthodique, un logicien plus exact que M. Locke ; cependant il n'était pas grand mathématicien. Il n'avait jamais pu se soumettre à la fatigue des calculs ni à la sécheresse des vérités mathématiques qui ne présentent, d'abord, rien de sensible à l'esprit ; personne n'a mieux prouvé que lui qu'on pouvait avoir l'esprit géomètre sans le secours de la géométrie. » (Voltaire.) Locke a fait révolution même en littérature, « montrant que l'art d'écrire ne consistait pas à appliquer des règles et des préceptes, et procédait bien plutôt de l'activité intérieure de l'âme » (P. Hazard), donnant « à l'impression, à la sensation, une place qu'on ne leur avait pas encore reconnue. Je ne dois rien à la nature, disait Stern [...] je dois tout à l'étude prolongée de quelques ouvrages : l'Ancien et le Nouveau Testament ; et Locke, que j'ai commencé dans ma jeunesse, et que j'ai continué à lire toute ma vie. Dans ce sens, Locke est à l'origine d'une littérature qui enregistre [...] les réactions du moi devant les phénomènes qui viennent le frapper [...] la littérature de la sensation. » Voilà pourquoi l'influence de Locke ne cesse de croître dans la seconde moitié du siècle, avec le retour au sentiment, au moi subjectif, à travers les deux grands qu'il a marqués : Rousseau et Kant, après avoir engendré Berkeley, Condillac et Hume.

Berkeley (1685-1753), évêque anglican de Cloyn, réformateur utopiste aux Amériques, activiste pratique de la charité. Plus nettement encore que pour Locke, la philosophie telle que Berkeley la comprend se réduit à une théorie de la connaissance. « *Esse est percipere aut percipi.* » Berkeley pousse à la limite une tendance de la pensée du XVIIIᵉ siècle. Il est au cœur et à la racine.

Le *cogito* est une tautologie, la pensée coupée des sens une orgueilleuse entreprise qui conduit au repliement et à la folie. « Vaine est la distinction entre le monde spirituel et le monde matériel [...] Rien n'existe proprement que des personnes », des moi pensants, plus simplement « des choses conscientes ». L'immatérialisme de Berkeley s'enracine dans sa théorie de la vision. Nous ne voyons pas les distances, nous les interprétons. Pris au pied de la lettre, Berkeley eût été dangereux, puisqu'il ébranlait la philosophie mécaniste et la valeur normative des mathématiques ; son immatérialisme, du moins, fait un pas décisif sur la voie nécessaire de la phénoménologisation de la connaissance.

Étienne Bonnot de Condillac (1715-1780) : une famille parlementaire, une entrée discrète dans les ordres, une longue hésitation... Condillac, à la fin de sa vie, était peut-être chrétien. L'*Essai sur l'origine des connaissances humaines* est de 1746. Il n'y a point d'idée qui ne soit acquise et ne vienne, soit immédiatement des sens, soit de l'expérience. Aucune proposition mentale ne saurait se passer de signe. On lui doit, peut-être, la redécouverte de l'importance du langage comme outil de la pensée et médiateur de la connaissance.

Le *Traité des systèmes* (1749) fait un sort à l'histoire. Une théorie sensualiste de la connaissance, liée à une valorisation du langage et insérée dans le processus historique du développement de la connaissance. L'œuvre culmine dans le *Traité des sensations* de 1754. La fameuse hypothèse de la statue, artifice pédagogique qui a frappé la postérité, est dû à Mˡˡᵉ Ferrand. Condillac modernise et radicalise Locke. Au sensualisme de Locke, Condillac ajoute la notion d'une éducation progressive des sens. Nous apprenons à voir, à goûter, à sentir, à toucher...

Le *Traité des sensations* est un livre écrit sur commande dans un contexte où il faut replacer Berkeley et les premières opérations de la cataracte. Prouver expérimentalement la réalité du sensualisme est une grande pensée du XVIIIᵉ siècle. L'aveugle de naissance, habitué à une appréhension purement tactile du monde extérieur, reconnaîtrait-il le cube placé devant ses yeux tout à coup ouverts ? « Il ne le pourrait pas, répondait Molyneux, il ne le pourrait pas, répondait Locke, il ne le pourrait pas, répondait Berkeley. » (Hazard.)

Or, voici que le chirurgien Cheseldon opère, pour la première fois, un aveugle de naissance par cataracte, en 1728. On se passionne, on multiplie les expériences, Diderot s'enflamme (*Lettre sur les aveugles à l'usage de ceux qui voient*, 1749). Le sensualisme allait triompher. La technique de Cheseldon donnait raison à Locke contre les innéistes, mais il donnait raison plus encore à Philonous, entendez à Berkeley, l'auteur d'un « système qui, à la honte de l'esprit humain et de la philosophie, est le plus difficile à combattre, quoique le plus absurde de tous ». Les Cacouacs avaient fait fond sur Condillac pour réfuter Berkeley. Diderot l'en avait prié. L'entreprise, malheureusement, tourne mal. Parti du sensualisme empiriste le plus radical, Condillac basculait du monde extérieur sur une métaphysique de l'âme, vers une psychologie pure de la connaissance pour soi. Condillac glissait vers une nouvelle forme de spiritualisme. Il fait partie des sources directes de Kant.

Reste Hume (1711-1776). Cet Écossais a passé une partie de sa vie en France. Ses premières œuvres (*A treatise of human nature*, 3 vol., 1739-1740, une tentative pour introduire la méthode du raisonnement expérimental dans les sciences morales) sont mal accueillies. Le succès vient avec les *Philosophical Essays concerning human understanding* (1748). L'entendement, la métaphysique de la connaissance, au cœur du multiplicateur, est l'objet privilégié du discours. Avec Hume, un des penseurs à vide les plus rigoureux du XVIIIe siècle, démonstration par l'absurde est faite de l'impasse dans laquelle s'est engagée cette espèce d' « ontologie » de la connaissance qui traduit la transmutation réalisée par le multiplicateur : l'homme au centre, à la place de Dieu. Après Locke, après Berkeley, « il restait, dit-on, à Hume, à ruiner, avec la notion de substance, celle de causalité en général [...] » Hume a voulu faire de la métaphysique de l'entendement une science aussi rigoureuse que la philosophie naturelle mécaniste de Newton. Il est l'étape préalable qui permet, à partir de Kant, la reconstruction phénoménologique de la philosophie, l'accompagnement philosophique d'une connaissance scientifique entraînée dans une croissance géométrique. La critique de Hume fait place nette. Il démontre l'hyprocrisie du déisme. Le Dieu des philosophes est aussi anthropomorphe que celui des bigots.

L'idée de causalité n'est pas essentielle à notre entendement. Sensations présentes et impressions souvenirs. C'est

tout. Notre pouvoir se borne à les associer. La causalité n'est
que l'induction d'une association répétée.

La masse des connaissances s'est accrue, la vie humaine
s'est allongée, la philosophie mécaniste a permis de belles
réalisations pratiques... Mais toutes les certitudes d'hier se
sont effondrées. L'univers infini est vide. Les Cacouacs et
les bigots sont renvoyés dos à dos. Place est faite au sommet.
Pour une remontée des hautes eaux religieuses.

Le XVIIIᵉ siècle philosophique s'achève dans un dépassement définitif en 1781, lors de la publication de la *Critique de
la raison pure*. Emmanuel Kant (1724-1804), de Kœnigsberg, un homme de condition modeste. Son père était
bourrelier. Sa mère, intelligente et cultivée, avait suivi avec
passion la prédication piétiste d'Albert Schultz (1692-1763),
de Halle. Partisans d'une lecture solitaire de la Bible, d'une
religion du pur esprit, détachée des détails du culte extérieur, les piétistes redoutaient particulièrement, de toutes les
embûches de Satan, *Schwärmerei* et *Aberglaube*, exaltation et
superstition. Toute la vie et la pensée de Kant portent
l'empreinte de ce « jansénisme protestant ». Dans la
modeste université de Kœnigsberg — sept chaires seulement
—, on lui enseigne Wolff, les mathématiques et la physique
newtonienne : une très forte culture scientifique qui lui
permet de s'informer de la totalité du connu. Docteur en
1746, neuf ans de préceptorat (1746-1755) le frottent à l'élite
de la société prussienne ; de 1755 à 1797, Kant exerce
ponctuellement ses tâches d'enseignant : vingt-six à vingt-
huit heures d'enseignement par semaine, sur toute la gamme
du savoir.

Kant est un libéral, toujours tenté de faire confiance à
l'homme éclairé par la raison que Dieu lui donne, respec-
tueux de l'ordre et de l'État, condition formelle d'une
évolution progressive qui, partie de l'*Aufklärung*, débouche
sur le XIXᵉ siècle, en donnant à son temps une conception
purement phénoménologique de la science, une théorie
enfin valable de la connaissance, montrant la profonde
harmonie qui, par-delà les oppositions formelles, existe
entre le fond de la Révélation chrétienne et l'univers
rationnel, condition de l'ordre et du progrès.

La pensée de Kant, formée à partir de la dissertation
latine de 1770, culmine dans la *Critique de la raison pure*
(1781), trouve son expression la plus durable dans cette
Métaphysique des mœurs que le XVIIIᵉ avait vainement
cherchée. Jusqu'à la fin de sa vie, Kant a oscillé entre le

protestantisme libéral et universaliste et *the light within* du piétisme de son enfance. Mais Kant s'identifie d'abord à la nouvelle métaphysique, entendez le dépassement de la métaphysique. Kant reprend, formalise et dépasse toutes les théories de la connaissance du XVIIIe siècle. Il est particulièrement tributaire de Berkeley et de Hume. La métaphysique ne pourra plus jamais prétendre à l'ontologie, elle ne pourra prétendre à autre chose qu'à fixer les limites de la raison humaine. Tels sont les *Prolégomènes à toute métaphysique future*. L'esprit humain ne se borne pas à enregistrer les signes venus du monde extérieur. L'esprit les interprète, les transpose, suivant les catégories *a priori* de la raison. La notion d'espace est le type même de la représentation *a priori*. On peut bien concevoir un espace vide d'objets, non un objet qui n'occuperait aucun espace. L'espace est donc condition de la possibilité des phénomènes.

Cette théorie de la connaissance prépare l'essentiel : cette forme supérieure du *cogito*, l'impératif catégorique de la raison pratique. L'âme cesse définitivement « d'être la chambre noire dont la fonction se borne à enregistrer les rayons venus du dehors » (Hazard). La sensibilité perçoit suivant des formes *a priori*, l'entendement lie suivant des catégories *a priori*, la connaissance dépend d'un élément *a priori* qui l'organise. Nous ne sommes plus les esclaves de la loi naturelle en morale comme en psychologie, c'est notre âme qui fait la loi : « Révolution telle que toute la philosophie antérieure semblait s'écrouler, et qu'à la fin on se mit à dédaigner celui qui avait été le sage Locke, l'admirable Locke, le seul penseur qui avait compté depuis Platon. » (P. Hazard.) Sa dignité intrinsèque était rendue à l'homme, la science définitivement installée dans la modeste organisation des apparences, une place centrale était donnée à la morale au cœur de la vie religieuse.

Kant consacre la totale autonomie de la connaissance, de l'Etat et de la relation ontologique qui est le domaine de la religion naturelle ou révélée. La place du for intérieur est restreinte, mais inexpugnable. Kant est le philosophe du partage laïc, le conciliateur de l'exigence absolue de la connaissance mécaniste et de la relation fondamentale de l'homme à Dieu. Ses conceptions de l'espace et du temps peuvent être modifiées, sa théorie de la connaissance perfectionnée, mais la remise en cause de ses conceptions centrales est aussi impensable que l'abandon de la mathématique ou la promotion d'une science qui serait plus et mieux qu'une phénoménologie. Le maintien d'une société libre, susceptible d'assurer le progrès sans compromettre la dignité fondamentale de l'homme sur qui la Parole de Dieu a été prononcée, passe par la révolution kantienne. A partir de Kant, tout est possible. Sans lui, rien qui concilie à la fois la liberté et le progrès, l'ordre et la dignité, les droits de la cité dans le temps et l'aspiration légitime à la vie éternelle.

Kant a cherché dans son *Traité* de 1793 une forme de christianisme réduit à l'essentiel, susceptible d'une démonstration rationnelle qui correspond à une aspiration profonde du XVIIIe. En fait, Desaguliers, au début du XVIIIe, et le premier groupe des maçons anglais, persuadés à la fin des religions révélées, s'étaient lancés dans une entreprise analogue. Cette tentative, Kant ne l'entreprend pas pour lui-même. Le piétisme allemand lui suffit. Sa religion purement rationnelle est une pure alternative. Tentative vouée à l'échec, mais révélatrice d'un besoin que le XVIIIe lègue, insatisfait, au XIXe. Les religions révélées sont en crise, mais Desaguliers et Voltaire en ont prédit trop vite la fin. Ce que le XVIIIe siècle découvre à partir de 1760, c'est, un peu, la densité et l'autonomie du fait religieux : Voltaire était prêt à concéder la nécessité sociale d'une religion pour le peuple ; Rousseau distingue la religion de l'homme (le théisme) et la religion de la cité (*Du contrat social*).

« Reste donc la religion de l'homme ou le christianisme, non pas celui d'aujourd'hui, mais celui de l'Évangile, qui est tout à fait différent [...] » Rousseau ne réussit pas à sortir totalement des contradictions qu'il a posées et qui correspondent à une aspiration profonde. Le modèle de Rousseau est un modèle de l'Europe protestante. Si Kant, philosophe de l'entendement, est dans la ligne de Locke, Berkeley, Hume, Condillac et Leibniz, il est, dans sa construction religieuse, dans la ligne de Rousseau. Le modèle est un modèle du Nord. Un christianisme national (religion protestante établie par la loi), avec sa hiérarchie, son organisation, ses fêtes, qui enseigne la morale, assez souple pour ne gêner personne (la *Church of England* mieux que l'*Evangelische Kirche*), qui conserve l'essentiel de « la religion de l'homme, ou le christianisme [...] de l'Évangile » et, pour l'élite, le théisme, peut-être le Credo du vicaire savoyard, avec les possibilités ouvertes par la franc-maçonnerie mystique, les communautés piétistes ou bien la *light within* et l'activisme pratique du méthodisme wesleyien.

Alignement sur le Nord. Surestimant la force du jansénisme presbytérien de la fin du XVIIIe, les Constituants ont

rêvé d'un catholicisme gallican qui serait l'Église multitudi-
niste et populaire établie par la loi. Des États généraux
transformés en Assemblée nationale ne peuvent refaire d'un
coup l'histoire sanglante d'un XVIᵉ siècle gonflé de forces et
de violence.

L'histoire religieuse obéit à un rythme qui lui est propre,
certes en liaison constante avec l'histoire intellectuelle et
l'histoire affective, mais pourtant autonome. Le XVIᵉ et le
XVIIᵉ correspondent à une phase longue de richesse et de
bouillonnement. Les eaux du Nord sont montées les premières, la retombée se produit plus tôt. Dès 1650 ici, dès
1660 là. L'Europe méditerranéenne, qui est aussi l'Europe
catholique, reflue un peu plus tard. Mais, sur l'horizon
1680, la piété bat en retraite, le creux se dessine, le XVIIIᵉ
siècle se place normalement en retrait. Premier point. Le
second point, un rythme très largement séculaire ne saurait
masquer de profondes différences régionales et sociales.
Régionales, suivant un axe est-ouest. Le retrait des eaux est
plus sensible dans l'Europe catholique et plus particulièrement en France. Mais le creux français est aussi relatif. Les
eaux sont exceptionnellement basses dans la France du
XVIIIᵉ en raison aussi du sommet atteint au XVIIᵉ.

Notre appréciation du reflux, au XVIIIᵉ, est liée à l'observation d'une couche étroite. Elle affecte, en France et en
Angleterre, une élite qui oscille entre 5 et 20 p. 100. La
couche atteinte par l'indifférence se creuse rapidement, en
Angleterre, vers 1725-1730, mais les Réveils la réduisent très
vite. La France donne l'impression d'une usure lente mais
constante. L'étude de Furet est parfaitement éclairante. Les
besoins en livres de piété restent constants et élevés jusqu'au
milieu du XVIIIᵉ; la demande reflue après 1750. Le travail de
démolition de l'*Encyclopédie* porte ses fruits. Mais le succès
de l'*Encyclopédie* correspond, bien plus sûrement encore, au
refroidissement religieux de la *middle class* des lisants.

Les cheminements de la Réforme catholique continuent
au niveau des campagnes jusque vers 1710-1720. La vie
religieuse se maintient sur un niveau élevé jusque vers 1740-
1750. La morale sexuelle nous renseigne : rien de profond
n'est affecté avant 1780 dans les campagnes ; les grandes
villes, en revanche, échappent dès 1760-1770. Paris, en
1789, est largement déchristianisé. En France, les rythmes
différents de l'évolution dans l'élite et dans la masse
ébauchent, dès la fin du XVIIIᵉ, le mouvement en ciseaux qui
se manifeste au XIXᵉ siècle : retour de l'élite, éloignement
extérieur des masses.

La remontée des eaux religieuses se produit très tôt en Allemagne et en Angleterre. Si les masses ont été affectées, à Londres, par l'impiété du début du XVIIIe, l'Allemagne, la Pologne, la Russie ne permettent pas de déceler des oscillations sensibles en milieu populaire. L'Allemagne est pieuse. En Russie, la résistance du Raskol, la vie intense des pèlerinages et l'art de l'icône laissent à penser que les paysans vivent dans une relation avec Dieu qui ne dément pas ce que Dostoievski et Tolstoï nous ont rapporté pour le XIXe siècle. L'Est, grâce à l'orthodoxie, au Raskol et au hassidisme (dans les communautés juives de Pologne-Lituanie), constitue la grande réserve mystique de l'Europe.

Deux problèmes généraux se posent, qui influent sur les courants religieux des Lumières : une frontière de la connaissance, l'herméneutique biblique, une frontière de la sensibilité, le rapport avec les zones de la magie et de l'infrareligiosité. Le progrès de la connaissance historique, l'évolution de la notion de temporalité affectent, aux XVIIe et XVIIIe, le traitement extérieur et scientifique du contenant objectif de la Révélation. Le problème s'était posé au XVIe siècle, lors de la première Réforme. La théologie médiévale, dans son ensemble, affirmait une Révélation close, mais, en pratique, sacrifiait le contenant de la Révélation au profit d'un édifice conceptuel rationnel plus philosophique que théologique, aboutissant à une Révélation *de facto* ouverte. La Réforme protestante répond par une Révélation close *de jure* et *de facto*.

La double inspiration, arme de guerre lors de la séparation, recours permanent pour les sectes et pour tous les Réveils, est maniée avec prudence par les grandes Églises protestantes ; cependant, elle reste profondément ancrée dans les communautés de fidèles. Elle est à l'origine de tous les Réveils, du piétisme de Wesley, et de tous les fondamentalismes qui ont fleuri dans l'Angleterre du XVIIe et trouvé refuge dans l'Amérique du XVIIIe siècle.

Le concile de Trente, en face, a commencé la formulation d'une théologie de la Révélation ouverte. L'Église catholique n'en a pas tiré toutes les conséquences. C'est, au vrai, que la fameuse réponse, l'Ecriture et la tradition nécessaire pour justifier la condamnation des Églises séparées, ne s'écartait pas de l'implicite traditionnel, l'Écriture interprétée, éclairée grâce à la tradition de l'Église.

C'est ainsi que l'on vit se développer deux fondamentalismes bibliques dans l'Église. Un fondamentalisme protestant qui apparaît à la fin du XVIe ; il semble que les Églises protestantes s'en détachent assez vite, sous l'influence de la double inspiration, qui permet une compréhension évolutive de la Parole qui, éternelle, apporte à chaque siècle la part d'injonction que Dieu réclame, la part de vérité qu'Il a décidé de dévoiler. Un fondamentalisme biblique catholique décalé dans le temps. Ce n'est pas le pape qui réagit à Copernic, mais Luther. La frontière de catholicité à l'intérieur de l'Église va entraîner une meilleure connaissance de l'Écriture chez les catholiques et un respect scrupuleux de la lettre. Afin de pouvoir retourner l'argument protestant. Vous retranchez, nous maintenons. La tentation fondamentaliste catholique est renforcée par deux prises de position : le choix du concile de Trente en faveur de la seule Vulgate, le long refus de la langue vulgaire. Ce sont les protestants qui vont être habitués à un texte flottant ; la multiplicité des traductions aide à dégager l'esprit au-delà de ce qui cesse d'être la lettre. La traduction unique de saint Jérôme conduit à un lettrisme scripturaire. Le texte biblique, en pays catholique, est toujours cité en latin, dans une forme intangible ; l'imprégnation biblique est bien plus grande en pays protestant, mais le texte biblique est moins rigide en raison de la variété des traductions retenues. Second facteur d'évolution divergente, le choix progressif des Églises protestantes en faveur du canon hébraïque à la place du canon grec des Septante. Dans la mesure où la Bible catholique est, au départ, un outil qui sert moins, elle est aussi un outil moins plastique. Paradoxalement, le littéralisme biblique, après avoir été la grande force, et aussi un peu la faiblesse, des puritains anglais, devient, à partir de 1630-1640, un trait assez tardif de la chrétienté catholique.

Une évolution de l'herméneutique biblique était inévitable. Le véhicule humain de la Parole de Dieu rend témoignage, accessoirement, sur des états successifs de civilisation. La divergence est plus nette depuis l'adoption de la physique mécaniste. Elle ne gênait pas le pieux Newton qui discernait dans la lecture quotidienne de la Bible la Parole de Dieu attestée par l'Esprit, de la gangue humaine évolutive. L'affaire Galilée est vite dépassée. Un problème nouveau se pose avec l'intrusion de la dimension historique. Une étude critique de la Bible laisse apparaître une juxtaposition de récits, parfois divergents, du moins complémentaires, formés à des époques différentes. Le miracle de l'attestation est d'autant plus grand qu'il s'appuie sur une inspiration diffuse et progressivement mûrie au cours de l'histoire, cette longue pédagogie de Dieu. Le comprendre implique une réinvention comparable à la formulation dogmatique des IVe et Ve siècles, à la scolastique thomiste au XIIIe. La crise de l'herméneutique, à la fin du XVIIe, c'est l'affaire Richard Simon.

L'idée de l'historicité apparaît au milieu du XVIIe dans les œuvres de Grotius et de Louis Cappelle. Cappelle et Grotius écrivent en latin et leurs idées sont débattues sans émoi entre spécialistes.

Le *Léviathan* de Hobbes (1588-1679), en 1651, est plus troublant parce qu'en anglais. Hobbes, cavalier anglican, absolutiste et anti-romain, se heurte à l'absolutisme biblique des partisans du Commonwealth. La religion étant une affaire d'État, l'interprétation de la Bible doit être, en dernier ressort, une affaire d'État. « La Parole de Dieu doit être autant que possible identifiée avec les commandements de la raison et de la justice, dont il est dit également dans l'Écriture qu'ils « sont inscrits dans le cœur de l'homme ». Hobbes a, en face de la Bible, une attitude qui annonce Locke, plus nettement Lessing (1729-1781). La lumière intérieure identifiée avec la raison invite à un choix rationnel dans le message biblique. La position de Hobbes, à la limite, aboutit à vider la Bible du message divin ; dans la pratique du *Léviathan*, Hobbes s'arrête à des positions de bon sens au départ d'une saine critique. Le Pentateuque ne peut être entièrement de Moïse. Hobbes, partisan de la philosophie mécaniste, hésite devant le miracle. Il n'est peut-être pas loin de la théologie du miracle, signe privilégié. Hobbes est, avec Isaac La Peyrère, l'inventeur des préadamites. La Peyrère, un siècle avant Jean Astruc (1684-1766), flaire que le Pentateuque est issu de la juxtaposition de récits différents et accolés. Spinoza se distingue moins par sa science philologique et historique des textes bibliques que par son refus d'accepter d'autre révélation qu'universelle et rationnelle, donc son herméneutique découle d'un présupposé différent du présupposé judéochrétien, mais de nature analogue. Le maniement, par Spinoza, d'une herméneutique critique contribuera peut-être au retrait traditionaliste particulièrement sensible dans la chrétienté catholique.

Et voilà Richard Simon (1638-1712), exclu de l'Oratoire en 1678 à la suite de la publication de son *Histoire critique du Vieux Testament*. Il en va assez vraisemblablement de Richard Simon comme de Pierre Bayle, totalement réinterprété, récemment, à la lueur des travaux d'Élisabeth Labrousse. De même que le sceptique Bayle est, en matière religieuse, un calviniste de la *light within*, en difficulté avec toutes les Églises, y compris la sienne, Richard Simon, père d'un prémodernisme catholique, fut-il un chrétien sincère ?

Richard Simon avait vu l'avantage que le catholicisme pouvait tirer de la nouvelle herméneutique sur l'adversaire protestant. Si la Bible est la tradition ancienne de l'Église, comment arrêter le dialogue à la génération des Apôtres ? Une partie du lettrisme réformé du xviie siècle se trouve mis à mal. A la décharge d'une longue erreur de l'histoire, comme beaucoup de persécutés sincères, il se défend mal. Ce catholique apparemment désireux de marquer l'avantage de son Église sur l'Église rivale n'a publié son œuvre que grâce à la fidélité d'amis protestants et à l'irénique Hollande. Les positions dures du catholicisme gallican sur l'horizon 1680 sont lourdes de conséquences. Elles sont dictées par la peur liée au reflux de la ferveur qui rend l'Église vulnérable, donc durcie dans un refus étrange de mouvement. La révocation de l'édit de Nantes compromet l'effort irénique de rapprochement et de compréhension mutuelle. Leibniz ne peut plus rien.

Le non à l'herméneutique historique rend difficiles les adaptations que le catholicisme éclairé du xviiie juge souhaitables. La persécution antijanséniste après la bulle *Unigenitus* (1713) offre à l'Europe rationaliste le spectacle réjouissant d'un anachronique conflit. La persécution anti-quiétiste décourage et compromet le mysticisme pour plus d'un siècle et contrarie la vocation mystique du catholicisme. Le ressourcement mystique de la fin du xviiie vient, paradoxalement, de l'Europe protestante du Nord.

Seconde et troublante frontière, le contact avec l'infrareligieux traditionnel. L'Europe des Lumières décide d'ignorer cette forme d'infrareligiosité traditionnelle qui s'appelle sorcellerie. Comment et pourquoi les juges qui, pendant des siècles, acceptèrent la sorcellerie, condamnèrent des milliers de malheureux au bûcher, décidèrent-ils à la fin du xviie siècle de renoncer, et cessèrent-ils de poursuivre ceux qui passaient pour être vendus au diable ? Robert Mandrou, dans un livre récent, a répondu. Nous nous sommes efforcé d'étendre ses conclusions. Renvoyons à ces études. Le magistrat refuse, en outre, sur l'horizon 1680, de reconnaître la réalité du fait de possession. Il sera suivi, progressivement, par l'Europe du Nord d'abord, du Midi après. Le magistrat, qui appartient à l'élite, ne répond plus au vœu du peuple. Dans la perspective de la théologie du second xviie siècle — elle est solidaire dans son comportement pratique sur ce point de la philosophie des Lumières —, la possession et, *a fortiori*, le satanisme positif des sorciers jurés ne sont plus reconnus ; faute d'être discernés, ils perdent toute réalité, parce qu'ils sont devenus inutiles.

Après l'attaque massive du XVIIe siècle contre les couches inférieures de la civilisation traditionnelle, l'Europe des Lumières, appuyée sur le front acculturant de l'école, a décidé d'ignorer délibérément les vieilles civilisations, qui achèvent de mourir sur les bords des forêts, dans les marais et les finistères.

*

Est-ce à dire que tout est rompu avec le mystère ? C'est précisément au moment où la civilisation coupe les ponts avec le vieux fond magique et parfois satanique des champs, que l'on voit, venant du Nord, d'étonnantes résurgences qui rappellent que rien ne s'achève totalement.

Swedenborg (1688-1772) propose à la Suède, lassée d'une Église luthérienne touchée par le rationalisme de l'*Aufklärung*, les moyens de communiquer avec le monde invisible. Swedenborg, dont l'influence est grande en Allemagne, se situe dans les rangs du piétisme qui suscite dans toute l'Allemagne une obsession du démon. Conçu par Spener, à la fin du XVIIe, comme un mouvement de foi typiquement allemand, sans formulations, organisations ni barrières, le piétisme, fondamentalement un Réveil, s'éparpille dans les nuances les plus surprenantes ; il englobe mystiques et réveillés, catholiques aberrants, quakers, aventuriers. Avec Francke, il est à Halle. Il pénètre dans le Sud ; dans le Würtemberg, le comte de Zinzendorf (1700-1760) le transplante parmi les persécutés moraves. Avec Hamann (1730-1788), il polémique contre Kant et prend de plus en plus, vers la fin du siècle, des formes paramystiques et théosophiques. Le Würtemberg a son mage, F.-Ch. Oetinger (1702-1782) de Goeppingen ; le piétisme son poète, F.-G. Klopstock (1724-1803). Swedenborg appartient à la famille. Il taille dans l'Écriture, rétrécit le Canon, dialogue avec les morts.

A un niveau inférieur, en France, Mesmer (1734-1815) met sous l'autorité de Newton l'astrologie classique. Ses expériences de métapsychologie électrisante font courir les salons avides de mystère, de frisson, de sécurité et de sensation. Le pasteur zurichois Gaspard Lavater (1741-1800), auteur d'une *Physiognomonie* (1772), réunit par les traits du visage le présent au passé et à l'avenir. Martinez et

Saint-Martin (1743-1803) réussissent à pénétrer dans la franc-maçonnerie, en France même où elle est la plus rétive à ce genre d'influences.

Tous ces courants s'appuient sur la branche mystique de la franc-maçonnerie, qui prolonge en Allemagne la vieille fraternité des Rose-Croix et dont l'esprit diffère des loges françaises, issues des loges de Londres, gagnées tôt à un rationalisme encyclopédique avant la lettre et agressif. Dans le même temps, Lessing (1729-1781), après avoir beaucoup cherché et hésité, se tourne vers l'Inde et un aménagement de panthéisme oriental. Jacobi (1743-1819) a recueilli la dernière vision du monde de celui qui est la figure la plus représentative de l'*Aufklärung*. « Lessing croit à l'éternité du monde, il tient la métaphysique de Spinoza pour la meilleure et en approuve le déterminisme. Il ne sépare pas Dieu de l'univers ; il en fait l'Ame du Monde », *Deus sive Natura*, disait Spinoza. On mesure pourtant la différence ; ayant gagné la science, le mécanisme peut abandonner désormais la philosophie, l'âme du monde, donc, « dont l'univers, corps vivant, produit [...] le rythme des existences individuelles. Un Dieu transcendant est une solution profondément ennuyeuse. » (A. Rivaud.) Derrière Lessing et Swedenborg, une partie de l'Europe des salons, de l'Europe de l'Est, avant Mme Krudener et le tsar Alexandre, va s'engager allègrement sur la voie du *Samsâra* et du *Karman*. « Tout est en Dieu ; les âmes s'élèvent vers lui dans leurs transmigrations. Toutes les âmes expriment, tour à tour, un des aspects de l'Essence infinie de l'âme universelle. Panthéisme, immanence, métamorphose et même métempsycose [...] »

A la fin du XVIIIe siècle, l'Europe, en profondeur, reste une chrétienté. Elle doit beaucoup, certes, à l'habitude. Voyez la France révolutionnaire. En 1789, 90 p. 100 de messialisants, 95 p. 100 peut-être de pascalisants, pour l'ensemble du royaume, population urbaine comprise. La tourmente révolutionnaire passée, le diocèse d'Orléans, quand tout ce qui pouvait être rattrapé l'a été : campagne — Orléans exclu —, hommes de plus de 20 ans, pascalisants, 3,8 p. 100 ; de 13 à 20 ans, 23 p. 100 ; femmes de plus de 20 ans, 20 p. 100 ; de 13 à 20 ans, 67 p. 100. 100 p. 100 de baptisés et 99,9 p. 100 d'enterrements religieux. La vie religieuse n'est plus poussée par la contrainte sociale. Le respect humain joue même contre la communication pascale des hommes. Mais les chiffres sont là. En dix ans, la pratique traditionnelle s'est repliée de 90 p. 100 à 10-

15 p. 100, laissant le champ à un tout petit conformisme de
la naissance, du mariage et de la mort. L'habitude sociale
avait masqué, au XVIIIe siècle, l'ampleur du reflux religieux.
Le cas français est exceptionnel par son amplitude et sa
brutalité, comme pour le malthusianisme. Et pourtant,
quelle richesse spirituelle, ici et là ! L'Angleterre, au grand
souffle de Wesley, s'est réveillée, engagée dans un activisme
pratique de tradition calvinienne, et que dire de la Russie
profonde, et des Jérusalem juives de Lituanie ?

L'Europe juive est un curieux microcosme du drame
spirituel qui se joue sur un niveau plus large pour la masse
chrétienne. Tandis qu'une élite sociale, en majorité séphar-
dite, s'assimile aux milieux rationalistes, souvent mystiques,
et au protestantisme libéral, les communautés de l'Est
vivent, à la fin du XVIIIe, l'équivalent du premier XVIIe siècle
chrétien à l'époque du Raskol et du siècle des saints.

La chrétienté est un moment historique du temps de
l'Église. Un temps qui s'achève au XVIIIe siècle. Peu
nombreux ceux qui en ont conscience. Peu nombreux ceux
qui l'appellent de leurs vœux. L'Europe souffre d'un
raccourcissement eschatologique. C'est là le prix du retour
de la pensée des Lumières sur les choses. Toutes les forces
sont, désormais, mobilisées pour l'aménagement de la
Terre, pour la courte durée d'une vie un peu plus longue.
Les sursitaires de la mort se mettent à l'œuvre.

TROISIÈME PARTIE

LE RETOUR
DE LA PENSÉE
SUR LA VIE ET
SUR LES CHOSES

La pensée des Lumières est née, nous avons dit comment, à l'intersection de deux structures. Elle est issue de la révolution mécaniste. Son développement est accéléré et infléchi par le jeu des multiplicateurs. Le multiplicateur de la vie humaine, vers 1730, vient relayer le multiplicateur de la connaissance, qui entre en action plus tôt, à partir de 1680. Dans la mesure où elle se résigne volontiers à la *diminutio capitis* d'une radicale réduction eschatologique, où elle combine rationalisme pratique et empirisme de la précision, la pensée des Lumières a tout naturellement prise sur les choses et sur la vie. On a évoqué avec raison le pragmatisme des Lumières. La philosophie mécaniste est née d'une assimilation générale de la structure de l'univers aux architectures artificielles de l'art de l'ingénieur. Comment, en retour, ne servirait-elle pas cet art de l'ingénieur de toute la maîtrise acquise, de l'assurance et de l'exaltation gagnées dans les concordances de la mécanique céleste ? La philosophie mécaniste est une invitation à inventer des machines. Entre la représentation du monde et l'outil, un dialogue s'instaure qui profite à l'outil. L'ingénieur a pour lui cette habileté du savant mécaniste qui forge et perfectionne, chaque jour, pour rien, un instrument apte, indifféremment, à la représentation et à l'action. L'Europe des Lumières est armée pour un réaménagement de l'espace et du milieu. L'homme s'est poussé au centre. Et pas seulement l'homme, mais le corps ; pas seulement le corps, mais les sens ; pas seulement les sens, mais le plaisir.

Le retour de la pensée sur les choses constitue à lui seul beaucoup plus que la matière d'un livre. Honnêtement, il en faudrait trois. Retour de la pensée sur l'économie. Et, au cœur, l'énorme question des conditions préalables à l'explo-

sion de croissance soutenue, que l'on appelait traditionnellement la révolution industrielle. Retour de la pensée sur la
société, c'est à peu de chose près la matière du livre d'Albert
Soboul. Dans une perspective un peu différente, il l'a traité
avec une science et une précision qui dispensent d'y revenir.
Retour de la pensée sur le cadre de la vie, qui est d'abord un
cadre de beauté, sur l'art, sur la vie quotidienne, l'esthétique
et l'érotique. Ne pouvant traiter ici même l'ample matière de
ces trois livres, heureusement déchargé d'une partie de ces
tâches, nous nous bornerons à quelques suggestions, en vue
de nouvelles recherches.

CHAPITRE VI

ÉCONOMIE, VIE MATÉRIELLE DÉPART DE LA CROISSANCE

Retour sur l'économie. L'optimisme des Lumières et son humanisme sont en partie commandés par la prise de conscience progressive des modifications de l'environnement. Or, cette modification est d'abord d'ordre économique. Dans aucun domaine, l'historiographie n'a autant et si bien travaillé. Des centaines de monographies ont été publiées qui, toutes, convergent. Mais le moment n'est plus aux monographies ni à l'étude des crises. La récolte est belle, elle est concluante. L'histoire s'attaque maintenant à une plus grande tâche. Les administrations du dernier siècle de l'Ancien Régime nous ont livré matériel brut (registres paroissiaux, portuaires, octrois, impôts *ad valorem*) ou éléments de statistiques préélaborés qui permettent, au prix d'un gros effort, de passer de l'anecdotique, même représentatif, du fragmentaire au continu. L'histoire s'est attaquée au grand problème de la croissance. Deux études peuvent servir d'exemple : Phyllis Deane et W. A. Cole, sur la croissance de l'économie britannique, et l'histoire quantitative de l'économie française, sous l'impulsion de J. Marczewski et de J. Markovitch. Tout récemment, l'*Histoire économique et sociale de la France* d'Ernest Labrousse et de Pierre Léon apporte une gerbe impressionnante d'éléments nouveaux. Jean Meyer vient de donner une pesée de l'*État* qui fera école.

Ces études de croissance des « espaces nationaux » se font nécessairement à grands traits. A ces études globales sur une couverture nationale ou régionale s'ajoutent désormais des études sectorielles. Deux ont abouti sur l'agriculture à partir des dîmes et sur le bâtiment. Le secteur agricole reste le secteur clef. Plus de 80 p. 100 au départ, 70 à 75 p. 100 à l'arrivée, du produit national brut. Il entraîne tout, par sa masse, sinon par son dynamisme ; en outre, seul il permet le doublement des hommes, sans lui l'Europe n'aurait pas ajouté, à la fin du siècle, quelques dizaines de millions de sursitaires de la mort, qui modifient non seulement les choses mais les pensées, qui créent un moment d'euphorie ici et là, que l'habitude et l'arrivée de l'échéance dissipent, quand viennent, avec les succès, les vraies difficultés de la fin du siècle. Une de ces enquêtes est consacrée au bâtiment, jusque vers 1880, en France et sur le continent.

*

Venons à l'agriculture. Slicher Van Bath, en Hollande, a réuni 11 462 informations concernant les rendements, du IXe siècle au début du XIXe, pour toute l'Europe. Il s'en dégage une forte présomption d'accroissement de la productivité au XVIIIe siècle, une meilleure utilisation de la semence confirmée par Meuvret. Second dossier : les dîmes. Une oscillation séculaire apparaît qui calque les rythmes séculaires de la conjoncture économique et de la population. Une utilisation des dossiers décimaux laisserait supposer une grande stabilité des rendements. Les variations seraient dues essentiellement aux avances et aux reculs des surfaces cultivées. La croissance du XVIIIe serait, dans cette perspective, moins optimiste, plus quantitative que qualitative. Les évaluations de J.-C. Toutain et de J. Marczewski, dégagent cependant en France pour la production des céréales panifiables, de 59,1 millions de quintaux en 1701-1710 à 94,5 millions en 1803-1812, une croissance beaucoup plus importante que celle de la population. E. Le Roy Ladurie a montré pourquoi on ne pouvait guère faire fond sur ces chiffres. La production agricole en Europe continue en partie à nous échapper. Il y a eu progrès dans l'utilisation de la semence : le dossier Slicher Van Bath est irréfutable. Ce progrès, essentiellement qualitatif, a été plus rapide à l'ouest qu'à l'est.

Un violent contraste existe entre la première et la seconde moitié du XVIIIe siècle. Le progrès est lent au début, certains ont pu le nier, il est rapide à la fin ; plus personne, raisonnablement, ne le conteste.

Le progrès de la production est dû, dans la première moitié du XVIIIe siècle, essentiellement aux défrichements ; dans la seconde moitié, aux défrichements encore (aux défrichements presque uniquement dans l'Europe orientale), mais de plus en plus, et en Angleterre presque exclusivement, aux progrès technologiques. Progrès lent au début, rapide à la fin, lié, à l'est, surtout à l'accroissement des surfaces et, en Angleterre, aux améliorations technologiques. La situation est intermédiaire en France. La diffusion du progrès technique dans l'agriculture est l'œuvre d'un petit nombre d'entreprises pilotes de type capitaliste, pourvues de capitaux et, plus encore, de ce *Know how* des économistes anglo-saxons. Il est indissociable dans l'agriculture d'un regard plus attentif sur les conditions de développement des plantes. A titre d'exemple, et d'exemple de poids, une ébauche, dans les secteurs de pointe de l'agriculture anglaise, de sélection des graines et, un peu partout, une meilleure conservation de la semence.

L'Angleterre a réalisé, au XVIIIᵉ siècle, une révolution agricole indissociable de la révolution industrielle, née de l'effort intelligent d'un petit nombre d'entrepreneurs sollicités par un marché urbain important (Londres, seul, concentre 12 à 15 p. 100 de la population), illustration de ce que peut faire, sur le plan technique, le véritable empirisme, c'est-à-dire une attention intelligente aux choses et la volonté de peser sur elles, dans un but modeste et précis : obtenir une amélioration. La révolution anglaise (le mot est traditionnel, mais il n'est pas excessif) est motrice. Elle a joué par l'exemple et elle a gagné, secteur par secteur, toute l'Europe, en commençant par la France. La rupture avec l'assolement triennal en constitue le trait essentiel : la substitution du trèfle à la jachère restitue l'azote au sol (on ignore le processus physico-chimique, mais on constate une amélioration au lieu de l'épuisement attendu), l'introduction des plantes sarclées à l'intérieur de l'assolement, les fameux navets (les *turnips* de Townshend rapportés du Hanovre), contribue au nettoyage en profondeur du sol. Ce trait vaut d'être souligné ; la révolution anglaise au plan agricole n'invente pas, elle est plus économique que strictement technique : le *turnip* et la betterave sucrière viennent d'Allemagne, la première idée de l'assolement sans rupture, de Flandre, le bétail sélectionné, du continent. Mais les gentilshommes anglais du XVIIIᵉ, mus par le désir de gain et éduqués par la tradition empiriste britannique, mettent en mouvement la masse critique de transformations qui provoque le décollement de l'agriculture, un *take off* qui est dû tout entier à un ensemble impressionnant de petites et à un nombre restreint de grandes modifications techniques, et qui aboutit à un progrès de la production presque unique-

ment imputable (là réside la révolution) à une amélioration
radicale des rendements à l'hectare et par tête.

Pour comprendre la portée de ce doublement séculaire
sans précédent et sans équivalent, tenir compte du fait qu'à
la fin du XVIIIe à peine plus du tiers de la population active
est occupée dans le secteur agricole. L'Angleterre d'alors se
nourrit, avec une densité, vers 1780, de 50 hab./km². Pour la
première fois, un homme nourrit trois hommes au travail,
un homme travaillant la terre parvient à fournir la nourriture
à douze ou quinze de ses semblables ! Mais le grain n'est
qu'un aspect du problème, les progrès de l'élevage sont plus
rapides encore et plus significatifs. La production de la
viande de mouton et de la laine s'est accrue plus vite que la
production des grains, la production de la viande de bœuf
plus lentement. Pour la laine, par exemple, où les choses
sont relativement mieux cernées, la croissance s'inscrit dans
le rapport 40 millions de livres en 1695, 57 en 1741 et 94
millions en 1805. Étonnante Angleterre ! Un mur a été
franchi. A partir de là, la croissance soutenue, l'explosion
démographique, donc la seule vraie richesse, celle de la
multiplication des âmes, des consciences, des intelligences,
et le progrès sont possibles. Comment le miracle s'est-il
produit ?

Beaucoup mieux même que novation au sens strict, tout
semble d'abord problème de diffusion, de transmission.
Voyez les raves. Leur utilisation a été inspirée aux agro-
nomes et aux grands propriétaires anglais par l'exemple
flamand. Mais il a fallu un siècle et demi environ de féconds
tâtonnements : « Ni Googe (1571) ni Richard Weston (après
1645), n'avaient eu le moindre succès. Ce n'est que longtemps après eux qu'on les a considérés comme des initia-
teurs. » (D. Faucher.) Arthur Young s'est amusé à dire que
Richard Weston « avait été un plus grand bienfaiteur que
Newton ». La grande révolution, si on en retient l'idée, doit
être cherchée dans la prairie artificielle, ce fournisseur
d'azote au sol et de nourriture des animaux, ce double
producteur donc de protéines. La nouvelle technique a
cheminé lentement, dans l'Angleterre du XVIIe siècle, elle
explose au XVIIIe.

Si l'Angleterre est le moteur de l'Europe agricole des
Lumières, le Norfolk en est le modèle, Arthur Young l'a
assez dit. En 1794, le Norfolk exportait plus de blé que tout
le reste de l'Angleterre. Au milieu du XVIIIe siècle, le
continent, après l'Angleterre, découvre le Norfolk. La
première description enthousiaste de ce type d'agriculture se

lit, en France, en 1754, dans l'*Encyclopédie*. Elle avait été précédée, observe A. J. Bourde, d'informations dispersées. Les transformations du Norfolk pilote s'expliquent par un long passé. Les raisons profondes de cette mutation technologique importante sont d'ordre social. Il est impossible de ne pas évoquer le fameux problème des *enclosures*. Le droit d'enclore, qui s'accompagne d'un partage des communaux, marque la fin d'un âge agricole, l'âge de l'*openfield* et de l'assolement triennal, la grande conquête à l'ouest du Moyen Age constructeur de cathédrales. Le point de départ timide des *enclosures* se place traditionnellement au xvie siècle. Il est indissociable d'une révolution mi-sociale, mi-religieuse, qui aboutit à un amenuisement du régime seigneurial. Le mouvement se maintient jusque vers 1580; il repart au début du xviiie siècle. En 1850, le paysage anglais aura été totalement bouleversé. Pour cette transformation qui commande les possibilités de progrès technique, la classe des grands propriétaires bénéficie, grâce au Parlement, de l'appui de l'État. Voyez la courbe des *bills of enclosure* : 3 actes en douze ans sous la reine Anne; 1 par an, de 1714 à 1720; 33 de 1720 à 1730; 35 de 1730 à 1740; 38 de 1740 à 1750; mais 156 de 1750 à 1760; 424 de 1760 à 1770; 642 de 1770 à 1780; 287 de 1780 à 1790; 506 de 1790 à 1800; 906 de 1800 à 1810.

Effacement de la *yeomanry*, montée d'une classe de fermiers capitalistes qui, à côté des grands propriétaires, sont à l'affût du progrès technique, source de profit. Comme dans le reste de l'Angleterre : dans le Norfolk, vers le milieu du xvie siècle, les propriétaires nobles avaient reçu pour leurs terres une rente en argent. Cette évolution favorise l'individualisme agraire ; elle entraîne le désir d'obtenir des productions négociables, les *moneys crops;* elle brise le carcan communautaire. Les *enclosures* commencèrent ici plus tôt qu'ailleurs. Dès le xvie, le Norfolk travaillait pour l'approvisionnement de Londres. Les améliorations technologiques importantes se situent entre 1660 et 1680. Voici le marnage et les fumures systématiques avec des fumiers bien conservés, ayant gardé leur pouvoir fertilisant, l'insertion dans l'assolement de productions susceptibles d'assurer une alimentation abondante du bétail pendant l'hiver, grâce à un système de grande propriété et de champs étendus; le Norfolk rompt prématurément avec l'assolement triennal. A cette situation privilégiée viennent s'ajouter des influences externes grâce à un intense système de communications maritimes. Les Flandres et la Hollande avaient réalisé, en

vase clos, sans jamais obtenir un effet généralisé d'entraînement, des transformations. Ces expériences connues, imitées et réinterprétées en Angleterre font tache d'huile depuis
une Europe privilégiée qui borde la mer du Nord, Norfolk,
Suffolk, Kent, Flandres, Hollande, mais aussi Hanovre,
organiquement lié à l'Angleterre depuis l'avènement de la
dynastie de Hanovre, en 1714.

De là, Charles Townshend rapporte le *turnip*, qui est, avec
le trèfle et les prairies artificielles, la loi et les prophètes de la
nouvelle agronomie. Il est imité « par certains grands
propriétaires que le comté eut l'heureuse fortune de possé-
der et dont les noms sont comme les symboles des réussites
agricoles » (A. Bourde) de l'Europe des Lumières. Cook de
Holkham prend la relève, de 1776 à 1842, par une série
d'expérimentations et d'essais heureux, il parvient à transformer tout un district en une sorte de gigantesque ferme
pilote. Les « assemblées agricoles qu'il tenait à l'occasion de
la tonte de ses troupeaux, et qui rassemblaient parfois plus
de six cents invités venus de toute l'Europe », acquièrent une
renommée internationale. Ce fut le cas, notamment, en
1784. Mécanisme exemplaire de l'entraînement, Cook de
Holkham, mais encore Arthur Young, William Marshall, sir
John Sinclair, Nathaniel Kent complètent cette aristocratie
de la révolution agricole pilote du Norfolk.

Le système du Norfolk, empirique et expérimental, lié à
des conditions favorables et à l'esprit d'entreprise et d'expérimentation d'une élite intelligente de *gentlemen farmers*,
attentifs à l'amélioration des assolements, sera balayé au
début du XIXe siècle par la combinaison machinisme/chimie
agricole qu'avait proposée Jethro Tull. Jethro Tull (1674-
1741) représente l'autre aspect d'un même mouvement de
transformation. Et comme nul n'est prophète en son pays,
Jethro Tull, plus abstrait, inspiré par un modèle méditerranéen, plus théoricien, préscientifique, séduisit les Français.
Il devait publier ses idées dans un livre paru à Londres en
1731 (rééd. 1733, 1751) : *The horsehoeing husbandry*. Ce
Locke de l'agronomie allait rencontrer son Coste en la
personne du plus grand agronome du continent, Duhamel
du Monceau, qui contribua à son succès européen en
publiant son grand traité avec un titre qui est un hommage :
*Traité de la culture des terres suivant les principes de M. Tull,
Anglais*, Paris, 1750-1756, 6 vol. (nombreuses rééd.). « Né
en 1680 [? d'autres sources donnent 1674], c'est en 1699
que, selon Marshall, il commença ses expériences d'agriculture. Comme les jeunes gens distingués, ses contemporains,

il fit " le grand tour " et étudia la culture et les différentes productions du sol des pays qu'il visita. » (A. J. Bourde.) Son regard est méditerranéen, ce qui explique son succès en France et sur le continent. Townshend était un pur expérimental, Tull cherche, à l'aide de la philosophie mécaniste, à comprendre « l'anatomie et la physiologie des racines et des feuilles et [...] leur façon de se nourrir ». Il insiste sur l'importance du blé et des plantes nouvelles, raves, navets, sainfoin, luzerne. Il écarte le fumier, dont il ne comprend pas le rôle, tout pour lui dépend de l'eau que les plantes vont chercher dans le sol, donc la clef de la nouvelle agriculture réside dans les labours profonds et répétés. Conséquence logique d'une science qui est celle, malheureusement incomplète, des meilleurs travaux de botanique et de physiologie végétale, à la fin du xviie siècle, des Grew, Bradley, Woodward. Il vise et obtient une occupation permanente du sol et préconise la mécanisation maximale des travaux, contemporain passionné des toutes premières machines qui commencent à s'insérer dans le procès de la production industrielle de son temps en Angleterre. Deux éléments ont manqué à Tull, une biologie physico-chimique des plantes et du sol, le machinisme poussé des xixe et xxe siècles.

La véritable solution réside dans l'association en dépassement des méthodes faussement opposées du Norfolk et de Tull, entendez l'association de l'empirisme et de la science, de l'induction et de la déduction, de l'assolement et de la machine. La véritable solution est en avant, au xixe siècle, mais tous les éléments sont rassemblés dans l'Angleterre du xviiie siècle. Elle a réussi beaucoup plus que le doublement de la production, le doublement à surface égale et à main-d'œuvre égale, donc le premier doublement séculaire de la productivité, dans le secteur économique qui conditionne directement la vie. Cette victoire, qui est celle de la vie, est, à 50 p. 100 au moins, une victoire du retour de l'esprit sur les choses, un bon exemple du pragmatisme des Lumières.

La France, dont les performances techniques sont assez médiocres (voyez la pomme de terre : Parmentier réalise à la fin du xviiie siècle une diffusion qui est comparable à celle obtenue en Angleterre et en Irlande à la fin du xviie), a joué un rôle de relais dans la diffusion sur le continent de la technologie et de l'agronomie britanniques, non sans lui imprimer une teinte systématique qui est propre à son esprit. Une mutation bibliographique se produit autour de 1750. On est frappé par le petit nombre d'ouvrages de technologie agricole au XVIe et au XVIIe, d'où le succès d'Olivier de Serres. Dans la première moitié du XVIIIe siècle s'élabore pourtant cette philosophie systématique issue d'une réflexion hâtive sur l'agriculture : la physiocratie qui appartient aux grands courants d'idées du XVIIIe siècle. L'*Essai physique sur l'économie animale* de Quesnay a paru en 1736, la *Philosophie rurale ou Économie générale et politique de l'agriculture* de Mirabeau en 1763, à Amsterdam. Voltaire, à qui rien n'échappe, a vu la mutation d'intérêt du milieu du siècle : « Vers 1750 [...] la nation rassasiée de vers, de comédies, d'opéras, de romans [...] de disputes philosophiques, se mit à raisonner sur les blés. » La France n'est pas seule touchée, l'Angleterre, l'Italie, la Suisse, les pays de langue allemande participent à cette floraison. Une bibliographie donne vingt-six titres au XVIe, douze cents pour le XVIIIe. Bien entendu, comme l'observe plaisamment Voltaire, « tout le monde les lit, excepté les laboureurs ». « Mais " tout le monde ", c'était les bourgeois propriétaires, les nobles ruinés [...] ou cette noblesse instruite qui prête attention à ses domaines. » (D. Faucher.) Et les sociétés d'agriculture font relais.

Tournant de 1750 marqué, en France, par la personnalité et l'œuvre exemplaire de Duhamel du Monceau. Le Townshend français est un grand commis, un savant, un homme de plume. Né à Paris en 1700, d'une famille aisée, il possédait « argent, terres dans le Gâtinais, à Denainvilliers » (A. J. Bourde.). Études au collège d'Harcourt, intérêt pour les sciences de la nature, célibat qui donne liberté d'esprit, une étroite collaboration avec son frère, Alexandre Duhamel de Denainvilliers, célibataire comme lui, et avec tous les savants de son temps. « L'ambition de Duhamel [dit Condorcet, fut de] se rendre l'interprète des sciences auprès du peuple. » (A. J. Bourde.) Sous sa plume, un mot obsession : humanité. « Il est hors de doute que Duhamel, qui d'ailleurs fut conservateur en matière sociale et politique, eut toujours à cœur de promouvoir les individus les plus actifs, les plus travailleurs, les plus intelligents des ouvriers, des artisans et des artistes. C'est ce que Condorcet déclare expressément quand il décrit son activité dans les établissements artisanaux qu'il contribua à fonder. » Il entra à l'Académie des sciences en 1728. Ses travaux (plus de cent volumes) furent traduits dans toutes les langues ; il était membre correspondant de presque toutes les sociétés savantes d'Europe. On songera un instant à lui à la tête du Jardin du roi, en 1739. Buffon lui fut préféré, hésitation honorable. En compensation, Maurepas le nomme inspecteur général de la Marine. Parmi les découvertes nombreuses d'une vie consacrée à la recherche, une, d'apparence modeste, est capitale : elle a trait à la conservation des grains. On voit, dès 1734 et 1748, apparaître ses premières notes sur l'étude de la ventilation. Ce savant modeste et utile plaide bien la cause du pragmatisme des Lumières. Maillon essentiel dans la transmission du progrès technique.

Plus qu'un problème purement scientifique, voire même technique, la lente préparation de la révolution clef, la révolution agricole est affaire de diffusion, de décloisonnement. Entre l'apparition des innovations agricoles du VIIIe siècle et la diffusion au XIIIe, il a fallu quatre siècles. Un siècle seulement, au XVIIIe, entre les premières expériences sérieuses et leur diffusion. Ce rythme de l'entraînement est la conséquence heureuse du multiplicateur des Lumières. La mutation industrielle est à bien plus forte raison encore la conséquence du multiplicateur. De son intelligence dépend, en partie, une saine appréciation des politiques à appliquer de notre temps aux problèmes du rattrapage et de la croissance harmonisée. Tout se joue en Angleterre et rayonne, de là, sur le continent. Le tableau construit par Deane et Cole, condensé d'années d'efforts, de milliers d'épuisants calculs, plaide en faveur de la précocité statistique de l'Angleterre.

Rien de comparable dans le passé. L'Angleterre de la seconde moitié du XVIIIe siècle appartient déjà au futur. A partir de 1780 surtout, les chiffres désignent le *take off* sans phrase. Presque doublement de la population, peuplement des frontières lointaines, et pourtant une multiplication du produit par 2,5 et du revenu par tête par 1,6. Tous les témoignages sont concordants et David S. Landes, récemment, en a réuni un convaincant florilège ; ce n'est pas seulement une Angleterre privilégiée, mais c'est une Angleterre profonde, à l'exception de 30 à 35 p. 100 de rejetés dans leur propre patrie : le niveau de vie de l'Angleterre diffère de celui du continent. Une Angleterre qui mange de la viande, boit trop d'alcool, se chauffe déjà au charbon de terre, dans une maison de briques, couverte autrement qu'en chaume : un paysage nouveau chasse l'ancien. Les besoins de ce premier marché intérieur de masse contribuent, autant et plus que les marchés extérieurs, à entraîner la croissance de l'économie britannique. Le décollage de l'Angleterre a une valeur qui dépasse le cas anglais puisque, par entraînement, il affecte l'Europe continentale, les ex-colonies anglaises d'Amérique, puis le processus enclenché de secteurs géographiques de plus en plus larges, après avoir préparé le relais d'autres secteurs géographiques entraînants. Nous ne pouvons reprendre ici toute l'histoire de l'exemplaire croissance anglaise du XVIIIe siècle. Depuis Mantoux, deux certitudes se sont précisées. Le privilège anglais est très ancien, il remonte, au moins, au XVIe; les longues séries de Colyton l'expriment. Une espérance de vie insolite, quinze ans de mieux que le continent à la fin du XVIe, si Colyton parle bien au nom de l'Angleterre. La démographie confirme ce que les longs cheminements des économistes nous ont appris. L'écart continue de se creuser, F. Crouzet l'a bien montré, au cours du XVIIe siècle, entre l'Angleterre et les secteurs favorisés du continent, principalement la France. En un mot, à la révolution industrielle du XVIIIe siècle nous avons substitué une vision plus complexe. Une très lente progression relative de 1550 à 1780 place l'Angleterre à 15 ou 20 p. 100 au-dessus des secteurs les plus avancés du continent; la vraie révolution explose de 1780 à 1830.

★

On n'en finit pas de s'interroger sur la révolution anglaise. Presque autant de réponses que d'économistes et d'historiens. Deane et Cole plaident la complexité; au terme d'un des efforts les plus réussis de l'histoire quantitative, trois aspects leur semblent s'imposer : « population, récoltes et commerce maritime ». Nous avons vu les deux premiers points, le facteur entraînant du grand commerce colonial a pu être chiffré, Amérique du Nord et Indes occidentales jouent un rôle de pointe après 1763; l'Angleterre décolle vraiment après 1780. La guerre de l'Indépendance ne lui fait pas perdre le marché des anciennes colonies, qui restent dans une étroite dépendance économique. « Population, récoltes, commerce maritime », nous serions tenté d'écrire « invention » d'hommes et « frontière » technologique. « Aucun pays n'a été, comme la Grande-Bretagne, entre 1780 et 1800, un foyer d'inventions aussi cohérent et aussi autonome. » (M. Daumas.) La frontière technologique de l'Europe est à 80 p. 100 anglaise. Cette part s'explique. L'Europe des Lumières, plus et mieux encore que la France, n'est-ce pas l'Angleterre ? L'horizon 80 y a été plus précoce, plus révolutionnaire et plus profond. L'empirisme enfin, dans la pensée anglaise, l'emporte sur l'apriorisme rationaliste. L'empirisme est éminemment pratique. Il pousse tout naturellement devant lui une « frontière » de transformation technologique. Maurice Daumas insiste : expansion du machinisme plus que révolution industrielle ; nous dirions volontiers, de 1760 à 1830, en Angleterre d'abord, en France, aux Pays-Bas, en Allemagne ; ensuite avance rapide, soutenue, accélérée d'une « frontière technologique » qui doit presque tout à la rapidité de la communication, à l'entraînement, à l'observation, à la volonté d'obtenir un mieux modeste, précis, concret, à une certaine aisance, à l'intérêt des capitaux pour cette nouvelle frontière. Progrès scientifique à l'époque de la philosophie mécaniste et progrès technique participent peut-être à un même climat mental collectif, mais le progrès technique, jusqu'en 1830, ne doit pratiquement rien à la science, la science doit plus à la technique que la technique à la science. Daumas le pense, qui met en cause une accélération du processus traditionnel. Voyez l'industrie textile : « Si l'on reprend l'histoire des inventions auxquelles elle doit sa mécanisation, on voit qu'il s'est écoulé, parfois, un siècle et demi entre les premiers tâtonnements pour la réalisation des machines et l'utilisation industrielle de celles-ci. »

Le textile. Tout vient de là. L'histoire en a été écrite par Mantoux en 1906. Le point de départ remonte aux dernières années du XVIe siècle, à ce métier à tricoter les bas (*stocking-frame*) inventé par un gradué de l'université de Cambridge, William Lee, en 1598. Le XVIIe siècle n'en a rien fait, il a cherché assez vainement dans le domaine de la soie. Ce qui manque, ce sont les structures capitalistes et le climat mental créé par la lente descente sociale de la philosophie mécaniste. Tout se joue, on s'en souvient, autour du coton. L'intérêt lainier veille, il obtient du Parlement l'interdiction des indiennes. De ce fait découle tout un ensemble de réponses, dont laine et coton bénéficient tous deux. La mise en branle du processus qui aboutit à la masse critique de transformation : 1733, John Kay, la navette volante (*fly-shuttle*). L'invention « qui doit être regardée comme l'origine de toutes les autres est un simple perfectionnement de l'ancien métier à tisser » (P. Mantoux). Comment faire des pièces plus larges ? Le gain de productivité était considérable mais il n'était pas recherché. Désormais on manque de fil. Voilà entamé le processus de la rupture d'équilibre motrice. John Wyatt et Lewis Paul s'attaquent au problème du fil. Un brevet, notez-le, est enregistré le 24 juin 1738. La solution c'est la *spinning-jenny* de Hargreaves, une petite machine facile à faire et qui correspond bien au stade intermédiaire du processus de concentration, l'étape du marchand manufacturier qui conserve les vieilles structures du système domestique, tout en réalisant un minimum de concentration au niveau de la répartition de la matière première, de l'achat et de la construction des machines, et de la vente du produit fini. La *jenny* est de 1765, le *water-frame* d'Arkwright de 1767. Or c'est Arkwright qui a frappé l'esprit des contemporains, peut-être parce qu'il a fait fortune mais surtout parce que sa grosse machine, technologiquement moins réussie que celle de Hargreaves, annonce le dernier stade de la concentration, le système manufacturier. A partir de là, tout est possible : de 1775 à 1785 le rythme s'affole, la révolution technique dans le textile est commencée.

« Lorsque l'invention semble aboutir rapidement, comme dans le cas du *water-frame* d'Arkwright ou de la *jenny* de Hargreaves, on leur trouve des antécédents qui remontent au dernier quart du XVIIᵉ siècle. » Notez le dernier quart du XVIIᵉ siècle, notre horizon 80, toute l'épaisseur du temps des Lumières pour les deux machines exemplaires entre toutes de l'histoire de la traditionnelle révolution industrielle. Pour le coke métallurgique, même processus depuis les années 1600 : lent d'abord, puis rapide, de l'horizon 80 au milieu du XVIIIᵉ siècle. « Dans l'histoire des techniques, l'invention n'est que très rarement réduite à la dimension d'un seul événement dû à un seul personnage. » Arkwright, Hargreaves, Newcomen et Watt sont des repères commodes et il est normal que justice leur soit rendue, comme à Jenner, le plus grand des empiriques au regard attentif à la vie et aux choses, cet inventeur d'hommes. « C'est une opération complexe qui, avant de déboucher sur les innovations industrielles, bénéficie d'une expérience parfois longue de plusieurs siècles, accumulée de génération en génération... Elle ne prend une forme achevée que lorsque l'époque le permet. Il faut pour cela qu'un certain nombre de facteurs concourent à la rendre à la fois possible et utile. » (M. Daumas.) Le rythme s'accroît au fur et à mesure qu'on se rapproche de la période contemporaine. L'accélération est décisive au XVIIIᵉ siècle. Pas assez, toutefois, pense Daumas, pour que l'on puisse parler de révolution.

Un problème capital, l'énergie, le moteur. Entre les balbutiements de Savery et de Newcomen et la machine de Watt, entre la machine atmosphérique et la machine à vapeur, une étape décisive a été franchie, mais comment ? L'Europe, au XVIIIe siècle, n'est pas réduite au seul moteur humain. En cela, elle se sépare du reste du monde, autres civilisations et cultures. L'Europe carnivore, nous l'avons dit, recourt massivement au moteur musculaire animal. Vers le milieu du XVIIIe siècle, on peut évaluer le troupeau européen à 14 millions de chevaux et 24 millions de bœufs (F. Braudel), soit un moteur animal de 10 millions de chevaux-vapeur. En face de ce potentiel, le moteur musculaire humain (de 50 millions de travailleurs, très largement comptés sur 100 millions d'habitants) représente un peu moins d'un million de chevaux-vapeur (900 000). Viennent ensuite le « bois équivalant, peut-être, à 10 millions de chevaux ; ensuite les roues hydrauliques entre 1 million et demi et 3 millions de chevaux [...] enfin la voile, 233 000 chevaux au plus, sans compter la flotte de guerre ». Deux leçons peuvent être tirées de ces chiffres. Si on totalise moteur musculaire, animal, bois, roues hydrauliques, force éolienne, moulins et voiles, on constate non sans surprise qu'au milieu du XVIIIe siècle, chaque habitant possède déjà, en Europe, en moyenne, vingt-cinq fois plus d'énergie que son appareil musculaire n'est susceptible de lui en procurer. L'Européen dispose déjà d'un moteur cinq fois plus puissant que le Chinois — l'homme des autres civilisations — et dix fois supérieur à celui des hommes des cultures. Mais ce moteur est insuffisant. Surtout, il entre en concurrence avec la vie humaine. Moteur musculaire animal et bois (à 85-90 p. 100) disputent le sol à la nourriture de l'homme. En cela, le recours au charbon de terre est capital. Liège et Newcastle, grâce à la mer qui résout le problème de transport : « 30 000 tonnes annuelles en 1503-1564, 500 000 tonnes en 1658-1659. » Depuis 1700, en dehors de l'énergie calorifique, l'énergie fossile donne, grâce à la machine à feu atmosphérique de Newcomen, avec une déperdition extraordinaire et des rendements infimes (1 p. 100), un tout petit appoint d'énergie noble, mécanique. « La production [de Newcastle] vers 1800 est sans doute au voisinage de 2 millions. » La production anglaise atteint alors 11 millions de tonnes. Depuis 1780, la vraie mutation du moteur est en train de s'opérer dans le laboratoire anglais.

Mais avant d'arriver à Watt, la mutation du moteur porte d'abord sur l'amélioration des outils traditionnels, 20 millions de chevaux imputables à des sources musculaires et végétales directement empruntées aux cycles de l'oxygène et de l'azote, un moteur biologique concurrent et dangereux.

L'appoint de la houille apporte un premier et modeste desserrement. En face, roues hydrauliques et moulins à vent esquissent, depuis des siècles, la percée technologique. Le problème capital est celui du matériau. Le moulin à vent, jusqu'au milieu du XVIIIe siècle, a une transmission intégralement en bois : une amélioration sensible se produit vers 1750 ; elle est due à l'introduction du métal. « John Smeaton fut peut-être le premier à faire employer la fonte pour consolider et renforcer les charpentes classiques de bois. » (M. Daumas et B. Gille.) Le métal réduit les frottements : le rendement d'un moulin, au milieu du XVIIIe, avec engrenage en bois, ne dépassait pas 39 p. 100 ; Edmund Lee, encore un Anglais, « introduit le gouvernail » qui permet d'utiliser toujours au maximum la force du vent. La diffusion du gouvernail fut freinée, toutefois, par la difficulté à réaliser industriellement un mécanisme métallique robuste et bon marché.

Le moteur hydraulique est beaucoup plus important. C'est lui qui a procuré l'énergie nécessaire, lors de sa première phase, aux manufactures anglaises. Jusqu'en 1830 en Angleterre, 1860 en France, le moteur hydraulique reste en tête. Les machines à feu atmosphériques sont même, dans certains cas, curieusement associées comme régulateurs et comme appoints : « lorsque la hauteur de chute était insuffisante, on employa des machines Newcomen à relever l'eau du niveau inférieur au niveau supérieur du coursier ». Dans ces conditions, l'amélioration de la coupe des pales et de la transmission est capitale. Un léger gain de productivité étant multiplié par l'ampleur de l'implantation. Mariotte, Newton et surtout Daniel Bernoulli, en 1727, s'intéressèrent au problème des pales. La principale amélioration n'est pas due aux travaux théoriques des savants, mais aux tâtonnements systématiques, à des expériences sur modèles réduits : John Smeaton, à nouveau, en 1762 et 1763, et Borda, pour la France, en 1767. C'est à Smeaton, en Angleterre — parmi beaucoup d'améliorateurs restés anonymes —, que l'on doit la montée régulière des rendements des moteurs hydrauliques entre 1750 et 1780 ; elle permet et elle commande, tout ensemble, le passage du « marchand manufacturier » au *factory system*. En Allemagne, au milieu du siècle, avec la collaboration d'un savant cette fois, le grand Euler, apparaissent les turbines à eau, dont le progrès est gêné par des difficultés concrètes de résistance des matériaux. L'amélioration du moulin à vent et de la roue hydraulique libère à court terme beaucoup plus d'énergie.

La percée technologique se situe, toutefois, au niveau de la machine à vapeur. Cette réalité anglaise avait frappé Marx et Engels.

Il a fallu pour cela un siècle de tâtonnements et l'obstination d'hommes au génie de réalisateurs, au premier chef Newcomen — après Worcester, Denis Papin et Savery; c'est à son nom que la première étape est liée. Il naquit à Darmouth, dans le Devon, en 1663 et mourut à Londres en 1729. Sans doute a-t-il été en relation avec Robert Hooke, le secrétaire de la Royal Society. Même à ce stade, la science... la philosophie mécaniste, n'est pas totalement à l'écart. Mais Newcomen est presque à 100 p. 100 un manuel — un manuel qui sait lire, compter, un acculturé de l'alphabétisation systématique de l'Europe protestante. Quand il commence, avec succès, ses premières manipulations en 1703, il exerce la profession de « quincaillier et marchand d'outils, ou mieux, de forgeron, dans sa ville natale ». Le principe est simple : la force extensive de la vapeur est communiquée à un piston vertical. « Le refroidissement de la vapeur et sa condensation laissaient à la pression atmosphérique s'exerçant par l'ouverture supérieure du tube la charge de repousser le piston vers le bas. » On ne cesse, au cours de trois quarts de siècle, d'améliorer la première Newcomen (fermeture automatique des robinets qui remplace l'enfant préposé à ce travail, etc.), mais le principe reste le même et le rendement très faible, de l'ordre de 1 p. 100. Watt, c'est quand même un peu autre chose. James Watt (1736-1819) est un empiriste, presque un manuel (il était préparateur d'appareils scientifiques à l'université de Glasgow), qui a été élevé et qui a vécu dans un milieu intellectuel ; disons que son sens de l'observation, que son empirisme se nourrissent au contact de la science théorique. « Il ne fait aucun doute que Watt était un homme cultivé. [Le progrès est sensible de Newcomen à Watt.] On peut se demander s'il ne l'est pas devenu à cause du succès de sa première machine à vapeur, grâce auquel il a acquis une position sociale qui l'a mis en relation avec ses amis de Birmingham, toujours cités, mais succès qui n'a pu être la seule conséquence des connaissances acquises au contact des professeurs de l'université de Glasgow. » (M. Daumas.)

Et pourtant, une atmosphère mentale est un tout. La philosophie mécaniste n'intervient pas directement, mais indirectement, par les habitudes de pensée qu'elle façonne. « James Watt était le petit-fils d'un mathématicien et le fils d'un notaire de Greenock, en Écosse [un dissident aussi,

presbytérien]. D'une santé délicate, il reçut une première
instruction dans sa famille et apprit à exécuter des travaux
de menuiserie qui lui firent acquérir une grande habileté
manuelle. [Cette association de la main à l'esprit est un trait
des milieux de tradition puritaine.] Il avait repris ses études,
lorsque les difficultés l'obligèrent à chercher un métier. »
De ses mains il travailla d'abord à Londres, chez un
fabricant d'instruments de navigation, avant d'être préparateur à l'université. Cette initiation à la technologie de pointe
parascientifique de son temps a son prix. L'ambiance dans
laquelle il a vécu « a pu l'aider à acquérir des habitudes
intellectuelles rigoureuses, des méthodes de jugement
pragmatiques ; ces qualités l'ont profondément servi ». Si
l'on regarde, en revanche, les connaissances scientifiques de
l'horizon 1750-1770, rien qui pût servir. Il se trouvait à peu
près dans la même situation que Papin, Savery ou Newcomen, après les travaux d'Otto de Guericke et la découverte
du vide. » Mais il a une autre aptitude liée à une ambiance
de rigueur et favorisée par la disponibilité des capitaux, une
prodigieuse force de concentration : « Watt a été l'homme
d'un seul problème » ; quinze à vingt-cinq ans d'une vie sur
un seul problème. Quelle voie plus économique que ce luxe
prodigieux ? C'est ce qui sépare Smeaton de Watt. « Si les
connaissances scientifiques avaient été en mesure d'aider à
cette création, peut-être Smeaton aurait été l'homme de la
machine à condensateur. » Comme pour le moteur à explosion, la découverte de Watt s'est faite grâce à des qualités
mentales dont la philosophie mécaniste a bénéficié et
auxquelles elle a contribué, mais sans le secours direct de la
science. Bien au contraire, c'est la thermodynamique qui est
née de la généralisation de la machine de Watt et non
l'inverse. 1769, le premier brevet ; 1780, Watt et Boulton,
quarante machines à condensateur vendues. Cinquante ans
seront nécessaires pour conquérir l'Angleterre, et quatre-
vingts pour dépasser, sur le continent, le moteur hydraulique. L'histoire de Watt et Boulton est passionnante, dans la
mesure où elle montre, en action, l'esprit et les moyens, le
génie inventeur de machines, les moyens et les injonctions
du capitalisme. Tout le mélange détonant de la pragmatique
et unique Angleterre de la fin du XVIIIe siècle, généreuse en
hommes, parcimonieuse devant la mort, respectueuse du
partage entre le ciel et la terre, appliquée à tout bien mener
de front, où l'attente du royaume de Dieu, avec Wesley, est
occupée par l'activisme pratique d'un *Dissent* efficace.

D'abord, le « front technologique » est un. Il couvre tout

en bloc. La découverte isolée, trop en flèche, est inopérante, mise en réserve pour des temps meilleurs. Sans l'aléseuse de Wilkinson, la machine à condensateur de Watt est irréalisable, faute d'une étanchéité suffisante entre le piston et le cylindre. Vaucanson en France fait des prodiges, mais ses prodiges n'ont aucun pouvoir d'entraînement. C'est la punition de l'avance de son génie. On pourrait refaire la démonstration pour les métiers et les broches ; les résultats seraient convergents. Voyez encore la métallurgie : elle commande le matériau par excellence, le fer, puis l'acier. Une première révolution industrielle limitée a peut-être été bloquée au XVe siècle par le manque de fer. La mécanique du premier XVIIIe siècle est encore une mécanique en bois, fragile, énorme, qui multiplie les frottements. Pensez aux moulins. Suivre le fer, c'est donc suivre l'histoire de la mutation industrielle. Un économiste polonais, Stefan Kurowski, a même prétendu « que toutes les pulsations de la vie économique se saisissent à travers le cas privilégié de l'industrie métallurgique : elle résume tout, annonce tout » (d'après F. Braudel). La production de fer dans le monde, en 1800, était, pense Fernand Braudel, très inférieure à 2 millions de tonnes. Vers 1525, la production de fer en Europe se situe autour de 100 000 tonnes. L'Allemagne vient en tête (30 000 t), l'Espagne en seconde position, la France en troisième place et l'Angleterre en quatrième position (6 000 t). L'Angleterre aurait atteint 75 000 t vers 1640, quand le bois vint à manquer. Vers 1760, Russie comprise, la production européenne pourrait osciller entre 145 000 et 180 000 tonnes. Vers 1720 (Deane et Cole), la production de fer britannique est estimée à 25 000 tonnes, elle reste stationnaire, voire déclinante, jusqu'en 1750. Le goulot du bois la tient. L'industrie mécanique britannique importe son fer brut de Suède pour les qualités supérieures, et de l'Oural russe pour les bas prix. A partir de 1760, la solution technique est en vue, la croissance commence. 10 000 tonnes en plus. De 1757 à 1788, le taux de croissance par décennie est de l'ordre de 40 p. 100. Il dépasse 100 p. 100 de 1788 à 1806 : 68 000 tonnes en 1788, 125 400 en 1796, 250 000 en 1806, 325 000 en 1818, 678 000 en 1830. Le démarrage du fer marque bien le démarrage de l'industrie britannique, avec ses deux seuils : 1760, premier ébranlement, 1780, bond en avant. C'est pendant la Révolution et dans les quelques années qui la précèdent que la France, malgré les efforts de Calonne, a perdu la partie. La croissance de l'économie britannique est alors irrésistible.

Le charbon, simple accompagnement, suit le mouvement :
5 millions de tonnes en 1760, 10 millions par an à la fin de
1780, 11 millions au moins en 1800. En 1805, la production
du fer a même atteint 5,9 p. 100 du produit national brut, un
pourcentage du xxᵉ siècle. La production court tant bien
que mal derrière les besoins. Faut-il rappeler que les
premiers rails sont en bois, puis en bois revêtu de métal,
puis en fonte, bien avant l'acier ?

Nulle part, sans doute, les difficultés à vaincre n'auront
été plus considérables. C'est aussi que des échappatoires et
des recours géographiques se sont offerts. Le fer, de 1680 à
1760, aura été une production des lointaines « marges
pionnières » forestières. « Le fer étranger était arrivé à
représenter environ 60 p. 100 de la consommation
anglaise. » (B. Gille.) Entre les premières recherches effec-
tuées pour obtenir un métal à partir du charbon de terre,
substitut bon marché du bois (seconde moitié du xviᵉ siècle), et les efforts couronnés de succès d'Abraham Darby Iᵉʳ
(1678-1711), un siècle et demi ; cinquante ans pour se
perfectionner et s'implanter. Le procédé est révolutionnaire
seulement sur l'horizon anglais de la décennie 1780. Même
processus, même démarche, celui d'un empirisme très
indirectement influencé par l'atmosphère mentale de la
philosophie mécaniste. Le métal permet de fabriquer vis,
roues dentées, engrenages, dont la demande ne cesse de
s'accroître. C'est peut-être là que l'esprit scientifique mécaniste fait en premier irruption, en raison aussi de l'écrasante
avance de la géométrie et de la mécanique mathématique. La
mécanique industrielle constitue le premier secteur de la
technologie porté au bénéfice de la science ; il est vrai qu'il
commande tous les autres. « Les difficultés, constate
M. Daumas, que les créateurs de la machine à vapeur et des
premières machines-outils eurent à surmonter, leur firent
prendre conscience que seule l'élaboration d'une théorie des
machines, alors inexistante, serait susceptible de leur suggé-
rer des solutions générales. La notion de machine était
encore extrêmement confuse. L'art de les inventer, de les
construire et de les perfectionner était un véritable art au
sens ancien du terme, imprégné d'empirisme. Aucune étude
analytique et comparative des parties de machines différentes n'avait été tentée ; elle ne pouvait l'être avant que
quelques éléments théoriques n'en constituent les bases
fondamentales. » C'est sur l'horizon 1780 que commence à
se construire, entre 1780 et 1820, une esquisse de théorie
scientifique de la machine industrielle, ce qui ne restreint en

rien la part de l'habileté de ceux qui furent intelligents avec leurs mains.

Restent les communications. Elles commandent tout. Le multiplicateur des connaissances et le multiplicateur de l'environnement passent par là. Il est naturel que les communications aient bénéficié des retombées du pragmatisme des Lumières. Le XIXe siècle, c'est le chemin de fer et le télégraphe électrique ; le XVIIIe, la route pavée, le pont, la voiture bien jantée, suspendue, aux frottements réduits, les canaux et, tout à la fin, le télégraphe de Chappe, né du besoin, ressenti par l'État, d'une transmission rapide des pensées. On ne sait pas construire une route ferrée avant les dernières années du XVIIIe siècle. Gain de vitesse, moindre usure des charrois, réduction de la force nécessaire au déplacement, tout bien pesé, le gain de productivité peut se situer, dans les cas extrêmes, dans un rapport de 1 à 10. Nous avons indiqué jadis quelques incidences sur les prix en Bourgogne. La mutation de la route se fait en deux temps. Le pavé du roi en France, sur l'horizon 1760 et 1770. Parmi les collaborateurs de Turgot, quelques novateurs ; au premier rang l'ingénieur en chef, Pierre Trésaguet : un énorme effort certes, mais ce n'est pas encore la réflexion méthodique et efficace sur l'art d'obtenir des chemins résistant au mauvais temps et à l'usure. A Trésaguet revient le mérite d'avoir senti la faiblesse de l'ancienne technique. « Lorsqu'on cherchait à établir une route solide [le premier pavé du roi est contemporain de cette technique], on plaçait une couche de pierres, entassées sans ordre, d'épaisseur variable, donnant une surface très bombée mais irrégulière et sans cohésion » (M. Daumas et B. Gille) ; la chaussée mal drainée se désagrégeait rapidement sous l'effet des roues et de la gelée. Très vite, ce chemin offrait une résistance énorme au roulage et cette résistance augmentait à son tour l'effet de désagrégation du passage.

Le principal mérite d'une solution novatrice et révolutionnaire appartient à deux Britanniques, John Loudon McAdam (1756-1836) et Thomas Telford (1757-1834). McAdam expose ses idées dans *Present State of Road-making*. Pour obtenir une surface lisse, solide et roulante, sans risque de désagrégation, il importe d'employer des pierres grossièrement taillées et triées par couches d'épaisseurs différentes, afin que la pression des charrois renforce la cohésion de la route au lieu de la disperser. En un mot, deux mille cinq cents ans après sa découverte, le principe de la clef de voûte appliqué à la route. Le cantonnier cassant des cailloux sur le bord des chemins est une image symbolique : l'entrée de la réflexion dans les secteurs les plus humbles de la vie. Trésaguet l'avait pressenti, des applications existaient en France, en Suisse et en Suède, mais généralisation, perfectionnement et multiplication appartiennent à McAdam et à Telford et aux années 1780 et 1790. Telford renforce la technique McAdam-Trésaguet d'une étude systématique de la traction des chevaux. La Hire avait noté, en 1699, que la force de traction du cheval décroît beaucoup plus en fonction de la pente que celle de l'homme (un cheval = sept hommes sur le plat, moins de trois sur une pente moyenne de montagne). Telford en tire les conséquences quatre-vingt-dix ans plus tard : pas de pente supérieure à 3 p. 100 sur une route moyenne, 2,5 p. 100 sur une artère principale. L'amélioration de la chaussée et l'urbanisation entraînent une modification profonde des voitures destinées au transport des hommes. L'horizon 1780-1790 se signale, une fois de plus, comme l'horizon révolutionnaire de la vitesse et des communications. Premiers ponts de fer, larges ponts aux piles robustes et espacées, voyez Bayeux à Tours (1764-1777), Hupeau et Perronet déjà à Mantes (1757-1765). Mais tout est à faire, l'investissement nécessaire annonce un avant-chemin de fer. Rouen, troisième ville du royaume, ayant perdu son pont de pierre au XVIe siècle, lors de la modification climatique qui accéléra le courant, se contente jusqu'au début du XIXe siècle d'un pont de bateaux.

Le télégraphe de Chappe est à la transmission électrique de la pensée ce que la route ferrée est à la voie ferrée. L'invention de Chappe (1763-1805), réalisée pour la première fois en 1793, ne présente rien de révolutionnaire ; techniquement, elle était possible depuis un siècle. Elle supposait toutefois une puissance, un vouloir et un besoin de l'État, la fabrication à bon compte de lunettes à objectifs achromatiques. Conséquence normale : un espace économique plus homogène ; le processus engagé depuis le début du XVIe siècle. Voyez l'immense travail de F. Braudel et F. C. Spooner. Nous mesurons l'homogénéisation de l'espace européen par l'uniformisation des prix. Laissons l'atténuation de l'amplitude cyclique et la lente réduction de la période. Ces facteurs ont leur incidence démographique, ils ont leur incidence sur la croissance en encourageant une rotation plus rapide des capitaux et des transferts spéculation-investissement.

Revenons à la géographie et au meilleur indicateur, le blé.

Il y a eu longtemps trois Europes : au sud, une Europe qui fut longtemps une Europe chère, dans la mesure où elle était l'Europe développée. A l'est et au nord, une Europe bon marché et non encore saturée. Entre les deux, une Europe moyenne. Le grand fait n'est plus, dans ces conditions, les respirations attendues, les fluctuations séculaires, mais la fantastique ouverture de l'éventail, au départ, et, à long terme, sa fermeture. Entre Valence, pôle péninsulaire de la Méditerranée chère, et Lwow, centre médiéval de la Pologne bon marché, le rapport prix-argent du blé, au cours de la décennie 1440-1449, se situe dans la relation presque incroyable de 1 à 7 (de 6 à 43 g d'argent l'hectolitre). A la fin du XVIᵉ, quand le Sud est à 100, le Nord est à 76 et la Pologne à 25. 1650-1659 marque le premier changement important. La zone des hauts prix méditerranéens est maintenant rejointe par la côte de l'Atlantique et de la Manche. 1690-1699, le premier horizon des Lumières. L'Europe chère, l'Europe économiquement dominante se confond avec l'Angleterre et les Pays-Bas (Hollande), la moitié nord de la France centrée sur Paris. La Méditerranée est rétrogradée en seconde position. L'Est reste moins cher (Lwow, 44,31 g ; Lublin, 40,13 g ; Varsovie, 25,24 g/hl). « Les nouveaux riches du XVIIᵉ siècle mangent du pain cher. » 1740-1749, la nouvelle géographie s'est confirmée. Une Europe chère, qui est l'Europe riche, le long des côtes de l'Atlantique et de la Manche, de la mer du Nord. Une Europe de pain bon marché, qui est une Europe continentale à l'est. Une Europe à prix moyen, qui est le secteur rétrogradé de la Méditerranée. A la limite, on tend vers une bipolarisation simple entre le secteur atlantique cher et un secteur bon marché qui comprend la Méditerranée, le Centre, l'Est. Entre les pôles de hauts prix et de bas prix, l'écart est passé de 7,5/1 à 2/1 à peine. Bien sûr, le blé n'est pas tout. A partir de 1760-1780, le décollement de la Grande-Bretagne creuse de nouvelles disparités. L'homogénéisation d'un espace économique, longtemps profondément désarticulé, appartient pourtant à la retombée des Lumières au niveau des êtres et des choses.

Retour de la pensée sur l'économie. Il se fait au travers d'une structure sociale. C'est la matière d'un livre. Et ce livre existe. Le démarrage anglais du XVIIIᵉ est indissociable pourtant d'une plasticité sociale antérieure aux Lumières, dont la pensée des Lumières s'est inspirée et qu'elle a renforcée de ses justifications. Les maîtres de l'horizon 80 se sont emparés avec délice de la parenthèse cartésienne. A la limite, qu'en ont-ils fait ? Peu de chose ! La réponse est grossièrement vraie, simpliste et injuste. Tout est question de lieu et de moment.

A l'est, la pensée des Lumières a colonisé l'État, disons qu'elle a tenu compte de l'État et qu'elle l'a rendu plus efficace. La pensée des Lumières a donné aux structures traditionnelles de l'État, au sommet d'une société de type féodal, domanial, patriarcal, cloisonnée, avec des rapports très lourds de domination, un plan d'action : le rattrapage. La conservation ici, le renforcement là, des structures nobiliaires de la société sont apparus comme la condition d'efficacité, au premier stade, de la révolution technologique qu'ambitionne le despote éclairé. Au vrai, il n'a pas le choix. Le despotisme éclairé, à court terme, consolide les structures sociales reçues. En diffusant des moyens de connaissance et tout d'abord un niveau très élémentaire et très partiel d'alphabétisation, en accroissant la production et le niveau des communications, il prépare la modification à long terme des rapports sociaux.

La situation, à l'ouest, est tout à fait différente. Deux cas, deux nuances capitales, Angleterre et France. La plasticité de la société anglaise est unique en Europe. En fait, la révolution sociale est par-derrière. Cette révolution accomplie, pour l'essentiel, au XVIe siècle, fait partie des longues conditions préparatoires du *take off* anglais. La *gentry* britannique se détournait de la rente et jouait le profit. On a vu son rôle dans le modèle de la transformation agricole du Norfolk. La révolution politique s'est jouée en 1688-1689, une partie des doctrinaires proposaient en France, dans la campagne politique de 1829-1830, le modèle de la *Glorious Revolution*. Locke a justifié après coup le *new deal* de 1689. L'élite se confond, à peu de chose près, avec la classe dirigeante, le système est assez souple pour résoudre, en ajustements successifs, les contradictions naissantes. La chance de l'Angleterre découle de cette réalité. Il est moins dangereux pour la réalisation de la croissance soutenue d'avoir l'inévitable folklore social derrière que devant, vers 1650 plutôt qu'en 1793. Quant aux radicaux de l'utilitarisme, Jeremy Bentham (1748-1832) notamment, leur impact est mince. Loin de récuser le jeu politique et social anglais, ils rêvent seulement d'en hâter une projection tendancielle et simplifiante.

Tout autre, le cas français : l'élite ne se confond pas avec la classe dirigeante. La société française a pris trois mauvais tournants : lors des réformations de la noblesse des années 1670-1680, au niveau de la Régence, et lors de l'échec du coup d'État Maupeou (1774). Le repli de la noblesse sur la rente, le maintien d'une petite exploitation paysanne aboutissaient à la scission artificielle de l'élite. La noblesse part à l'assaut de l'État, elle achève de perdre sur le plan économique. Elle polarise, contre un privilège injustifiable, les revendications des roturiers riches et éclairés. Après le rétablissement des parlements, du contrôle de la caste sur le pouvoir législatif et réglementaire de l'État, toute adaptation est impossible. Les contradictions ne peuvent manquer d'éclater au premier incident. La France et l'Angleterre, qui avaient suivi un *trend* parallèle — la France en arrière depuis 1530 —, ont divergé sur l'horizon 1680, avec les catastrophiques réformations qui renforcent la rigidité sociale. La pensée des Lumières s'est montrée très désarmée, et à la limite peu lucide, devant la complexité française. Elle a eu finalement peu de prise sur elle. Elle a été capable d'armer la Révolution, non de l'éviter. Schématiquement, elle est, dans un premier temps, extraordinairement conservatrice, voire réactionnaire. Dans un second temps, à partir de 1750, elle oscille entre deux positions irréalistes, la proposition orientale, le despotisme éclairé, et des modifications utopistes. Voltaire aux prises avec le chevalier de Rohan, la future Mme Roland aux cuisines plaident en faveur de la scandaleuse pesanteur des rapports sociaux. L'histoire intellectuelle et l'histoire sociale ont du mal à accorder leurs rythmes.

*

Mais le cadre de la vie : l'alimentation, la demeure, le vêtement, tout bouge ; un changement profond, qui respecte assez le cadre traditionnel pour n'être pas bouleversement, pour être vécu comme une réelle amélioration. Née en partie de l'expérience d'un progrès, dans son retour sur les choses, la pensée des Lumières contribue au progrès de la vie matérielle. Bien sûr, il y a, dans une certaine mesure, recul, à partir de 1550, dans la consommation de la viande. Cette oscillation n'efface pas le privilège de l'Europe par rapport au reste du monde. Bien situer la modification du XVIIIe : elle n'explose pas comme une révolution, elle est une accélération décisive dans un processus multiséculaire. L'Europe alimentaire, l'Europe des jardins, s'est enrichie d'une longue confrontation Nord/Sud, qu'Emmanuel Le

Roy Ladurie a suivie dans la longue durée depuis le Languedoc. L'Europe riche, l'Europe dense, a reçu cette récompense de la mise en place d'une première ébauche d'économie-monde, qui en fait un lieu de confluence. Or le progrès de l'agriculture est lié aussi au renouvellement des souches, à l'extension du champ des communications. Voyez le blé languedocien. Au XVIIIe siècle, grâce à l'extension des réseaux d'échanges, de nouveaux venus viendront directement du Levant et du réservoir nouvellement promu de la mer Noire. « C'est ainsi qu'une partie des blés importés du Levant, par Marseille et par Sète, après l'hiver de 1709, fut semée dans les terroirs français. Par la suite, on rencontra encore dans les vieilles populations céréalières du Midi un blé de Marianopoli, qui mûrit près d'Avignon, un velu de Crète, barbu comme un Pallikare, un Smyrne ou blé d'Égypte ; et, bien sûr, après 1820 [...] les célèbres Odessa et Taganrog. » (E. Le Roy Ladurie.) Ce petit pan entrouvert d'une immense histoire qui commande la saveur du pain quotidien montre l'accélération, au XVIIIe siècle, du processus d'enrichissement, en Europe, du stock génétique au service de la table.

Même aventure pour la vigne, pour l'olivier, pour le cheptel ; et que dire de l'arrivée massive du maïs, qui diffuse depuis sa base ibérique et italienne conquise au XVIe, et qui explose dans notre Midi océanique au XVIIIe siècle, du riz à Valence et dans la plaine du Pô, et de la pomme de terre qui part des îles Britanniques au XVIIe et de quelques points privilégiés du nord de l'Europe, à la conquête du continent profond dans les deux dernières décennies du XVIIIe siècle et la première du XIXe ? Même aventure, plus surprenante encore, pour nos potagers : entre le XVIe et le début du XIXe, disons que la gamme s'est ouverte dans le rapport de 1 à 4. Une multiplication par quatre en trois siècles, et peut-être un doublement pratique au XVIIIe siècle. La démonstration languedocienne vaut, sans doute, pour presque toute l'Europe dense et nombreuse. Bienfait de la communication et retour sur les choses du pragmatisme actif des Lumières. Mais, comme toujours, pas de révolution, une accentuation de toute les plasticités potentielles de très vieilles structures. Les Lumières, ce sont bien toutes les virtualités d'un très vieux monde, enfin mises en valeur avant la tourmente qui, depuis la petite Angleterre de l'horizon 1780, emporte, révolutionne, bouscule un horizon 1780 qui s'écrit 1830 ici, 1840 là, 1860 presque partout sur le continent conservateur de la longue durée.

Mais revenons aux études quantitatives de l'alimentation. Elles commencent. Venons au cas parisien. Un calcul sérieux et global, en partant de la statistique un peu sous-estimante et parcimonieuse des entrées. Ne pas trop se laisser influencer par le bilan énergétique à la fois confortable et modeste, au niveau de 2 000 calories. Hommes, femmes, enfants, pauvres et riches. La seule erreur possible est de sous-estimation. Un minimum dont on déduit à coup sûr 3 500 calories pour le travailleur manuel masculin. Or, ce qui frappe, c'est la qualité, déjà, de l'alimentation, avec l'excès de vin, heureusement un vin léger, et surtout la richesse en protéines animales. « A Paris [...], vers 1780 [...] les céréales n'interviennent que pour 50 p. 100 du total. » (Fernand Braudel.) L'Inde et la Chine ont encore beaucoup de chemin à parcourir pour rattraper le niveau alimentaire des Parisiens les plus pauvres de la fin de l'Ancien Régime. Le pain continue de se consommer massivement à la campagne ; mais cette nourriture riche par rapport aux anciennes bouillies, pauvre par rapport aux nouveaux raffinements, a perdu son monopole à la ville. A Londres, sauvée de sa tentative de suicide collectif au gin (1730-1740), à Paris, mais pas encore à Berlin. A Berlin, d'après W. Abel (cité par Braudel), le pain représente, pour une famille de maçon de cinq personnes, beaucoup plus de 50 p. 100 de la dépense alimentaire (alimentation 72,7 p. 100, 44,2 p. 100 du total pour le pain) contre 17 p. 100 seulement dans le budget parisien. Et quel pain ! gris d'un côté, blanc de l'autre ; on comprend l'étonnement des grenadiers poméraniens en 1792, dont Goethe nous a laissé la relation amusée.

L'homme est parti, en Occident, au xviiie siècle, à la conquête du superflu. Le luxe est le grand promoteur. « L'homme est une créature de désir et non pas de besoin. » Une véritable révolution, pour une fois le mot n'est pas trop fort, se produit sur la table et dans l'ordonnance de la table des riches, mais aussi des aisés, dans l'Europe heureuse ; vers 1720-1730 ici, vers 1740-1750 là. En France, d'abord, « la grande cuisine française ne s'affirme que plus tard, après le désarmement de " l'artillerie de gueule " que signifient la Régence et le bon goût actif du Régent » (F. Braudel). 1750, une seconde étape, sociale cette fois : « on mesure plus tard encore, en 1746, quand parut enfin la *Cuisinière bourgeoise* de Menon » (Fernand Braudel). « On ne sait manger délicatement, soutient même un Parisien en 1782, que depuis un demi-siècle. » 1730, donc, la même étape, qui se marque par une attention aux charmes modestes de la vie quotidienne. 1730 : voici les divines tisanes. Le thé de terre, le thé de caravane a précédé. En Russie, le thé est connu peut-être depuis 1567, mais sa généralisation suppose la route maritime, les *indiamen* anglais sur l'horizon 1730. Ne pas se laisser impressionner par la civilisation du samovar : entre la Russie et l'Angleterre, il y a différence de taille qui joue au profit de la mer et de la longue, de la séculaire éducation de la liberté. « A la fin du XVIIIe siècle, la Russie n'importe pas 500 tonnes de thé. Nous sommes loin des 7 000 tonnes que consomme l'Occident. » Il est introduit épisodiquement et sans succès dans l'entourage de Séguier (1635-1636), à la recherche de l'élixir de longue vie. « Samuel Pepys en but pour la première fois chez lui le 28 mai 1667. » 1720-1730, là aussi est le tournant. Dans la victoire contre la mort, le thé est une arme importante, par le canal involontaire de l'eau bouillie. Le café est plus ancien, mais sa diffusion contemporaine de la mutation du thé. La montée du café a été un stimulant de la prise en main par l'Europe de l'espace extra-européen. « Si, à partir du milieu du XVIIIe siècle, la consommation a tellement augmenté, et pas seulement à Paris et en France, c'est que l'Europe a organisé elle-même sa production. Tant que le marché mondial avait dépendu des seuls caféiers des environs de Moka, en Arabie, les importations européennes avaient été facilement limitées. Or, dès 1713, des caféiers étaient plantés à Java ; dès 1716 dans l'île Bourbon (la Réunion) ; en 1722 dans l'île de Cayenne (il a donc traversé l'Atlantique) ; en 1723-1730 à la Martinique ; en 1730 à la Jamaïque ; en 1731 à Saint-Domingue. Ces dates ne sont pas celles de la production car il a fallu que les caféiers grandissent, se multiplient. » (F. Braudel.)

Pour le vêtement, l'Europe du XVIIIe siècle continue de vivre sur deux étages : un monde populaire aux fluctuations lentes, un monde riche, qui est celui de la mode. La loi que F. Braudel a établie, de deux rythmes sociaux du vêtement, continue à s'appliquer à l'Europe des Lumières. Mais avec une différence : la mode est au sommet plus rapide, plus nerveuse, la couche populaire, à l'ouest, dans l'Europe nombreuse et heureuse, du moins riche, cesse d'être totalement immobile. Le peuple de Londres et de Paris commence même à obéir à une mode courte. L'évolution est générale vers un vêtement plus souple, moins lourd, qui laisse plus de liberté au corps ; un vêtement transformé par les indiennes. Les merveilleuses dénudées du Directoire poussent seulement à la limite, et peut-être à l'absurde, la tendance dessinée par l'arrivée des indiennes. Preuve tangible de la promotion du corps, de la promotion de la sexualité. Retombée presque caricaturale des Lumières. Comment sous-estimer cette promotion du mouvement dans le vêtement ? « En fait, l'avenir appartenait aux sociétés assez futiles, mais assez riches et inventives pour se soucier de changer les couleurs, la matière, les formes du costume, et aussi l'ordre des catégories sociales et la carte du monde [...] Tout se tient. » (F. Braudel.) Des cultures africaines ont payé le luxe des étoffes de couleur que leur industrie ne savait produire, mais que leur goût désirait, au prix élevé d'une exportation d'hommes. Des esclaves contre les *hanbels*, pour les plantations d'Amérique, des esclaves pour le sucre, ce grand promu du luxe quotidien, des esclaves pour les tinctoriaux... Et le cercle est bouclé.

Mais le luxe du vêtement apporte aussi de modestes victoires de l'hygiène. Le recul des bains publics, que l'on attribue à l'action de la syphilis et de l'ascétique propagée par le temps des réformes de l'Église est chose ancienne, la plongée de la crasse ne cède que lentement. Paris a ses bains, la civilisation urbaine redécouvre lentement les vertus des soins corporels. Le principal progrès est lié à la généralisation des sous-vêtements. Une bataille commencée au XVIᵉ, définitivement gagnée au XVIIIᵉ siècle seulement, dans les profondeurs. La chemise et le caleçon, deux instruments modestes de la victoire sur la mort, effet bénéfique d'une réinvention du corps. Le caleçon l'emporte sur la culotte doublée vers 1770 en France, dans l'armée prussienne vers 1860. Décalage géographico-chronologique habituel d'ouest en est.

Reste la maison. Le XVIIIᵉ siècle a beaucoup construit. Parce que la population a doublé, parce que l'habitat s'est amélioré, parce que le volume de la population urbanisée a quadruplé. La maison de pierre dure deux cent cinquante ans en moyenne. Le bâtiment reste, au XVIIIᵉ, la première des activités non agricoles : le bâtiment, globalement, vient-il avant le textile ? La maison est un important outil économique, mais elle est plus encore le lieu privilégié de la vie, chargé d'un contenu affectif, trait d'union entre les générations. Le bâtiment que l'on aimerait saisir, c'est le bâtiment global, celui qui assure le toit des humbles et qui fait partie de l'appareil de production. La mise à l'écart du bâtiment de l'histoire économique quantitative a des causes documentaires : elle dérive des structures de l'élaboration statistique. Dans l'appareil de production, la frange qui n'entre pas dans les circuits d'échange échappe ; on l'évalue, il est exceptionnel qu'on parvienne à la mesurer.

Au XVIIIe, une très vieille opposition subsiste : la Méditerranée, le reste de l'Europe. Le bassin de la Méditerranée, face à l'Europe non méditerranéenne, a conservé longtemps une immense avance dans le domaine de l'habitat. Rome eut toujours la maladie de la pierre ; la victoire de la pierre sur le bois a demandé deux mille ans. La maison lourde, la maison, disons, de 400 à 500 tonnes, l'a emporté très progressivement. Sur la Baltique, en Pologne, en Russie, en Scandinavie, la pierre ne s'est jamais imposée hors des quartiers résidentiels de la ville, au XVIIIe. L'Amérique du Nord doit plus à la vraie Europe du Nord qu'à l'Angleterre : la solution américaine, la *lodge cabin*, s'inspire d'un modèle scandinave. L'habitat traditionnel, c'est l'habitat lourd, en pierre, la solution méditerranéenne transplantée pour des raisons plus psychologiques que techniques. L'habitat traditionnel culmine au XVIIIe siècle. Dans tout le secteur européen où la pierre domine, là où la guerre n'a pas fait son office, une partie de l'habitat paysan date du XVIIIe siècle. Une fois de plus, le XVIIIe siècle nous apparaît sous sa vraie lumière, comme l'apogée d'une civilisation que nous appelons, faute de mieux, traditionnelle. Et pourtant, sur quelques secteurs déshérités, un habitat plus pauvre et plus ancien subsiste : des huttes, des trous couverts, des « gourbis ». Voici l'habitat de l'an mille ; les brigands de 1789, les prétendus sorciers de l'ordonnance de 1670 sont sortis, en grand nombre, de cet infra-habitat.

L'habitat traditionnel peut se définir par le poids, le coût, la durée, le volant thermique. C'est une solution méditerranéenne : elle est absurde là où le bois est abondant. Mais l'habitat subit d'autres lois que des lois techniques et économiques. La maison est un lieu de confluences psychologiques. La mutation des niveaux de vie, partant le progrès technique, se fait au sommet, d'abord par imitation, diffusion séculaire des modèles aristocratiques. Le modèle méditerranéen ainsi l'aura emporté, bien au-delà des limites commandées par les impératifs du milieu. La maison traditionnelle obéit à des besoins psychologiques de durée, de solidité, de protection. Voilà pourquoi le XVIIIe siècle juxtapose la pierre de la plupart des campagnes du Bassin parisien et les placages, bois, plâtres de la construction urbaine, à Paris, à Amiens, à Rouen. La ville construit plus léger que la campagne, sans doute parce que le coût exorbitant des transports commande le recours maximal au flottage, donc au bois, mais aussi parce que le coude à coude de la ville surcompense au point de vue psychologique le manque à gagner de la légèreté. La ville truque : la ville française cache son bois derrière la surface de revêtement qui joue l'illusion de la pierre. L'Europe moyenne, au XVIIIe encore, se veut méditerranéenne par une étrange pesanteur, elle a la pudeur du bois qui est le privilège du Nord. Le Nord pourtant a besoin de se chauffer : le bois est bon isolant ; la maison de bois, moins coûteuse, laisse la place à de meilleures solutions pour résoudre les problèmes de chauffage. Le poêle continu, un avantage du Nord, se répand au XVIIe, triomphe au XVIIIe. Il trône à l'intérieur d'une construction pour l'essentiel en bois. Une maison de bois ne peut se contenter d'une cheminée médiocre, la maison de pierre concentre ses chances sur le volant thermique de ses tonnes de mur. La maison traditionnelle, la maison de pierre, principalement le type achevé, le plus proche du modèle méditerranéen, représente un investissement énorme. Elle a fini par s'imposer en Europe sur plus de 4 millions de km^2. En gros, elle dure deux à trois siècles. La substitution de sa masse à un infra-habitat, dont seule l'archéologie de la civilisation matérielle peut nous donner les clefs, se fait par étapes. La dernière étape a été franchie au cours du XVIIIe siècle. Pierre Denis Boudriot a calculé qu'il faut, en moyenne, déplacer 41 tonnes de matériaux (fondations comprises) pour loger un Parisien entre 1750 et 1770. L'habitat traditionnel est fait pour durer. Il représente le maximum d'investissement, au départ, pour le minimum d'entretien. L'effort musculaire requis est atroce. Il use prématurément les corps. Il explique la masse énorme du volant-habitat. Si nous donnons une durée moyenne de deux cent cinquante ans à la maison traditionnelle, avec un effort d'entretien sur deux tiers de siècle égal à la moitié de l'effort initial de construction, nous arrivons — dans l'hypothèse d'une population stagnante, d'un niveau de vie stable et d'une couverture de type traditionnel lourd complète — à un investissement annuel égal à 0,4 p. 100 pour la construction et à 0,2 pour l'entretien, une fois la couverture assurée, 0,6 p. 100 du capital immobilier suffit à son entretien et à son remplacement. Dans l'hypothèse d'un accroissement de la population de 0,5 p. 100 par an (France 1750-1780), il convient d'ajouter 0,5 p. 100 ; l'investissement annuel, dans ce cas, atteint 1,1 p. 100 du capital immobilier. Avec 2 p. 100, une amélioration de l'habitat et une urbanisation accélérée deviennent possibles. Dans tous les cas, le volant économique est énorme. Le bâtiment obéit à la conjoncture longue de la population et des subsistances, mais il témoigne d'une hypersensibilité à la conjoncture courte, la conjoncture cyclique, la conjoncture dramatique interdécennale. Étant donné qu'avec 1 p. 100 du capital immobilier, l'entretien, le remplacement, la croissance du bâtiment sont facilement assurés, on comprend qu'on peut stopper sans inconvénient la production du bâtiment, mieux que toute autre. L'absence d'originalité à long terme de la conjoncture du bâtiment n'est nullement contradictoire avec l'hypersensibilité à court terme de l'industrie du bâtiment. Le bâtiment est la proie du chômage saisonnier et conjoncturel. Le bâtiment, secteur traditionnel de la production, n'en constitue pas moins, à la fin du XVIIIᵉ et au XIXᵉ siècle, un secteur de tension de conflits, un secteur de pointe de la contestation.

Il est très difficile de bien mesurer ce qu'a représenté pour le secteur sud de l'Europe occidentale la solution de la maison lourde. Les motifs sont psychologiques. La solution a des avantages et des inconvénients, elle est la solution d'un espace prématurément clos. Les grandes poussées du progrès matériel, le XVIIIᵉ siècle donc, éprouvent une difficulté à investir. Deux investissements sont alors possibles. Des hommes et des maisons... Remplacer la tanière de l'an mille par la maison classique traditionnelle, c'est encore la solution idéale pour conserver dans un énorme volant de pierre le surplus fragile des grandes périodes de croissance ; la solution de la maison lourde répond peut-être à la difficulté de capitaliser les surplus de production. La maison lourde permet un gain permanent d'entretien et de chauffage. Elle coûte plus au départ, dix fois plus, mais moins à entretenir. L'isba vit trente, quarante ans en moyenne. Il n'est pas sûr que la maison traditionnelle de pierre constitue une solution plus coûteuse sur le long terme ; elle est peut-être plus économique. Le gain principal résulte sans doute du volant thermique : les murs font volant en proportion de leur masse. Le mur restitue la chaleur l'hiver, la fraîcheur l'été ; il combat l'effet contrastant de l'aération. Le mur épais s'est répandu dans le bassin de la Méditerranée comme une protection de la chaleur, dans une zone qui manque de bois. Au nord, c'est le bois qui protège contre le froid. Mais la maison lourde ne va pas sans inconvénient. Elle entretient des solutions de paresse. Le volant thermique aura bloqué longtemps le progrès technique dans l'ordre des moyens de chauffage. La maison lourde fige les situations anciennes. Elle protège contre la dilapidation du capital, mais elle procure à grands frais un outil qui freine la mobilité. Au XVIIIᵉ siècle pourtant, la multiplication des granges de pierre assure une meilleure conservation des récoltes. Mais sa trop longue durée est son principal défaut. En période de faible plasticité technique, le poids du bâti agit comme frein, il est une entrave aux mobilités indispensables au progrès.

Il faudra bien s'attaquer, un jour, d'une manière systématique, au problème des progrès techniques dans le bâtiment. Là où elles ont été étudiées, les améliorations du XVIIIᵉ vont dans le sens de l'étanchéité, de la durée, d'une meilleure protection thermique et d'un moindre coût d'entretien ; elles testent la marche de l'enrichissement, renforcent la caractéristique de choix, en faveur de la durée, qu'implique l'habitat lourd traditionnel, le choix en faveur de la capitalisation au départ, de la permanence. Un choix qui correspond à la famille conjugale exceptionnellement stable de la chrétienté latine. Mais, ce qui est plus important, c'est le gain de productivité. Tout, dans la maison traditionnelle, peut se ramener au transport : un grand progrès est lié à l'amélioration fondamentale des chemins dans la seconde moitié du XVIIIᵉ siècle. L'habitat au XVIIIᵉ siècle gagne en qualité. Les maisons du XVIIIᵉ siècle sont encore debout et dans l'ensemble se portent bien. La construction du XVIIIᵉ siècle a bénéficié de l'amélioration des transports, du niveau élevé de la construction. On construit plus et mieux. La maison de pierre fait reculer jusqu'aux extrémités des écarts les plus pauvres l'infra-habitat de l'an mille. La frontière de la maison lourde se déplace vers le nord. Voyez Saint-Pétersbourg : une ville de pierre se substitue au nord à la ville de bois, dans le domaine de l'isba et de l'archétype scandinave de la *lodge cabin* nord-américaine. Dans les campagnes de l'Europe occidentale, un bel habitat destiné à l'élite de la paysannerie se développe, avec de larges fenêtres, un étage, deux pièces à feu au moins sur quatre, un modèle rectangulaire, sensible à une harmonie d'équilibre à base d'esthétique classique. Progrès du matériau : la brique mêlée à la pierre ; recul du chaume devant la tuile et l'ardoise ; substitution à la brique crue et au simple torchis d'une brique plus cuite ou de la pierre ; progrès des mortiers à chaux et à sable sur les mortiers de paille et de glaise ; progrès de l'horizontalité et de la verticalité, donc progrès de l'équilibre ; diminution des flexions, cause d'usure ; du même coup, la maison plus haute est plus largement ouverte, mieux éclairée. Le XVIIIᵉ siècle n'innove pas, mais il diffuse dans la masse des solutions qui sont intellectuellement possibles, effectivement désirées et économiquement réalisables dans des couches sociales qui n'y pouvaient prétendre. Le XVIIIᵉ siècle donne l'impression, en outre, de s'être trouvé au rendez-vous d'un grand renouvellement de l'habitat existant. Une partie d'un habitat sommaire et de mauvaise qualité, qui datait de la reconstruction du XVIᵉ siècle, est arrivé à bout de souffle ; deux siècles plus tard, au milieu du XVIIIᵉ, un habitat brusquement vétuste a cessé, plus brusquement encore, de correspondre aux besoins et au goût de la société traditionnelle, maîtresse enfin de tous ses moyens ; la construction s'uniformise, elle referme l'éventail d'une gamme désormais un peu moins largement ouverte.

Faut-il essayer de déchiffrer l'influence de cette robe de pierre neuve dont l'Europe s'est vêtue au XVIIIᵉ siècle ? Il n'est pas déraisonnable de penser que 60 à 70 p. 100 des maisons qui couvraient l'Europe à la fin du XVIIIᵉ siècle, sous l'action de tous les facteurs évoqués, avaient moins de cinquante ans. Un habitat renouvelé quand s'achèvent les Lumières, bien adapté aux genres de vie faiblement évolutifs du XVIIIᵉ siècle, un habitat mieux fait pour durer que celui qu'il remplace, un habitat construit pour trois siècles et plus. L'Europe occidentale s'est dotée, au XVIIIᵉ, d'un très riche capital immobilier. Quelle peut être l'influence de l'héritage sur les conditions préalables au *take off* du XIXᵉ siècle ? Un niveau élevé de l'activité du bâtiment et des travaux publics au sens le plus large. Si le bâtiment a pu jouer, à un moment, un rôle d'entraînement, c'est au XVIIIᵉ siècle. Une partie des capitaux formés au XVIIIᵉ siècle, en proportion supérieure à celle jamais atteinte, s'est investie sous cette forme. Le haut niveau d'activité du bâtiment, sur près d'un siècle, a préparé l'économie à d'autres efforts tout en permettant une première accumulation de capital. Au début du XIXᵉ siècle, d'autres secteurs de l'économie prennent le relais. Le bâtiment s'accroît plus lentement. Le démarrage nécessite une masse plus élevée de capitaux. On a pu entasser les ouvriers de Lille et d'ailleurs dans les caves et les greniers d'immeubles construits pour l'essentiel au XVIIIᵉ siècle. Les gros investissements immobiliers du XVIIIᵉ siècle ont permis, au début du XIXᵉ, un moindre effort relatif dans l'ordre de la construction. Le XVIIIᵉ a légué au premier XIXᵉ siècle une avance utile. Les maisons du XVIIIᵉ ont permis d'utiliser ailleurs, et mieux, la masse toujours insuffisante des capitaux nécessaires aux besoins sans cesse accrus de la croissance accélérée. Une aide qui est bien plus qu'une aide. La belle maison du XVIIIe siècle, l'habitat traditionnel parvenu à son point d'équilibre et de perfection, s'impose partout où la pierre donne pour longtemps un cadre à la vie. Le XVIIIe siècle nous a légué les structures matérielles de nos foyers, un modèle durable que la révolution industrielle ne transforme qu'insensiblement. Par-delà les structures matérielles, c'est un style de vie familial, une sensibilité des attitudes et des gestes qui se conservent. Le legs immobilier du XVIIIe siècle, après avoir fourni une condition favorable à la mutation de croissance, a contribué à atténuer partout où domine l'habitat de pierre, à étaler dans le temps, une partie des ondes affectives de la trépidante révolution économique, technique et mentale du XIXe siècle. La génération de la révolution industrielle a vécu une partie de sa vie dans un cadre du XVIIIe siècle. Le legs immobilier du XVIIIe a établi un pont concret entre un avant et un après difficilement conciliables, préservé un peu de continuité au moment de la mutation. La maison du XVIIIe que nous côtoyons reste la meilleure ambassadrice de la civilisation traditionnelle qui achève de mourir en Europe, au niveau des années 60 du XXe siècle.

C'est en ville que l'Europe des Lumières a tenu son laboratoire privilégié. La croissance de la ville est donc un élément capital. Le fait urbain apparaît au XVIIIe, au-dessus du seuil des 2 000 habitants. La Flandre et le Brabant ont franchi le cap inouï des 50 p. 100 de peuplement urbain au XVIIIe siècle. Pour l'Espagne occidentale, la moyenne oscille entre 20 et 25 p. 100 vers 1780-1790, 16 p. 100 pour la France demeurée rurale. L'Angleterre est à 30 p. 100 au début du XVIIIe siècle. « Au voisinage de 50 p. 100, même de 40 p. 100 de population non rurale, une région entière bascule automatiquement dans la catégorie des économies urbaines. » En 1796, l'Overijssel a franchi le cap (45,6 p. 100 de ruraux, mais la Russie est à 4 p. 100). C'est en ville, presque exclusivement, que s'est opéré le retour des pensées sur les choses. C'est en ville que s'est élaborée l'esthétique des Lumières, disons plus simplement un cadre de beauté qui rend la vie plus humaine, un peu plus digne d'être vécue, par un peuple plus nombreux de sursitaires de la mort. Le retour des pensées sur les choses et sur la vie, c'est là qu'on est tenté de le saisir. Une civilisation se révèle dans les formes qu'elle crée, dans les couleurs et dans les sons. Cela est d'autant plus vrai, au XVIIIe, que l'élaboration esthétique n'y est pas le moins du monde privilège du petit nombre. L'âme des Lumières, l'âme du partage laïc si difficile à saisir, et qui toujours s'est dérobée quand nous pensions l'avoir cernée, l'âme des Lumières, nous risquons de la trouver maintenant.

CHAPITRE VII

L'ESTHÉTIQUE DES LUMIÈRES
FIN DU BAROQUE,
EMPIRE DE LA MUSIQUE

C'est dans l'élaboration du beau que l'on saisit le mieux une civilisation. La civilisation des Lumières, en fait le XVIIIe siècle d'une Europe privilégiée nombreuse, se confond presque, dans la perception que nous en avons aujourd'hui, avec une esthétique et un art de vivre. Soyons modeste et laissons un titre qui promet plus qu'il ne tient. L'esthétique des Lumières : entendez simplement l'effort des hommes de l'Europe devenue plus nombreuse pour construire autour d'eux un cadre de beauté, une beauté pour l'indispensable relation ontologique — se rappeler que le sommet esthétique du XVIIIe siècle est une prière que l'orgue prononce —, une beauté pour le cadre de la vie, d'une vie qui, en gagnant dix ans sur l'abstraite moyenne, a pratiquement doublé le temps arraché pour l'homme. L'esthétique des Lumières, soit encore le grand, l'interminable combat de l'homme et des choses pour élaborer à son service un environnement de beauté mouvante.

Il n'y a pas, au départ, une esthétique des Lumières sur l'horizon 1680. Il n'est pas sûr qu'il y ait, un siècle plus tard, une même conception du beau, valable pour la Méditerranée et l'Europe du Nord, l'Angleterre et la Russie, la musique et l'architecture, la Cour, la ville, et les générations, chaque décennie plus nombreuses, qui ont accès au langage supérieur de l'écrit. Pourtant, de 1680 à 1780, en ce siècle de doublement du nombre des hommes en Europe et du décuplement des connaissances, le miracle se produit d'une relative unification. Cette unification a des causes externes, c'est pourquoi elle n'est pas nécessairement un gain. Elle découle des communications et de l'effet de domination exercé par l'Angleterre et la France d'autant plus efficace que cette action s'accompagne, au niveau des élites, donc de l'État à l'est, d'une volonté de rattrapage, c'est-à-dire d'alignement. Cette unification découle partout du recul des cultures populaires. L'alphabétisation massive des populations fonctionne comme un front d'acculturation. Si une esthétique des Lumières existe, dominante et simplifiante, c'est à la fin du temps que l'histoire démographique et intellectuelle nous a appris à découper sur l'horizon 1750 qu'il nous faudra la chercher. Cette esthétique qui triomphe à la fin du XVIIIe siècle est celle d'une élite, paradoxalement d'un plus petit nombre. C'est ainsi que se pose au départ la question brûlante : du beau, pour qui et par qui ?

*

La petite Europe des années 1680 occupe un espace immense, dans l'ordre du beau, un espace fractionné. Parce que l'esthétique du XVIIe siècle finissant est, moins qu'on ne se plaît à le dire, une esthétique du petit nombre. Dans l'ordre du beau, l'Europe, en 1680, s'écrit au pluriel. Et nous laissons, bien sûr, la grande question neuve de l'Europe des « cultures traditionnelles ». Beauté du vêtement, beauté du chant choral, aménagement de l'espace villageois dans la maison et hors de la maison, tout un domaine infiniment multiple où le XVIIIe réalise souvent sans innovation fondamentale, avec le matériau traditionnel légué du passé, un nombre impressionnant de chefs-d'œuvre. La plupart des maisons de bois de Transylvanie démontées et reconstituées au musée de la maison paysanne à Bucarest sont contemporaines des Lumières. Lui appartiennent-elles vraiment ? On peut en douter. L'ethnographie de l'Europe traditionnelle est en partie encore à construire. Nous laisserons donc pour le moment la couche inférieure des deux cents (?) cultures paysannes qui sont masquées par la civilisation une en cours d'édification au XVIIIe siècle. L'histoire de l'art les ignore. Il nous faudra renoncer momentanément à les intégrer dans une synthèse impossible d'histoire vraiment totale. Même au niveau de l'élite de ceux qui lisent couramment, au niveau donc des bonnes histoires de l'art, l'espace esthétique de l'Europe vers 1680 est un espace fractionné. Plus sans doute qu'à la fin du Moyen Age, plus peut-être même qu'à la fin de la Renaissance. Voyez l'architecture.

L'Italie, au milieu du XVIIe, a porté le baroque à un point de réussite qu'il est difficile de dépasser ; un double sommet : le Bernin, Borromini. Dans l'église Santa-Maria-della-Vittoria à Rome, la chapelle Sainte-Thérèse. Tout a été dit sur la *Transverbération*. Elle date de 1646. Vingt ans plus tard, le chevalier Bernin achève les colonnades de Saint-Pierre. Elles font converger sur la façade de Maderna, vers la loggia des bénédictions, les milliers d'yeux des grandes foules pérégrines aux années jubilaires. La Scala Regia, sur un espace resserré entre la basilique Saint-Pierre et le palais pontifical, reste un des chefs-d'œuvre du trompe-l'œil. Borromini réalise en 1667 la façade aux frontons incurvés de Saint-Charles-aux-Quatre-Fontaines qui a hanté, un siècle durant, l'imagination architecturale de l'Allemagne catholique et de l'Europe danubienne.

L'Italie commande vers le nord un espace baroque que la victoire du Kahlenberg étend à travers la plaine pannonique jusqu'à la Transylvanie. L'horizon 1680 est pour toute l'Allemagne du Sud celui de la relève des architectes italiens par une génération d'architectes allemands qui vont aller au-delà, si possible encore, des positions du Bernin et de Borromini. Le premier baroque sud-allemand danubien a été dominé par des Italiens, voyez Guarino Guarini. Cet oratorien, mathématicien et philosophe, est aussi un théoricien. Il était né à Modène en 1624. Il a construit et conçu en Italie (on lui doit à Turin le palais Carignano et Saint-Laurent), au Portugal, en France, mais surtout dans l'Allemagne du Sud, en Autriche et en Bohême où il a proposé plus que réalisé. Voyez Santino Solari (il commence en 1614 la cathédrale de Salzbourg), Barelli et Zuccalli (ils commencent en 1663 à Munich l'église des Théatins), Lurago (la cathédrale de Passau à partir de 1668), Petrini à Wurtzbourg (la Haug Kirche commencée en 1670). Carlo Canevale avait conçu le plan de l'église des Servites à Vienne (1651-1677), Francesco Caratti la façade du palais Czernin à Prague, aux trente-deux colonnes colossales engagées, qui jouent mieux que de simples pilastres avec la lumière plus rare du Nord, et c'est encore à un Italien, Domenico Martinelli, que l'on doit, entre 1692 et 1705, au Liechtenstein, à Vienne, l'avant-corps central du palais plus élevé que les ailes, une solution hardie qui fera fortune dans l'espace austro-allemand.

Or, voici que commencent à produire successivement la pléiade des géants, Bernhard Fischer von Erlach (1656-1723), Johann Lukas von Hildebrandt (1668-1745), Andreas Schlüter (v. 1664-1714). On comprend qu'en 1691 Hans Jakob Wagner von Wagenfels, dans son *Ehren-Ruff Deutsch-lands*, ait pu proclamer, à égalité avec l'Italie, la supériorité de l'architecture allemande sur l'architecture française, dans le climat gallophobe de la Ligue d'Augsbourg.

Une esthétique baroque domine l'Italie, l'Allemagne catholique, l'Europe danubienne en expansion ; elle prend un nouveau souffle dans la péninsule Ibérique et ses prolongements américains avec la génération des Churriguera (José Benito, 1665-1723 ; Joaquin, 1674-1724 et Alberto, 1676-1740). Mais elle a buté en France, après les succès éclatants du milieu du siècle, sur un môle de résistance. Il est inutile de rappeler la signification de l'échec du Bernin à Paris en 1665 et 1666, le choix de Colbert, la colonnade de Perrault, au moment où les grandes académies (Le Brun à la présidence de l'Académie de peinture, l'Académie des sciences et l'Académie de France à Rome en 1666, l'Académie d'architecture en 1671) promettent aux options classiques des années 1660 la longue durée de l'institution. Donc, dans l'Europe baroque, la France officielle avance le môle solide d'une esthétique classique. On mesure sans peine la puissance de rayonnement de l'exception, à partir des lignes droites des façades versaillaises.

France classique — nous avons montré jadis l'étroitesse et l'ambiguïté de cette victoire —, enkystée depuis le début des années 1660 dans un océan de formes baroques. Ce schéma est trop simple. Reste l'Europe du Nord. Nord profond qui vient mourir à Londres. Il aura fallu un siècle en France pour que l'esthétique de la Renaissance chasse de ses derniers bastions la fidélité au vieil art de bâtir. Au fur et à mesure que l'on s'éloigne du centre de diffusion italien, le temps de l'insensible substitution s'allonge. L'Angleterre, pourtant proche et communicante, a conservé tout au long du XVIIᵉ siècle, malgré Inigo Jones (1573-1652) et la symétrie des belles demeures élisabéthaines du bassin de Londres, ses bastions gothiques. Inigo Jones lui-même, le palladien, a dû s'incliner devant la volonté délibérée d'une demande précise. On lui doit la chapelle gothique de Lincoln's Inn. Christopher Wren, le « reconstructeur » de Londres après l'incendie, « le Bramante » de Saint-Paul, est aussi l'auteur, au seuil des années 80 (1681-1682), à Oxford, capitale de l'esprit et conservatoire des formes, de la Tom Tower gothique de Christ Church College. Au début de la Restauration, l'archevêque de Canterbury, William Juxon (1660-1663), a pu commander le grand hall gothique de Lambeth Palace. Un gothique anglais, minoritaire certes, mais bien vivant, est contemporain à la fois du Bernin et de

Mansart. Cette Angleterre gothique sur l'horizon 1680 constitue le coin sud-ouest d'une Europe du Nord à définir et qui reste sur le plan architectural le conservatoire au demeurant vigoureux des solutions françaises en résurgence du glorieux XIIIe siècle. Deux esthétiques bien vivantes à armes presque égales et une troisième qui ne se décide pas à mourir. Voilà, simplificatrice à l'extrême, ce qu'enseigne l'histoire, pourtant combien minoritaire, des églises et des palais.

L'architecture, mais la musique. Faut-il évoquer l'épisode célèbre voire révélateur de 1752 ? Le 1er août 1752, la troupe italienne des Bouffons fait ses débuts sur la scène de l'Opéra avec la *Serva padrona* de Pergolèse. Le chef-d'œuvre de l'opéra bouffe date de 1734. Joué en 1746 à Paris mais aux Italiens, il était passé complètement inaperçu. Le public de l'Opéra, en 1752, lui fait un triomphe. Le parti philosophique court à la victoire. En novembre, le baron d'Holbach, en anonyme, ouvre le feu ; Jean-Jacques Rousseau, dans sa *Lettre sur la musique française,* le 25 novembre 1753, déclenche par la violence de ses attaques contre la tradition musicale française ce que l'on est convenu d'appeler la querelle des Bouffons. La querelle des Bouffons marque, si l'on veut, le point de départ du processus au bout duquel, à la fin du XVIIIe siècle, apparaît l'espace réunifié d'une Europe musicale. Mais en 1680 on est loin du compte. Sur l'univers musical français Lully règne qui meurt en 1687. Marc-Antoine Charpentier (1636-1704) et Michel-Richard de La Lande (1657-1726) sont prêts pour la relève. Un univers musical français qui résiste à la montée, en direction de l'Allemagne du Sud et de l'Europe danubienne, des modes italiennes. Notez au passage la superposition des deux géographies. L'Europe de Lully est celle de Mansart et de Perrault. L'Europe de Frescobaldi, de Corelli, de Scarlatti et de Vivaldi correspond en gros à l'espace dominé par l'esthétique architecturale de Borromini, du Bernin, de Fischer von Erlach et de Hildebrandt.

L'historiographie française dans la ligne de la polémique célèbre derrière d'Holbach et Jean-Jacques d'une part, la réplique cinglante de Jean-Philippe Rameau d'autre part, dans ses *Observations sur notre instinct pour la musique* (1754), a été sensible essentiellement à la tension tragique mode française-mode italienne : « [...] aux XVIIe et XVIIIe siècles, le langage musical ne s'était pas encore internationalisé : l'école française et l'école italienne se séparaient par une foule de particularités qui permettaient de distinguer d'emblée l'appartenance d'un chanteur, d'un instrumentiste, d'un morceau ; la manière de traiter les agréments, la réalisation de la basse chiffrée, la texture harmonique [...] permettaient à coup sûr de situer le personnage ou l'œuvre en deçà ou au-delà des Alpes » (E. Borrel). Cette profonde cassure suivant un axe nord-ouest/sud-est de l'espace musical européen date du début du XVIIᵉ siècle. Elle est liée au triomphe progressif de la musique instrumentale du style concertant et du contrepoint, à l'explosion de ce compromis génial et multiple, l'opéra italien. Au XVIᵉ siècle il n'en allait pas de même. « L'histoire de la musique de la Renaissance, c'est l'histoire de la suprématie de l'hégémonie glorieuse du génie franco-belge sur tous les autres centres artistiques de l'Italie, de l'Espagne et des États germaniques. » (M. Expert.)

Mais cette tension est simplifiante. Une analyse plus fine permet à Norbert Dufourcq, dans son *Jean-Sébastien Bach, le maître de l'orgue*, de distinguer aux sources du génie du maître les principales traditions dont la fusion s'opère lentement tout au long du XVIIIᵉ siècle. Une tradition espagnole, anglaise et néerlandaise, une tradition française, une italienne ; une Allemagne méridionale et danubienne sous l'emprise des maîtres italiens en passe de relayer en musique comme elle le fait en architecture l'Italie en perte de vitesse, un Nord immense qui s'articule sur les Provinces-Unies et s'étend sur toute l'Allemagne protestante des plaines, la Scandinavie et la Baltique ; cinq Europes musicales, donc, au moins trois au prix d'un regroupement au sein des grandes articulations habituelles, l'Italie et son prolongement sur l'Allemagne alpestre, la France avec proche une Angleterre écartelée, le Nord. Une géographie qui n'est pas commandée seulement par des traditions d'écriture mais plus encore, sans doute, par des traditions de facture. Nous aurons l'occasion d'y revenir.

Une Europe résolument divisée en trois grandes zones, au moins. Sur l'horizon 1680, l'unité est avant ou après. 1680-1690. Le tournant du siècle est-il perceptible ? Oui, certes, mais par un ensemble de signes modestes qui, à tout prendre, déçoivent. Ces signes, rappelons-les brièvement, puis essayons de comprendre. Dans la mesure où l'espace esthétique européen est apparu, à la fin du XVIIᵉ siècle, comme un espace fractionné en dépit de la grande victoire du baroque, les signes qui marquent le tournant du XVIIᵉ sont loin d'être univoques. Ils affectent presque exclusivement le secteur français *lato sensu* et ils peuvent dans une certaine mesure être interprétés dans une problématique de l'alignement. 1680-1690, le baroque italien achève la conquête de l'Allemagne catholique et de l'Europe danubienne. Aucune rupture mais une ligne de développement. La Réforme catholique a trouvé le mode d'expression architectural et plastique qui correspond à la fois à la théologie des clercs, à la représentation intellectuelle des élites et aux besoins de la sensibilité populaire. Nous verrons comment. Développement, ligne de pente et pesanteur.

Que le gothique tardif ait livré en Angleterre, un peu avant la *Glorious Revolution,* son dernier combat, n'est pas pour surprendre : on y verra la simple liquidation d'un archaïsme. Dans l'Allemagne moyenne et dans l'Allemagne du Nord, le fait essentiel pour l'avenir réside dans la construction de l'infrastructure matérielle de grandes orgues nouveau style : le phénomène Jean-Sébastien Bach serait, sans ces modestes prolégomènes, en partie impossible. On sait que la géographie de la facture fait jouer une des grandes failles culturelles de l'Europe traditionnelle. L'orgue est né au nord dans l'espace médiéval privilégié de la France septentrionale et des Pays-Bas. Le roi de la musique instrumentale met en œuvre un ensemble complexe de techniques difficiles à maîtriser. L'Italie, qui a créé l'opéra, popularisé ce spectacle de Cour, reste fidèle à une forme musicale somme toute archaïque, qui recourt encore largement au support de la voix humaine. L'orgue italien, jusqu'à la fin du xviie siècle, est un instrument modeste, latéral, tout de finesse. L'Allemagne catholique lui reste pour l'essentiel fidèle. « En Allemagne du Sud au xviie siècle, un orgue tout de qualité, réputé pour la douceur de ses timbres, pour la luminosité de ses voix, la poésie de ses pleins jeux, un orgue italien au pédalier réduit doté de quelques jeux au clavier simple ou double mais rarement triple. » (Norbert Dufourcq.) L'orgue du Nord qui couvre l'Allemagne protestante, de la mer du Nord à la Baltique, s'apparente aux orgues françaises, néerlandaises, voire même espagnoles, « un imposant instrument aux manuels multipliés, au pédalier nanti de dix ou quinze registres — aux jeux nombreux, colorés, vivants, sources d'oppositions constantes ». L'espace privilégié de l'Allemagne moyenne : Westphalie, Thuringe, Saxe, Silésie, le temps privilégié du dernier quart du xviie siècle vont voir se réaliser l'indispensable et tardive synthèse entre les deux techniques et par-delà la technique entre deux mondes de musique. « Comme l'organiste, le facteur d'orgues voyage et ses déplacements contribuent à l'évolution de son art. Partout où il séjourne, il impose ses méthodes, ses goûts, mais il doit également satisfaire son client et s'adapter aux coutumes locales. Au brassage d'idées et de techniques l'orgue profite. » Deux grands noms résument assez bien cette mutation : André et Gottfried Silbermann. Ils commencent à travailler à la fin du XVIIᵉ siècle. On leur doit l'instrument de l'empire musical de l'Allemagne moyenne sur l'Europe des Lumières.

Mais pour saisir le trouble esthétique de l'horizon 1680-1690, c'est en France qu'il faut se placer. Rien là qui puisse surprendre. Le glissement suivant le modèle que nous avons proposé du système mécaniste en ce système bis qui, par la traditionnelle crise de conscience européenne, conduit à la philosophie des Lumières s'est produit en France. En France et en Angleterre. Il est naturel que les premières répercussions esthétiques — même si les interactions d'un plan à l'autre sont difficiles à cerner — en soient d'abord perçues sur l'espace français.

On est tenté d'interroger d'abord l'architecture, l'art par excellence parce qu'il totalise et résume tous les autres, parce qu'il organise l'espace privilégié du foyer où l'ethnographe — Marcel Mauss aimait à le rappeler — nous apprend à découvrir le ressort secret d'une civilisation. Sa réponse est discrète et pourtant sans équivoque. Louis Hautecœur l'avait déjà noté. Le tournant architectural en France correspond aux deux dernières décennies du XVIIᵉ siècle, l'horizon de la crise de conscience. Trahard, lui, plaçait vers 1720 environ, l'explosion, le déferlement de la nouvelle sensibilité, la manifestation littéraire du sensualisme lockien. Les premiers signes avant-coureurs sont antérieurs ; on les trouverait sans aucun doute au rendez-vous fatidique. « Dès 1680-1690 sont nés des types inédits d'hôtels et de châteaux. » Ils sont l'œuvre de la nombreuse équipe Jules Hardouin-Mansart. Cet architecte est un pluriel, libéré par l'achèvement du gros-œuvre dans le complexe versaillais. Le Grand Trianon ne saurait masquer le reflux des commandes du prince accaparé par le grand affrontement militaire.

Côté Cour ou côté jardin, peu de chose distingue ces réalisations de celles plus rares du temps de Colbert. Peu de chose. Et pourtant. La première mutation est celle du nombre. Les dernières années du XVIIᵉ annoncent les Lumières, ce phénomène urbain, par une décisive valorisation de l'espace urbain. Les derniers beaux jours de l'aristocratie aux champs se situent peut-être entre 1620 et 1650 ; une robe rouge et blanc dont le tout jeune Mansart a dressé l'archétype à Balleroy porte témoignage de la promotion aristocratique de la nouvelle noblesse issue, au XVIᵉ siècle, de la marchandise détournée par l'État et figée, au XVIIᵉ siècle, dans l'office par la robe. On a relativement peu construit en dehors des grandes commandes officielles, de 1660 à 1680, quand l'élite de la noblesse prend le chemin de la Cour. On construit paradoxalement beaucoup dans les dernières décennies du XVIIᵉ siècle. Ce mouvement de la construction de luxe se situe à contre-courant de la conjoncture des campagnes, en corrélation positive il est vrai avec les indices du commerce extérieur.

Au cours des dernières années de Jules Hardouin-Mansart († 1708) à la Direction des bâtiments, puis sous Antin qui y demeure jusqu'en 1736, la construction civile de luxe pivote. Après les belles demeures aux champs de la première moitié du XVIIᵉ, les constructions somptueuses de Versailles, l'ère des hôtels à Paris et en province, reflet des nouvelles orientations de l'économie et de la société, progrès de la ville. Oppenord, Boffrand, R. de Cotte et Jumel répondent aux besoins nouveaux créés par la dispersion de la Cour, par le mariage tout neuf de l'aristocratie avec Paris. Voyez les agrandissements du Palais-Royal. Oppenord s'en charge semble-t-il en 1708, R. de Cotte travaille pour le comte de Toulouse. On lui doit la galerie dorée. L'hôtel de Toulouse et le château de Rambouillet, l'hôtel du Maine et le château de Sceaux font partie de ces nouvelles implantations. La désertion du Marais commence, l'aristocratie, la robe et l'argent esquissent un *zoning* social de l'espace urbain. L'épée et l'élite de la robe commencent la colonisation du faubourg Saint-Germain — il s'entoure d'un mur entre 1704-1707, espace privilégié dans la ville dont le plan de Turgot conserve encore la trace —, la finance gonflée par les besoins de l'État engagé dans sa lutte difficile contre la première coalition (Ligue d'Augsbourg et Succession d'Espagne) jette les premières fondations du faubourg Saint-Honoré. L'hôtel Matignon est un bon témoin de cette phase et les folies de la chaussée d'Antin.

Paris n'est pas la France. Caen, Valognes, Pont-l'Évêque, Bayeux en basse Normandie, Sens, Auxerre, Avallon, Dijon, Beaune, Mâcon, Besançon, Châlons-sur-Marne, Verdun à l'est, Bordeaux, Nantes, Le Havre grâce à la brutale reprise, très tôt, des activités maritimes, conservent les témoins d'un style Régence (d'une Régence qui commence

vers 1690). Promotion du réseau urbain en dehors de la
capitale, promotion donc de la ville. Cette démonstration
vaut, en gros, pour l'Angleterre victorieuse des lendemains
de la *Glorious Revolution*, de Guillaume et Marie à la reine
Anne.

Répondant à des besoins neufs sur un espace urbain, cette
nouvelle architecture, sous une apparence de continuité,
s'ouvre à l'innovation créatrice. Extérieurement, la forme
est classique. L'hôtel urbain de l'avant-Régence ne rompt
pas avec les solutions typiquement françaises du temps de
François Mansart et de Perrault. L'apparence, donc, est
sauve, l'enveloppe intacte. Le vêtement mais le corps, le
corps mais l'âme. L'hôtel de l'avant-Régence dissimule
derrière ses façades classiques une décoration en rupture
avec le passé. L'avant-Régence en France, au niveau de
l'hôtel urbain, c'est essentiellement la fondamentale contradiction du cœur et de l'enveloppe, une nouvelle forme de la
décoration baroque dont l'insolite éclate d'autant mieux
qu'elle se réfugie derrière l'apparence trompeuse d'une
ordonnance extérieure classique. Cette solution française des
années 1690-1700 est appelée, à travers l'Allemagne et
l'Angleterre, à un demi-siècle au moins d'étonnant succès.
Elle exprime à sa manière le partage laïc des pensées. Elle est
le symbole même des tensions et des ambiguïtés des
systèmes de référence des Lumières.

Entre l'architecture et la décoration, un vieil équilibre est
tout à coup rompu. L'architecture de cette avant-Régence
de l'horizon 80 de la crise de conscience a pu être considérée
— voyez le Palais-Royal d'Oppenord — comme tributaire de
l'art du décorateur. L'enveloppe, un moment donc, est
travaillée de l'intérieur par l'orgie en volutes d'un baroque
qui s'apprête à vivre l'ultime avatar du rococo. Il est facile
d'interpréter la transformation de la décoration de l'hôtel
urbain, sur l'horizon 1690, comme la résorption d'une
anomalie, le rétrécissement de la parenthèse classique
franco-anglaise dans le déferlement de l'Europe baroque. Le
tournant 1690, c'est cela d'abord, mais un peu plus encore.
Cette révolution modeste est capitale, car elle affecte le cadre
de la vie. Elle se situe donc dans l'espace le plus chargé de
connotations affectives. La mutation du décor qui part de
l'hôtel parisien à la conquête géographique et sociale de
l'Europe par tranches successives peut se situer grossièrement dans la ligne baroque. Mais entre le baroque théologique et politique au service des affirmations fondamentales
de la Réforme catholique, au service de l'élaboration difficile

de l'État monarchique, à l'heure des *Stände*, et la décoration voluptueuse qui apparaît sur l'horizon 1690, au service de l'œil pour la fête des sens dans l'intimité élargie du foyer des puissants, la différence est grande.

Puisque la peinture tend au décor, il est naturel de s'y arrêter et, comme tout part de la France et de l'Angleterre et qu'il n'y a pas de peinture autonome anglaise avant le début du XVIIIᵉ siècle, d'interroger l'art pictural français. Faut-il parler vers 1680 là aussi d'une pré-Régence ? Albert Châtelet nous propose une Régence conquérante, conséquence d'une histoire excessivement fractionnée. 1715-1723 « n'ont pu suffire à la naissance d'un nouveau style. En fait, c'est sur plusieurs décennies que s'étendent les manifestations picturales de cette époque de transition. Elles apparaissent autour de 1680 dans les œuvres des peintres qui se font alors connaître à Paris ». On pourrait placer sur une première ligne Largillière, Rigaud, Desportes et Antoine Coypel. Largillière est né en 1656, Rigaud en 1659, Coypel et Desportes en 1661 ; puis, sur une seconde ligne, la génération brillante qui compte Jean-François de Troy (1679-1752), Oudry (1686-1755), Le Moine (1688-1737) et, bien sûr, Jean Antoine Watteau (1684-1721). L'alignement pictural français passe curieusement par une orientation en direction du nord, par une redécouverte de Rubens. Le tournant pictural français se situe bien à la hauteur de la génération de Largillière et non à la hauteur de celle de Watteau : en un mot, la victoire des rubénistes sur les poussinistes. « C'est du Nord que vient le goût d'une palette vibrante comme la recherche d'une traduction des qualités tactiles de la matière qui s'affirment alors. De là, également une faveur nouvelle pour les sujets de genre. » (J. Thuillier, A. Châtelet.) Mais un changement de la thématique suppose surtout une modification au niveau de la commande. De la mythologie héroïque, l'aristocratie de la naissance, de la charge et de la finance passe « aux amours des dieux et aux scènes galantes ». Le marché se modifie. L'État, son implantation versaillaise achevée, absorbé par d'autres tâches, s'efface. « Les grandes entreprises décoratives deviennent rares. » L'hôtel urbain, sur un espace cher, a tendance à sacrifier les galeries somptueuses aux appartements intimes.

L'infléchissement social de la commande, l'évolution du goût, la promotion du corps, le raccourcissement eschatologique qui s'amorce — retour des pensées sur les choses —, la réduction et le morcellement des surfaces à couvrir contri-

buent à l'importante modification des thèmes. Des thèmes
qui appellent le coloris frais de la chair féminine adolescente.
La modification s'insinue là même où on ne l'attend guère.
Quand Louis XIV vieillissant donne à travailler pour ses
petits-enfants, l'art né dans le laboratoire trouble des
nouveaux hôtels parisiens s'infiltre dans la commande
officielle. Voyez les aménagements de la Ménagerie de
Versailles pour la toute jeune duchesse de Bourgogne, en
1699, bientôt suivis par les transformations du château de
Meudon destiné au Grand Dauphin. C'est au même moment
que le mobilier à son tour esquisse une évolution. Il faut
meubler les nouveaux hôtels. Le meuble devient un peu
moins encombrant, il sera un peu plus nombreux. Le
fauteuil et la chaise, « qu'un dossier moins volumineux et
plus confortable rend plus mobiles, qu'une sculpture dorée
et fouillée rend précieux par leur bois même et non plus
seulement par leur garniture » (P. Verlet), font place à la
courbe. Voyez le pied Régence : il apparaît peu avant 1700,
il esquisse par la base la courbure Louis XV. Le corps prend
ses aises. Le lit de repos et la chaise longue sont les
auxiliaires d'un art plus détendu de la conversation, ils
apparaissent dans les intérieurs privilégiés sur l'horizon
1700. Le lit allège ses superstructures, les tentures reculent,
le grand lit à colonnes s'efface dans une pièce mieux
chauffée. Les accessoires se multiplient : la banquette à
billard, qui est née à la fin du XVIIᵉ, s'affirme ; le pied de
table, le guéridon, la « chaise d'affaires », d'une facture
raffinée et discrète qui la transforme en fauteuil ou en
tabouret chargé d'in-folio, les petites tables ambulantes et
des commodes plus petites, plus légères, qui commencent à
s'élever au-dessus du sol, tous ces meubles plus nombreux et
variés sont indissociables de la nouvelle décoration qui fait
place à l'imprévu, à la courbe, à l'entrelacs avec, de-ci de-là,
une pointe discrète d'érotique.

*

   Tels sont quelques-uns des aspects de ce tournant des
années 1680-1700. Rien d'absolument fondamental n'oppose l'esthétique des Lumières à l'esthétique des années
1620-1680, l'esthétique de l'Europe tout à la fois baroque et
classique. Rien de comparable à la flexure qui oppose, de
part et d'autre de la première Renaissance, l'esthétique
traditionnelle de la chrétienté médiévale au temps tout d'un
bloc solidaire qui suit le tournant du retour à l'antique. A

l'intérieur de ce *continuum* où les périodes se succèdent suivant des chronologies différentes — longtemps l'Italie anticipe, l'Europe méditerranéenne ne perd son primat qu'aux alentours de 1700 —, les styles s'engendrent par glissement, ils ont la plasticité dynamique des structures autonomes formées. Les très grandes modifications sont nettement antérieures ou nettement postérieures. Le XVIIIe a affirmé sa solidarité avec le passé, à la fois la rupture avec l'esthétique médiévale et la reconnaissance de l'antique comme archétype des arts et des formes. La grande cassure dans l'ordre de la pensée, voyez Voltaire, le XVIIIe siècle la situe avec la mathématisation de la connaissance, l'analyse algébrique, la physique galiléenne, mais, au plan de l'esthétique, il affirme inlassablement sa solidarité avec l'antique, l'antique réinterprété dans les canons de la Renaissance italienne. La plus importante mutation esthétique du XVIIIe siècle, celle des années 1750, n'est-elle pas indissociable d'un nouveau regard sur l'antique, d'une promotion de la connaissance historique ? On sait à quel point la découverte du dorique archaïque de Sicile, l'étude archéologique des formes antiques désitalianisées auront été fécondes et libératrices. Elles ont permis un changement venu du Nord (l'Angleterre précède la France) qui ébranle et remodèle dans son ensemble l'espace de l'Europe des formes. Que la victoire des rubénistes ou la naissance du Louis XV à travers la première volute du pied de chaise Régence ne nous affole pas — le XVIIIe siècle est tout entier solidaire des options de la Renaissance italienne dans ses aspects classiques, de la Renaissance réinterprétée par l'âge baroque italien dans ses aspects rococo et rocaille. C'est elle qui est révolutionnaire et rien de comparable dans l'ordre esthétique ne se produira avant le XIXe siècle. La Renaissance italienne commande par ses modèles, par le pèlerinage à Rome qui reste obligatoire pour l'artiste du Nord, mais aussi par l'écrit. Quand sir Christopher Wren a reconstruit Saint-Paul, second lieu de culte, par la taille, de la chrétienté, Wren, l'ancien maçon, le moins suspect de culture livresque, n'en a pas moins sous les yeux, par la gravure ou les *vedute*, les modèles italiens. Comment ne pas voir la filiation avec le modèle italien, Sainte-Agnès-in-Agone bâtie de 1625 à 1657 par Borromini et Rainaldi ? Saint-Paul est beaucoup plus vaste que Sainte-Agnès, « mais comme elle, elle comporte une coupole centrale, des tours latérales et un portique d'inspiration romaine ». Même analogie entre les tours. Wren, certes, s'inspire librement : « La façade de Saint-Paul n'est pas incurvée, la suggestion de mouvement a disparu pour faire place à la robustesse et à la stabilité. »

Empire de la forme, empire aussi du livre. Que penser de la tyrannie du pseudo-Vitruve, le Vitruve revu et corrigé, glose de la glose, commentaire du commentaire, à la lueur de l'édition italienne du XVIe siècle, indéfiniment reprise, traduite, adaptée à travers toute l'Europe du livre. Vitruve a l'excuse de l'antique, mais Palladio ? A bien des égards, Andrea di Pietro, dit Palladio (1508-1580), aura été pour l'Europe des Lumières un contemporain capital. Son œuvre architecturale est mince comparée à l'influence de ses écrits. L'Angleterre du XVIIIe siècle a vu Rome à travers ses planches. On lui doit en tant qu'architecte la basilique de Vicence, la villa Rotonda qui date de 1550, aux quatre façades identiques, « chacune comportant un portique de temple ionique et l'intérieur est une salle qui rappelle le Panthéon ». L'absurde dans l'imitation servile d'un antique interprété à contresens. Palladio, en fait, a un autre titre de gloire : on lui doit, pour l'essentiel, le fameux théâtre Olympique de Vicence, l'idée sinon la réalisation, puisque le travail ne fut achevé qu'en 1585, cinq ans après sa mort. On verra le rôle que joue le théâtre de Palladio dans une des révolutions qui marquent le plus profondément l'esthétique solidaire des XVIIe et XVIIIe siècles, la scène d'illusion à l'italienne. Palladio, par la scène de Vicence, aura contribué sans le savoir à la construction, bien modestement derrière Galilée, d'une nouvelle et combien féconde conception de l'univers. Depuis l'édition d'Oxford de 1709 dont les in-folio ont un prestige incomparable, Palladio exerce une véritable fascination sur l'architecture anglaise. Il aura contribué à maintenir en Angleterre un bastion de classicisme architectural froid tout au long du premier XVIIIe siècle. L'Angleterre, bastion classique assiégé, comme la France des années 1660-1680, par une Europe baroque des formes. Construire sa villa dans le style palladien apparaît comme le dernier mot de l'élégance. Chiswick House près de Londres est un bon exemple d'une architecture palladienne, qui semble anticiper à certains égards d'un demi-siècle notre Louis XVI.

Chiswick House est un peu le cas limite. « Le corps central dessiné par lord Burlington (1694-1753) » a été commencé vers 1725, décoré par William Kent (1685-1748) ; c'est presque un pastiche de la villa Rotonda de Palladio. Comme tant de demeures de la classique Angleterre, Chiswick House peut bien comporter « un certain nombre d'ailes de pavillons dont l'agencement » fait superficiellement penser au Belvédère de Hildebrandt. A l'inverse de Hildebrandt, toutefois, « les auteurs de cette demeure ne transgressent nulle part les règles strictes du style classique. Le noble portique présente des formes semblables à celles d'un temple antique de style corinthien [Palladio à la villa Rotonda avait choisi l'ionique]. Les murs sont simples et nus ; pas de courbes, pas de volutes, pas de statues couronnant l'édifice, pas de décor rocaille. »

Mais la doctrine de la totale solidarité avec l'archétype italien du xvie siècle a été formulée un peu partout dans l'Europe des Lumières. Nulle part, peut-être, avec plus de naïveté que par sir Joshua Reynolds (1723-1792), avec Hogarth (1697-1764) et Gainsborough (1727-1788) l'un des trois grands de la peinture anglaise. A la différence de Hogarth, modeste artisan de la gravure, Reynolds a suivi la tradition continentale du voyage italien. Promotion sociale au milieu du siècle de la peinture anglaise. Il pensera avec les amateurs du marché anglais, si différent sur ce point du modernisme déterminé du marché français, que les maîtres de l'Italie du xvie siècle renaissant maniériste ou baroque « demeurent comme des exemples incomparables de perfection artistique. Il fera sienne la doctrine attribuée au Carrache selon laquelle il n'y a de salut pour un artiste que dans l'étude attentive et dans l'imitation du meilleur de chacun des maîtres, le dessin de Raphaël, le coloris du Titien ». En tant que président de la Royal Academy nouvellement créée, Reynolds exposera avec autorité cette doctrine « académique » : de l'étude de l'antique à travers l'Italie du xvie siècle se dégage un ensemble de règles dont l'application est, avec beaucoup de métier, un des secrets de l'art.

Le modèle italien est une des clefs de l'esthétique des Lumières jusqu'au tournant du milieu du siècle, cette demi-rupture qui en appelle, du modèle antique trahi au xvie siècle au modèle antique restitué par les jeunes sciences auxiliaires de l'histoire, de Vitruve et de Palladio, à la vigueur archaïsante du dorique monumental de la Grande Grèce. De part et d'autre de 1750 pourtant, le beau des Lumières reste étroitement solidaire des choix de la Renaissance. Solidaire conscient des choix de la Renaissance italienne, le xviiie siècle l'est aussi sans le savoir des tensions tragiques de l'art européen, au tournant des xvie-xviie siècles. L'esthétique des Lumières, par-delà le choix global des moyens du xvie siècle, continue de vivre la tension tragique du tournant fondamental du début du xviie siècle. Contemporaine de la mathématisation et de la physique galiléenne, la tension au sein d'un même système des aspirations classiques et baroques appartient à l'héritage intégré à l'esthétique des Lumières.

H. Wölfflin s'est appliqué à dessiner le tournant décisif de la Renaissance au baroque et posé d'une manière toujours valable ce qui peut être considéré comme les deux pôles antithétiques et indissociables du système esthétique commun au classicisme et au baroque, d'un système qui appartient au XVIIe et au XVIIIe siècles. Entre ces deux pôles, le XVIIIe siècle oscille. D'une part une option linéaire et plastique, de l'autre une option picturale. La figure arrêtée en ses contours dans l'option classique se dissout en image mouvante dans la vision baroque ; l'être n'est plus conçu comme immuable essence mais comme perpétuel devenir ; l'absolu n'est plus le parfait mais l'infini. La vision classique, répète-t-on, projette le spectacle, coupe les rayons de la « pyramide visuelle ». « La vision baroque pénètre l'espace en profondeur. » « Le classique procède par analyse [...] le baroque fait de la synthèse. » « Le classique exige l'absolue clarté ; le baroque préserve une obscurité relative. » Bernard Teyssèdre rappelle enfin avec raison qu'aucun de ces cinq concepts n'a de consistance autonome, de position absolue. Ne pas oublier l'intime cohérence des choix essentiels qui gravitent autour de deux pôles principaux, « la plénitude de l'être et la fluidité de l'apparaître » ou « le besoin d'ordre et l'aspiration à la liberté ».

A ce niveau de généralité, XVIIIe et XVIIe siècles ne se saisissent bien qu'ensemble dans la mesure où toute la pensée des Lumières découle, nous avons vu comment, des évolutions et des choix du début du XVIIe siècle. Reconnaissons-le, l'abandon du monde clos, de la physique statique des qualités pour l'univers infini de la physique mathématique, d'une connaissance essentielle pour une organisation phénoménologique des apparences, incline, par analogie et compensation, vers l'alternative baroque du système esthétique issu des choix globaux de la Renaissance. L'absolu identifié à l'infini, la vision en profondeur, la composition ouverte et le colossal appartiennent à l'analogie. Le choix en faveur de la synthèse et du clair-obscur est de l'ordre de la compensation.

Le baroque demeure la réponse artistique la plus parfaitement cohérente, peut-être, à la révolution intellectuelle du début du XVIIe siècle. Dans la mesure où la petite révolution

intellectuelle des années 1680-1700 remet en cause les
solutions provisoires proposées en attente sur l'horizon
1620-1640, il est à peu près fatal qu'elle relance dans la
conscience artistique, en les développant, les réponses
proposées par les artistes baroques du XVIIᵉ siècle. Le
premier baroque, dans son essence, est théologique.
L'énorme poussée des basiliques, des abbatiales, des monas-
tères, dans l'Allemagne catholique et l'Europe danubienne
de 1680 à 1720, correspond à une extraordinaire vitalité
religieuse dans ce secteur de l'Europe. Le siècle des saints
culmine en France entre 1630 et 1650, il y a décalage
chronologique à l'est d'un bon demi-siècle. Le baroque
religieux au début du XVIIᵉ siècle peut être considéré comme
une tentative de réponse concrète et compensatrice aux défis
lancés à la représentation intellectuelle de chrétienté, par
l'univers infini écrit en langage mathématique, d'où Dieu,
Deus absconditus, fuit à l'infini de sa totale transcendance.
En marquant la distance de Dieu au créé, en sapant les bases
de la théologie naturelle scolastique, la révolution intellectuelle de la première moitié du XVIIᵉ siècle aboutit à une
théologie beaucoup plus essentiellement centrée sur le
mystère de l'Incarnation. En refusant l'interpénétration
anodine du sacré dans le quotidien, elle esquisse une religion
dualiste piétiste de l'attente quelque peu passive de l'accomplissement du royaume de Dieu. 1620 a esquissé le partage
laïc qui, nous l'avons vu, triomphe dans la pensée du
XVIIIᵉ siècle, en permettant de sauver l'essentiel au prix de la
délimitation des deux fors. Dans ces conditions, l'espace
sacré du culte devient espace-refuge débouchant sur la
réalité tangible du supranaturel. Même au prix d'une
certaine illusion dont elle partage les techniques avec le
théâtre baroque où le jeu se déroule sur une scène lointaine
séparée du public, une scène d'illusion qui permet d'affirmer à sa manière l'existence d'une réalité distincte. Donner
des preuves presque matérielles de l'existence d'un milieu
divin nettement séparé, c'est ce à quoi tend l'Église baroque
depuis le Bernin et Borromini, c'est ce que fait à la
perfection le baroque allemand en plein siècle des Lumières.
Affirmer l'existence de l'au-delà que déistes et athées
rejettent, affirmer l'existence d'un au-delà qui est un refuge,
c'est à la limite la seule manière acceptable, pour les secteurs
les plus rationalistes de l'opinion éclairée, de concevoir la
religion. Deux mondes peuvent coexister ainsi qui ne
risquent pas de se rencontrer. La basilique du XVIIIᵉ siècle
peut être interprétée comme l'affirmation d'une église

triomphante, dans un premier mouvement; elle est tout aussi bien l'expression du partage laïc, de la vie autonome du monde rationnel et de l'au-delà. A certains égards rien de plus significatif que Saint-Jean-Népomucène. Egid Quirin Asam, décida de construire à côté de sa propre maison une église dont il serait le propre donateur. Dédié à saint Jean Népomucène, l'édifice fut bâti entre 1733 et 1750. C'est une très petite église relativement haute et étroite, munie sur tout son pourtour d'une tribune, elle comporte deux autels, l'un au rez-de-chaussée, l'autre au-dessus, dans la tribune. Cette dernière repose sur les doigts de termes pirouettant ou d'anges-cariatides penchés plus ou moins en avant. La corniche supérieure s'élève puis s'abaisse, les couleurs sont des ors sourds, des bruns, des rouges sombres qui brillent soudain dans l'ombre quand la lumière les effleure [...] La fenêtre haute, à l'est, est placée de telle sorte qu'un groupe de la Sainte Trinité se détache à contre-jour : Dieu le Père tenant le crucifix est surmonté par l'Esprit Saint. Ils sont entourés d'anges et donnent une impression à la fois de fantastique et de merveilleuse réalité. » Pevsner, à qui nous empruntons ces considérations, n'hésite pas à placer Saint-Jean-Népomucène à la pointe de la perfection du baroque religieux, avant même ces sommets que sont l'église de Rohr, de Weltenburg ou le *Trasparente* de la cathédrale de Tolède, dans la mesure où il est sensible à la coordination parfaite « d'une composition strictement architecturale avec de simples trompe-l'œil, le tout produisant une extraordinaire sensation de surprise qui peut se muer, sans effort, en ferveur mystique ».

Cette impression d'indéniable réalité de l'au-delà, d'un inaccessible promis aux hommes par le sacrifice unique et parfait offert sur la croix et perpétuellement actualisé sur l'autel, on la retrouve dans toutes les églises des années 1670-1750, en Allemagne du Sud, en Autriche, en Espagne. Voyez les Théatins à Munich, la chartreuse de Grenade, les aménagements destinés à mettre en valeur le *Trasparente* de Tolède. Narciso Tomé a réalisé ce chef-d'œuvre théâtral. Le rituel catholique ne tolérant pas « qu'en faisant le tour du déambulatoire, les fidèles puissent passer derrière le taber-nacle [on imagine] un dispositif [...] qui permette de voir et d'adorer le Saint Sacrement du déambulatoire comme de la nef ». Au centre, un ostensoir en verre, le *Trasparente*, où l'hostie, corps du Christ, occupe le point focal « d'un décor d'autel d'une magnificence inouïe dont la mise en place fut terminée en 1732 ». Tout un ensemble de trompe-l'œil grandit l'espace autour du corps du Christ, tandis que le ciel est présent au-dessus du lieu sacré où se réalise le mystère de l'Incarnation dans le sacrement de l'autel. « Des anges entourent l'ostensoir pour en masquer les supports et, de leur groupe, notre œil s'élève vers les personnages en marbre polychrome d'une Cène qui se déroule à une hauteur prodigieuse sous les pieds mêmes de la Vierge en Assomption. Pour augmenter cette impression d'apparition miraculeuse, tout ce décor baigne dans une lumière qui prend sa source en arrière de nous, d'une manière qui n'est pas sans rappeler l'éclairage indirect de nos théâtres modernes. L'architecte a supprimé les voûtains d'une demi-travée du déambulatoire [...] Il a couvert les bords de cette brèche d'une foule d'anges puis l'a coiffée d'une vaste cloche avec une fenêtre. Un flot de lumière dorée s'en échappe, inonde la travée du déambulatoire... et, finalement, illumine l'autel, ses statues et son ostensoir. Quand nous levons les yeux, nous apercevons au-dessus des anges, dans la clarté éblouissante de la vitre, le Christ trônant en majesté entouré par les prophètes et les célestes multitudes. » (N. Pevsner.) A Tolède comme à Munich, présence physique de l'au-delà. Aussi réelle que les *Lettres philosophiques*, dont cet art est l'exact contemporain. Cette simultanéité entre deux espaces-temps presque sans contact conduit à une fausse contemporanéité.

Cet art est aussi un art du contact. Il s'efforce de traduire, avec un ensemble de moyens matériels, la rencontre avec le Dieu caché. La *Transverbération de sainte Thérèse* du Bernin rend compte à sa manière de l'expérience mystique. *La Mort de sainte Scholastique*, de Jean II Restout vers 1730, s'efforce de concrétiser, avec moins de conviction, mais du métier et un certain bonheur, la présence du ciel. La *Transverbération* a une descendance à travers le baroque du XVIIIᵉ siècle.

Le contact s'établit au niveau du saint sacrement. C'est pourquoi le *trasparente* est un élément presque obligatoire du baroque religieux, entendez le baldaquin imité du Bernin ; l'autel central de Vierzehnheiligen, point de convergence des regards et de tous les éclairages, centre focal de toutes les trajectoires elliptiques qui enserrent l'espace sacré de la basilique, met en valeur physiquement le mystère de l'inexprimable. La transsubstantiation, réponse catholique à l'éloignement infini dans l'espace mathématique indéfini de Dieu, *Deus absconditus*, est enserrée dans la pédagogie naïve, réaliste et efficace de l'architecture baroque. C'est au service de la transsubstantiation que le baroque religieux s'est placé : la transsubstantiation que la Cène protestante refuse, l'Incarnation que rejette la pensée philosophique, le Dieu impersonnel (*Deus sive Natura*) de Spinoza n'en a cure, puisque immanent du monde, le Grand Architecte de l'univers se désintéresse de son œuvre de plus en plus autonome chez les successeurs de Newton. L'architecture religieuse du premier XVIIIᵉ siècle, solidaire du Bernin et de Borromini, est une architecture de combat, de Contre-Réforme au XVIIᵉ, elle s'adapte sans difficulté à l'apologétique antiphilosophique du XVIIIᵉ. Elle est démonstration de la Réelle Présence. L'Europe protestante a les mêmes problèmes, à quelques nuances près. Le protestantisme à tendance piétiste qui prend corps à la fin du XVIIᵉ, en réponse au dessèchement rationaliste, est aussi religion de l'au-delà et, plus encore que la Réforme catholique, au service du *Deus absconditus*, donc de l'Incarnation, une incarnation réalisée dans le sacrifice unique et parfait, donc inactualisable. L'architecture de pierre et de stuc est impuissante à exprimer ce qui est d'éternité. Le miracle que le contrepoint architectural est incapable d'évoquer ici, le contrepoint musical, la cathédrale de sons et d'accords des grandes orgues de Silbermann au service de Bach, s'efforce de l'obtenir. Et c'est dans cet esprit que Pevsner a pu dire, à propos de Vierzehnheiligen : « Ce style est à l'architecture ce que la fugue est à la musique. »

Le baroque civil a mis au service de l'État, dans une société d'ordres, des moyens conçus au départ pour la démonstration du surnaturel. Les paysans, qui sont admis, certains jours de l'année, à contempler les décorations des palais princiers de l'Allemagne alpestre et de l'Europe danubienne, reçoivent communication de l'insurmontable distance qui les sépare de l'univers des ordres supérieurs qui est aussi celui du prince. Mais, du même coup, ce monde supérieur se donne à connaître. Le palais baroque est au service d'une communication, au même titre que la basilique. Pour la fête qui marque couronnement, mariage, baptême princier, l'État princier réduit de l'Europe médiane se donne à connaître, à aimer et à servir dans un élan affectif qui a sa valeur et son efficace.

En un mot, l'esthétique du XVIIIᵉ siècle est largement solidaire de celle de la Renaissance et, étroitement, du baroque du XVIIᵉ siècle. Mais il convient de se rappeler que le baroque est issu, historiquement, au moment du tournant fondamental de la pensée européenne, de la Renaissance, donc d'une esthétique classique ; que la France vers 1660-

1680 et l'Angleterre, à l'époque de Jones, de Wren et des palladiens, du temps de la reine Anne et du premier George, ont pu maintenir dans un océan baroque des mers de classicisme. Le baroque est une possibilité à l'intérieur du système plastique issu de la Renaissance, l'antithèse dans un système qui comporte une thèse classique. L'océan baroque peut donc à tout moment réengendrer son apparent contraire qui est seulement son complémentaire.

Société et économie du XVIIIᵉ siècle sont, dans l'ensemble, plus riches, mais la mutation vient après. Le XVIIIᵉ siècle recourt nécessairement à des moyens un peu mieux maîtrisés dont les architectes, les peintres et les musiciens de la Renaissance et du premier baroque disposaient avant lui. La commande, enfin, ne se modifie pas fondamentalement avant la seconde moitié du XVIIIᵉ siècle. Voilà pourquoi le niveau des années 1680-1720 se situe beaucoup plus sur un plan de continuité que sur un plan de rupture esthétique. Mais ce tournant modeste est un tournant certain. Il peut se caractériser par un ensemble de signes irréfutables : nouvel élan donné, dans l'Allemagne catholique et l'Europe danubienne, au baroque religieux et au baroque d'État. Construction dans l'Allemagne protestante de l'infrastructure du contrepoint d'orgue à son apogée ; en France et en Angleterre des novations subtiles : l'Angleterre prend la relève de la France classique tandis qu'en France un détournement de l'État, l'arrivée d'une nouvelle couche sociale, la promotion de l'espace urbain et la promotion du corps dans un reflux de la Réforme catholique et dans le trouble de la crise de conscience favorisent l'élaboration d'un nouveau décor au service subtil des sens.

*

Le tournant pris, on ne peut échapper à une rapide étude sectorielle. C'est par le théâtre et la musique qu'il faut commencer. La musique domine tout le XVIIIᵉ siècle et c'est là que le siècle des Lumières atteint son sommet : Bach et Mozart. On peut suivre d'autres voies, on ne peut aller au-delà ; l'absolu, une seule fois, a été atteint. Mais le théâtre ? De cette grande liturgie sociale, le XVIIIᵉ siècle a eu la passion. Et pourtant, dans l'ordre de la comédie et de la tragédie, ses réussites sont fugaces. Le XVIIIᵉ a écrit au théâtre pour son plaisir ou son édification, il n'a rien légué de comparable au siècle qui le précède : Shakespeare, Lope de Vega, Calderón, Corneille, Racine ; le XVIIᵉ siècle a été pour l'Europe le siècle unique du poème tragique. Marivaux, Voltaire, Goldoni, Sedaine, Alfieri, Goldsmith, Beaumarchais, Lessing, ni même le Goethe de *Götz von Berlichingen,* pour estimable que soit leur effort, ne font, avec le recul de l'histoire, réellement le poids. C'est intimement associé à la musique que le XVIIIe siècle exprime son génie théâtral. Le théâtre du XVIIIe siècle, c'est l'opéra : Jean-Philippe Rameau, Pergolèse, Haendel, Gluck. Après Mozart, une page est tournée. Né à l'aube du XVIIe siècle, l'opéra écrit ses plus belles partitions au XVIIIe ; il se survit après, spectacle d'antiquaire, témoin d'une société résolument périmée.

L'opéra s'inscrit dans une chronologie courte : il est né dans l'Italie baroque, au début du XVIIe siècle, dans une société aristocratique, c'est-à-dire dans l'opulence. L'opéra voit le jour dans l'Europe méditerranéenne qui, au début du XVIIe siècle, reste, pour un siècle encore, le laboratoire esthétique de l'Europe. Au départ, c'est un spectacle de Cour. Voyez la liste des invités au mariage de Marie de Médicis avec Henri IV, le 6 octobre 1600 à Florence ; les historiens du spectacle, amoureux de la datation fine, s'entendent pour inscrire en face du 6 octobre l'acte de baptême du spectacle d'opéra. Enfin, autre date italienne, c'est en 1637, avec l'ouverture à Venise du San Cassiano, que se place le premier spectacle public d'opéra. Spectacle de riches d'abord. A Venise, au San Cassiano, le prix d'entrée de 4 lires vénitiennes est énorme. Mais le succès est tel, la catharsis sociale si évidente, que, le prince aidant et la demande montant, les prix baissent. A partir de années 70 du XVIIe siècle, le spectacle d'opéra pour le peuple des villes, dans cette vieille civilisation de l'*agora* qu'est l'Italie, est ouvert presque à tous. L'opéra double désormais la liturgie religieuse d'une liturgie sociale. De son centre de rayonnement italien, par ondes concentriques, il a gagné l'un après l'autre les différents espaces culturels de l'Europe baroque. La France est touchée une première fois en 1647, une troupe italienne interprétant à Paris l'*Orfeo* de Luigi Rossi. L'Allemagne, au plus tragique de l'effondrement, dès 1650, voit apparaître des théâtres fixes au service de l'art des Italiens. Vienne (l'italienne) possède dès 1652 un bâtiment d'opéra construit par Giovanni Burnacini, Hambourg en 1678, suivi de Munich, de Dresde fière de son Opernhaus en 1719. Berlin doit attendre 1742. Inigo Jones fut en Angleterre l'introducteur de l'opéra et c'est en 1656 que fut donné « à Rutland House, domaine de d'Avenant, le premier opéra anglais, *The Siege of Rhodes* ».

Pourquoi ce succès ? On peut y voit deux causes. Son rôle de pont social dans une société fortement hiérarchisée. La participation du petit peuple du parterre et de la dernière galerie à un spectacle de Cour joue au même titre que la fête baroque ou l'entrée rituelle à dates fixes du peuple des campagnes dans les jardins et la galerie de la résidence princière, un rôle de fédérateur. Il rend, en l'atténuant un instant, supportable l'indispensable distance sociale ; il maintient le minimum de communication nécessaire à l'équilibre politique ; il constitue, en outre, le contrepoids de l'évolution irrésistible de l'art musical. La musique médiévale est une polyphonie vocale. La musique instrumentale déferle à partir du XVIe siècle. Elle va refouler progressivement la voix humaine. Outre qu'il n'est pas facile de remplacer la voix, le plus riche et le plus sensible de tous les instruments, cette rupture ne va pas sans provoquer des résistances. On sait le refus des calvinistes d'accepter pour le culte d'autre aide que le chant. Bach, lors de son séjour à Coethen (1717-1723), en fera cruellement l'expérience. L'opéra est un autre moyen, sorte de choral profane, de maintenir au chant sa place, accompagné, aidé, porté par la voix puissante de l'orchestre.

L'opéra est intimement associé en outre à une innovation capitale de l'Italie baroque : la scène d'illusion. C'est sur une scène éloignée du public, isolée par le proscenium et la fosse de l'orchestre, que le poème musical déroule son spectacle conventionnel. C'est en Italie, que le théâtre a pris au XVIIe siècle la forme que le XVIIIe siècle a, pour l'essentiel, reçue et léguée au XIXe. Hélène Leclerc, résume ce qui constitue peut-être le legs essentiel de l'Italie sur ce point à l'Europe des Lumières : « La scène d'illusion en perspective avec sa machinerie sertie comme un plateau magique derrière l'encadrement du proscenium et la salle en étages des loges qui ont recueilli indistinctement toutes les formes du drame jusqu'à la réaction récente en faveur de la " scène ouverte ", sont des inventions de l'Italie de la Renaissance et du XVIIe dont la veine littéraire s'étiolait mais dont le génie plastique se transformait et proliférait. » « Cette conception répondait aux aspirations d'une société éprise d'ostentation. » La signification de la mutation au XVIIe de l'espace théâtral est vraisemblablement beaucoup plus profonde. La scène et la salle achèvent de former au XVIIIe siècle, lorsqu'en 1759 à Paris le dernier vestige de l'interpénétration disparaît avec les banquettes de scène, deux mondes résolument séparés. A l'heure d'une connaissance phénoménologique, la scène est à l'image du monde dont le savant ne saisit qu'un reflet ; entre le public et la scène, la distance est tout autant projection de l'espace social dans une société d'ordres dont l'eventail est largement ouvert. On peut contester cette assimilation rapide de l'espace privilégié du spectacle à la structure mathématique abstraite de l'univers infini, totalement insaisissable dans son essence ; mais une chose est sûre : ce qui se passe sur la scène, les techniques que l'art de l'ingénieur met au point grâce à la connaissance d'une géométrie physique de la lumière, inspire l'architecte du baroque religieux. Les auteurs des *transparentes*, les architectes des grandes basiliques baroques ont tiré profit des leçons de la scène italienne. On peut même se demander dans quelle mesure la philosophie mécaniste de l'univers n'a pas bénéficié, au même titre que de l'art de l'ingénieur, de l'art de l'ingénieur de la scène. L'éducation phénoménologique des Lumières passe par l'opéra, microcosme de l'univers mécaniste, dépourvu, comme le théâtre d'illusion, de toute réalité essentielle.

« L'Italie a trouvé une des formes d'expression les plus originales de son génie plastique dans la scénographie, cet art d'illusion optique dont la naissance et les avatars sont intimement liés aux avatars de la perspective [...] » C'est au XVIIᵉ que la scénographie devient l'art du décor de théâtre en perspective. Les premières bases en avaient été jetées par Sebastiano Serlio en 1545. A partir de la *Pratica della perspettiva* de Daniele Barbaro (Venise 1568), le rythme des publications et de la recherche se précipite. Au mathématicien Guido Ubaldus le mérite de poser (dans le *De Scenis* paru en 1600) « les bases mathématiques de la scénographie en élaborant la théorie des points de fuite de la perspective ». Une machinerie complexe se développe parallèlement et l'architecture entre en ligne. Nicola Sabbattini, dont la *Pratica di fabricar scene e macchine né teatri* (Pesaro 1637-1638), est appelée à un succès durable, est architecte de formation. Après les décors à glissières, voici les prismes tournants (*la scena versatilis*). Inigo Jones se fera en Angleterre le défenseur de la solution déjà moderne de la scène en coulisses qui associe la théorie des points en fuite à une machinerie relativement légère, donc efficace. Mais, à partir du milieu du XVIIᵉ siècle, c'est dans la scène picturale en mouvement tournant que les progrès les plus rapides sont accomplis, grâce à Giacomo Torelli de Fano, surnommé le sorcier. Torelli recourait encore largement aux machines.

Les dernières décennies du xviie comptent sur les progrès de ce que l'on est convenu d'appeler l'illusionnisme pictural. Deux grands noms dominent : le jésuite Andrea Pozzo, la dynastie des Galli Bibiena. La *Prospettiva di pittori e architetti*, publiée en italien de 1693 à 1700, traduite dans presque toutes les langues, va de pair avec les « théâtres sacrés » du Bon Père pour les fêtes religieuses. Les six coulisses qu'il préconise de chaque côté allaient en décroissant vers le fond [...] » Pozzo, toutefois, reste fidèle au décor symétrique ; il ne décentre pas encore le point de vue. Aux Galli Bibiena cet ultime raffinement. « Ces prodigieux décorateurs et architectes propagèrent en Italie, en Allemagne et en Autriche [toujours l'espace privilégié du baroque tardif italien] les derniers feux d'un art de Cour » parvenu à son apogée. Les grands traités se succèdent : 1711, 1731. On ne voit plus les architectures de face mais d'angle, alors que la scène prend un aspect fantastique d'immensité. Pour loger cette scène dévorante d'espace, une architecture s'impose. Le plus grand succès posthume de Palladio est un théâtre, le théâtre Olympique de Vicence, amphithéâtre semi-elliptique inauguré en 1585. Une partie des constructions du xviiie siècle continueront à dépendre du modèle classique de Palladio. L'Angleterre paie tribut par les relais d'Inigo Jones et de Christopher Wren : Drury Lane, Covent Garden, Haymarket portent l'empreinte. Les théâtres du xviiie siècle s'inscrivent dans un rectangle de plus en plus allongé dans le sens de la profondeur qui donne toujours plus de champ à l'espace scénique.

Côté spectateurs, le xviiie siècle multiplie les loges. Elles sont la conséquence de l'ouverture au public payant à Venise en 1637. L'éclairage, lampes à huile ou chandelles de cire blanche, a fait des progrès. Au xviiie la coutume s'impose d'obscurcir la salle avant le commencement de la représentation. Quelques privilégiés pallient l'obscurité au moyen de petites bougies (*cerini*) : elles permettent de suivre le texte des livrets vendus à l'entrée ; conservés dans nos bibliothèques, ils portent aujourd'hui encore marques de cire et traces de brûlures. Le xviie siècle finissant a été séduit surtout par les processus mécaniques des machinistes décorateurs. L'Italie, au xviiie siècle, répand à travers l'Europe la rage du *bel canto* lorsque Naples prend la tête de l'opéra italien, Naples qui reste la plus grande ville italienne et la troisième d'Europe. Comme le goût des Lumières valorise les hauts registres et que la coutume longtemps a tenu la femme à l'écart, Naples trouble et cruelle s'est spécialisée

dans la production des castrats, malheureux enfants vendus
à des maîtres de chant bourreaux par les familles nécessi-
teuses des bas quartiers ; l'un d'entre eux, le plus célèbre,
Farinelli, gouverna l'Espagne — les ambassadeurs français
du moins le prétendent — sous le règne de Ferdinand VI et
de la reine portugaise, fervents de musique vocale. Sur le
talent des castrats, l'Europe passionnée d'opéra est partagée.
Dans le camp des adversaires, notons au passage le président
de Brosses et Jean-Jacques Rousseau.

Le public italien se tient mal, au jugement du voyageur du
Nord, comme à la messe. Si le parterre debout marche à
fond, le public des loges affecte un grand détachement. Le
silence n'est accordé qu'au moment des grands airs. La
barcaccia, formée de plusieurs baignoires réunies et occu-
pées par les membres d'un même groupe, prolonge la vie de
société jusque devant la scène. « De Brosses a joué [du
moins s'en vante-t-il] aux échecs dans un théâtre italien. »
(Bronislaw Horowicz.) A Rome, beaucoup se livrent, malgré
les interdits pontificaux, à des jeux moins innocents. Rome,
Venise et Naples, ont, au XVIIIe siècle, la première place
dans la hiérarchie des mauvais lieux. C'est à Naples qu'en
1737, lors de l'inauguration du San Carlo élevé par Charles
de Bourbon, un mode particulier de financement fut retenu.
« Là, les loges furent vendues en toute propriété à un prix
variant entre 580 et 770 ducats » sans préjudice d'un loyer
annuel de 180 à 230 ducats. Au San Carlo de Naples, théâtre
royal, par égard pour le prince, une stricte discipline règne :
le public n'a pas le droit de battre des mains, d'allumer des
chandelles en signe d'approbation, de réclamer un bis,
privilège du roi.

Le problème majeur posé aux architectes des salles
d'opéra — problème majeur et problème nouveau — est
celui de l'acoustique dont il faut désormais concilier les
exigences à celles, jadis uniques et souveraines, de la
perspective. Souci qui s'apparente à celui du luthier, mais
multiplié devant l'obligation d'édifier une boîte de résonance de forme harmonieuse. Les salles rectangulaires et
oblongues des palais, les galeries traditionnelles où se
donnaient les concerts, « leur plafond plat et leurs parois
verticales » offraient des conditions favorables à la propaga-
tion des ondes musicales. « Le problème formel s'est posé
avec la nécessité de répartir un public très nombreux,
exigeant de bien voir et de bien entendre sans être mélangé
arbitrairement dans un espace souvent restreint. Les rangs
de loges superposés, en hiérarchisant un public qui payait

inégalement [mais surtout de statut différent — le public d'opéra est un microcosme de la société d'ordres de la ville italienne], permettaient aussi à un volume égal de placer beaucoup plus de monde qu'une autre disposition. » (Hélène Leclerc.) On aboutit, à la fin du XVIIe siècle, à une acoustique empirique qui donne des résultats étonnants. Les architectes italiens de l'époque « eurent l'intuition des formes et des matériaux favorables ». A leurs successeurs, au XVIIIe siècle, plus théoriciens, le soin de systématiser, de dégager les règles sinon les lois des démarches empiriques de la seconde moitié du XVIIe siècle et de les propager dans de savants écrits qui, en raison de la complexité du problème, laissent la part belle à l'intuition et aux tâtonnements. Présentées dans des images gravées, décrites dans de longs textes minutieux, les solutions découvertes en Italie furent largement diffusées à travers l'Europe du spectacle musical. L'archétype de la salle du XVIIIe siècle est fourni par la Tor di Nona à Rome que Carlo Fontana avait dérivée, sans doute, de l'expérience remarquablement réussie du théâtre Farnèse. Construite en 1671, devenue foyer de débauche, elle sera livrée à la pioche des démolisseurs en 1697 par Innocent XII. Carlo Fontana avait dû céder à la mode qui venait d'imposer les loges d'avant-scène. Leur inconvénient visuel est évident ; pourtant, sur le plan acoustique, elles contribuent à resserrer les côtés vers la scène. Nous arrivons ainsi au plan en fer à cheval réalisé à la Tor di Nona et qui s'impose à toute l'Europe des Lumières. Les ondes sonores condensées s'épanouissent plus librement vers le fond de la salle : le principe de la caisse de résonance est appliqué. Le triomphe de cette conception marque combien, dans l'hybride du spectacle lyrique, le côté spectacle, donc machine, prédominant au XVIIe siècle, s'efface au XVIIIe siècle devant la seule exigence musicale. Dans la descendance de Carlo Fontana, Alfieri s'inscrit à Turin, vers 1740, Soufflot pour le théâtre de Lyon en 1753, Gabriel à l'opéra de Versailles en 1770 et Patte en 1782. Mais l'Argentina construite par Teodoli à Rome, le San Carlo à Naples en 1737 et surtout la Scala de Milan élevée par Pier Marini en 1774-1778 sont tout aussi bien dans la brillante descendance de l'éphémère Tor di Nona. Une chose est sûre, même compte tenu de ses moyens sensiblement plus abondants, l'Europe des Lumières a consacré à la construction de ses grandes salles de spectacle de pierre, de stuc, d'ors et de marbre une masse de moyens comparables à ceux requis pour l'édification des cathédrales des XIIe-XIIIe siècles, pour le plaisir des sens et un mystérieux exorcisme social. Retombée sans conteste des pensées sur les choses.

Des salles pour mettre quoi ? La descendance de Monteverdi (1567-1643) et de l'école romaine qui culmine de 1620 à 1660. C'est aussi l'époque où le cardinal Rospigliosi, le futur Clément IX, crée cette variante facile appelée à un grand succès, l'opéra bouffe, dont les intrigues puisent dans le répertoire de la *commedia dell'arte,* dont les types et les mimes ont amusé le petit peuple des faubourgs dans toute l'Europe au XVIIᵉ et sous d'infinies variantes jusqu'à la fin du XVIIIᵉ, peut-être même au-delà. L'école vénitienne après 1660 prend la relève de Rome épuisée, mais c'est Naples qui est, au XVIIIᵉ siècle, la capitale de l'opéra.

Alessandro Scarlatti, le père du maître du clavecin, est le maître de l'opéra napolitain. Pendant toute la période napolitaine, de 1684 à 1702, il écrit en moyenne deux opéras par an. Il quitte Naples en 1702, séjourne à Rome et à Florence jusqu'en 1707 et retourne à Naples où il meurt en 1725. La plus grande partie de son œuvre (115 opéras) est aujourd'hui perdue : abondance ou négligence qui dénote une certaine spontanéité d'un art devenu de plus en plus un art populaire. Sur ce point, au moins, l'influence d'Alessandro Scarlatti aura été décisive. Nul plus que lui ne contribuera à l'évolution de l'orchestre. L'orchestre, dans ses dernières œuvres, *Tigrane* (1715), *Telemaco* (1718) et *Griselda* (1721), croît en dimensions et en importance. « Après 1700, le chanteur est interrompu par les éclats de l'orchestre qui souligne ainsi les changements rapides des états d'âme et suggère des profondeurs d'émotion que la voix seule ne pourrait exprimer. » (Donald J. Grout.)

Les Italiens auront été aussi les grands pourvoyeurs de livrets : Apostolo Zeno (1668-1750) d'abord, et surtout Métastase (Pietro Antonio Trapassi, 1698-1782), la plus grande gloire de l'Arcadie, le librettiste universellement sollicité ; son *melodramma* s'inspire formellement du drame grec pour lui tourner le dos quant au fond. Homme adulé, comparé par ses contemporains à Homère et à Dante, on lui doit du moins l' « opera aria » sous sa forme définitive, celle d'un drame raccourci condensé en trois actes, « basé sur des épisodes de l'histoire antique traités de façon à donner des exemples de vertu et des leçons de morale rationnelles. Une scène caractéristique d'un opéra de ce genre se divise en deux parties : un dialogue utile à l'action, en récitatif ; l'expression des sentiments ou des réflexions, en aria. »

La France a eu Lully (1632-1687) qui fut paradoxalement contre la musique italienne le rempart de la tradition française. On lui doit l'introduction du récitatif simple ou accompagné sans lequel il n'y a pas de véritable déroulement dramatique. Parti du ballet musical, il aboutit à ce que l'on peut appeler l'opéra français. Jean-Philippe Rameau (1683-1764), qui a tenu à manifester en toutes occasions sa piété filiale à l'égard du Florentin de Versailles, portera l'opéra français à son point de perfection. Dans l'intervalle, Lamotte, Campra et Destouches avaient monté en 1697 *L'Europe galante*, retour au ballet. « Entre 1697 et 1735, date des *Indes galantes* de Rameau », quarante opéras-ballets environ furent représentés à l'Académie royale. Au premier rang, les *Fêtes vénitiennes* de Campra (1710), *Les Éléments* de La Lande et Destouches (1721), *Les Amours des dieux* de Mouret (1727)). Jean-Philippe Rameau est le contraire même du génie précoce. Bourguignon sévère, élève médiocre des jésuites, né du vivant de Lully, il aura connu les débuts à Paris de Gluck et de Mozart. Modeste organiste à Clermont-Ferrand, à quarante ans seulement il s'établit à Paris. Sa carrière est changée par le mécénat de La Popelinière, fermier général, prince de la finance, amateur d'art éclairé. « De 1733 à 1739, il donne cinq ouvrages dramatiques qui comptent parmi ses chefs-d'œuvre : *Hippolyte et Aricie*, *Les Indes galantes*, *Castor et Pollux*, *Les Fêtes d'Hébé* et *Dardanus*. » (Paul-Marie Masson.) Silence de 1739 à 1745. De 1745 à 1752 une douzaine de pièces au milieu desquelles émergent *Platée*, *Pygmalion*, *Zoroastre*, *Acante et Céphise*. On sait le rôle décisif joué par le vieux Rameau dans la querelle des Bouffons : chef de file de la tradition française, il relève avec vigueur les assertions injustes et délirantes de Jean-Jacques Rousseau, porte-parole des Italiens. Il importe peu que Rameau ait raison, Rousseau gagne. Le public français, au seuil du second XVIIIᵉ siècle, travaillé en profondeur par la sourde revanche de l'affectif trop longtemps brimé par le rationalisme pratique du XVIIIᵉ siècle *more gallico*, las de la rigueur toute classique du style musical français — la musique en France, de Lully à Rameau, est un des rares secteurs totalement à l'écart de la grande revanche baroque —, suit les Italiens parce qu'il attend autre chose.

Cette attente explique entre autres l'étonnant succès à contre-tradition de l'opéra bouffe : né au XVIIᵉ siècle — on l'a vu —, l'opéra bouffe explose au XVIIIᵉ, favorisé par les réformes de Zeno et de Métastase, qui, en abolissant le

mélange traditionnel des genres, ont contribué indirectement au développement et à l'émancipation d'un opéra-
comique. A l'origine de l'opéra-comique, la *commedia in
musica*, si l'on veut, opéra sur un livret comique, de
longueur normale. Dans cette ligne, *Il Trionfo dell'onore*
d'Alessandro Scarlatti, écrit et monté en 1718. Mais la
véritable origine de l'opéra-comique est plus ancienne, elle
est étroitement napolitaine : l'*intermezzo* tel qu'il se pratique
à Naples aux alentours de 1710. Une soirée normale
comprenait un *opera seria* de trois actes coupé de deux
intermezzi. Les premiers *intermezzi* écrits en dialecte napolitain empruntaient thèmes et personnages à l'inépuisable
répertoire de la *commedia dell'arte*. Au départ, ces *intermezzi*
étaient l'œuvre d'obscurs compositeurs. Après Alessandro
Scarlatti, Leo, Vinci, Hasse, Rinaldo da Capua et, au
premier plan, Pergolèse dont la *Serva padrona*, représentée
pour la première fois à Naples en 1733, déclenche en 1752 à
Paris la querelle des Bouffons.

L'opéra-comique aura contribué, du moins, à briser
quelques préjugés indissociables de la tradition de l'*opera
seria* : une réhabilitation des basses. On sait le coût humain
atroce de la folle prisée du *tenor soprano*, la place dévorante
du *solo*. Grâce à l'opéra bouffe, la place des ensembles va
aller croissant au XVIIIe siècle. Servi d'abord par des talents
modestes, puis par le dieu Nicola Logroscino à Naples à
partir de 1738, Piccinni, Anfossi, Guglielmi, Paisiello, il est
appelé à un prodigieux succès populaire. La promotion
s'affirme vers 1760. Elle est due, en partie du moins, aux
excellents livrets de Goldoni et s'achèvera sur l'apothéose
mozartienne, des *Noces de Figaro* à *Cosi fan tutte* en passant
par *Don Giovanni*.

Mais l'attente parisienne, Gluck la comblera au terme de
ce qui n'est plus tout à fait le temps des Lumières. Ce fils
d'un ancien soldat du prince Eugène, garde forestier d'un
prince tchèque, sujet de la maison de Habsbourg, Christoph
Willibald Gluck, né à Erasbach en 1714, au fond de la forêt
bavaroise proche de la Bohême, témoigne à sa manière du
glissement vers l'Allemagne du Sud du centre musical de
l'Europe, la fin de l'empire universel de la Thuringe et de la
Saxe. Il a été formé à Vienne dans un milieu italianisant.
Comme Rameau, Gluck n'est pas un précoce. C'est à
Vienne, au contact de Ranieri Calzabigi, qu'il conçoit le
nouvel opéra, cristallisant plus qu'il ne crée la ligne du
drame lyrique, à l'heure du néo-classicisme, de l'antiquoma-
nie archaïsante. De la collaboration Gluck-Calzabigi nais-

sent, de 1762 à 1769, *Orfeo, Alceste, Paride ed Elena*, « où la préoccupation du drame et la recherche de lignes nobles et simples passent au premier plan », réplique dramatique du dorique archaïsant des façades Louis XVI.

La carrière parisienne de Gluck est liée à la Dauphine, bientôt reine en 1774. Le premier triomphe de Gluck, le 19 avril 1774, précède de peu la mort de Louis XV. Les échos du succès viennois du nouveau drame musical sont venus jusqu'à Paris. « Le bailli Du Roullet attaché à l'ambassade de Vienne » fournit un livret, une *Iphigénie en Aulide* d'après Racine. Le directeur de l'Opéra, Dauvergne, accepte l'œuvre proposée, mais il sent bien qu'un pareil drame « tue tous ceux qui ont existé jusqu'à présent ». De 1774 à 1779, Gluck exerce un empire tyrannique depuis Paris sur l'Europe musicale : *Iphigénie en Aulide, Orphée* (2 août 1774), *Alceste* (1776), *Armide* (1777), *Iphigénie en Tauride* (1779) jusqu'à l'échec imprévu, le 11 septembre 1779, de son *Écho et Narcisse* qui rompt le charme. Resserrement de l'action lyrique, choix exclusif « des passions fortes », langage direct, dépouillé, constituent quelques-uns des thèmes de ce néo-classicisme de la forme qui se place, en fait, sous l'empire de la passion héroïque, au seuil d'une époque où les tensions sociales ébranlent déjà en profondeur les subtils équilibres des Lumières.

L'opéra, art de compromis de l'équilibre, au destin constamment remis en cause, fournit quelques-uns des exemples les plus typiques du génie des Lumières. Art populaire, mais de simple participation — le public applaudit, fredonne, assiste passif, loin de la scène d'illusion pourvoyeuse de rêves mélodiques —, l'opéra, ce bâtard, est trop profondément intégré à une liturgie sociale pour atteindre aux sommets de l'art. C'est à la musique instrumentale pure que ce privilège incombe.

*

L'opéra, en maintenant un large champ d'expression à la voix humaine, a favorisé la victoire écrasante au XVIIIe siècle de la musique instrumentale. L'histoire musicale des Lumières est totalement indissociable de celle de la facture. Le génie de l'Europe des Lumières a besoin, pour s'exprimer, d'un ensemble de moyens : en deux mots, la corde pincée avec clavier et l'anche métallique d'orgue.

Le XVIIIe siècle musical est un sommet dans l'exacte mesure de sa fidélité à des traditions. Aucune rupture, mais un plan d'évolution. Dans l'ordre musical aussi l'Europe des Lumières se présente comme le palier culminant d'une longue ligne ascendante. L'Europe des Lumières nous est apparue comme le point d'arrivée, donc de mutation, d'un monde très ancien né entre le XIIᵉ et le XIVᵉ sur ce qu'il est commode d'appeler le Moyen Age en majesté. Le XVIIIᵉ siècle musical part, dans une hypothèse courte, du XVIᵉ ; dans une hypothèse plus généreuse, du XIVᵉ siècle.

Il utilise des instruments dont la facture depuis des siècles a été portée à un point haut. Il se développe dans quelques provinces privilégiées, en tête l'Allemagne moyenne des *cantors,* des *scholae cantorum,* du choral et du culte, associant le chant et l'orgue au milieu de la foule des fidèles. La musique dans la Thuringe-Saxe de Jean-Sébastien Bach est le seul art auquel collabore tout un peuple. L'Allemagne moyenne, au début du XVIIIᵉ, aura réalisé le miracle de l'éducation totale. A la limite, le phénomène Jean-Sébastien Bach est le fruit de l'éducation, une victoire de ces *cantors* qui sont d'abord des maîtres d'école enseignant à prier en musique comme l'école du dimanche calviniste apprend à lire. La Thuringe et la Saxe au XVIIIᵉ siècle, après deux siècles d'intense préparation, ont utilisé tous les dons d'une population dont le génie est une longue patience, toutes les possibilités d'un instrument au croisement de toutes les traditions de l'Europe, de techniques progressivement issues d'évolutions séculaires.

Le XVIIIᵉ siècle a fait une large place à la musique de clavier. Clavecinistes et organistes sont souvent les mêmes hommes. Voyez les cinq, « les constructeurs du temple, que Couperin, Rameau, Bach, Haendel, Domenico Scarlatti ont érigé à la gloire des cordes pincées » ; trois d'entre eux sont à la fois les plus grands clavecinistes et organistes de leur temps : Couperin, Bach, Haendel ; Jean-Philippe Rameau s'est formé à la rude école de l'orgue de Clermont-Ferrand.

Voyez l'ensemble des instruments à cordes avec clavier : c'est un vieux legs déjà. Ils semblent bien nés au milieu du XIVᵉ siècle ; ils se divisent en deux groupes : les instruments à percussion, les instruments à corde pincée. Le XVIIIᵉ siècle a hérité des deux traditions. Le monocorde, le manicordion, le clavicorde sont les ancêtres du *pianoforte* au début du XVIIIᵉ et du piano, apparu soixante-dix ans plus tard. L'Europe des Lumières a reçu le clavicorde dans son héritage mais elle n'en a rien fait jusqu'à la mutation des années 1780-1790 qui voient s'affirmer brusquement le *pianoforte.* Le clavecin a sensiblement la même histoire. Né au XIVe, transformé au XVIe, il reçoit un deuxième clavier à la fin du XVIe. Le grand clavecin de concert, qui s'affirme à la fin du XVIIe, muni de ses ultimes perfectionnements, se détache du sein de sa famille à côté de la modeste épinette et du virginal d'Angleterre. Les Anglais désignent au XVIIIe le clavecin complet à double clavier sous le nom de *harpsichord*. Ainsi, la place du clavecin dans la musique instrumentale du XVIIIe siècle découle d'un choix inconscient. Le clavecin ne tient pas la note, à la différence du clavicorde. Le choix du clavecin, malgré et peut-être en raison même de ses limites, commande une esthétique musicale. A moins qu'il n'en découle. La famille claveciniste paraît surgir d'un presque néant avec une musique originale aux alentours des années 1620-1630. De là — l'ascension est lente en France et demande près d'un siècle —, la fortune subite du virginal en Angleterre et de la modeste épinette aux Pays-Bas, en Allemagne et en Italie. Au cours des trois derniers quarts du XVIIe, grâce au travail de quelques grandes dynasties de facteurs (les Rückers, les Loosemoor, les Player), l'instrument développe toutes ses possibilités : « La dernière amélioration d'importance dont les facteurs du XVIIe siècle font bénéficier l'instrument affecte leur accord. » « Le violoniste oppose le ré dièse au mi bémol [...] quelques tentatives pour " briser " tous les demi-tons de l'octave sont restées sans lendemain : l'instrument à quart de ton n'est pas viable. » Le problème est ainsi posé : « Comment parvenir à un " tempérament égal " dans lequel ré dièse se peut confondre avec mi bémol ? » Ici interviennent l'intuition, le doigté et l'oreille du facteur. « La solution consiste [...] à diminuer de quelques commas chaque quinte et par voie de conséquence à augmenter les tierces. » Le tempérament égal ainsi réalisé permettra de faire face à une exigence nouvelle des compositeurs français et allemands de la fin du XVIIe siècle : jouer en tous tons. Un demi-siècle avant Bach, l'immortel auteur du *Clavecin bien tempéré*, les facteurs ont répondu à la grande aspiration.

Toute une foule de petits progrès techniques est léguée, comme Norbert Dufourcq l'a bien établi, par les facteurs de la fin du XVIIe siècle aux musiciens du XVIIIe : le registre de seize pieds, monnaie courante, les pédales introduisant ou supprimant les registres qui viennent faciliter le jeu ; la plume de corbeau qui se casse et qui s'use rapidement laisse la place sur le sautereau à la pointe de cuir plus robuste et surtout plus douce. Pascal Taskin a été à Paris le propagateur de la pointe de cuir. Enfin, de plus en plus, les facteurs du XVIIIᵉ siècle améliorent les instruments, épinettes et clavecins, que leurs clients leur confient par un enrichissement du côté des graves. La promotion des graves appartient aux besoins manifestés par l'oreille au fur et à mesure que l'on s'avance dans le XVIIIᵉ siècle. Tel est le but du ravalement. « Ces quelques progrès réalisés, la facture du clavecin tend plus au raffinement qu'à l'innovation. » Le grand clavecin de concert, dès le début du XVIIIᵉ siècle, a été porté à cinquante-cinq puis à cinquante-neuf touches, « les différentes grosseurs de cordes se sont multipliées jusqu'à quatorze : cuivre ou acier ».

Après les Rückers et les Conchet, parmi les plus grands facteurs des Lumières, l'Italie compte Rosso, Zanetti, Tacani, Cristofori — ce dernier, l'un des inventeurs, dans la première moitié du siècle, du *pianoforte* qui est appelé à bousculer l'architecture de l'orchestre dès le début du XIXᵉ —, Zenti, Giusti, Sodio. Pour les Flandres, N. Dufourcq retient encore : « les Heinemann, Bull et Haghens, Dulcken, Bremer, Delin et Taskin ». Pour l'Allemagne, Gottfried Silbermann, originaire de Freiberg, dans l'Erzgebirge. Né en 1683, Gottfried est plus connu encore avec son frère aîné André (né en 1678) comme facteur d'orgues, le plus grand de tous les temps. Au niveau de la facture comme au niveau de l'exécution et de la composition, nous retrouvons, une fois de plus, cette mystérieuse complicité de l'anche et de la corde pincée. A côté de Silbermann, voici encore Hass, Gleichmann, Hildebrand, qui lui aussi s'occupe de facture d'orgues, c'est lui qui a transporté et restauré en 1728 le plus petit des deux orgues de Saint-Thomas à Leipzig, un orgue Renaissance que Jean-Sébastien Bach a utilisé de 1728 à 1740 ; ajoutons à la liste J.-N. Bach, Osterlein ; pour l'Angleterre, Schudi, Broadwood, Hitchcock, Townsend, les Kirkman ; pour la France enfin, avec Richard, les Denis, Goujon, les Blanchet, N. Dumont et Marius.

L'instrument est aussi un meuble d'apparat et une œuvre d'art. « On imagine sans peine qu'une fois le clavecin, l'épinette ou le virginal terminé, le client, sur la demande ou sur le conseil du facteur, s'adresse au menuisier, à l'ébéniste, puis au peintre [...] Le châssis, les pieds sont livrés à l'ébéniste, la console des claviers aux travailleurs de l'os, de l'ivoire, de l'écaille ou de la nacre ; les couvercles aux peintres qui se chargent d'y apposer figures et paysages, scènes mythologiques tant à l'extérieur qu'à l'intérieur. Car l'instrument doit être ouvert. » (N. Dufourcq.) Bruegel,

Rubens, Teniers, Rosa et Van Dyck contribuèrent jadis presque autant que les Rückers à la réputation des clavecins flamands. Devises, monogrammes, signatures, dates ajoutent encore à cette décoration. « Certaines épinettes n'ont-elles pas été rehaussées de pierres précieuses ? » Instrument de Cour, de salon, auxiliaire indispensable de la musique de chambre, le clavecin a fini par apparaître, à la fin du XVIIIᵉ siècle, comme le signe d'une civilisation, d'une société. On en sait la conséquence : les grands autodafés sous la Révolution, des clavecins parisiens. Le clavecin disparaît avec la Révolution, symbole délicat d'un temps raffiné et révolu.

Au service de la voix grêle, cinq au moins des plus grands génies du XVIIIᵉ siècle, François Couperin, Jean-Philippe Rameau, Jean-Sébastien Bach, Georg Friedrich Haendel, Domenico Scarlatti. Leur œuvre, plus de mille numéros d'opus, sur un demi-siècle. De leur vivant, la gloire de Bach et de Rameau au clavecin n'a guère franchi la frontière de leur pays ; Couperin, Haendel et Scarlatti, toutefois, ont été presque immédiatement universellement célébrés. Leur œuvre a contribué plus qu'aucune autre à l'unification de l'espace musical européen. « Les idiomes nationaux tendent à se compénétrer et à donner naissance à un vocabulaire international. » (N. Dufourcq.) Pour la dernière fois, semble-t-il, dans l'histoire de l'art musical, les cinq parviennent à maintenir un fragile équilibre entre le style polyphonique, legs menacé du passé, et le style homophone. « La ligne livre alors un dernier combat à l'accord. Demain, l'harmonie l'emportera sur son adversaire. L'Europe musicale [ce qui n'est pas forcément un gain] délaissera le parallélisme des plans et des traits. » Ainsi, la première moitié du XVIIIᵉ réalise le miracle de retenir tout le passé, de contenir déjà toutes les promesses de l'avenir.

François Couperin, né à Paris en 1668, issu d'une famille de musiciens, est le fils de Charles (1638-1679), le neveu de Louis (1626 ?-1661) et de François (1630-1700 ?), il se forme à l'orgue. « Il est en 1685 nommé organiste de Saint-Gervais, organiste de la Chapelle royale en 1693, maître de clavecin des enfants de France » en 1694. Il donne des leçons en ville et contribue à l'éducation musicale de futurs amateurs parmi les enfants de la Ferme générale montante sur l'horizon social. Presque toute sa vie, en effet, il trouve sur son chemin Michel-Richard de La Lande (1657-1726), de onze ans son aîné ; la France n'est pas l'Allemagne mélomane des

Cours. Ses quatre livres de clavecin paraissent en 1713, 1717, 1722, 1730. De santé fragile, mari et père heureux, François Couperin aime retrouver la Champagne de son père et de ses oncles. Elle lui inspire un amour délicat et exceptionnel, alors, de la nature, qu'il exprime dans ses pièces champêtres « parmi lesquelles ces *Bergeries* que copia Bach » (P. Citron). « On ne discutera pas le côté descriptif et pittoresque chez Couperin ; Champenois, il pétille comme le vin [...] » (N. Dufourcq.) Il est homme de transition en période de transition. « Ses portraits ont parfois » une grandeur louis-quatorzième qui en impose. « Un Watteau de la musique ? Il est possible, mais aussi un Lebrun, un Rigaud, un Largillière. La force ne manque pas à ce " petit maître ". Autoritaire et puissant, précis et tourmenté, il passe le front haut [...] Relisez sa *Passacaille en si mineur*. »

Couperin s'éteint en 1733, Jean-Philippe Rameau a cinquante ans. Son *Premier Livre de pièces de clavecin* date de 1706. Vingt pièces publiées en 1724. Entre 1727 et 1733, il livre au public ses *Nouvelles Suites de pièces de clavecin*. Rameau est beaucoup plus dépouillé que Couperin, il est aussi plus organisateur : « Les deux se complètent, comme se complètent Watteau et Chardin. » (N. Dufourcq.)

Mais le plus grand est encore Bach ; ce ruisseau est un fleuve, bien que le clavecin ne couvre qu'une petite part de son œuvre gigantesque. C'est à Coethen, dans cette terre calviniste qu'il n'a jamais aimée, que Jean-Sébastien a consacré la meilleure part de son activité au clavecin. Le premier livre du *Clavecin bien tempéré* est de 1722, les six *Suites allemandes* s'échelonnent entre 1726 et 1731. Mais s'il a entrepris ses *Suites françaises* à Weimar vers 1713-1717 sous l'influence de Couperin et ses *Suites anglaises* à Coethen et Leipzig (1720-1725), il travaille pour le clavecin pratiquement jusqu'à sa mort. Le deuxième livre du *Clavecin bien tempéré* est de 1744.

Bach, le premier en Allemagne, établit, comme on le fait couramment en France et en Angleterre, une frontière précise entre l'orgue et le clavecin. C'est dans l'*Air* suivi de trente variations publié en 1742 à la demande de Goldberg, disciple et ami condamné à calmer au clavecin les nuits d'insomnie et de souffrance de son maître Keyserling que Norbert Dufourcq place volontiers l'apogée de toute la musique du clavecin. 1742, donc, un des points culminants des Lumières.

Haendel, de son vivant, fut pourtant plus apprécié que Bach. Comme lui, il est né en 1685, en Saxe, à Halle-sur-

Saale (dix-sept mois après Rameau, vingt-sept jours avant
Bach). Sa famille était d'origine silésienne. Son grand-père
Valentin, maître chaudronnier, s'était fixé en Saxe en 1609,
où il avait acquis le droit de bourgeoisie. Georges Haendel
épouse en secondes noces, à soixante ans, la fille d'un
pasteur qui lui donne quatre enfants. Georges Frédéric est le
second fils de cette union. Haendel appartient à la famille
des génies précoces. A sept ans il se faisait entendre à
l'orgue, en présence du duc de Saxe. Miracle du génie,
certes, mais aussi de l'imprégnation musicale de l'Allemagne
moyenne et de l'éducation saxonne. Son éducation à la fois
musicale et humaniste, le jeune Georges Frédéric la reçoit au
lycée municipal de Halle où professent les *cantors* des trois
principales églises luthériennes de la ville. Quelle pépinière
que ce petit milieu de Halle où se trouvent réunis, au cours
des années 1690, sur les mêmes bancs de l'école, à côté du
génie précoce de Haendel, de très significatifs talents :
Gottfried Kirchhoff, Johann Ziegler, Johann Gotthilf Krie-
ger. Comme jadis Schütz et Kuhnau, Haendel mènera sa
formation musicale de front avec de hautes études juridiques
qu'il poursuit auprès des maîtres de la jeune mais brillante
université de Halle. A quinze ans, il se passionne pour
l'opéra, à dix-sept ans le voilà organiste intérimaire de la
cathédrale. A dix-huit ans, il est happé par Hambourg où va
s'exercer l'attrait de l'Angleterre toute proche. Si Bach, le
cantor de Leipzig, « parle un idiome qui représente une
valeur universelle » alors qu'il n'a jamais quitté la Saxe,
Haendel, l'enfant prodige de Halle, « apparaît au contraire
comme le musicien ambulant par excellence. Jean-Sébastien
assimile en lisant, Georg Friedrich en écoutant. » Haendel
visite, au cours d'une vie toute de réussite, les hauts lieux de
l'Europe musicale, à l'exception de la France. Il témoigne de
l'heureuse compénétration, sous la dynastie hanovrienne, de
l'espace culturel anglais et de l'espace culturel de l'Allemagne du Nord protestante. Chrétien d'une foi ardente —
elle s'exprime dans les pages inoubliables du *Messie* (1741)
—, il assure presque à lui seul le financement de plusieurs
fondations, le Secours aux veuves et orphelins, le Foundling
Hospital, gestes qui, sur le piétisme allemand, portent la
marque de l'activisme anglo-saxon au siècle de la bienfaisance.

En dehors de ses morceaux pour clavecin, Haendel (il
survit neuf ans à Bach) laisse une œuvre colossale : 40 opéras, 166 duos, airs ou cantates, des psaumes et motets, 5 *Te
Deum*, 18 *Anthems*, une *Funeral Anthem*, 12 concertos

d'orgue, 18 *concerti grossi*, un répertoire de musique populaire, 2 Passions et le cycle des 32 oratorios. Ce qu'il faut admirer, sans doute, c'est que ce grand esprit théologique ait trouvé le temps de se consacrer aussi à la corde pincée. Un recueil pour clavecin paraît en 1720 ; l'essentiel a été écrit entre douze et vingt ans. Lorsque meurt, en 1759, le maître saxon devenu anglais, le clavecin, au vrai, est sur son déclin.

Reste Scarlatti. Plus que Haendel et Bach, Domenico Scarlatti délaisse le passé. Sur le clavecin « prêt à disparaître, il prépare l'avenir de la sonate pour fortepiano (1685-1757) ». Ce Napolitain, fils d'un des maîtres de l'opéra, vient trop tard dans une Italie qui décline. Il est comme Haendel, mais pour des raisons différentes, condamné au voyage. Du même coup, il travaillera avec lui à la réunification de l'espace musical européen. Il a travaillé à Venise où il a rencontré l'Anglais Th. Roseingrave, comme Haendel à Rome ; il voyage en Angleterre, à Lisbonne, il se fixe à Madrid en 1729, où l'une des princesses de la famille de Bragance a épousé le futur Ferdinand VI, protecteur du castrat Farinelli. C'est à Madrid que Domenico Scarlatti compose les six cents numéros d'opus qu'il a consacrés au clavecin ; il y meurt en 1757. Sa gloire, de son vivant, est énorme ; elle éclipse celle de Bach qui n'a guère dépassé le milieu restreint de l'Allemagne moyenne et du Nord : « ses manuscrits circulent dans toute l'Europe et son nom figure dans tout recueil, dans toute collection de musique ». Cela compte aussi pour la juste appréciation du goût des Lumières. La gloire de son père, la passion universelle pour l'opéra y est pour quelque chose, peut-être aussi le prestige persistant de l'Italie : il explique l'attitude outrée de Jean-Jacques Rousseau en 1752. « Chez Couperin, Rameau, Bach et Haendel, le génie a été le résultat d'une longue patience. Chez Scarlatti il éclate, il s'impose, il se maintient. » (N. Dufourcq.) De la suite, Scarlatti garde les rythmes, la coupe binaire des mouvements de danse. Il lui faut dans ses *Essercizi*, disons ses études, mieux ses ingénieux badinages, réveiller les hidalgos un peu tristes des Cours endormies de Portugal et d'Espagne. De ce séjour dans la péninsule Ibérique et de ses origines, des thèmes émergent, visiblement empruntés aux accents populaires napolitains, au folklore de l'Espagne « quelques rythmes pris aux guitaristes [...] une écriture permanente à deux voix mais qu'il pimente à plaisir d'agaceries, de brusqueries [...] Il connaît le fort et le faible du clavecin [...], les trous, les " manques " entre deux notes pincées, le peu d'expression [...] il s'efforcera de les dissimuler. » Quelques-uns de ses accents annoncent déjà Haydn. Et pourtant, dans cette œuvre de bonne humeur, dans cette œuvre de gaieté, Scarlatti a la légèreté aristocratique de la première moitié de son siècle.

Le génie du XVIIIᵉ siècle est à l'orgue. Le roi des instruments, la grande cathédrale de notes, de sons et d'accords, est au terme d'une longue, très progressive démarche. Derrière l'orgue de Silbermann, six siècles, l'entière chrétienté, tout un peuple, le peuple chrétien de l'Allemagne moyenne, le Hanovre, la Thuringe, la Saxe, la Silésie. Cela aboutit à Bach. L'œuvre de Bach est toute de tradition. Jamais, à un degré comparable, la civilisation de l'Europe des Lumières n'a été aussi totalement solidaire du Moyen Age en majesté, de la grande mutation de l'Europe devenue nombreuse aux XIIᵉ-XIIIᵉ, de la mutation esthétique de la Renaissance, de l'ardente invention religieuse du XVIᵉ, de l'ascétique méditation d'un XVIIᵉ siècle exceptionnellement sévère en Allemagne, de la grande imagination technologique des dernières décennies du XVIIᵉ siècle. Œuvre de continuité. Norbert Dufourcq place Jean-Sébastien Bach au sommet de la troisième étape, sur son axe médian, de l'histoire musicale. Une première période s'inscrit entre le XIIᵉ et la fin du XVᵉ, qui voit lentement se constituer un art instrumental dissocié peu à peu de l'art vocal. Trois berceaux, d'entrée de jeu : l'Allemagne, l'Italie, la France. La musique qu'on y exécute affectait l'aspect d'un motet instrumental. Trois siècles pour la création d'un langage adapté aux possibilités de l'instrument. Une seconde période correspond à la Renaissance, mieux, au XVIᵉ siècle ; aucune rupture, en effet, même à cette époque, mais une ligne rapidement ascendante de continuité. Beaucoup d'orgues de la Renaissance, tel celui de Saint-Thomas de Leipzig, repris par Hildebrand, sont encore en service au XVIIIᵉ siècle. Au XVIᵉ siècle s'affirment à la fois l'autonomie de la musique instrumentale et à la suite d'un progrès trop rapide, à la fin du siècle, un fractionnement des techniques tant de facture que d'écriture. Les XVIIᵉ et XVIIIᵉ siècles sont d'une seule coulée : la pleine maturité en relation étroite sans conteste avec l'alphabétisation massive de l'Europe protestante, une éducation totale de tout un peuple sur une partie privilégiée — du moins sous cet angle — de l'espace allemand.

La chance de Bach et celle de l'Allemagne moyenne où le miracle musical européen s'est d'abord produit (dans la seconde moitié du siècle, l'espace privilégié glisse quelques

centaines de kilomètres plus au sud sur le rebord alpestre de
l'Allemagne catholique de Salzbourg à Vienne, à l'époque de
Haydn et de Mozart, avant Beethoven le Rhénan), c'est de
se trouver à la confluence de toutes les traditions musicales
européennes.

Bach est né le 21 mars 1685, à Eisenach, en Thuringe,
dans un pays profondément attaché au luthéranisme évangélique, où tout rappelle encore les premiers temps héroïques
de la Réforme. Profondément ravagé pendant la guerre de
Trente Ans, le pays a entamé sa phase active de reconstruction. Le tissu humain s'est reconstitué ; une vie économique
de circulation et de relation a repris, plus active qu'avant,
sur les deux grands axes nord-sud et ouest-est où circulent
les idées, les techniques et les hommes. Dans la famille, on
est musicien de père en fils, un peu facteur, un peu
compositeur, un peu maître à chanter, virtuose sur tous les
instruments et principalement à l'orgue. Un milieu d'artisans à mi-chemin de l'aisance et de la pauvreté. Un Bach,
jadis, émigra en Hongrie qu'il dut quitter pour motif de
conscience. Johann Ambrosius est « musicien de ville »,
violoniste de ville et son travail consiste à jouer, deux fois
par jour, sur la tour de l'hôtel de ville et le dimanche à
l'église. Imprégnation musicale de tout un peuple, un niveau
de culture qui n'est pas sans rappeler, dans un secteur plus
restreint, celui atteint par la Nouvelle-Angleterre à la fin du
XVIIIᵉ siècle.

Après Eisenach, Ohrdruf en 1695. A dix ans, le voici
orphelin, il doit y chercher refuge avec un plus jeune frère
auprès d'un aîné — les Bach, heureusement, sont prolifi-
ques —, l'organiste Jean-Christophe. Jean-Christophe a été
à Erfurt l'élève de Pachelbel ; le jeune Jean-Sébastien
s'exerce sous son contrôle, sur un petit positif avec pédale.
Au retour du lycée, il travaille avec le *cantor* Arnold ; la
musique alterne dans son éducation — extraordinaire et
féconde richesse de cette Allemagne moyenne — avec le
latin, le grec, l'arithmétique et la théologie. La solidarité au
sein de la grande famille est totale, le devoir d'éducation
aussi incontesté que le droit à la vie ; rien n'a été négligé
pour l'orphelin. Après Ohrdruf, voici Lüneburg. En 1700, à
quinze ans, Jean-Sébastien gagne, avec son camarade
Erdmann, la petite ville au sud de Hambourg où l'attend
l'école Saint-Michel. Le voilà à la fois choriste et instrumentiste, engagé comme soprano à la *Mettenchor* de Saint-
Michel. Tout l'art de la traditionnelle polyphonie lui est
dévoilé. Dans cette petite ville si riche, comme le sont alors

tant de petites villes de cette fabuleuse Allemagne de la musique, il peut encore se familiariser avec l'art de J. L. Loew, ami et disciple du grand Schütz, mort en 1672, qui joue à Saint-Nicolas, avec Georg Boehm au début de sa glorieuse carrière, qui joue encore à Saint-Jean. Deux ans qui comptent.

A dix-huit ans, en 1703, le voilà à Arnstadt pour inaugurer l'orgue de la nouvelle église, un bel instrument construit par J. F. Wender, de Mühlhausen. Mais Arnstadt n'offre pas, même à taille presque égale, les possibilités de Lüneburg. En 1705, il sollicite donc un congé d'un mois pour aller suivre à Lübeck l'enseignement de Buxtehude. Merveilleuse rencontre entre le vieux Suédois et le jeune Thuringien : Buxtehude est séduit, il offre à Bach sa succession avec sa fille ; Bach décline. Bach pose sa candidature à la succession de Georges Ahle à Mühlhausen, il épouse sa cousine Maria Barbara. Le voilà donc à Saint-Blaise, en 1707, pour peu de temps.

En 1708, Weimar l'appelle au poste double d'organiste de la Cour et de musicien de la Chambre de Wilhelm-Ernst de Saxe-Weimar. Neuf années de bonheur familial et de production gigantesque. On ne construit pas un orgue, on n'essaie pas un nouvel instrument à la ronde, sans que le jeune maître ne soit consulté. Weimar est un peu étriqué en 1717 ; il passe à Coethen. Cinq ans de paix au service d'un prince amateur, bienveillant et bienfaisant. Toutefois, le rigorisme calviniste le prive pratiquement de l'orgue, pièce maîtresse du culte. Le *Kapellmeister* de Coethen se consacre au clavecin. C'est là que le malheur l'attend : la mort, le 7 juillet 1720, de Maria Barbara dont trois enfants lui resteront sur sept. Le 21 décembre 1721, il épouse en secondes noces une jeune femme merveilleusement intelligente, claveciniste célèbre, qui sera la compagne et la collaboratrice de sa vie, Anna Magdalena Wülken, âgée de vingt et un ans et dont il aura quatorze enfants de 1722 à 1735.

Février 1723, dernière étape : Leipzig. Il y occupe le poste de *cantor* de la Thomasschule, l'école de Leipzig, laissé vacant par la mort du titulaire en juin 1722. Plus que jamais, retour à Dieu et à son service dans cette partie de la Saxe en liaison dynastique avec la Pologne, où l'évangélisme luthérien a le plus totalement conservé le trésor de la tradition liturgique de la chrétienté médiévale. C'est là, dans cet évangélisme d'autant plus authentique qu'il est plus catholicisant dans la forme, que Bach accepte pleinement sa vocation de chantre de Dieu. A sa disposition, un très vieil orgue dans une église qui date de 1489. « Les cantates ont succédé aux cantates, les préludes et les fugues aux préludes et fugues. Et puis voici le *Magnificat*, l'*Oratorio de Noël*, voici les Passions selon saint Jean, selon saint Matthieu [...] aux premières messes [...] succède la grande *Messe en si mineur*, aux motets, les motets, aux concertos pour clavecin les quatre parties de la *Klavierübung*; et puis voici l'*Offrande musicale*, voilà l'*Art de la fugue* [...] Le 28 juillet 1750, il rend le dernier soupir. » Pour la seule période 1723-1750, un calcul rapide et forcément incomplet, car tout n'est pas parvenu jusqu'à nous, donne : cent soixante-quinze cantates d'église, vingt cantates profanes, sept motets, quatre messes brèves et une grand-messe, deux Sanctus, un Christe, des airs et lieder, les deux Passions et deux oratorios.

Un sommet a été atteint. L'Europe ne s'en émeut guère et cela aussi est normal. Tant, dans l'œuvre de Bach, tout est terme parfait de l'incomparable effort collectif de cinq siècles de civilisation. N'exagérons rien. De son vivant, il n'est pas méconnu, seulement reconnu comme un des meilleurs parmi les meilleurs. Voyez, par exemple, l'hommage qu'en 1747 le roi de Prusse, le jeune Frédéric, roi philosophe et flûtiste, tient à rendre, presque en collègue, d'amateur à virtuose, au maître du clavecin et de l'orgue. Il faut être spécialiste pour parler correctement de cette œuvre où nous nous plaisons à voir la juste récompense de l'effort collectif de l'éducation totale de tout un peuple, du respect intelligent de la tradition et de la volonté de rendre un culte agréable à Dieu, par l'exercice des dons d'intelligence, de sensibilité et d'agilité que l'effort et l'exercice de chaque jour cultivent. Laissons parler Norbert Dufourcq. Voilà l'art de la fugue : « [...] l'organiste. Il est architecte. Il est virtuose. L'architecte est celui-là qui cherche d'abord à faire profiter son œuvre des plans sonores que lui offre l'instrument [...] Il est possible, en jumelant deux ou trois plans sonores, d'accroître la sonorité de tel ou tel fragment [...] L'orgue n'est pas seulement l'instrument de l'architecture. Il est aussi celui de la virtuosité. » Or, notez-le, à ce moment de l'histoire musicale, jamais le compositeur n'est coupé de l'exécutant. « Compositeur, Bach est également exécutant. Comme tel, il donne des auditions, inaugure des orgues et c'est à l'interprète d'enrichir une littérature susceptible de mettre en valeur l'instrument dont il a surveillé la construction ou la restauration [...] »

Voilà le choral, pièce maîtresse de la liturgie luthérienne.

Cent soixante retrouvés, mais combien d'autres perdus ! Le
choral est l'insertion traditionnelle, la plongée dans le
collectif multiséculaire de la prière musicale. Ici, l'artiste ne
peut que broder sur un sujet qu'il emprunte à une tradition.
Toutes les formes se succèdent dans cet interminable
registre du choral d'harmonie, du choral contrapuntique,
rythmique, en canon, en trio, fugué, figuré, au choral orné
ou varié. En composant ses chorals, Bach, dépositaire d'une
tradition, a eu le vouloir de la transmettre enrichie à ses fils
et à ses élèves : « [...] les chorals de l'*Orgelbüchlein* et ceux
du Dogme ont été entrepris dans un double dessein [...] le
désir d'initier les élèves à cet art sévère de la paraphrase.
Mais il y a tout autant le besoin de commenter [...] les
principales fêtes de l'année, de diffuser là un catéchisme
[...] » Du même coup nous avons une des clefs, sans doute,
de la décadence, au-delà de 1750, de l'art qui culmine dans
la cathédrale de sons de l'œuvre de Bach : la foi collective
qui la sous-tend en s'affadissant laisse sans âme, sans motif
et sans élan le grand œuvre, ultime sommet du temps de la
chrétienté à l'époque des Lumières.

*

Bach, de son vivant, était déjà archaïque. Le clavecin
s'efface devant le *pianoforte* avec les dernières décennies du
siècle, le violon, que la France aristocratique de la première
moitié du XVIIIe siècle méprise parce qu'instrument populaire juste bon à faire danser les villageois lors de la fête
paroissiale, réaffirme sa dignité. En un mot, la gamme
instrumentale se modernise et s'élargit. Mais la substitution
est progressive. Le clavecin ne cède pas avant 1770-1780, la
basse de viole livre elle aussi un combat d'arrière-garde
contre le violoncelle. Hubert Le Blanc publie en 1740, sous
un titre révélateur, une *Défense de la basse de viole*. La
France fut longtemps réticente au violon que l'Italie a très
tôt promu aux plus hautes dignités. Les bandes de violons
français en sont réduites à offrir à l'étranger des services
d'ailleurs fort appréciés. « L'éclat de sa sonorité », un
certain discrédit social lui interdisent, jusqu'aux alentours
des années 1750, l'entrée des salons. Le tournant de
sensibilité que traduit la querelle des Bouffons s'accompagne d'une acceptation et d'une promotion des violons ;
plus significative encore, la tardive victoire du violoncelle.
La querelle des Bouffons, l'acceptation du violon si apte à
traduire le trouble de l'âme et le déferlement des passions, et

mieux encore du violoncelle, sont à mettre en relation avec la modification de la sensibilité au milieu du siècle, un préromantisme qui n'en finit pas de se manifester sous la carapace des formes anciennes.

Le nouvel âge — le sommet ou la fin des Lumières — est dominé par le phénomène Mozart, Mozart qui n'appartient finalement à aucun temps. Plus modestement, nous assistons, entre 1750 et 1770, à une décisive translation du centre de gravité de l'Europe musicale. L'Europe a été dominée jusqu'en 1750 par l'univers des petites Cours des *cantors*, des maîtres d'école et des maîtres de chapelle de l'Allemagne moyenne, l'Allemagne luthérienne et catholicisante du Hanovre, de la Thuringe, de la Hesse, de la Saxe à la Silésie. Gluck, Haydn, Mozart marquent la revanche esthétique de la Méditerranée. L'Europe musicale, au terme des Lumières, est dominée par l'Allemagne catholique alpestre, viennoise, italianisante et italianisée. Wolfgang Amadeus Mozart est né à Salzbourg le 21 janvier 1756, comme Bach et plus encore dans un milieu tout entier consacré à la musique. De l'âge de six ans à l'âge de vingt et un ans, il aura composé la moitié d'une œuvre qui compte parmi les plus abondantes, dans un voyage sans fin qui le conduit dans l'orbite de l'Europe autrichienne, de place en place, de Cour en Cour et de ville en ville. De 1769 à 1771, Venise, Turin, Milan et Naples. L'Allemagne de Salzbourg et de Vienne est résolument italienne. En décembre 1771, retour précipité à Salzbourg, en raison de la maladie du prince archevêque von Schrattenbach. Le jeune Mozart tient l'orgue pour ses funérailles ; le nouvel archevêque, point d'ancrage social, en fait son *Konzertmeister*. De Salzbourg, il continue de rayonner vers Milan, Vérone, Vienne et Munich, à travers l'Allemagne italienne. De cette période date le *Concerto en mi bémol* pour piano (notez l'apparition du nouvel instrument). En 1777, il a vingt et un ans : voyage décisif à Mannheim et à Paris. A Mannheim, double et fructueuse rencontre avec le « fameux orchestre qui fut l'un des facteurs déterminants de la création du style symphonique classique », avec Aloysia et Constance Weber ; faute d'avoir pu épouser Aloysia, il devra se contenter de Constance. La *Messe en ut mineur :* l'Europe se donne, Versailles, Strasbourg... Les offres se multiplient. 1777-1778, une bouffée romantique de *Sturm und Drang ;* 1781, la rupture avec Salzbourg. Une date, en fait, dans l'histoire sociale de la musique. Pour la première fois, fi des Cours et des tribunes d'orgue, Mozart « vivra comme créateur indépendant à Vienne, tout en continuant de rayonner à travers l'Europe, généralement pour monter un opéra ou interpréter une de ses œuvres ». Car malgré l'immensité du chemin parcouru depuis Bach, le lien subsiste, que le XIXᵉ siècle détruira, entre le compositeur et l'interprète. *L'Enlèvement au sérail* et la symphonie *Haffner* (1782) marquent la période des sommets... jusqu'à la *Fantaisie en fa mineur* et *La Flûte enchantée.* Quand Mozart meurt prématurément le 5 décembre 1791, dans une semi-clandestinité qui contraste avec les triomphes des années précédentes, l'Europe des Lumières achève de se dissoudre dans une tragique veillée d'armes avec le plus brillant et le dernier de ses enfants.

CHAPITRE VIII

L'ESTHÉTIQUE DES LUMIÈRES
LA COULEUR, LES FORMES,
LE DÉCOR DE LA VIE

C'est par l'éducation de tout un peuple que l'Allemagne des Lumières a construit cet empire musical où la civilisation-monde, issue de la dilatation de l'Europe traditionnelle, continue de se nourrir. Une esthétique ne peut, quelle que soit l'indépendance relative d'une structure autonome formée, se concevoir en dehors du milieu social et d'une économie. L'éducation musicale de tout un peuple, cela implique évidemment, au sein d'une économie qui arrache si difficilement sa nourriture au milieu, au sein d'une civilisation que l'on peut globalement définir par rapport aux autres civilisations et aux cultures extra-européennes comme une civilisation du loisir rare, cela implique un tout petit supplément d'aisance, un accroissement de productivité, un meilleur rendement *per capita*, l'option fondamentale sur l'éducation qui caractérise la civilisation traditionnelle à l'époque des Lumières.

Le lien avec l'économique et le social est bien plus direct au niveau des arts plastiques et d'abord de l'architecture. La musique — l'orgue et l'opéra (qui appartient au spectacle) mis à part —, la musique coûte peu, si ce n'est en loisir, en possibilité de distraire du temps sur les tâches de la vie matérielle. L'accomplissement musical de l'Europe des Lumières s'apparente donc au gigantesque effort que représente dans le même temps le quadruplement du nombre de ceux qui déchiffrent, le décuplement, peut-être, de ceux qui lisent efficacement.

*

L'insertion dans le social et d'abord dans l'économique des arts plastiques est beaucoup plus considérable, le va-et-vient interstructurel beaucoup plus sensible, surtout pour l'architecture. Les chances de l'architecture sont liées, dans une mesure assez lâche, au volume de la construction. Entre la fin du XVIIe et la fin du XVIIIe, la population a doublé et la population urbaine triplé ici, quadruplé là. Une croissance sans précédent et pourtant une croissance maîtrisée : nous avons des taux d'occupation des maisons dans l'espace urbain au XVIIIe siècle. Ceux qui ont été calculés en Normandie, aussi bien à Rouen qu'à Coutances, petite ville moyenne, donnent, à Coutances notamment, à peine plus d'un habitant par pièce. Dans 45 p. 100 seulement des cas, le nombre d'habitants est supérieur à celui des pièces, les maisons surpeuplées, toujours dans le cas moyen et assez significatif de Coutances, ne dépassent pas 20 p. 100. La ville tentaculaire date du XIXe siècle. L'entassement dans les caves ou dans les greniers est postérieur ou antérieur aux Lumières. Le XVIIIe siècle a construit dans l'espace urbain une masse architecturale environ trois fois supérieure au legs des siècles précédents. Toute l'histoire de l'architecture des Lumières est commandée par cette considération préalable.

Les techniques de la construction ont peu évolué si ce n'est par des gains modestes de productivité qui sont surtout des gains de qualité. La stéréotomie dans le bâtiment de prestige atteint la perfection. Telles voûtes surbaissées de l'abbaye Saint-Étienne de Caen, a-t-on remarqué, tel escalier de l'hôtel de ville à Rouen, des archevêchés de Tours et de Bordeaux sont des chefs-d'œuvre de précision. De cette perfection technique, de la certitude de trouver suffisamment d'hommes de la main capables d'exécuter sans jamais trahir la pensée du maître d'œuvre, les théoriciens de l'art de bâtir ont pleine conscience. Patte, à qui toujours l'on se réfère, attire l'attention de son lecteur avec orgueil sur la beauté de l'appareil de Sainte-Geneviève, qui est pourtant un monument colossal. Cette qualité technique de l'exécution assure l'architecte de toujours pouvoir obtenir même la chimère de son esprit. Sans cette infrastructure de la main — cette réponse des corps d'artisans formés pour le travail dans la ville à la rude école compagnonnique rappelle l'éducation musicale totale du petit peuple de Thuringe, de Lusace et de Saxe — l'hyperbaroque colossal d'Allemagne, la décoration rococo de France et de l'Europe médiane eussent été impossibles. Ce point de perfection technique obtenu dans le cadre d'une très vieille structure multiséculaire de moyens et de méthodes découle d'un environnement

économique et du volume accru de la demande. Ce triplement de la masse urbaine commande tout. La maison
paysanne est construite, selon un mode purement traditionnel, par des paysans dans les périodes creuses du travail
agricole ; le plan d'édification urbaine est l'œuvre d'un
ensemble d'entreprises de type beaucoup plus complexe qui
sont, en fait, des laboratoires du progrès de productivité et
du progrès de qualité. L'augmentation de la demande aura
été cause d'un abaissement relatif des coûts ou du moins de
leur plafonnement (voyez les presbytères, en milieu campa-
gnard mais significatif), une multiplication générale de la
capacité technique. Le multiplicateur des Lumières joue au
niveau de l'urbanisme et de l'architecture.

Le fait majeur, sur l'horizon des années 1680-1720, se
situe au niveau de l'explosion du baroque religieux, d'inspiration italienne, dans l'immense espace inventif de l'Allemagne alpestre et de l'Europe danubienne. Autriche, donc
Allemagne catholique, Italie, Espagne d'une part, France,
Angleterre, Allemagne protestante du Nord d'autre part.
D'un côté, l'empire du baroque allemand, d'inspiration
spirituelle, art de la fugue architecturale, musique contra-
puntiste de pierre à la louange du *Deus absconditus* que la
Réforme catholique rend accessible dans le mystère eucha-
ristique, de l'autre dans ce qui reste, malgré tout, l'Europe
des Lumières des pensées, un art profane au service des
sens, au service d'une vie terrestre doublée dans la ligne de
ce raccourcissement eschatologique qui accompagne, dans
un premier temps de l'éthique, la diffusion rationaliste et
pragmatique des philosophes. Le prix trop lourd, l'effort
demandé trop long, la durée de l'œuvre toujours plusieurs
fois séculaire, tout condamne l'architecture dans l'économie
et la société traditionnelle à une ligne progressive d'évolution. En dépit de tout, la continuité l'emporte particulièrement à l'ouest, en France et en Angleterre. La fin du
XVIIᵉ siècle a été dominée par la commande royale et la forte
personnalité de Jules Hardouin-Mansart, d'où la tentation
— les anciennes histoires de l'art n'ont pas manqué d'y
succomber — de choisir la mort, en 1708, de l'architecte du
Grand Roi, pour marquer le début d'une époque.

Cette manière de voir est en réalité erronée. Pour trois
raisons au moins : parce que les ensembles architecturaux
des années 1665-1690, par leur masse et le prestige qui
s'attache en France et en Europe aux accomplissements du
règne de Louis XIV, pèsent sur tout le siècle des Lumières ;
il y a par imitation dans l'axe de l'Europe allemande du

Nord une diffusion de Cour en Cour de l'architecture Hardouin-Mansart ; le poids du cabinet Hardouin-Mansart — ce singulier est un pluriel —, les liens de famille et le jeu des successions permettent à la tradition Mansart de se poursuivre à travers presque toute la première moitié du XVIIIe siècle.

Autour de Jules Hardouin-Mansart, toute une pléiade : Cochery, son premier et plus ancien dessinateur, Jacques III Gabriel, petit-fils de l'auteur de l'hôtel de ville de Rouen, D'Aviler (né en 1653, entré à l'âge de trente-deux ans au service du maître, auteur d'un *Cours d'architecture* fameux, publié en 1691, mort prématurément à Montpellier en 1700), Pierre Le Pautre et Lassurance. Mais se rappeler surtout que deux des plus grands noms du premier XVIIIe siècle français sont issus de l'atelier J. Hardouin-Mansart. Robert de Cotte est né en 1656 ; fils et petit-fils d'architectes, il apparaît comme entrepreneur à la machine de Marly. Il fait son entrée à trente ans, en 1685, dans l'agence de Mansart dont il épouse la belle-sœur Catherine Bodin. A partir de ce moment, sa carrière est faite : le 10 janvier 1687, il est admis à l'Académie d'architecture. Le meilleur de son œuvre (la chapelle de Versailles, le chœur de Notre-Dame, l'hôtel de ville de Lyon) est celui qu'il a accompli avant 1708, sous l'autorité et la suprématie de Jules Hardouin-Mansart. On sait le rôle que Robert de Cotte a joué dans le Paris des grands hôtels, l'hôtel Tubeuf de la rue des Petits-Champs, l'hôtel de la duchesse d'Estrées, l'hôtel du Lude, l'hôtel de Toulouse, de la Grenouillère... Mais le plus brillant produit de la dynastie Mansart est Boffrand : fils d'architecte et de sculpteur lui aussi, neveu par sa mère de Quinault, il a double insertion au monde des arts et des lettres. Germain Boffrand est né à Nantes en 1667. Il entre chez Jules Hardouin peu après Robert de Cotte, en 1687, comme dessinateur aux gages honnêtes de 600 livres par an dans l'intimité d'une vie à feu et à pot. Dans l'atelier Mansart on peut lui attribuer une participation originale aux travaux effectués à Dijon. Boffrand non seulement a beaucoup produit à partir de 1695, mais il a publié un gros livre d'architecture, en 1743 : Pierre Patte, le publiciste de l'architecture française, lui fait un sort en 1753. Académicien assidu, averti de l'art de l'ingénieur, il construit les ponts de Sens et de Montereau ; ce qui reste de son œuvre est impressionnant : l'hôtel Le Brun à Paris, l'hôtel Amelot ; on sait son rôle en Lorraine, Boffrand a rebâti à partir de 1703, à la demande du duc, le château de Lunéville qui datait du milieu du XVIᵉ. Quinze ans de travail en perspective. On lui doit surtout la Malgrange, le Versailles nancéien et le palais ducal, le Louvre de Léopold. Mais revenons à Paris, avec l'hôtel d'Argenson, le château de Saint-Ouen, l'hôtel de Torcy, l'hôtel de Seignelay, l'hôtel de Duras, celui de Mᵐᵉ Julliet... Dernier fleuron encore de l'atelier Mansart, Jacques III Gabriel. Né en 1667, mort en 1742, il domine, avec Cotte et Boffrand, les premières décennies de l'architecture française des Lumières. 1708 ne constitue pas une solution même légère de continuité dans la mesure où les transformations qui marquent le passage du siècle se sont préparées, à l'intérieur de l'atelier Jules Hardouin-Mansart, très tôt, imperceptiblement, dans les fissures discrètes du style Louis XIV.

Tout se joue au niveau de la décoration. L'architecture française et l'architecture anglaise bougent peu en apparence de 1680 à 1720 ; l'écrin sacrifié à la tradition, la révolution est interne et elle est capitale. Conformité extérieure des pensées, respect apparent des structures politiques, économiques et sociales, tout se déroule au niveau de la conscience. Les façades des palais et des hôtels sacrifient à la tradition, affirment la continuité ; l'épiderme de la vie se frotte, dans l'intimité du for familial, à un nouveau décor. Un décor qui est à l'heure du sensualisme de Locke, de la promotion des sens, de l'allongement de la vie humaine, des exigences du corps promu de plusieurs crans dans l'ordre des valeurs, un décor chaud, un décor trouble dans les premières décennies du XVIIIᵉ siècle qui marquent la promotion d'un érotisme de frôlement dans le style de vie aristocratique.

Le mobilier Louis XIV tardif se caractérise par la richesse de la matière, l'abondance et la lourdeur des bronzes, l'importance du travail. Pour le jeune Boulle (1642-1732), Le Brun fut sans conteste le contemporain capital. C'est un peu la décoration du meuble qui monte à l'assaut du mur, à la fin du XVIIᵉ siècle. On ne saurait surestimer le rôle d'un Berain ou d'un Audran. Jean Berain, né en 1640, appartient à une famille du travail du fer ; il est fils d'arquebusier et sa décoration s'inspire du fer forgé. Mais Berain, qui meurt en 1711, marque surtout par la multiplication des grotesques. Dès 1670, il montre, dans la galerie d'Apollon au Louvre, une grande science de l'arabesque. Certes, la tradition des grotesques est fort ancienne, elle part de l'Antiquité romaine, et l'on ne peut ignorer les relais du XVIᵉ siècle, comment ne pas être sensible toutefois à la prolifération de la technique, à l'évolution de la forme et à l'enrichissement des thèmes ? Bien sûr, Berain emprunte quelques-uns de ses thèmes à la tradition, satyres, sphinx, tritons, chimères, griffons, mais ses agencements sont beaucoup plus légers, les vides plus nombreux mettent les figures en valeur, et le mouvement plus grand, grâce à des formes plus graciles. Surtout Berain assure la promotion des thèmes nouveaux. Les singeries ne sont pas tout à fait nouvelles, mais elles prennent de l'étoffe. Ses grotesques témoignent d'un monde élargi. Voici des personnages de la *commedia dell'arte*, de l'opéra, des musiciens qui jouent de la trompette, de la guitare, qui brandissent des tambours, qui marchent sur les mains, mais voici surtout les nouveaux mondes : le rêve exotique, les sages jardiniers et les philosophes chinois, « des Turcs de cavalcade assis à l'ombre des palmiers, des architectures de Néphélococcygie où tout est défi à la construction, revanche du décorateur sur la réalité ». Revanche du décorateur sur l'architecte. Les fontaines de Berain amusent l'œil et annoncent celles d'Audran, de Gillot et de Watteau. Berain s'en donne à cœur joie à la ville. Et cela aussi est annonciateur des changements de plan du XVIIIe siècle. Il est plus hardi à l'hôtel de Mailly-Nesles qui est aussi postérieur (vers 1686, à l'angle de la rue de Beaune et du quai Voltaire, ex-Malaquais). Des dessins retrouvés au National Museum de Stockholm montrent bien l'évolution de Berain, libéré des contraintes de la Cour. La décoration perd son relief, la ronde-bosse s'efface devant la couleur, elle devient picturale, des canaux incurvés d'entrelacs, des rubans, des fleurs, des têtes en médaillon, des grotesques, des amours et la traditionnelle forêt de palmes qui accompagne ailleurs Turcs et Chinois. Une telle décoration suppose l'étroite collaboration de peintres, en l'occurrence André Camot.

Les tendances que Jean Berain libère prudemment en raison des traditions de la Cour explosent dans le courant du nouveau goût de la ville dans l'œuvre de Claude III Audran (1658-1734). Audran est un Lyonnais, il appartient à une famille de peintres et de décorateurs. Ses premières arabesques courent sur le plafond du Grand Dauphin à Meudon. Amours, singes, Indiens, dauphins peuplent ses rinceaux. D'entrée de jeu, le style d'Audran déborde les frontières du royaume. La nouvelle décoration part très tôt à l'assaut des résidences princières de l'Allemagne catholique baroque où elle trouve finalement un cadre qui correspond mieux à son génie. Entre le Grand Dauphin et Joseph Clément de Bavière, un lien de parenté. Audran peuple d'un décor proche de celui de Meudon le Buen Retiro à Bonn ; le processus en Allemagne est enclenché. Au service de la Manufacture des Gobelins qui reprend son activité en 1699, Audran trouve ainsi un magnifique diffuseur à travers la France et l'Europe.

La mort de Colbert, l'éclipse et la mort de Le Brun, les difficultés économiques de la décennie 1690, les difficultés et la guerre contribuent, à leur manière, à cette révolution française, à vocation européenne. J. Hardouin-Mansart prend, à partir de 1689-1690, la responsabilité de la décoration des édifices du Grand Atelier. D'une décoration non incorporée, plaquée, donc lourde, qui joue sur la chaleur des tons, la masse impressionnante du travail et la richesse du matériau (bronze doré, marbres, ébènes, écailles), on passe à une décoration incorporée de bois peints qui contribuent au confort. Comment ne pas voir le lien — déjà signalé en 1691 par D'Aviler lui-même, le collaborateur de J. Hardouin-Mansart, dans son *Cours* — entre l'amélioration des moyens de chauffage et les lambris de bois ? « Les menuiseries rendent les lieux secs et chauds et par conséquent sains et habitables outre qu'ils épargnent des meubles, car si elles sont boisées, il ne faut pour les meubler que quelques miroirs et tableaux qu'on attache sur les panneaux. Les lambris de bois servent encore à corriger les défauts dans les pièces comme un biais ou une enclave causée par quelque tuyau de cheminée, à côté duquel on pratique des armoires dont les guichets conservent la même symétrie que le reste. » Voilà donc le mobilier incorporé à la construction, partie intégrante de l'architecture intérieure. J. Hardouin-Mansart multiplie les lambris de bois, use plus généreusement du plâtre, matériau pauvre du temps de crise, des glaces que la technologie des années 1690 livre à moins cher sur de plus grandes surfaces. Les moulures qui gardent de 1680 à 1690 le gras du temps de Le Vau s'affinent sur l'horizon 1690-1700. L'or systématiquement recule devant le gris et le blanc. J. Hardouin-Mansart enfin introduit dans la décoration intérieure une innovation appelée à un durable succès à travers toute l'Europe. Il se souvient qu'il est architecte, il multiplie donc les ordres dans les salons. Voyez le cabinet ovale du petit appartement du roi, les salons du Trianon.

L'invention des conduites dévoyées a permis la construction de cheminées plus efficaces et moins volumineuses. La modification se situe toujours au même niveau 1680-1690. La cheminée nouveau style, signe obligatoire du confort dans l'habitat de luxe, se prête à une grande débauche d'invention. On passe à la cheminée à la mansarde ou à la cheminée à la royale. Pierre Le Pautre et J. Hardouin-Mansart lui-même en ont fixé un type qui dure jusqu'à la fin du XVIIIᵉ siècle. Il est employé déjà dans l'hôtel de Lorge que J. Hardouin-Mansart décore avant 1695. A la fin du XVIIᵉ, la cheminée a perdu son attique, et la glace, pièce maîtresse du nouveau confort, occupe tout le panneau; bordée d'un cadre rectangulaire, elle est terminée par une courbe ou un plein cintre.

Sur les surfaces de bois et de plâtre que le nouveau mode de construire multiplie, la palette baisse de plusieurs tons. Laissons les raisons économiques, elles ont eu leur rôle, mais l'ostentation, la démonstration sociale, le cède au plaisir intime de l'œil. L'influence des Flamands contribue à contrebattre Le Brun. Les bleus et les jaunes précèdent de peu les gris et les blancs. L'équipe des réformateurs autour du duc de Bourgogne : Beauvillier, Saint-Aignan, Fénelon, justifient la nouvelle palette au nom d'une éthique de simplicité. La morale politique vient au secours du repos délicat des sens. Les transformations s'opèrent prudemment, par étapes. Mansart, dans ses intérieurs, ordonne les grandes masses de la décoration interne suivant la règle de symétrie de l'architecture classique et c'est à l'intérieur des panneaux — des panneaux dessinés au tire-ligne — que l'imagination cette fois authentiquement baroque de la microdécoration déferle tout entière, conçue sur la fantaisie de la ligne courbe. Avec l'aide philosophique des sujets de l'empereur de Chine, Berain, Audran et leurs émules n'ont plus qu'à puiser dans *L'État présent de la Chine en figures* de ce bon P. Bouvet qui vient de paraître en 1697. Au service de la nouvelle décoration mise au point en France par J. Hardouin-Mansart vieillissant, aidé de Berain, Boulle, Pierre Le Pautre, Lassurance, Robert de Cotte, Audran et toute l'équipe des dessinateurs plus ou moins anonymes des Gobelins, l'estampe et la gravure partent à l'assaut de l'Europe. Daniel Marot d'abord, les Allemands Gottfried Stern, Jeremias Wolff, J. C. Haffner diffusent ce qui est presque une nouvelle éthique. En 1747, le duc de Luynes, juste hommage au fondateur d'un style, décrivant les arabesques du Cabinet de la Dauphine à Versailles, les appelait, trente-six ans après sa mort, « des dessins de Berain ». C'est de l'imagination de Berain que sortent, au xviiie, Claude Audran, Gillot et Watteau. Que Berain fût aussi un homme de théâtre n'est pas dépourvu de signification. Au seuil du xviiie siècle, un décor d'opéra pénètre jusqu'en l'intimité, jusqu'au for intérieur du foyer, le genre de vie des riches et des puissants à la ville.

L'arabesque de Berain, même si elle semble svelte et gracile au regard des élèves de Le Brun, conserve jusqu'au bout, jusqu'à la mort du maître en 1711, une certaine étendue, un gras louis-quatorzième. Avec Audran l'arabesque s'affine. Elle perd toute réalité, elle n'est plus qu'une ligne souple et imprévue. Avec Audran la décoration intérieure tend résolument la main à la peinture. En fait, deux périodes se dessinent assez bien. De 1700 à 1725, une certaine retenue à l'intérieur des lignes de partage établies par J. Hardouin-Mansart se maintient ; après 1725 triomphe de la pure imagination dans la courbe poussée jusqu'aux ultimes conséquences du rococo. On doit à Audran quelques pièces magnifiques : voyez les *Portières des dieux* ou la *Tenture des douze mois*. Concierge du Luxembourg, il a accueilli Watteau. L'œuvre de Watteau décorateur a malheureusement disparu. Chinoiseries et singeries, parties de chasse et scènes bachiques ornaient le château de La Muette, les hôtels Chauvelin, Poulpry et l'hôtel de Law. Le souvenir nous en a été conservé toutefois par l'image dans les gravures de Boucher, Jeaurat et Aubert. Et dans la ligne de Watteau, Lancret encore, vers 1730, et les panneaux de l'hôtel de Boullongne. La décoration peut être confiée à un sculpteur ; c'est le cas de Toro (Bernard-Honoré Turreau de son vrai nom, né à Toulon, 1672-1731) qui travaille à Paris et dans son Midi. Audran, Watteau et Toro exceptés, la décoration du début du xviiie siècle reste pour l'essentiel un domaine d'architectes. Robert de Cotte, Boffrand, Lassurance, Oppenord peuvent être placés au premier rang des décorateurs des Lumières. Avec eux, une certaine lourdeur revient à la charge. Plus de plein, moins de délié, disons moins de vide.

On est tenté de placer un peu plus tard, dans le deuxième quart du siècle, le sommet de la décoration. Avec Herpin, à l'hôtel de Soubise, Oppenord, peut-être Nicolas Pineau et pourquoi pas Meissonnier ? Né à Turin en 1693 ou en 1695, Juste-Aurèle Meissonnier est d'ascendance française. Meissonnier est d'abord orfèvre. Il était « dessinateur pour les pompes funèbres, les fêtes galantes, les feux d'artifice », le théâtre. Qu'il dessine un autel, un tombeau, la décoration d'un intérieur d'hôtel, une tonnelle ou un chandelier,

Meissonnier appose sa griffe. Meissonnier ignore la pesanteur, confond volontairement verticale et horizontale. Meissonnier, c'est la décoration dévorante, le décor qui achève de manger l'architecture, la fin de l'hypocrisie des deux mondes, les continuités externes masquant les débordements intérieurs. Meissonnier, c'est à la fois une sorte de transposition érotique dans le décor, ou une transposition des règnes : « Lorsqu'on regarde son *Livre de légumes*, ses carottes, ses choux, ses oignons, on découvre l'origine de ses conceptions : il a voulu donner à l'architecture, comme le feront en 1900 les créateurs du *modern style*, toute la flexibilité, toute la souplesse vivante de la flore. Ses lucarnes ressemblent à ses tabatières en coquilles, ses clochers à ses bougeoirs, ses fontaines à ses salières, ses candélabres à des arbustes, des palmiers, des madrépores. Son œuvre est une perpétuelle transposition des " règnes " et des matières. »

Meissonnier agit en Europe comme un révélateur de tendances et d'aspirations profondes. Meissonnier n'est pas le père à proprement parler du rococo. Les prestiges de sa carrière parisienne auront hâté une ultime explosion du baroque sauvage, détourné de la relation ontologique et de son rôle de fédérateur de l'architecture sociale. Le succès de Meissonnier est énorme au Portugal où il libère les tendances refoulées depuis deux siècles de l'art manuélin. Meissonnier est l'alibi privilégié de l'Europe centrale. Il permet à l'aristocratie anglaise de secouer un instant le carcan palladien. Le véritable continuateur de Meissonnier, le révélateur d'une complicité profonde entre le décor élaboré pour satisfaire les aspirations de la nouvelle bourgeoisie, des fermiers généraux, des financiers et des munitionnaires en France, dans ce laboratoire unique qu'est l'hôtel parisien, et les aspirations du milieu aristocratique de l'Allemagne baroque, c'est Cuvilliès, le plus bavarois des Allemands d'origine française. Français du Nord, Jean-François Cuvilliès est né en 1695 dans le Hainaut, il a été l'élève sans doute de Boffrand et de Jean-François Blondel. Amalienburg, Falkenlust, l'opéra de Munich, plusieurs églises... Qui ne porte, aujourd'hui encore, à Munich, à vingt lieues à la ronde, la marque de Cuvilliès ? Une débauche de grotesques, une accumulation d'arabesques, une forêt vierge de singeries, des palmeraies pleines de Turcs et de Chinois avec de délicieux petits chapeaux pointus. Cuvilliès prend en charge, au moment où il commence à s'essouffler, le majestueux baroque allemand. Après la grande impulsion italienne des années 1670-1680, la petite secousse française des années 1720-1730, un dernier chapitre du baroque allemand est ouvert. Les chefs-d'œuvre de Cuvilliès sont au sommet de cette relance française. Le pavillon de chasse d'Amalienburg (1734-1739), dans le vaste ensemble de Nymphenburg, vaut surtout pour sa décoration intérieure et ses revêtements de céramiques d'un bleu inoubliable. Au Residenztheater (1750-1753) « la petite salle blanc et or est le cadre idéal pour les opéras » d'un Mozart à naître. Le plus paradoxal, le plus étonnant miracle, sans doute, du génie religieux de la Bavière, c'est Cuvilliès, architecte religieux : il collabore, en effet, avec J. M. Fischer, à Saint-Michel de Berg-am-Laim (1738-1744) qui est une fondation de l'archevêque Électeur de Cologne. Notez au passage que dans cette étonnante, vivante et archaïque Allemagne alpestre, J. M. Fischer (1691-1766) construit l'abbatiale d'Ottobeuren près de Memminger (1747-1766), « l'édifice de style rococo le plus important de l'Allemagne du Sud », et qu'à Wiblingen se dresse de 1772 à 1781 « le dernier des grands édifices religieux de la Souabe baroque encore par son plan » avec une notable inversion, une curieuse agression de plans entiers de décoration néo-classique.

Cuvilliès est originaire du Hainaut : faut-il rappeler l'influence d'Anvers sur le rococo tardif ? Meissonnier, Cuvilliès certes, mais aussi les Slodtz, et J. Verberckt, originaires d'Anvers. Sébastien Slodtz a fondé la dynastie, il meurt en 1726 ; voici donc ses fils, Sébastien-Antoine, Paul-André et, sans modestie, Michel-Ange. Michel-Ange décora la salle de spectacle construite à Versailles pour le mariage du Dauphin en 1745, la salle des comédies en mai 1763, le catafalque du roi et de la reine d'Espagne à Notre-Dame en 1760. Toujours dans la décoration du tardif baroque, une curieuse complicité, une intimité bon enfant du théâtre, de la pompe funèbre et de la vie. Comme Sébastien Slodtz, J. Verberckt est né à Anvers en 1704 ; il sera l'ombre de Gabriel. Au cours de sa vie (il meurt en 1771), il aura vécu la fin du décor rococo qu'il a su illustrer mieux que quiconque.

Le décor est central, au cœur de toute réflexion sur une civilisation dans la mesure où il apparaît comme l'épiderme façonné de la main de l'homme au contact de la vie, dans la mesure où il emporte quelques lambeaux de l'intimité, du secret des êtres. La maison renferme d'autres secrets dans ses murs, dans son agencement, dans son plan, dans ses finalités pratiques. Tout d'abord, l'architecture du XVIIIe siècle, même quand elle se situe sur le registre noble, n'est jamais totalement coupée des modalités régionales de la civilisation traditionnelle, où elle s'insère. Cela a sa valeur, dans la perspective que nous avons défendue, d'un siècle des Lumières au sommet, en continuité, non en rupture avec un type de civilisation né cinq à six siècles plus tôt sur l'horizon de l'Europe médiévale nombreuse.

Voyez le matériau : le XVIIIᵉ siècle a connu, grâce à la qualité de ses artisans formés sur le chantier urbain, à la prodigieuse école du compagnonnage, une virtuosité stéréotomique jamais égalée. La pierre noble est devant, en façade, mais à l'intérieur, là où on ne voit pas, d'autres matériaux : à Rouen, à Lisieux, même à Versailles et à Paris, il arrive que le bois se venge, le bois et le plâtre. A Rouen, troisième ville du royaume, la maison au XVIIIᵉ siècle est construite sur le modèle traditionnel, bois et plâtre. Paris et Versailles ont leurs parois de bois bourrées de gravats et de moellons liés avec de l'argile. La noblesse de la pierre n'a pas réussi partout à éliminer la brique, que l'on s'efforce parfois de rendre plus légère par l'incorporation de tourbe ou de tan. C'est peut-être parce que le XVIIIᵉ se résigne à ces concessions qu'il arrive à construire vite et bien.

Une aisance plus générale dans l'art difficile de la taille permet de multiplier les voûtes comme protection contre le danger d'incendie qui recule, certes, mais reste sérieux à l'intérieur de l'espace urbain. On voit parfois réapparaître de très vieilles techniques que l'on croyait abandonnées, telle, la voûte à arêtes saillantes. Généralisation aussi d'une technique beaucoup plus hardie, témoin d'une grande maîtrise dans l'art de construire : les voûtes plates. Les premières en briques apparaissent à Castelnaudary, aux alentours de 1710, fréquent dans le Midi, il gagne du terrain dans le Nord où l'on emploie la pierre. A Paris, Courtonne construit, sur le vestibule de l'hôtel Matignon, une voûte plate de 7,80 m dont la flèche ne dépasse pas 0,43 m.

La maison de prestige urbaine oscille entre deux plans : la maison sur rue qui ne se distingue pas, d'entrée de jeu, de l'habitation modeste à loyers, l'inconvénient est alors comblé par la solution du double escalier ; l'hôtel entre cour et jardin, solution d'abord presque exclusive à Paris, a fini par prévaloir en France et hors de France. Sur la rue, en général, deux ailes à destination de communs et un mur généralement incurvé avec portail. Le plein cintre domine ; le portail conduit à la cour d'honneur, soit directement, soit par un passage ; une cour ou, si l'espace le permet, deux

cours, voire trois et quatre, qui permettent de résoudre le
délicat problème des chevaux. Problème capital encore : le
logement des domestiques ; il est assuré en général au-dessus
des communs ; les dortoirs du XVIIᵉ siècle ont fait place à de
petites chambres individuelles réparties autour d'un couloir.
On assiste, au cours du XVIIIᵉ siècle, non pas certes à une
augmentation du volume global des domestiques, mais à une
différenciation des fonctions, à une augmentation relative du
personnel féminin par rapport au personnel masculin largement majoritaire encore à la fin du XVIIᵉ siècle.

Au niveau des services et des communs, l'hôtel urbain du
XVIIIᵉ révèle, à qui sait l'observer, un progrès dans l'art de
vivre, une organisation plus intelligente du travail et de
l'effort. On fait, au XVIIᵉ, des cuisines à l'écart du corps de
logis des maîtres ; elles ont pour annexe le fournil — les
riches font leur pain —, un garde-manger, un lavoir pour la
vaisselle, un office pour le rangement. La distance très
grande entre la salle à manger et la cuisine commande
l'existence d'un office annexe voisin de la salle à manger
pour réchauffer les plats. Perte de temps, efforts inutiles et
nourriture froide à réchauffer. Un regard intelligent sur les
choses humbles de la vie qui valorise l'effort et le plaisir
aboutit à un certain nombre de modifications dans l'ordonnance générale de la maison de prestige du XVIIIᵉ. En règle
générale, la cuisine se rapproche du corps de logis, l'amélioration des cheminées permet une meilleure évacuation des
odeurs. Quand la cuisine reste à l'écart, un souterrain assure
le passage couvert sans déperdition de chaleur. Mais d'autres solutions prévalent : la double cuisine. On garde la
vieille cuisine dans les communs pour la nourriture des
domestiques, une seconde cuisine incorporée au corps de
logis assurant l'alimentation des maîtres. De plus en plus
dans les constructions neuves, la solution de la cuisine
unique en sous-sol prévaut, reliée souvent par un monte-
charge. Cette solution implique une réduction de la taille des
cuisines, compensée par un meilleur rangement et une
disposition plus efficace des lieux.

Un même effort de rationalisation pour le corps de logis.
Le corps de logis, comme au XVIIᵉ, comprend souvent une
ou deux rangées de pièces, mais le plan massé qui n'est pas
nouveau — il existe déjà au XVIᵉ — est le plus souvent
employé. On multiplie les couloirs qui assurent l'intimité
des pièces et permettent une meilleure utilisation de l'espace. Se rappeler que la croissance urbaine valorise la place.
Les architectes aiment aussi à rompre avec les traditions.

Boffrand, par exemple, à Wurtzbourg, combine un plan en
π avec un plan massé, adopte un plan en X à la Malgrange.
Boffrand mais encore Héré, Pigage, La Guépière font assaut
d'imagination.

Un peu partout, on note un certain recul du grand escalier
de pure ostentation dévoreur d'espace et coupant les
communications. Des trésors d'imagination sont dépensés
pour pallier ces inconvénients. En règle générale, la symétrie
recule dans l'ordonnance intérieure. Une nouvelle organisation se précise, en outre, dans la répartition des pièces, dans
l'ensemble plus petites et plus nombreuses, pour répondre à
un besoin d'intimité croissant. Ce besoin correspond, nous
l'avons vu, au grand repli de l'affectivité sur le for familial.
Pour mener de front le besoin d'une vie sociale tournée vers
l'extérieur, pour concilier le déploiement de faste d'une
part, la promotion de l'affectivité familiale d'autre part,
voire les replis complexes qu'exige une érotique beaucoup
plus raffinée, de sensation et non plus seulement de pulsion,
la répartition des appartements se fait traditionnellement sur
trois plans.

Très tôt au XVIIIᵉ, la distinction est devenue traditionnelle
(voyez Patte, voyez Blondel) entre les appartements de
parade destinés à la représentation, les appartements de
société destinés à recevoir journellement famille et connaissances pour le plaisir de la conversation portée à un point de
perfection dans la haute société, et les appartements de
commodité, refuge ultime de l'intimité familiale ou du
plaisir sensuel.

Traditionnellement, on « accède aux appartements de
parade par les vestibules où se tenaient les gens et les
visiteurs, les antichambres où les valets attendaient les
ordres et l'on parvient au salon, salle d'assemblée, chambre
de parade, galerie ». Cette tradition va se modifier insensiblement. Les chambres de parade furent les premières
sacrifiées dans les nouvelles constructions urbaines du
deuxième tiers du siècle, les galeries perdent de l'ampleur.
Elles deviennent grands salons, elles occuperont toute la
profondeur du logis et se déploieront alors côté cour et côté
jardin. L'hôtel Crozat dessiné par J. S. Cartaud (1675-1758)
fait exception, mais le financier est collectionneur et la
galerie dans ce cas prend son acception moderne. Les
antichambres acquièrent une fonction nouvelle : elles servent de salle à manger comme en témoignent des buffets
dans les enfoncements ou des fontaines (en marbre souvent
qui reçoivent l'eau de dauphins de bronze). L'antichambre

devenue salle à manger évolue très vite. Il arrive qu'elle se
dédouble : salle à manger d'été en sous-sol, salle à manger à
l'écart ; elle peut, dans les hôtels des financiers, être atteinte
par des tables volantes qui montent toutes servies, à l'abri du
regard indiscret des domestiques, lors des soupers très
intimes ou trop galants ; exceptionnellement, une tabagie.
Briseux, en 1743, dans *L'Art de bâtir les maisons de
campagne*, évoque, un peu gêné, la chapelle : « L'usage [...]
est différent en beaucoup de diocèses. Il est permis dans les
uns de la renfermer dans le corps de logis et même dans les
armoires [...] à l'architecte de se faire instruire de la règle du
pays. »

Les appartements privés se composent ordinairement
« d'une antichambre, d'une chambre, d'une garde-robe,
d'un cabinet et de petits lieux ». A côté de la chambre se
multiplient les cabinets, pour loger un domestique, faire
attendre les gens d'affaires ; que le cabinet soit muni d'un lit
de repos, le voilà boudoir.

Les architectes ont dû répondre aux besoins accrus du
confort : confort des petites pièces parfaitement indépendantes, confort de l'intimité gardée, du silence et de
l'isolement, par le jeu des couloirs prolongés par des
corridors, souci de l'orientation. D'où une sorte de dévalori-
sation des vieilles maisons construites en dehors des nouvelles normes. Le XVIIIe, en habitation comme en mobilier, est
résolument moderne ; il ne respecte pas l'ancien, il le rejette
et le méprise. Le triomphe des petites pièces, faut-il le
rappeler, n'est pas lié uniquement au besoin d'intimité, mais
aussi au progrès des cheminées et des moyens de chauffage,
cheminées coudées, poêles de l'Est, que l'Allemagne diffuse
à travers l'habitat de luxe européen.

Fernand Braudel l'a bien vu, dans ce domaine tout change
autour de 1720, l'horizon, selon Trahard, de la nouvelle
sensibilité, le profond impact — le temps (vingt ans) de la
pénétration d'une pensée de la spéculation à l'horizon
pratique — du sensualisme, promoteur de l'épiderme, des
sens et du corps, foyer de la perception. « Depuis le Régent,
on a la prétention, en effet, de se tenir au chaud pendant
l'hiver [comme le font les Allemands], et l'on y parviendra
grâce aux progrès de la " caminologie " dus aux ramoneurs
et aux fumistes. » Le foyer de la cheminée est rétréci,
approfondi, le manteau s'abaisse, la cheminée proprement
dite (le tuyau) se courbe. Des cheminées à foyers multiples
(au moins doubles, dites à la Popelinière, toujours le

financier) « vont même permettre de chauffer jusqu'aux chambres des domestiques ».

La France, obstinément, jusqu'à la fin du XVIIIᵉ, s'accroche à la cheminée. Malgré R. de Cotte qui a pu apprécier la supériorité des poêles, lors de ses séjours dans l'Allemagne des Électeurs rhénans. Maurice de Saxe en fera venir pour Chambord, poêles garnis de faïence de Delft ou de Rouen. Vers la fin du XVIIIᵉ, le grand poêle de fonte triomphe grâce aux progrès de la métallurgie, il traverse sans hâte l'Europe d'est en ouest. Avec le goût du chauffage, une très lente promotion de l'hygiène corporelle. L'Antiquité qui se lavait était méditerranéenne, aristocratique et urbaine. On ne se lave pas au froid. Les baignoires apparaissent dans les hôtels parisiens, toujours dans la retombée du sensualisme des années 1720. Une promotion de l'épiderme lavé que nous déchiffrons aussi sur les toiles des petits maîtres et bientôt à longueur d'estampes et de gravures plus ou moins polissonnes. Lors de son introduction furtive et comme honteuse, l'appartement des bains est tenu à l'écart des pièces d'habitation : « Il comprend une antichambre, une chambre de repos avec des lits, la salle de bains, qui contient souvent deux baignoires, l'étuve où se trouve la chaudière, un chauffoir pour le linge, des lieux à l'anglaise », le tout dans un déploiement insolite de bronze doré et de faïence. Mais que le temps passe et l'on verra beaucoup plus logiquement les bains se rapprocher de la chambre à coucher. Enfin l'hôtel parisien très en avance sur la Cour voit se généraliser les petits lieux à l'anglaise, hommage indirect à l'avance anglaise dans l'ordre du confort et de l'hygiène.

Mais le progrès de l'hygiène est lié à la diffusion de l'eau. Paris retarde sur Londres qui a neuf pompes à feu en service, quand les frères Périer installent deux pompes sur les collines de Chaillot en 1782, qui approvisionnent en premier le riche faubourg Saint-Honoré. Paris est à l'eau de Seine diffusée par vingt mille porteurs qui montent chaque jour une trentaine de « voies », soixante seaux en moyenne, disons 15 millions de litres par jour. L'hôtel vit sur son puits ou sa citerne. Louis Hautecœur retient, pour un ordre de grandeur, un texte de La Hire de 1699, extrait des procès-verbaux de l'Académie royale d'architecture. La Hire soutenait devant l'Académie qu'à Paris pour une superficie de toiture de 100 toises une citerne pouvait accumuler 490 pintes d'eau par jour « ce qui suffisait, précisait-il, à l'usage ordinaire d'une famille de quatre-vingts personnes ». Et Hautecœur de conclure un peu vite, peut-être, en raison de l'appoint possible des porteurs d'eau de Seine : « La Hire se contentait donc de cinq litres d'eau environ par personne et par jour pour tous les besoins de la cuisine, de la boisson, de la toilette, de la lessive, etc. » Norme louis-quatorzième, elle n'est plus celle de l'habitation de prestige à la fin du XVIIIe.

L'habitat qui bouge, c'est l'habitat urbain ; l'habitat des campagnes, demeure seigneuriale mise à part, reste figé dans des moules traditionnels cinq et six fois séculaires, ce qui n'exclut pas une certaine plasticité, nous l'avons vu. Mais l'urbanisme est une préoccupation du XVIIIe siècle. Une volonté politique vise une méta-architecture qui passe de la demeure à l'ensemble de l'espace urbain. L'incendie de Londres ici, le tremblement de terre de Lisbonne là, mais surtout le quadruplement par rapport au point de départ ont permis cette conquête de la ville, le plus souvent grâce à l'État, par une architecture d'ensemble. Cette promotion, retour des pensées sur les choses au niveau le plus élevé, correspond à un besoin que Voltaire exprime en France dans le *Dialogue sur les embellissements du Cachemire* — lisez Paris — et le président de Brosses, dans ses *Lettres familières écrites d'Italie,* pour l'Italie, un besoin qui a donné naissance à toute une littérature technique ; retenons seulement dans la ligne de Palladio qui a inspiré tant d'architectes anglais au XVIIIe siècle depuis Colen Campbell, lord Burlington, jusqu'aux John Wood, William Adam et ses quatre fils, René Alexis Delamaire, l'auteur de l'hôtel de Soubise, à qui l'on doit, en 1731, *Le Songe et le réveil d'Alexis Delamaire* sur les embellissements de Paris, Jacques-François Blondel et Patte.

Jacques-François Blondel donne au début de son monumental *Cours d'architecture,* en 1771, une définition d'une sorte de méta-architecture qui est, en fait, une grande pensée d'urbanisme, celle qui anime Manuel da Maia à Lisbonne, les intendants dans leur province Frédéric à Berlin, Catherine à Saint-Pétersbourg. Blondel le dit en peu de mots : « L'architecture [telle qu'il l'entend] voit tout en grand ; elle préfère dans nos villes à la décoration des façades, des accès et des communications faciles ; elle s'occupe de l'alignement des rues, des places, des carrefours, de la distribution des marchés, des promenades publiques. » Patte est plus clair encore. Ce Parisien né le 3 janvier 1723, qui voyage en Italie et en Angleterre, collabore à l'*Encyclopédie,* polémique contre Soufflot à

propos de la solidité du Panthéon, est l'inépuisable poly-
graphe de l'architecture du XVIIIe siècle. En tête de ses
Mémoires sur les objets les plus importants de l'architecture qui
sortent en 1769, quatre ans à peine après les *Monuments
érigés en France à la gloire de Louis XV*, il écrit dans la
dédicace à Marigny ce beau passage cité par Pierre Lavedan : « Si l'on considère l'architecture dans le grand, on
s'aperçoit que […] l'on a vu sans cesse les objets en maçon
tandis qu'il eût fallu les envisager en philosophe. Voilà
pourquoi les villes n'ont jamais été distribuées convenable-
ment pour le bien-être de leurs habitants ; perpétuellement,
on y est la victime des mêmes fléaux, de la malpropreté, du
mauvais air et d'une infinité d'accidents que l'entente d'un
plan judicieusement combiné eût fait disparaître. »

Le réseau urbain est en place dans l'Europe nombreuse
médiane et dans la vieille Europe urbaine méditerranéenne.
Ces Europes-là sont celles des agrandissements, les dernières
créations y datent du XVIIe siècle. Voyez Brest, Rochefort,
Sète. A Versailles le damier et l'étoile sont à cheval entre
l'âge classique et les Lumières. L'Espagne, pourtant, a eu
son Versailles, création *ex nihilo* du second XVIIIe siècle.
Aranjuez atteint 20 000 habitants à l'aube du XIXe, elle est
l'œuvre d'un architecte italien, Bonavia. En Angleterre, qui
a construit à Londres deux fois et demie plus que la France à
Paris, on pense à Tremadoc, petite ville à l'ouest du pays de
Galles, création de l'extrême fin du XVIIIe, pour renforcer,
face au danger français, les liaisons avec l'Irlande. La
Scandinavie connaît, à la fin du XVIIe siècle, un épaississe-
ment substantiel de son réseau urbain, l'Allemagne a des
reconstructions qui ressemblent à des créations. Les créations, les vraies, se situent à l'est, dans l'Europe frontière. A
la limite, l'énorme creux de la guerre de Trente Ans aidant,
l'Europe de l'Est commence dans l'Empire. L'Allemagne
n'est-elle pas la terre de la colonisation intérieure ? Voyez
Erlangen à 20 kilomètres de Nuremberg, qui double entre
1686 et 1700, grâce à l'afflux des huguenots. Erlangen,
damier évidé au centre, pour laisser place au parc du
château, est une création presque *ex nihilo* de l'horizon de la
crise de conscience. Ludwigsbourg, le « Potsdam souabe »,
près de Stuttgart, est construit comme Versailles autour
d'une résidence princière. La première pierre du château a
été posée en 1704, la ville s'étend en damiers à partir de
1709. Mannheim, intégralement refaite après les destruc-
tions de la guerre en 1699, damier coincé dans un système
complexe de fortifications. Karlsruhe apparaît à beaucoup

comme la plus typique des villes résidences. Elle sort, en 1715, de la volonté d'un petit prince aux ambitions dévorantes, Karl Wilhelm de Bade Durlach. Cette indéniable réussite qui a hanté l'imagination de l'Allemagne frontière ouverte... des sables, de la tourbe et des forêts à l'est : Neustrelitz, en Mecklembourg, première imitation, en 1726, modeste, à 100 kilomètres au nord de Berlin, du fait aussi d'un prince. Neustrelitz se présente sous la forme d'une étoile à huit branches avec au centre le château. Un peu plus tard, le Karlsruhe silésien, du fait d'un grand prince, cette fois, en 1743. Nouvelle édition modeste, tardive mais charmante, cette Ludwigslust au nom engageant, après 1765, à 170 kilomètres au nord-ouest de Berlin, du bon vouloir des ducs de Mecklembourg-Swerin. Mais rien ne peut être comparé aux créations de l'Est profond. Un nom, Saint-Pétersbourg, véritable symbole de la volonté déterminée sur un siècle d'un despotisme de rattrapage. La première pierre, on s'en souvient, fut posée le 29 juin 1703. On sait dans quelles conditions atroces les travaux furent conduits à portée des canons suédois, dans les marais parsemés d'îles de l'Ingermanland. Saint-Pétersbourg a d'abord été une ville insulaire à l'embouchure de la Neva. Le premier ordonnateur des travaux, Domenico Trezzini, était un Italien de formation hollandaise. Andreas Schlüter, puis Homann passèrent sans rester avant l'arrivée de Le Blond, disciple français de Le Nôtre, en 1716, qui conclut la première étape.

Trezzini (1670-1734) n'en a pas moins marqué le tout premier Saint-Pétersbourg de sa forte personnalité ; originaire du Tessin, il avait été à Copenhague au service du roi de Danemark. On a pu dire que l'architecture danoise de la fin du XVIIe siècle n'avait guère été qu'une ramification de l'architecture hollandaise. On comprend, du même coup, le choix de Pierre le Grand, qui voulait construire à l'embouchure marécageuse de la Neva, au fond d'un interminable golfe qui fait penser au Zuyderzee, une nouvelle Amsterdam. En raison d'un effort fantastique de rattrapage, tout commença par pousser dans un effroyable désordre. La première Pieterburkh n'a rien des plans rectilignes des villes artificielles.

La première marque est franchement baroque. Elle est donnée par les grandes constructions de Trezzini ; ce qui importait avant tout à l'État occidentaliseur, c'était la rupture avec le passé russe. L'église de la forteresse Pierre-et-Paul (1714-1733) est de ce point de vue une parfaite réussite. La rupture avec la tradition moscovite est consommée : « la nouvelle église n'a rien de commun avec les *sobors* russes à coupoles, c'est une véritable *Kirka* protestante d'aspect maussade et de proportions mesquines ». L'essentiel, pour Pierre, c'est le clocher, image d'occident, symboliquement calqué par Trezzini sur la Bourse de Copenhague. Dans le paysage urbain, cette flèche est à la capitale de la Baltique ce que le campanile de Saint-Marc est à Venise. A Trezzini appartiennent encore, dans l'île Vassili-Ostrov, le bâtiment des Douze-Collèges, les nouveaux ministères du nouvel État et le projet jamais réalisé de la Lavra d'Alexandre Nevski, première manière.

Seconde étape, la ville de Le Blond. Elle réunit les deux îles et un fragment de la rive sud du continent, un ovale dans un cercle de remparts. La majeure partie de l'île Vassili-Ostrov était découpée régulièrement en échiquier. « Un dessin de jardin, précise Lavedan, mais appliqué à une ville ; la diagonale vient au secours de l'échiquier. » Au second stade, la ville de Pierre gardait encore son aspect d'Amsterdam du Nord avec ses canaux mêlés aux rues à la manière hollandaise. Malheureusement, le plan de Le Blond, emporté par la variole en 1719, échoua. Nouvelle bouffée d'anarchie : la conquête urbaine de la rive gauche se fera sans ordre. Il appartiendra à Catherine II de discipliner le torrent et de donner à la ville devenue continentale la dignité architectonique qui fait aujourd'hui encore de Leningrad une des plus belles villes du monde.

Commencée dans une ligne néerlandaise et danoise, Saint-Pétersbourg va se couler de plus en plus dans un moule français. Et le tournant fondamental qui oppose l'architecture de Catherine à celle d'Élisabeth est un tournant européen, le grand plan de clivage franco-anglais de l'esthétique des Lumières n'apparaît nulle part plus agressivement que dans la capitale du Nord.

Une phase de liberté associe vers 1740 une remontée des traditions russes harmonieusement réinterprétées et les grandes lignes du rococo français épris d'exotisme. On revient aux églises à coupoles où la flèche allemande fait place de nouveau au campanile latéral et détaché. Le seigneur du deuxième Saint-Pétersbourg baroque est un sculpteur d'origine italienne élevé et formé à Paris : Rastrelli. A Rastrelli cette ultime victoire du plus noble baroque colossal, le Palais d'hiver, le Palais d'été, le palais Tsarkoié-Siélo et surtout cette perspective Nevski et sa bordure de palais qui dénote une pensée d'urbaniste aux dimensions d'un empire. Rastrelli, aidé de Quarenghi et de Rossi.

Catherine fait prendre, avec quelques années à peine de décalage, à cette façade plaquée de Russie européenne, le tournant néo-classique. L'instrument sera comme partout l'Académie des beaux-arts, fondée en 1758, à la fin du règne d'Élisabeth. Le palais de l'Académie des beaux-arts achevé en 1765 donne le ton néo-classique. Il est l'œuvre du Français Vallin de La Mothe. A lui encore le pavillon de l'Ermitage, l'église Sainte-Catherine et l'arc en briques de la Nouvelle-Hollande.

A côté de Vallin de La Mothe, l'excellent Rinaldi procure quelques bijoux, la montagne Russe, le pavillon Chinois, le palais de Marbre et le château de Gatchine, avant que Catherine, craignant de retarder sur les modes occidentales, ne s'engoue pour l'antiquisme archéologique de Mr. Cameron. La plus grande création urbaine des Lumières, marginale et exhaustive, n'a pu porter à son terme, de part en part, une seule et même pensée d'urbanisme. Mais c'est aussi pourquoi cette ville neuve est vivante, donc contradictoire et riche de tous les XVIIIᵉ siècles amenés par la mer qui s'y heurtent et s'y croisent.

Le véritable urbanisme des Lumières est celui qui doit tenir compte d'un tissu ancien. La maison urbaine vit en moyenne trois siècles, on s'en souvient, dans la vieille Europe des villes, l'Europe de la pierre et de la brique. La place royale donne le ton : dans l'Europe du XVIIIᵉ, « on nomme ainsi une place destinée à servir de cadre à la statue d'un souverain ». La France en a procuré les premiers modèles ; la date initiale : 1614, la statue d'Henri IV et autour la place Dauphine. Les artistes français se sont bornés à associer deux éléments fournis par l'archétype universel de la Renaissance italienne : une belle place régulière à arcades où l'élévation des façades doit obéir à des règles communes, la place à programme, la statue du prince généralement bien en vue. Dans la place royale à la française, imitée inlassablement par l'Europe des Lumières, nous arrivons à cette inversion significative : une place, pièce maîtresse d' « architecture dans le grand », envisagée en « philosophe », « créée pour servir de cadre » à la statue du prince, pour mettre en valeur une œuvre de sculpteur au service de l'exaltation de l'État civilisateur.

Les archétypes français datent de la première moitié du XVIIᵉ siècle : la place Dauphine et la place Royale (aujourd'hui place des Vosges) ont été imitées par Jules Hardouin-Mansart, auteur de la place des Victoires et de la place Vendôme à Paris, de la place Royale (de la Liberté) à Dijon. La vague est lancée. A partir de 1686-1690, presque toutes les grandes villes de province voudront avoir, sur le modèle de Mansart, leur place à programme, servant de cadre à la statue royale d'un artiste en renom. Tours et Lyon appartiennent à la première vague. A Lyon, les travaux commencés par Mansart en 1686, qui passa immédiatement la main à Robert de Cotte, ne seront achevés qu'en 1731. Caen, Rennes et Montpellier suivent de très près.

La mode lancée, c'est à la gloire de Louis XV que furent consacrées la plupart des places royales françaises : Bouchardon, J.-B. Lemoyne, Guibal, Cyfflé, Pigalle, furent mis à contribution pour la statuaire. A Rennes d'abord, Robelin et Gabriel dirigent la reconstruction après l'incendie de décembre 1720 qui ravage le centre et fait de la place. La grande pensée : deux places communiquant par la diagonale, celle de Louis XIV associée au palais du Parlement de Bretagne, celle de Louis XV à l'hôtel de ville. La seconde, plus vaste — dans l'intervalle la visée s'est accrue —, dessinant un rectangle irrégulier de 100 mètres sur 120 ; J.-B. Lemoyne a placé de propos délibéré la statue en position excentrée au bas de la tour de l'Horloge. Bordeaux s'agite autour des premiers projets en 1726 et 1728. Un second projet de Gabriel est choisi en 1730, le plan définitif arrêté en 1733. La place Royale de Bordeaux, aujourd'hui place de la Bourse, est, comme la plupart des places royales, un peu à l'écart des grands axes de communication ; elle a la forme d'un rectangle court (120 m × 100 m) à pans coupés, les grands côtés sont laissés aux particuliers. La statue de Lemoyne, qui fut préféré à Coustou, est mise en place en 1743.

Paris ne pouvait être en reste. Soixante-quinze ans séparent la place Louis-le-Grand de la place Louis-XV (la Concorde), dont l'histoire a été écrite dans le menu par Patte avec pas mal d'inexactitudes. Louis XV avait retenu Boffrand : sa mort, le 18 mars 1754, laisse le champ libre à Gabriel. L'ampleur du projet, le lent déroulement des travaux en changeront progressivement l'esprit. Gabriel reste fidèle à « l'ordonnance traditionnelle de soubassement et à l'ordre colossal, mais il y manifesta un goût nouveau et son œuvre annonce la transformation qui s'opère alors dans l'architecture. La statue de Bouchardon terminée par Pigalle fut inaugurée le 20 juin 1763 ». La place Royale était, dans sa conception première, conforme à la tradition de la place royale, un lieu de promenade à l'extrémité ouest et champêtre d'une ville en extension rapide.

La place Royale de Nancy (place Stanislas) avait eu primitivement une fonction modeste de trait d'union entre un vieux Nancy dérisoire dans ses remparts ruinés et une ville nouvelle témoin d'une prospérité montante et construite sur un espace vide. Elle n'en reprend pas moins le plan de Bordeaux, soit le rectangle faiblement allongé de 120 m × 100 m. Reims clôt la série des places Louis-XV : créée de 1755 à 1760, elle est l'œuvre de l'ingénieur Legendre et du grand Soufflot.

A cette époque, le remodelage urbain par cette architecture de statuaire au service de l'État a fait tache d'huile hors de France, marquant d'une touche française et monarchique l'espace urbain. La place Royale de Bruxelles, longtemps méditée, commencée en 1776, œuvre collective où s'illustrent Fisco, Barnabé Guimard et surtout Barré ; conçue comme une place fermée de 115 m × 80 m (peut-être vieille réminiscence espagnole), s'affirme par la lourdeur de ses contraintes autrichiennes et par la dignité de ses huit pavillons rigoureusement identiques. L'Amalienborg de Copenhague s'encastre dans un complexe de plusieurs places et palais. Elle s'inspire, certes, de l'exemple de Nancy ; la place orthogonale toutefois lui confère son originalité. Bordée de quatre palais identiques, destinés aux quatre grandes familles des Moltke, Schaek, Brockdorff, Levetzau, Amalienborg est la place royale d'une monarchie aristocratique à structure d' « États ». A l'autre extrémité de l'Europe, sur l'espace libéré par le tremblement de terre, Pombal édifiait à Lisbonne à la gloire de son souverain Joseph Ier l'énorme rectangle de la Praça do Commercio (177 m × 119 m) qui, à la différence des autres places royales, se situe en raison des démolitions, d'entrée de jeu, comme son nom le rappelle, au centre commercial d'un port gonflé par la montée irrésistible du cycle de l'or brésilien.

On peut reprocher à l'urbanisme un peu court de la place royale d'être un urbanisme de statuaire. Du moins a-t-il contribué à soutenir un art en perte de vitesse depuis le XVIe siècle. La première partie du XVIIIe n'est pas une bonne période pour l'art du bronze et de la pierre. La sanguine ironique de Watteau qui imagine la sculpture sous les traits d'un petit singe goguenard et lyrique occupé à faire jaillir d'un bloc de marbre le buste accrocheur d'une jeune femme est peut-être symbolique.

Pas de grands noms mais bon nombre de talents estimables dans la première moitié du XVIIIᵉ siècle. Le baroque rococo est un art pictural, un art de décor qui se prête peu à la ronde-bosse. La statuaire majestueuse de la place royale se fige dans quelque chose qu'a cessé d'animer une pensée originale. Il lui manque d'être soutenue par le besoin du public, par le grand souffle de l'agora antique. En contraste avec l'invention picturale de la Régence, le premier horizon du siècle des Lumières est celui de la monnaie des grands. En déficit d'un Bernin, la France est riche en talents, à l'heure des élèves de Girardon et de Coysevox. De Coustou à Falconet, la sculpture se laisse emporter par la sensibilité néo-baroque dominante, un baroque de divertissement et de gracieux art de vivre « dans un crescendo de lignes zigzagantes », d'attitudes de plus en plus pathétiques. Un moyen commode pour suivre une ligne d'évolution : prendre sur un demi-siècle les morceaux de réception à l'Académie des principaux acteurs de la statuaire française en ce premier XVIIIᵉ siècle. On partirait d'*Apollon montrant à la France le buste de Louis XIV* de Nicolas Coustou en 1693, on retiendrait, onze ans plus tard, *La Mort d'Hercule* de Guillaume Coustou, puis successivement, dans une montée presque linéaire de pathétique et de tension, la *Mort de Didon* de Cayot (1711), le *Titan foudroyé* de Dumont (1712), le *Saint Sébastien* de Coudray (1713), *La Mort d'Hippolyte* de J.-B. Lemoyne (1715), *Ulysse tendant son arc* de Bousseau, le *Neptune calmant les flots* (1737) de L. S. Adam. Enfin, avec *La Chute d'Icare* de P. A. Slodtz (1743), le *Prométhée* de N. S. Adam et le *Milon de Crotone* de Falconet, on atteint le sommet dans la tension du baroque sculptural rococo.

Les frères Coustou ont été d'honnêtes artisans de la masse et du ciseau, solidement enracinés dans le milieu lyonnais, qui font la transition entre les deux siècles. Leur talent triomphe dans la chair mince et flexible des nymphes, dans la robuste santé aux formes pleines et harmonieuses de la statuaire des fleuves, *Le Rhône*, *La Garonne* et peut-être plus encore cette *Saône* où Nicolas Coustou a mis tout l'amour de la terre généreuse de ses ancêtres. Incontestable point haut, la *Marie Leczinska* de Guillaume Coustou au Louvre et ses *Chevaux de Marly*. Robert Le Lorrain (1666-1743), voyez les *Chevaux du soleil* de l'hôtel Rohan, dont une partie est malheureusement perdue, retrouve un art de la ronde-bosse étroitement associé au mur, replacé, donc, dans le mouvement architectural. Avec les Lemoyne et les Slodtz, le pathétique triomphe ; Bouchardon a de la noblesse et le sens de la composition dont témoigne la fontaine de Grenelle.

Le grand moment de la sculpture française commence à la moitié du siècle avec le retour à l'antique et l'esthétique néo-classique. La sculpture est appelée de nouveau à collaborer à la décoration intérieure de la demeure de prestige. Voyez les arabesques sculptées des hôtels parisiens des années 1760. Avec les ordres, la ronde-bosse s'impose de plus en plus dans la décoration des belles demeures urbaines : « l'hôtel d'Hocqueville, à Rouen, contenait une admirable décoration qu'on a pu attribuer à Clodion » qui travaille dans le même temps au jubé de la cathédrale, à l'hôtel de Salm « les arabesques en stuc de la rotonde contiennent, à côté de rinceaux et de vases antiquisants, des violons et des palettes. A l'hôtel de Gallifet, des femmes dévêtues soutiennent des urnes et se tiennent en équilibre sur des lyres [...] ». On pourrait multiplier les exemples à l'infini. Cette mutation du goût correspond à une mutation de la demande et à une mutation de la vision dans l'espace. Le second XVIIIe a les sculpteurs de ses besoins, la sculpture qu'il mérite.

J.-B. Pigalle (1714-1785), honnête et génial artisan issu du milieu parisien du meuble, a fait le voyage de Rome. Il s'impose brusquement à vingt-six ans avec son *Mercure attachant ses talonnières*. Pigalle est à la fois le portraitiste spirituel de Mme de Pompadour et l'homme des grands et nobles ensembles qui culminent dans le mausolée du maréchal de Saxe, de l'église Saint-Thomas à Strasbourg, c'est aussi l'homme des belles fontaines. Étienne Maurice Falconet (1716-1791) sort du même milieu parisien, cette espèce d'aristocratie de l'artisanat du meuble, où l'on est intelligent, et cultivé avec les mains. Falconet associe le goût de Boucher dans ses biscuits de Sèvres (voyez la *Léda*, la *Baigneuse*, le *Pygmalien*) à une sculpture d'idée qui témoigne d'une connaissance approfondie du legs classique de l'Antiquité. Pajou (1753-1809) est volontiers larmoyant (*Psyché abandonnée*). Au sommet, Jean Antoine Houdon (1741-1824), issu d'un milieu très humble : son père était domestique, mais à Versailles. Le voyage à Rome nous vaut sa *Vestale*, son *Écorché* et son étonnant *Saint Bruno* de l'église Santa Maria degli Angeli alle Terme à Rome. Il atteint à une sorte de perfection classique dans sa *Diane* du musée de l'Ermitage, qui est l'œuvre d'un homme de trente-six ans, au sommet de ses moyens, en 1777. L'année suivante, au milieu d'une production abondante, émerge l'inoubliable *Voltaire*.

L'Italie part du baroque sculptural qui est une abondante monnaie du Bernin, rempli de fontaines en grottes foisonnantes, de saints pudiquement drapés, de tombeaux un peu mièvres avec Serpotta, le Gros, Parodi, Cametti, Schiaffino, Marchiori, Valle auquel on doit la très belle *Annonciation* de l'église Saint-Ignace à Rome, Calegari, Queirolo, Slodtz, à cheval sur toutes les Europes baroques, Spinazzi, Angelini, pour culminer avec Canova, dans un néo-classicisme agressif contemporain de Houdon. L'Allemagne catholique reste dans la mouvance italienne. Le palais et l'église baroques, les grandes fontaines du plan d'urbanisme sont l'œuvre soit d'Italiens soit d'artistes formés à l'école italienne. Balthasar Permoser (1651-1732), qui travailla quatorze ans à Florence, marque la liaison et la dépendance.

La sculpture, au départ, est méditerranéenne. Elle s'acclimate lentement au nord. La sculpture anglaise, par exemple, est plus tardive que sa peinture. Et pourtant, l'architecture palladienne appelle par imitation un complément sculptural ; Bird et Cibber sont d'honnêtes tâcherons du ciseau. Pierre Scheemaker (1691-1770) vient d'Anvers, Laurent Delvaux (1696-1778) de Gand, Jean-Michel Rysbraek (1692-1770) d'Anvers encore. La sculpture anglaise est un prolongement au XVIIIᵉ de l'école française. Elle est l'œuvre, en fait, d'un homme qui a profondément marqué le milieu : un Lyonnais, élève de Nicolas Coustou, puis de Balthazar, sculpteur de l'Électeur de Saxe, Jean François Roubillac (1695-1762). Roubillac, révolution tardive, introduit le nu que redoutait la puritaine Angleterre du siècle précédent. Sa production est immense : elle imprime sa marque au goût du siècle. Voyez l'intelligente composition du tombeau de sir Peter Warren. Avec la génération proprement anglaise de Joseph Wilton (1722-1803), Joseph Nollekens (1732-1823), Bacon, Flaxman, une Angleterre néo-classique se révèle dans l'art familier du médaillon.

*

La tradition du polychrome s'est malheureusement perdue, art difficile qui suppose la naïveté des primitifs et la passion d'un génie populaire. Le marbre est froid. Or le XVIIIᵉ siècle a passionnément aimé la couleur : sa physique de la lumière maladroite est une interrogation sur la couleur. Le baroque a légué aux Lumières les immenses perspectives en trompe l'œil de la scène d'illusion. Depuis que le dessin a résolu les problèmes de la perspective, la peinture, autant et mieux que l'art de la sculpture, a la profondeur et en plus la couleur. Le XVIIIe siècle a livré beaucoup de son âme à la palette et au pinceau : il est, dès le début, un grand siècle de la peinture.

Il faudrait tenter une étude quantitative des milieux à laquelle, malheureusement, les historiens de l'art ne nous ont guère habitués à ce jour. La peinture s'accroît, au XVIIIe siècle, dans des proportions considérables avec la demande. Il y a pourtant recul de la demande officielle en quelques secteurs minoritaires de l'Europe : l'État, la Cour, en France, commandent moins au XVIIIe siècle qu'au moment des grandes constructions de Versailles. Leurs commandes ne permettent plus, comme Versailles à l'époque de Le Brun, des entreprises du type de ce que furent la décoration du Vatican ou de la chapelle Sixtine. La commande officielle en France se dilue : elle est passée de Versailles en province, où elle doit beaucoup à l'initiative des intendants. Quantitativement, il n'est pas certain qu'elle soit inférieure à la commande du Grand Roi, elle n'offre plus, toutefois, les mêmes possibilités. Il faudrait bien se garder de limiter l'Europe à la France. Tous les Versailles en chaîne des États territoriaux de l'Allemagne en pleine phase de récupération totalisent infiniment plus au XVIIIe siècle qu'aux époques précédentes, sans oublier la Russie d'Élisabeth et de Catherine, la Suède éclairée, l'Espagne des Bourbons, le Portugal de Pombal et l'Autriche danubienne de Marie-Thérèse. L'État, même en France, consomme plus de surfaces peintes au XVIIIe qu'au XVIIe, mais d'une autre manière, pour des projets beaucoup plus fractionnés, qui rejoignent, dans une large mesure, les nouveaux secteurs de la demande.

Au premier rang de la demande de type traditionnel, l'Église demeure, l'Église, entendez presque exclusivement la piété catholique. Le plus grand peintre de la relation ontologique au XVIIe, Rembrandt, certes, appartenait à la Hervormde Kerk, mais il répondait à la demande diffuse d'un grand peuple chrétien ; une demande née des exigences profondes de la foi ne passe pas nécessairement par l'institution. La piété protestante, même au second XVIIIe siècle, au temps des Réveils, n'est pas volontiers picturale : elle a coutume de couler sa prière dans la cathédrale d'harmonie, d'accords et d'élans mystiques de l'orgue à l'heure du contrepoint. Aussi, seule joue dans la demande l'Église catholique et, par conséquent, dans une large mesure, la commande passe au sommet, par les besoins de piété du haut clergé, le secteur, au XVIIIe, en France surtout, le plus prématurément et le plus profondément atteint. Cette crise sectorielle — il faut bien se garder d'en exagérer l'étendue — a des répercussions démultipliées sur la peinture religieuse française.

Le seul représentant de cette peinture — la critique, de nos jours, l'accable et il est à peine du XVIIIe siècle —, Jean Jouvenet (1644-1717) est un honnête artisan de la peinture. La lointaine origine italienne que revendique sa famille ne lui permet pas pour autant le voyage de Rome. Il se veut dans la ligne du Carrache par le relais de celui qui fut son maître, Le Brun. Depuis la *Guérison du paralytique* (1673), il produit inlassablement de grandes toiles d'Église dont les couleurs sont aujourd'hui trop souvent enfouies sous la crasse et les vernis. Dévoré par la goutte, infirme, il réussit encore à brosser son *Magnificat*. Une pointe de pathétique qui fait penser au Carrache, beaucoup de bonne volonté, de l'application et de la technique, dans la ligne de l'enseignement de Le Brun, une soumission totale à la tradition sans aucune notation personnelle, telle apparaît l'œuvre considérable de Jouvenet.

Une enquête récente, conduite sous la direction de V. L. Tapié, déploie les richesses de la peinture de retables. Michèle Ménard a couronné l'entreprise de ses inoubliables *Mille Retables manceaux*. La production du XVIIIe, alimentée par la commande soutenue du petit peuple chrétien des provinces, par la piété fidèle et active du bas clergé, ne le cède en rien en quantité sinon en qualité à celle des siècles précédents. A travers l'Europe des Lumières, la commande d'Église reste un des points forts de l'activité picturale. A combien plus forte raison, dans les secteurs de piété traditionnelle de l'Europe baroque. Voyez, par exemple, l'activité inlassable d'un Francesco Solimena (1657-1743). Comme toute la peinture d'Église italienne au début du XVIIIe, son œuvre porte la marque du Carrache. Décoration du Gesù Nuovo à Naples, *Apothéose de saint Philippe de Neri*. Peintre des plafonds dans la pure ligne baroque, il produit encore une *Vierge glorieuse* parmi les saints et les saintes de l'ordre de Saint-Dominique. Après lui, Francesco Le Mura (1696-1782), Giaquinto (1699-1765), Andrea dell'Asta, Niccolo Rossi et d'autres couvrent des plafonds et des murs d'églises dans tout le royaume de Naples, sans renouveler jamais les thèmes, les techniques, les pensées. Plus au nord,

l'Italie a Marcantonio Franceschini (1648-1729) qui a décoré
les églises de Bologne pour le compte des philippiens, des
célestins et des servites. C'est en Espagne qu'il faut se
transporter pour trouver une peinture religieuse encore
vivante et originale, non plus dans la filiation directe du
Carrache, mais dans celle de Murillo. Madrid compte à côté
de Houasse (1680-1730) de véritables talents : Garcia
Hidalgo (1642-1718), Garcia de Miranda (1677-1749)
Jacinto-Miguel Meléndez (1679-1731), « surtout Meléndez
auquel on a restitué deux remarquables tableaux du Prado :
le *Miracle de saint Augustin* et *L'Enterrement du comte
d'Orgaz*, peints dans une gamme gris verdâtre et une
atmosphère quasi fantastique qui font songer à Magnasco ».
Mais tous relèvent, précise encore Paul Guinard, « de la
tradition du Siècle d'Or, à son déclin, infléchie vers un
baroque plus tourmenté ». Tout est question de commande,
de demande et d'atmosphère. La fresque continue, vivante à
Séville, dans la ligne de Murillo et de Valdés Leal. Lucas
Valdés (1661-1725), Clemente de Torres (1665-1730),
Domingo Martinez (1689-1750) couvrent inlassablement de
grandes surfaces de « compositions historiques ou allégori-
ques encadrées de guirlandes, de fleurs et de ballets
angéliques [...] ». Martinez est spécialiste de la production
en série de Madones adroitement murillesques. En Andalousie, la peinture religieuse fait même un peu mieux que de
reproduire, elle invente. Bernardo Germán Llorente (1680-
1759) est le créateur d'une Vierge bergère portée par le
milieu capucin, la *Divina Pastora*, au grand chapeau de
paille, appelée à un grand succès à travers l'Andalousie.
L'Espagne monastique réalise le miracle d'une peinture
d'ascèse en plein âge des Lumières, dans la tradition de
Zurbarán. C'est le cas de Juan de Espinal (†1783), dont le
cycle consacré à la *Vie de saint Jérôme* supporte la comparaison avec les classiques du baroque italien. Excellente
également, la série de la *Vie de saint Pierre Nolasque*, peinte
pour la Merci à Cordoue par Cobo y Guzmán (1660-1740),
un très beau *Repas de saint François et de sainte Claire* à
Barcelone, dû au pinceau d'Antonio de Viladomat (1678-
1755). Pays de foi intense, dont l'expression accrochée au
passé n'a pas essayé de s'adapter aux nouveaux langages,
l'Espagne n'est pas sans faire penser à la Russie, autre
secteur encore au XVIIIᵉ d'une peinture religieuse vivante.
Bien sûr, le second grand siècle de la peinture russe est le
XVIIᵉ siècle, en liaison avec l'intensité de la vie spirituelle où
éclate le Raskol. L'icône continue à vivre pendant tout le

xviiie, au pays d'Andreï Roublev. Au xviiie, la peinture religieuse russe s'accommode de la cohabitation de l'*ikonopis*, reproduction des modèles sacrés et de la *jvopis*, la peinture sur modèle vivant, née au xviie sous l'influence immédiate des fils spirituels de Simon Ouchakov (1626-1686), au moment où les nouveaux locataires de Saint-Pétersbourg couvrent à grands frais les murs de leurs demeures occidentales de scènes de genre et de portraits réalisés par des artistes occidentaux qui font payer très cher l'ennui de leur exil. Dans cet immense secteur traditionnel de la demande, la Russie et l'Italie du Sud répètent, l'Espagne imite en innovant parfois dans le détail, mais il arrive aussi que la peinture religieuse dégénère. Dans un cadre traditionnel de la demande, dans un pays où le respect extérieur de la forme masque mal le pourrissement au fond, la profanation est immanente. Voyez Venise. Il arrive même qu'elle scandalise les tièdes venus du dehors.

Les tensions entre la forme et le fond, entre les structures institutionnelles de la demande d'une part, l'esprit de l'artiste et le goût du public d'autre part, ne sont jamais plus évidentes que dans la production religieuse de l'école vénitienne, par ailleurs une des plus grandes écoles de peinture du xviiie siècle. Giovanni Antonio Pellegrini (1675-1741) est un bon élève de Sebastiano Ricci (1659-1734). Pellegrini est un homme de théâtre, il travaille en Angleterre avec Vanbrugh, chez lord Manchester au château de Kimbolton, puis à Düsseldorf, pour situer l'homme à sa dimension européenne; à Venise, il accepte, pour gagner de l'argent, de produire à la chaîne de surprenants tableaux religieux. Voyons donc Pellegrini aux prises avec le thème rebattu dans la peinture vénitienne au xviiie de Rébecca au puits. « La version qu'en donne Pellegrini se présente d'emblée comme idyllique et irrévérencieuse à la fois. Pellegrini semble même évoquer le thème de l'entremetteur, sa Rébecca blonde et séduisante semble à coup sûr en train de se prostituer [...] La scène ne se passe ni à une époque précise ni en un lieu précis. » Et Levey poursuit : « dans ce décor désinvolte [deux arbres au feuillage argenté, un morceau de fontaine Renaissance, un mouton de poésie pastorale], pose une blonde Vénitienne au nez retroussé, elle a sa main sur une cruche de théâtre et d'un doigt élégant, elle retient un bout de corde, tout à fait superflu [...] Pellegrini brode une fantaisie de son cru donnant, par un titre biblique, de la hauteur et de la noblesse à l'idée qu'il se fait de la rencontre d'une jeune femme et d'un vieillard amoureux ». Désinvolture vénitienne : quand, pour un recueil de gravures, il faut transformer le *Banquet de Cléopâtre* de Tiepolo en *Banquet de Nabal*, on gratte la perle de la main de Cléopâtre et on imprime, sous l'image, un verset du Livre des Rois.

Le cas de Pellegrini illustre une longue série d'exemples de détournement, de captation par l'intérieur de la peinture religieuse à Venise. Voyez Piazzetta aux prises lui aussi avec Rébecca. Giambattista Piazzetta (1683-1754) est un appliqué, un honnête, un laborieux. « Un escargot », disait le comte de Tessin, admirateur, par contraste, de Tiepolo, qui « exécute un tableau pendant qu'un autre a à peine le temps de mélanger ses couleurs ». Les peintres à fresque sont des gens rapides, Piazzetta est un homme de chevalet, un peintre de genre bourgeois par opposition au génie souvent hyperbaroque du XVIIIᵉ siècle vénitien. Piazzetta fait de la peinture religieuse à sa manière, sans doute parce qu'on en demande, sans être trop regardant sur le contenu. Voyez, par exemple, son *Saint Jacques conduit au supplice,* peint en 1717 pour San Stae à Venise. Le drame cher à Piazzetta ici « tend vers le mélodrame ». Pas moins significatif, sans doute, le fait que l'esprit positif, faut-il dire terre à terre, de Piazzetta a choisi un sujet dénué de tout caractère surnaturel : « un vigoureux vieillard tirant en arrière en une confuse contorsion un jeune homme musclé et basané. Aucun choix moral ici entre le saint et son bourreau [...] » Piazzetta, à la différence du baroque même rococo, a le génie du rapetissage. Mais son génie prosaïque et mesquin est résumé dans sa version de *Rébecca au puits* « qui contraste vigoureusement avec la façon dont Pellegrini avait antérieurement traité le sujet. Il ne vise en rien aux grâces du style et la scène est présentée d'une manière bourgeoise. Rébecca et ses compagnes deviennent [une bande de joyeuses luronnes paysannes] tandis que le vieux serviteur d'Abraham est un brillant chevalier habillé à la Caravage [face à face dans] une scène de séduction rustique. Cette manière est celle d'un peintre de genre ». La manière est différente de celle de Pellegrini mais l'esprit en est également absent. « Le peintre, une fois de plus, a négligé le véritable sujet biblique [...]. » Le serviteur à la trogne rougeaude est un homme mûr fasciné par la gorge opulente d'une jeune paysanne un peu sotte mais que l'œil palpe chaude et vivante sous une robe qui la déshabille. Voilà pour le chaînon du grand plan de Dieu qui mène par l'élection d'Israël à l'avènement du

Christ sur le chemin de l'Incarnation. Poussin jadis avait lui aussi rencontré Rébecca au puits. Une Rébecca qui écoutait le message d'Eliézer avec l'attention et l'attitude de la Vierge de *L'Annonciation*. On comprend que toute l'Europe, même celle qui se croit sceptique et qui, d'ailleurs, a aimé cette robuste scène champêtre, ait été choquée. La peinture religieuse du xviiie siècle n'échappe pas facilement aux deux écueils que lui inflige la retombée de la ferveur au niveau de l'élite : ou un surnaturel stéréotypé tout en apothéoses et visions de gloire, trop théâtral pour emporter la conviction ; ou bien, « elle rabaisse la piété au rang de l'humanité commune ». Piazzetta est un peintre de genre bien à sa place dans une série qui comprend au sommet Pietro Longhi (1702-1785) après Giuseppe Maria Crespi (1665-1747), Giacomo Ceruti, Gaetano Zompini (1700-1778), Domenico Tiepolo (1727-1804), le fils de Giambattista le Grand. Son réalisme, teinté d'une note de fantaisie, est alors parfaitement à son aise dans *Une idylle au bord de la mer* du musée de Cologne ou *Les Saltimbanques*. Piazzetta répond à la raison sociale de la peinture au xviiie siècle. Contribuer à l'intimité, à l'agrément de la vie, couvrir les murs des nouveaux hôtels urbains, des confortables habitations qui résultent de la multiplication par quatre de l'espace urbain, de taches de couleurs vives, de scènes aimables, de visages où accrocher les souvenirs, points de départ pour quelques rêves possibles d'une vie agréable et plus humaine. Le multiplicateur des Lumières a joué à plein pour la peinture. Il n'est pas déraisonnable de supposer une demande cinq à dix fois supérieure à celle du siècle précédent. Du même coup les conditions sociales du milieu sont bouleversées. Regardez les peintres du xviiie : ils sortent massivement de milieux relativement modestes, ils appartiennent souvent à la couche supérieure de l'artisanat. Elargissement de la demande, élargissement du recrutement, descente dans des secteurs moins cultivés dont la diffusion du livre ne comble pas nécessairement toujours et partout le retard. Voilà qui tend encore à primer le genre par rapport à la peinture mythologique, à la peinture d'histoire et au grand genre.

Dernière caractéristique enfin : les nouvelles liaisons de la peinture, par le jeu des salons, avec la littérature. En France, voyez le rôle de Diderot. Paradoxalement, dans l'esprit du fondateur de l'*Encyclopédie*, les arts plastiques dérivent une partie de leur éminente dignité des arts, au sens le plus large, entendez les techniques. Il y a donc sur ce point inversion de l'ordre traditionnel des valeurs. Il fallait faire oublier jadis l'aspect matériel du travail de l'artiste pour lui conférer une dignité proche d'un art libéral. Dans la perspective de Diderot il en va tout autrement. La peinture, c'est aussi une technique, un support matériel à un ensemble de sensations qui s'organise en idées. Qu'on se reporte au prospectus de l'*Encyclopédie* publié en octobre 1750, au témoignage du fidèle Naigeon sur la manière de travailler de Diderot. A la limite, on peut légitimement se le demander, le salon, la critique d'art, ce pont jeté entre la peinture et la littérature, s'apparente au type d'enquête qu'il avait jadis pratiqué auprès de tous les métiers, avide de savoir et comprendre, pénétré de l'éminente dignité de la main qui communique l'idée à la matière par un jeu subtil d'aller-retour : « Diderot, écrit Naigeon (d'après J. Proust), passait des jours entiers dans les ateliers des plus habiles artistes et ne négligeant pas même les simples manouvriers qui sans avoir jamais réfléchi sur leur art, en connaissent très bien certaines parties et sont même parvenus par une pratique habituelle et par une longue expérience à laquelle la théorie ne peut jamais suppléer à perfectionner les méthodes connues [...] » Admettons que le travail de Diderot ait été beaucoup plus que Naigeon ne le prétend et que le prospectus ne le promet, un travail de seconde main. L'intention compte plus que l'acte. Il y a un certain désir de comprendre, un œil de technicien, de praticien sur la toile qui marque mieux qu'une étape. La peinture s'est intégrée plus que par le passé à l'univers des mots.

Art mécanique à vocation libérale, la peinture bénéficie de la promotion des arts mécaniques dans l'univers mental de l'*Encyclopédie* à l'ouest ; art de l'intimité du foyer, elle bénéficie de la promotion du foyer, du repli affectif sur le for familial. Art aux débouchés sans cesse accrus, surtout art en pleine expansion. La production de peinture, une demande qu'il est bien difficile d'arbitrer.

Une peinture naturellement influencée par les nouveaux débouchés. Bien sûr, les besoins pour la décoration intérieure de l'habitat urbain de nouvelles couches sociales promues à cette forme d'aisance ne suppriment pas le poids de la demande traditionnelle : le palais princier et l'Église. La part relative se réduit lentement. Mais, à la limite, la direction change. Le genre finira par modifier la structure de la peinture d'histoire et de la peinture religieuse. Giambattista Piazzeta nous a fourni, avec sa *Rébecca au puits*, l'exemple caricatural de ce que l'on peut appeler la grande inversion picturale du XVIIIe siècle.

De ces considérations, deux types de conséquences découlent. Une nouvelle géographie de la peinture : art italien, art flamand néerlandais, elle devient, au XVIIIe siècle, art français d'abord. La France nombreuse, la France bourgeoise, la France des pensées nouvelles, qui retombent en le modelant sur l'art pictural, voit triompher un type de peinture techniquement proche de la famille hollandaise, adapté au goût du jour, accordé sur les pensées. A côté de cet espace pictural français dominant, le XVIIIe voit se dresser, pour la première fois, une grande école anglaise. Peinture française et peinture anglaise l'emportent. L'art pictural domine là où le *corpus* des pensées des Lumières s'est constitué, la peinture colle aux hauts niveaux d'alphabétisation, elle prospère là où la nature est écrite en langage mathématique, où s'impose la mécanique céleste de Newton, elle suit le sensualisme de Locke, les pays où la part de la bourgeoisie, dans les structures de la richesse et du pouvoir, est croissante, les secteurs européens d'une technicité avancée où mûrissent les conditions préalables de la révolution industrielle.

Seconde conséquence : la peinture du XVIIIe siècle s'ouvre sur une querelle française, à propos de la couleur ; la peinture française à l'heure de la crise de conscience affirme, contre l'empire du dessin, les droits de la couleur. Restituons à l'épisode son titre : la querelle des Coloris.

Nous avons évoqué au départ le tournant de la peinture française sur l'horizon 1680. Admettons que le grand règne en peinture aille de 1660 à 1690 : Versailles, l'empire Le Brun ; à l'intérieur d'un trait précis, d'une construction rigoureuse, une lente transformation s'opère, qui prépare insensiblement l'esthétique picturale de la Régence. Colbert avait vu en Charles Le Brun l'homme capable de diriger, de coordonner, « de répondre aux grands programmes par l'unité d'un style ». Autour de lui, une foule d'artistes, des rivaux comme Mignard, des comparses et des exécutants. Le Brun a des équipes de brosseurs, comme le sculpteur ses staffeurs, pour les plafonds et les guirlandes. « Mais le décor et la fête, note Jacques Thuillier, prennent le pas sur le tableau. »

« La protestation suit de près. La " querelle des Coloris " qui, dès 1671, agite l'Académie semble n'opposer que " poussinistes " et " rubénistes " sur d'étroites questions de doctrine : elle traduit en fait l'immédiate revendication des

" amateurs ", disons plus clairement, la montée, à l'horizon de la nouvelle commande, d'une nouvelle couche sociale dans le public, pour un autre usage, au service d'une autre vision du monde des amateurs qui entendent maintenir dans tous les droits la " délectation ", qui ne renoncent pas à réclamer au peintre des accords de couleurs raffinés, une touche ressentie, le charme de l'invention poétique. » Jean-Baptiste Monnoyer (1634-1699), dans quelques-unes de ses natures mortes, Pierre Mignard (1612-1695), dans la *Fillette aux bulles de savon*, annoncent les préparatifs d'une fête de la couleur.

Rubens ou Poussin, le débat est ouvert en 1671. « Une conférence de Champaigne [...] donna le signal des hostilités. » Derrière Philippe de Champaigne, les tenants de la ligne et de la pensée, en face les tenants du coloris. Les discours succèdent aux discours sur les mérites de la couleur. Un amateur éclairé, Roger de Piles, décide, procédure insolite, de porter le débat devant le public. « Son *Dialogue sur le coloris*, paru en 1673, eut un retentissement considérable. » En 1676, nouveaux écrits, nouveaux débats. La belle collection de Carraches et de Poussins du duc de Richelieu ayant été dispersée dix ans plus tôt, Roger de Piles le coloriste est chargé par le puissant mécène de décrire la collection perdue et de réunir, faute de mieux, une collection de Rubens disponibles ; l'opération est menée vite et bien. Assez pour permettre à Roger de Piles de publier, en 1681, une apologie de Rubens qui a, au départ, partie gagnée. Au niveau du public éclairé de la ville, les rubénistes ont gagné en 1681. En 1699, les derniers bastions de l'Académie s'inclinent : Roger de Piles est appelé à siéger dans ses rangs comme conseiller honoraire. La cause est entendue : de 1690 à 1780, de Watteau à David, les coloristes, pour un siècle, triomphent.

Sur la première ligne de la couleur, on est tenté de placer Charles de La Fosse (1636-1716), pour son *Moïse sauvé des eaux*, pour le coloris des carnations de la fille de Pharaon et de sa suivante ; Joseph Parrocel (1648-1704) pour sa *Halte de cavaliers* du musée de Lyon, tout de rouge et de mouvement, d'un style presque impressionniste, auprès de Rigaud, de Largillière et de Coypel.

Largillière est un grand peintre, un homme modeste qui a travaillé (né à Paris en 1656, il meurt en 1746) pour le nouveau public de la peinture. Dans sa clientèle, point de roi (à l'exception de Jacques II en exil), ni de princes du sang : « Il aimait mieux travailler pour le public, dit non sans humour Dézallier d'Argenville, les soins en étaient moins grands et le paiement plus prompt. » Ce fils de chapelier, né dans la boutique parisienne, a été élevé à Anvers. Son éducation en fait un peintre flamand ; éducation renforcée encore par un séjour en Angleterre. A Paris, enfin, c'est le clan flamand, donc Van der Meulen, qui lui permet de faire carrière. L'*Ex-voto à sainte Geneviève* (1697) est une magnifique composition à la flamande où les robes rouges des échevins font tache, beau tableau de groupe, série de portraits juxtaposés où le motif religieux est simple prétexte. Largillière est, le premier en date de la brillante série des portraitistes du XVIII⁰ siècle. Deux chefs-d'œuvre dominent une large galerie : le portrait de famille au Louvre où Mme Largillière écoute recueillie les trémolos de sa fille ; plus troublant encore la *Belle Strasbourgeoise* du musée de Strasbourg qui date de 1703. « Dans un parc ombreux et chaud qui semble sorti du pinceau de Watteau — mais nous sommes en 1703 et ce dernier n'est encore qu'un peintre de dix-neuf ans —, une jeune femme » au port modeste nous regarde en esquissant un sourire timide. « Sa robe noire de velours ciselé et son grand chapeau sont propres à l'élégance strasbourgeoise. La richesse du corsage de brocart doré, lacé de rubans roses, dit un raffinement tout personnel comme le mignon " pyrame " noir et blanc de la race des chiens alors si prisée. C'est virtuosité que de donner tant d'éclat au noir : la jeune personne acquiert un attrait envoûtant que son discret sourire accentue. » La palette de Largillière s'approche de celle de Watteau — grand souffle du Nord — et le trait psychologique du visage est digne de Quentin de La Tour.

L'orgie de couleurs — elle monte vers les rouges — s'accentue avec le Catalan Rigaud (1659-1743). Rigaud est, à la limite, le peintre du vêtement, de ce luxe vestimentaire, entre autres, que célèbre *Le Mondain* : voyez *Le Président Gaspard de Gueidan jouant de la musette,* un Rigaud tardif de 1735 que conserve le musée Granet à Aix-en-Provence. Un portrait très sensible à la somptuosité chatoyante des étoffes, trait d'une génération, prédilection du pinceau 1700. L'étoffe, en 1680, participe à la majesté du rang social, l'étoffe de cette avant-Régence s'est incorporée déjà au confort de la vie. Jean-Baptiste Santerre (1658-1717) et Jean Raoux (1677-1734) ont en commun, avec Rigaud et plus que Largillière, cette délectation du vêtement.

La génération que le génie de Watteau domine est la génération, certes, de la couleur, mais elle reflète, quand on va au-delà, toutes les contradictions qui éclatent au niveau des pensées ; peut-être reflète-t-elle plus simplement encore les différentes strates socio-culturelles de la commande.

Trois grandes familles, si l'on veut, fédérées par le culte commun de la couleur. Tout d'abord, ce qui est legs du passé : la majesté, le respect de la tradition, plus la couleur. Le chef de file, Antoine Coypel (1661-1722), a une formule heureuse, traditionnellement reprise, pour fixer les bornes d'un moment, d'une famille : le grand goût. Et comme toujours, c'est peut-être là où les apparences sont sauves qu'il faudra le mieux saisir l'évolution. Le « grand goût » — un « style dont la noblesse s'affirme dans le choix des thèmes, dans la conception du sujet, dans l'expression, dans la composition, enfin dans la facture » (A. Châtelet) — est lié, au départ du moins, au décor du Grand Trianon, c'est-à-dire à une forme traditionnelle de la commande de Cour. Le grand goût, c'est la montée de la peinture à l'assaut de la décoration intérieure : « les boiseries s'assouplissent et s'enrichissent, une large ornementation se développe qui envahit progressivement le plafond ». Les plafonds ouvrent la perspective d'immenses surfaces supplémentaires à couvrir, avec des exigences : la noblesse du thème, une composition en grandes masses, des couleurs claires et vives, une gamme infinie dans les bleus.

Voyez Antoine Coypel : c'est un enfant gâté. Fils de Noël Coypel, proche collaborateur de Le Brun, il est reçu à onze ans pensionnaire de la jeune académie de Rome, tout lui réussit ; à dix-neuf ans il reçoit la commande d'un May de Notre-Dame ; honneur, gloire, argent s'accumuleront sur sa tête. Le milieu dont sont issus François Lemoine (1688-1737) et Jean-François de Troy (1679-1752) est un peu plus modeste, mais celui de Jean II Restout (1692-1768), né à Caen dans une famille d'artistes, comme Coypel, est aisé et cultivé. On a le sentiment, au début du XVIIIe, d'une sorte de tri social. La commande traditionnelle, quand même la plus prestigieuse, celle qui consacre au premier rang et qui annonce le succès économique, cette commande à laquelle répond le grand goût, semble réservée à une élite issue d'un milieu d'artistes déjà consacrés. Le grand goût consacre la deuxième, voire la troisième génération et au-delà. Or, c'est à l'intérieur du grand goût que le tournant de la sensibilité s'affirme. Comment ne pas voir, sous l'apparente fidélité du thème, le glissement (chez Coypel, *La Mort de Didon*, 1704, chez Lemoine, *L'Apothéose d'Hercule*) vers une mythologie amoureuse dans une direction dont le point d'arrivée est Boucher ?

Second groupe parmi les amis de la couleur, les peintres animaliers ; faut-il dire les peintres de la chasse ? Nostalgie champêtre de citadins, de bourgeois qui aiment à entretenir à la ville le souvenir de leurs séjours champêtres, qui aiment à créer l'illusion d'une vie aristocratique. Chaque famille bourgeoise possède sa campagne, modeste train de culture le plus souvent, qui assure une partie de l'alimentation. Le décor animalier dans la peinture est lié à une commande urbaine et bourgeoise. Faut-il s'étonner, dans ces conditions, que l'archétype vienne de la très bourgeoise et très urbaine Hollande ?

Pour répondre à une demande pour laquelle la peinture française n'a pas d'offre à présenter, le marché français a dû recourir d'abord à la peinture flamande. Louis XIV, le premier, a donné l'exemple de l'intérêt pour la peinture flamande hollandaise. En 1671, il acquiert l'*Autoportrait au chevalet* de Rembrandt et la *Vierge aux Innocents* de Rubens. En 1737 une des collections parisiennes les plus célèbres, celle de la comtesse de La Verrue, comptait trente Teniers et treize Wouwermans. Devant une telle évolution du goût et une attitude aussi nette de la demande, il était fatal qu'une réponse française s'organisât. Deux noms prestigieux plus qu'une véritable école : François Desportes (1661-1743) et Jean-Baptiste Oudry (1686-1757).

François Desportes — et ceci correspond parfaitement au modèle que nous avons proposé — est d'origine modeste. Ce fils de paysan ardennais a eu la chance d'être formé à Paris par un Flamand, Nicasius Bernaerts. Après avoir voyagé, remporté d'honorables succès à la Cour de Pologne, il revient en France, où il présume que les places de portrai-tistes sont prises. Mais la mort de Bernaerts lui ouvre une carrière de peintre animalier. En 1699, l'Académie le reçoit à ce titre. Il est le seul et dès 1702 les commandes royales se multiplient, assurant son succès. Le meilleur de son œuvre reste la décoration des nouveaux hôtels, au service de la nouvelle couche dirigeante qui nourrit à Paris sa nostalgie des champs. Les grandes scènes de chasse de Desportes alimentent les aspirations nobiliaires de la finance, elles lui promettent sur les murs la consécration seigneuriale de son ascension sociale, qu'elle va chercher aux champs.

Le génie, c'est Oudry qui l'a reçu. Sa carrière ressemble à celle de son maître Desportes. Desportes est un portraitiste qui a bifurqué pour faire face à une demande plus abondante, donc plus facile ; Oudry, un peintre religieux — l'Académie royale l'agrée en 1719 sur une *Adoration des Mages* destinée à Saint-Martin-des-Champs — qui s'oriente dans la voie que Desportes est impuissant à occuper seul. De la chasse active, Oudry glisse à cette forme de chasse passive qu'est la nature morte. *Les Chasses de Louis XV* consacrent sa gloire et le *Canard blanc* (1753) est au nombre des quatre ou cinq plus parfaits chefs-d'œuvre de la nature morte. L'œuvre d'Oudry a été conçue en fonction des grandes surfaces de tapisserie qui font partie du luxe croissant du décor au XVIIIe siècle. « La conception picturale de la tapisserie du XVIIIe siècle répondait au goût du temps. Le développement du décor des boiseries, l'invention fantaisiste de ses lignes ont peut-être concouru au désir de retrouver une imitation du réel, une ouverture sur l'espace dans les tentures. » (A. Châtelet.) La peinture de la chasse est, pour une aristocratie urbaine venue de la finance et des offices de l'impôt, une forme d'évasion vers un réel chargé de symbolique sociale et difficilement accessible.

Jean Antoine Watteau (1684-1721) va beaucoup plus loin. Sa peinture est toute de rêve : un rêve d'enfance sensuel, tout de caresse et d'hésitation. L'Académie, avec une extraordinaire présence d'esprit, lui avait ouvert ses portes en 1712, alors qu'il n'avait que vingt-huit ans. Embarrassée pourtant par cet irréductible, l'Académie forgea un mot, créa une catégorie que Watteau pour un temps remplit à lui seul, « peintre de fêtes galantes ». Watteau est un homme modeste. Il s'apparente au milieu social des peintres animaliers, tourne le dos au grand goût. Son père était couvreur, il le confia comme apprenti à un petit maître de Valenciennes, sa ville, Jacques Albert Gérin. Par son Hainaut natal, par Jacques Albert Gérin, par Nicolas Vleughels et Jean-Jacques Spoede qui l'accueillent à Paris, Watteau se rattache à l'école flamande néerlandaise. Rencontre décisive, Claude III Audran le prend à son service. Il connaîtra Berain : le voilà engagé, nous l'avons vu, dans la grande aventure de la décoration avant-Régence des nouveaux hôtels parisiens.

Soucieux de monter d'un cran dans l'échelle sociale, il se présente aux jeux d'Académie. Un second prix le déçoit en 1709. A vingt-cinq ans, il retourne à Valenciennes. Décisif repentir. Il voit la guerre, il en tire *La Recrue*. Le marchand de tableaux Sirois le remarque. Sa fortune est faite, son génie reconnu. L'agrément par l'Académie précède la présentation à Crozat. Le peintre de la fête galante devient le pourvoyeur du rêve sensuel de la finance. Voici *Les Saisons*, le *Pèlerinage à Cythère, Pour garder l'honneur d'une belle, Belles n'écoutez rien...* Il se souvient du théâtre, cette autre forme de rêve, de ses origines modestes au soir d'une vie courte que ronge la phtisie, dans ses dernières scènes de genre. Voilà donc l'*Amour paisible* (toujours), l'*Amour au théâtre français*, l'*Amour au théâtre italien.* Le théâtre italien d'où sort le *Gilles*, un état d'âme sous un masque, *La Danse* et, avec une pointe d'érotisme un peu plus appuyée, *Jupiter et Antiope, La Toilette*, la *Toilette intime*, l'esquisse pour ce *Jugement de Pâris* qui invente ingénument une Vénus en soubrette ôtant sa chemise.

Watteau, le symbole d'une époque, celui qui a fixé le rêve d'une civilisation, le rêve de la conscience européenne en crise ; après lui la fête galante continue avec un peu moins de légèreté, un rien de trop appuyé, une note de vulgarité. Voici donc la monnaie de Watteau, une belle collection de réels talents.

Lancret (1690-1743) est le meilleur imitateur. Comme Watteau, de milieu modeste mais parisien, il exploite une veine qui est riche. Avec talent, certes, mais il appuie. Les galants du *Moulinet* (à Berlin) courtisent avec les mains. *A fortiori*, pour Jean-Baptiste Pater (1695-1736). François Octavien († 1740) descend d'un cran : la fête galante a quitté le rêve, elle est devenue la représentation concrète des préparatifs. Une peinture de boudoir pour mettre en appétit.

Avec Boucher, on quitte les préparatifs. Le crescendo vient d'en haut. L'art ne transforme pas les mœurs, il correspond aux transformations des mœurs. En 1736-1737, Louis XV songe à la décoration des petits appartements. A Paris, Soubise s'occupe de la décoration intérieure de l'hôtel que lui a construit Boffrand. D'un côté, nous relevons Carle Van Loo, Charles Natoire et François Boucher, de l'autre Parrocel, Pater, et à nouveau Carle Van Loo et Boucher.

La peinture polissonne qui correspond à une évolution des mœurs aristocratiques, donc à la décoration des palais et des grands hôtels, découle non de la fête galante — elle est restée même, au terme de son évolution, avec le *Déjeuner au jambon* de Lancret, réponse au *Déjeuner aux huîtres* de Troy, à un niveau bon enfant qui fait penser à la truculence des Flamands ou à Hogarth — mais du grand goût. La porte est ouverte aux thèmes galants de la mythologie et aux aspects érotiques de la pastorale.

François Boucher, chef de file de ce grand goût dégradé, fait presque mentir la règle. Certes — et la loi s'applique —, il est à la seconde génération, mais à une toute petite seconde génération. Parisien de naissance, il est né en 1703 ; son père était un tout petit peintre en modèles de broderie. Successivement élève de Lemoine et employé chez le graveur Jean-François Cars, il remporte son grand prix à vingt ans sur un sujet d'histoire, *Evilmérodach délivrant Joachim emprisonné par Nabuchodonosor*, mais il manque de peu Rome. Le voilà donc revenu à la gravure : à la gravure des œuvres de Watteau auprès de Jean de Julienne ; il y gagne bien sa vie, il fera donc à ses frais le voyage d'Italie. En 1733, rencontre et mariage avec Marie-Jeanne Busseau, alors âgée de dix-sept ans, le modèle dont il ne se lasse pas. 1736-1737, il est introduit à la Cour. Apprécié du roi, aimé de Mme de Pompadour, sa fortune faite, il n'a plus qu'à se laisser aller à sa facilité. Du *Triomphe de Vénus* aux délicieuses chinoiseries du *Festin de l'empereur de Chine* (1742) en passant par *Le Pigeonnier* (1750) qui révèle un étonnant paysagiste en verts, l'œuvre de Boucher est plus variée qu'on ne le croit généralement. Boucher nous offre un étonnant récital de tout ce qu'aime le XVIIIe siècle riche, frivole, sensuel et futile, entendez la fraction minoritaire mais le plus souvent étalée du Siècle des Lumières. D'où son succès. Avec le portrait de Victoire O'Murphy peinte nue en odalisque sur un sofa où elle offre à la vue les rondeurs du dos et une fort belle descente de reins, un meilleur Boucher s'affirme devant le modèle. Voyez également Louise O'Murphy. Boucher trouve alors là, mieux que dans les bleus et les roses lassants de ses trop vastes décorations murales, dans la sensualité d'un érotique sans vergogne, la véritable dimension de son modeste génie. Que l'on aime ou non, il faut bien le reconnaître, il n'y a pas plus de XVIIIe siècle sans Boucher que d'Europe des Lumières sans Voltaire, image inévitable d'une civilisation qui vaut, pourtant, infiniment plus et mieux. Boucher est un pluriel, avec lui Carle Van Loo ici, Charles Natoire (1700-1777), dix autres ont inlassablement produit : déesses au lit, sultanes amoureuses, croupes et seins généreux, mille et un accessoires de Parc aux cerfs.

Ce n'est, quand même, que l'accessoire. Il y a un esprit sérieux des choses que la peinture se plaît à rendre. Le XVIIIe siècle français a la passion du portrait, qui va au-delà de l'apparence, qui toujours sait trouver le visage derrière le vêtement et l'âme derrière le regard, le portrait, dans un monde qui voyage, dans un monde qui a renforcé les liens affectifs, au sein du *nucleus* de la famille restreinte, a une fonction sociale primordiale. Avant l'invention de la photo-

graphie, il est une protection contre l'angoissant écoulement
du temps. Attaché à l'apparence, engagé dans la fragilité
d'un temps prolongé, dont on ressent mieux la scandaleuse
usure, le portrait arrache l'instant de l'être à l'écoulement
inexorable de la durée, le portrait est une modeste parade
contre le raccourcissement eschatologique du siècle. Le
portrait, du même coup, se spécialise. Chaque groupe social
a besoin d'un complice de la peinture qui puisse lui offrir le
fragile refuge du pastel ou de l'huile en face de la désespé-
rance de l'éternité troquée contre l'illusoire doublement de
la vie humaine.

Admettons donc superficiellement que Quentin de La
Tour (1704-1788), fils d'un chantre modeste de Saint-
Quentin, a été le complice des salons, de Mme Geoffrin à
Julie de Lespinasse, en passant par Mme du Deffand. Il est
aussi le peintre des philosophes. En 1736, Voltaire pose pour
lui. Virtuosité technique, un penchant pour l'effet, la
passion excessive des Goncourt n'enlève rien au mérite qui
est grand. Jean-Baptiste Perronneau (1715-1783) disputera à
La Tour la gloire d'être le premier portraitiste du XVIIIe en
majesté. Quentin est au service d'une sorte de néo-aristocra-
tie de la pensée et de la mode, le portraitiste de la famille
philosophique, marquise de Pompadour, maîtresse et pro-
tectrice en titre, en tête. Perronneau peint une *upper middle
class* plus effacée : « La petite noblesse, la noblesse de robe,
la riche bourgeoisie hollandaise, tel est le monde qui lui
confie commande. » Portraitiste d'un monde dur et sérieux
— voyez son *Abraham Van Robais* au Louvre (1767) —,
Perronneau a beaucoup lutté, c'est un modeste qui sort de la
gravure, un travailleur qui peint le monde travailleur, âpre
et sérieux, qui contribue à la grandeur du XVIIIe siècle.

Jean-Marc Nattier (1685-1766) a été plus favorisé par le
sort. Son talent est plus éclatant. Quentin de La Tour peint
l'aristocratie clinquante des parvenus, Perronneau le monde
sérieux de la manufacture et de la robe, Nattier l'aristocratie
de la naissance et de la politique. Ruiné par la banqueroute
de Law — mimétisme de milieu —, il lui faut batailler
durement. Jean-Marc Nattier pourtant était déjà à la
deuxième génération, d'où son succès aristocratique. Son
père Marc était un talent reconnu et son frère aîné, qui se
suicide en 1725. Il a vécu dans la proximité des grands. Il est
appelé par Pierre le Grand, on lui doit un *Portrait du
maréchal de Saxe* qui le consacre, une *Mademoiselle de
Clermont prenant les eaux.* Son chef-d'œuvre, qui est peut-
être le chef-d'œuvre insuffisamment reconnu du portrait au

XVIIIe, en 1740, l'inoubliable portrait symphonique dans tous les verts de la *Marquise de La Ferté Imbault*. Cette marquise en tenue de bal qui tient à la main un masque noir — « derrière elle, un drapé bleu léger et futile isole l'éclat de son visage et sa belle gorge découverte » —, en dépit de sa minceur psychologique, est digne de plaider avec Watteau pour l'insaisissable génie du siècle de l'art du laisser-vivre.

Mais il faudrait y joindre Chardin. La réalité qu'il saisit est bien plus sérieuse. Il est le vrai peintre du XVIIIe, celui du repli au for familial, de l'éducation, de l'ascétisme puritain du travail, de l'intelligence, de la main en prise directe sur les choses, d'une piété vraie familiale, celle du *Bénédicité* qui pourrait être dans ce cadre une prière à la genevoise. Chardin (1699-1779) nous dévoile le vrai XVIIIe, celui qui compte, celui qui prépare les conditions du *take off*. La plus grande partie de sa vie nous échappe. Fils d'artisan, destiné à l'artisanat, il témoigne de l'intelligence de la main comme une planche de l'*Encyclopédie*. Sa morale est intransigeante, elle appartient à l'impératif catégorique avant sa formulation. Lui qui sait la valeur de l'argent et qui l'aime pour la dignité et la sécurité dans le travail qu'il confère, il épouse sa fiancée ruinée et malade. Elle lui donne un fils unique en 1731 et meurt. Un fils auquel il consacre toute sa tendresse. Il se remariera plus tard parce qu'il le faut. *Le Buffet, La Raie, Le Panier de fraises*... Il est le peintre des choses qui ont une âme, parce qu'elles sont la récompense de l'effort intelligent de l'homme, du travail, parce qu'elles sont saisies dans le réseau de l'affectivité dense du foyer ; il est le peintre génial de l'homme au foyer, le peintre de l'enfant éduqué (*La Gouvernante*), le peintre de la transmission du savoir. Ce modeste génial est le peintre de la civilisation.

De la civilisation et de la retenue : Chardin est né en 1699. Greuze, né en 1725, arrive à l'âge d'homme sur le tournant massif de la sensibilité : entre *Le Bénédicité* et *Le Père de famille expliquant la Bible à ses enfants* — tel est le titre du tableau qui révèle Greuze au salon en 1755 —, il y a un monde dans l'expression. Ce que Chardin suggère, Greuze (1725-1805) l'étale. Il faut beaucoup de courage ou de perversité pour supporter cette montagne de bons sentiments : un Churriguera de morale petite-bourgeoise. Et pourtant, ce peintre est un excellent technicien, fils d'un maître couvreur de Tournus — son père à l'ombre de la grande abbaye avait rêvé de faire un architecte de son fils —, un bon tâcheron du pinceau ; un certain Grandon, à Lyon, lui apprend le métier qu'il possède, mais le goût ? Le miracle

Greuze — il existe dans l'incroyable rencontre avec Diderot —, c'est sans doute cette vacuité. Greuze était disponible au moment du grand tournant de la sensibilité. Peintre de genre — sa culture ne lui permet pas de viser au-delà —, il va coller aux deux grands axes éthiques du second XVIIIe siècle : le repli au for familial, l'ascétique du travail, la promotion de la main. Encouragé par Diderot, il exploite la veine, il devient sans le vouloir le peintre de l'éthique de la Révolution française et le peintre d'un milieu, les paysans et les artisans, que des éléments importants de la classe dirigeante et que les lecteurs de l'*Encyclopédie* se plaisent à voir ainsi, comme Greuze et Diderot les rêvent. Peu importe la médiocrité de Greuze, par-delà son œuvre ce qui subsiste aujourd'hui, c'est la promotion de la peinture comme genre littéraire.

Dans la mesure où Greuze est un peintre de genre, il a pu apparaître comme le drapeau d'un art au service d'une grande pensée, la reconstruction de la société et du monde à l'heure de l'*Encyclopédie*. Mais le tournant de la sensibilité se note plus discrètement, d'une manière plus convaincante, au niveau de ce que Châtelet appelle le portrait sensible. Pour bien comprendre Greuze, le replacer au milieu de ses contemporains : Alexandre Roslin, Drouais, Duplessis, Adélaïde Labille-Guiard et Élisabeth Vigée-Lebrun, sans oublier Nicolas-Bernard Lépicié (1735-1784). Dans la galerie des portraits de ce second XVIIIe siècle où défilent les grands noms, mais surtout une haute classe moyenne de décennie en décennie plus nombreuse à accéder au luxe du portrait, ce qui frappe désormais, c'est la volonté délibérée de traduire les sentiments que la politesse jadis dissimulait. Un portrait sensible est aussi un portrait fade, un portrait dilué.

Viennent les dernières années du XVIIIe siècle, et la peinture éclate. Le paysage s'affirme à l'époque de Louis-Gabriel Moreau (1739-1805), de Hubert Robert (1733-1808) ou de Joseph Vernet (1714-1789), producteur en série de marines dans la ligne un peu des védutistes, ces fabricants de souvenirs du voyage italien, tandis que le néo-classicisme, éminemment architectural et sculptural, finit par effleurer la peinture avec Joseph-Marie Vien (1716-1809) et les tentations de Fragonard (1732-1806), avant-dernière manière, à l'heure ambiguë de *La Fontaine d'amour*.

Fragonard, le dernier génie pictural du XVIIIe siècle — Fragonard hors catégorie qui réchauffe de tout le soleil de Provence —, de son passage chez Boucher retient la note polissonne. Mais avec Fragonard on passe du polisson au grivois ou au gaulois. Fragonard aime la vie, donc il aime les femmes, il peint sans arrière-pensée de beaux poèmes à la beauté sensuelle des corps, la *Bacchante endormie* du Louvre, les *Baigneuses*. Il multiplie des paysages pleins de vie avec, dans la *Fête à Saint-Cloud* (1775), des réminiscences de fêtes galantes, des scènes de genre pleines de vie, de vérité, d'amour des hommes, bien situées dans un cadre simple, robuste, vivant. Fragonard, c'est la santé, une santé un peu courte à la Renoir. Au point de rencontre de plusieurs xviii^{es} siècles, Fragonard est de tous les temps.

Traiter à part la peinture française, c'est reconnaître l'évidence du nombre, du talent et d'une sorte d'empire qui s'étend progressivement à presque toute l'Europe : l'Italie à Rome et au sud de Rome, l'Espagne au sud de Madrid, la lointaine Russie, celle de Moscou, loin de Pétersbourg devant ses iconostases sorties du temps, marquent les frontières de cet empire pictural français, un empire qui se confond avec l'espace des Lumières. Ce qui caractérise le cas français et ce qui explique le rayonnement de la France, c'est la rencontre d'une demande accrue et d'un milieu suffisamment ancien, préparé, organisé, susceptible de répondre à l'agression d'une demande accrue et diversifiée. La peinture française se déploie dans la ligne majestueuse d'une croissance rapide et soutenue, l'Angleterre offre l'exemple proche et différent d'une prodigieuse demande qu'aucune tradition locale, avant Hogarth, ne parvient à satisfaire. L'Angleterre qu'on ne peut guère séparer, au départ, de ses pourvoyeurs traditionnels, les peintres de l'Italie du Nord et naturellement les Vénitiens.

L'Angleterre devenue riche et puissante, codominante, au soir de la *Glorious Revolution*, a été d'abord un pôle européen de la demande picturale. Les couches différentes multiples et puissantes de la classe dirigeante anglaise ont fait vivre une partie (à un moment un tiers peut-être) des artistes européens, surtout des Vénitiens. Se rappeler le jugement de Montesquieu voyageur : au xviiie, Venise une pauvre chose pourrissante sur sa lagune, un des pôles pourtant de la peinture européenne, seul moyen d'expression toléré par un gouvernement policier et poltron. Cette absurdité économique eût été impossible sans les amateurs et les collectionneurs anglais. Canaletto, Guardi, Pietro Longhi, à l'exception du grand Giambattista Tiepolo, ont vécu en partie ou en totalité (Canaletto) de la commande étrangère, c'est-à-dire des nouvelles classes dirigeantes anglaises.

L'Angleterre, qui manque de peintres, a une de ses antennes à Venise où la peinture est traitée comme une annexe de l'*import-export*. A tel point même que la peinture vénitienne a sombré, à la fin du XVIIIe siècle, avec le ralentissement de l'importation britannique, quand l'offre d'une puissante école de peinture anglaise a pu couvrir enfin une fraction beaucoup plus importante de la demande intérieure. « Il y eut à Venise, dans les premières années du siècle, un groupe d' "amateurs" d'esprit ouvert et de culture cosmopolite connaissant fort bien les peintres vénitiens comme les peintres étrangers. Mais à mesure que ces amateurs veillirent et moururent, personne ne vint prendre leur place. Venise cesse progressivement d'être un centre artistique [...] Vers 1789, John Straye écrit à son agent vénitien Sasso pour se plaindre d'une sorte de changement : les objets anciens ou étrangers sont méprisés, la mode est à la camelote moderne. » (M. Levey.) On ne peut pas mieux dire que la production vénitienne est affectée par l'évolution du goût en Angleterre. L'Angleterre de Reynolds et de Gainsborough a mieux désormais chez elle. La France, premier exportateur mais aussi importateur de bon rang derrière l'Angleterre, a réagi plus tôt que le marché anglais. Bien avant 1789, « Mariette mentionne le changement de goût qui fait prendre à l'art des Pays-Bas la place de l'art italien. En 1769, il reconnaît que son propre goût est démodé. Les gens dépensent maintenant des fortunes pour des œuvres hollandaises tandis que la peinture et le dessin italiens sont seulement considérés "avec une sorte d'indifférence". »

Dans la première partie du siècle, en revanche, un réseau d'exportation était représenté à Venise par Rosalba et Sebastiano Ricci, travaillant en étroite liaison avec Paris et Londres. « Anton Maria Zanetti l'aîné, ami de Rosalba, habita à Londres chez Mr. Smith (plus tard consul à Venise), visita Hampton Court et se fit des amis anglais. Francesco Algarotti visita Londres et Paris. Smith s'installa à Venise [...] tous [...] entretenaient mutuellement une correspondance abondante, échangeaient des gravures et des pierres précieuses, des dessins, des commérages, des louanges et des compliments bien troussés. Mariette et Zanetti l'aîné [...] eurent une amitié de plus de cinquante ans [...] » Zanetti et son cousin, coauteurs de *Delle antiche statue Greche e Romane*, ont contribué à lancer Canaletto. Une réflexion sur Canaletto conduit naturellement vers l'Angleterre. Au sein d'une des plus grandes écoles de paysagistes, un genre se précise : les védutistes, entendez la photographie du paysage urbain à l'usage du voyageur du Nord en mal de souvenirs. Les *vedute* appartiennent à l'archéologie de l'histoire du grand tourisme international. Dans la hiérarchie italienne de la peinture, le paysage se place loin derrière la peinture d'histoire. Voyez le *Compendio* qu'Alessandro Longhi consacra aux peintres vénitiens contemporains, publié en 1762 : le *Compendio* omet de propos délibéré Zuccarelli et Canaletto.

Le paysage vénitien du XVIIIe est un paysage figé, dessiné, un paysage théâtral dans la mesure où la plupart des peintres de paysage à Venise gagnent leur vie dans l'industrie du décor de théâtre, pour la scène d'illusion. Au début du siècle, domine Marco Ricci (1676-1729), une deuxième génération (il est le neveu de Sebastiano). Canaletto, Marieschi et Guardi, parmi les plus grands védutistes, lui doivent beaucoup. Ricci aime les natures tourmentées. Son *Orage en mer*, impressionnant et invraisemblable, inspire la terreur sans donner le sentiment du danger. L'*Orage en mer* : ce type de production fait les délices de l'Angleterre ; les sources littéraires le prouvent. L'appel du Nord consacre l'affinité. Les deux Ricci collaborèrent pour le tombeau du duc de Devonshire, une série de vingt-quatre peintures « dont l'impresario en faillite Owen Mac Swiny avait eu l'idée vers 1720 ». Ricci, Canaletto, Pittoni et Piazzetta y œuvrèrent. La nature de Ricci est faussement sauvage. Son baroque de théâtre est en harmonie préétablie et prophétique avec le goût à naître des préromantiques anglais de la fin du siècle. Ricci aura peut-être hâté une évolution de la sensibilité anglaise.

« Dans l'œuvre de Francesco Zuccarelli (1702-1788), la nature est soigneusement tenue en laisse, purifiée des aspérités de Rosa et de Magnasco, diligemment protégée contre les effets saisonniers de Marco Ricci. » Faut-il dire que les paysages de Zuccarelli sont ratissés comme des gazons à l'anglaise, tandis qu'avec Giuseppe Zaïs (1709-1784) le paysage se peuple et évolue vers la scène de genre avec des airs de fêtes galantes ?

Beaucoup plus que les paysagistes (ils ont le théâtre comme gagne-pain), les védutistes dépendent de la demande extérieure. A Venise même, on les tient en mépris. On peut voir dans un intérieur vénitien, au XVIIIe, un Zuccarelli, on chercherait en vain une image de Venise, fût-elle de Canaletto. Les védutistes vivent des achats des touristes principalement anglais dont Venise regorge. « Ces tableaux apportaient dans le monde glacé du Nord un peu de chaleur et de la lumière méridionales. Ces images de Venise pouvaient même avoir quelquefois une valeur thérapeutique : ainsi quand, dans l'*Emma* de Jane Austen, Mr. Woodhouse malade a besoin de distraction, Mr. Knightley lui présente des gravures figurant " quelques vues de la place Saint-Marc à Venise ". »

« Un homme qui n'est pas allé en Italie, disait Johnson qui n'y était jamais allé, se sent toujours un peu inférieur aux autres. » C'est au XVIIIe que fut mise au point l'idée du « Grand Tour » et le Grand Tour comprend l'escale vénitienne. La séduction vénitienne agit toute seule. Il suffit d'une copie fidèle presque photographique de la réalité. « En Italie, dit Addison, on voit dans le visage du pays des traits plus singuliers et dans les œuvres de la nature des traits plus étonnants qu'on n'en peut rencontrer nulle part ailleurs en Europe. » Un pouvoir d'étonnement naissant de la merveilleuse infraction aux lois de la nature par laquelle Venise, contre Archimède et Galilée, semble jaillir au-dessus des eaux. Goldoni, de son côté, corrobore l'impression d'Addison.

Les *vedute* ignorent l'encombrante satire sociale. Ils regardent sans comprendre. Les védutistes sont attirés par la fête, parce qu'elle se vend bien, parce qu'elle participe au pittoresque que le Nord attend de la Méditerranée. Le mariage de la mer est un thème inépuisable que Canaletto a porté à sa perfection. Dans le paysage à la Canaletto ou à la Guardi, l'homme se dissout au point de n'être plus que mouches éparses sur la pierre. Sur un tableau de Canaletto, en regardant bien, on pourra distinguer par le costume les traits extérieurs des différents groupes ethniques et sociaux : « Sur la place Saint-Marc une masse mélangée de Juifs, de Turcs et de Chrétiens, avocats, chenapans et tire-laine, saltimbanques, vieilles femmes et médecins [...] » (Moore, d'après M. Levey). A noter que les ancêtres des védutistes, Heintz et Richter, au XVIIe, étaient des Allemands séduits par le séjour vénitien. Gaspar Van Wittel (1653-1736) pousse le mimétisme jusqu'à italianiser son nom en Vanvitelli. Le premier védutiste italien d'un certain rang est né en 1663 à Udine : Carlevaris meurt en 1730. Il faut, pour que le genre s'impose en Angleterre, du temps et le talent de Canaletto.

Giovanni Antonio Canaletto (1697-1768) est à la deuxième génération. Son père Bernardo avait atteint une certaine notoriété. On travaille en famille chez les Canaletto (Ber-

nardo Cristoforo, Giovanni Antonio) aux décors de théâtre.
A vingt ans, Giovanni rompt avec le théâtre, gagne Rome,
peint les ruines du Forum, rencontre Joseph Smith et Mac
Swiny. A vingt-six ans, fortune assurée, il croule sous la
commande anglaise. On s'arrache en Angleterre les Canaletto : *vedute* et caprices seront achetés massivement, plus
tard, par George III ; ils appartiennent aujourd'hui aux
collections du château de Windsor. Non content de travailler pour les Anglais, il fait en sens inverse le voyage. Il arrive
en 1746 en Grande-Bretagne muni des lettres de recommandation de Smith. Mais l'Angleterre rurale l'inspire peu.
Peintre de la ville, le meilleur de son séjour anglais est donné
par ses vues de Londres qu'il peint avec une minutie mieux
que hollandaise, brique par brique. Après un long séjour
dans la ville, il retourne vieillir et mourir à Venise.

Bernardo Bellotto (1720-1780) est proche de Canaletto
mais ne le vaut pas ; Marieschi (1710-1743) meurt jeune ; le
vrai, le seul successeur de Canaletto est Francesco Guardi
qui vit, lui aussi, de la commande anglaise : *Vue à vol
d'oiseau de tout Venise. Composée et peinte pour Mr. Slade.* A
la fin de sa vie, il est aidé par son fils Giacomo Guardi (1764-
1835), mais l'Angleterre se lasse.

La commande anglaise a contribué à soutenir aussi la
peinture de genre. Le premier nom qui s'impose est celui de
Pietro Longhi (1702-1785). Il est proche par plus d'un point
de Crespi (Giuseppe Maria Crespi, 1665-1747), voire même
de Giacomo Ceruti. Longhi et Crespi se sont plu à la
description d'une misère trouble, dans une tradition picares-
que adaptée à l'érotisme malsain de certaines couches de
l'aristocratie du xviiie siècle. Cet étalage de la misère
appartient à un aspect du rêve érotique septentrional. Il
n'est pas douteux que cette forme de genre a été soutenue
par la commande du Nord. Le Nord aime par contraste à
marquer sa propre réussite économique et sociale. Il y a dans
la ligne Crespi-Longhi une bonne dose de nostalgie de boue.
Les Deux Pauvres de Ceruti sont justement célèbres ; peints
sans la moindre sympathie, sans la touche de romantisme de
Murillo, sans le réalisme humain des Hollandais, ces
personnages hâves et rabougris évoquent une déchéance
morale autant que physique. Avec un avant-goût d'érotisme
sadien. « Quelquefois Crespi avait pris pour motif un seul
personnage rustique, une jeune fille se cherchant les puces,
par exemple, sur un arrière-plan sombre, et ces tableaux
font réellement penser aux premières œuvres de Longhi,
telle la *Jeune Paysanne* [...] » La jeune fille de Longhi est

rien moins que repoussante. « Elle est même saine et séduisante au moins en intention » et l'on imagine sans peine les pensionnaires plus ou moins consentantes du très réel château provençal du marquis de Sade sous les traits des jeunes filles dénudées sous leurs loques, la chair offerte aux morsures préparatoires aux coups, peut-être même la fête sadienne s'est-elle nourrie des images de Crespi et de Longhi. Le Nord a besoin de la trouble chaleur méditerranéenne pour nourrir ses phantasmes.

Giambattista Tiepolo (1696-1770) est le seul Vénitien que l'Italie ait voulu se garder, le seul qui ait pu se passer de l'Angleterre. Pendant toute la période active de son existence, de 1716 à 1770, « il ne peut jamais réussir à se faire un nom en Angleterre et on ne l'apprécie pas beaucoup plus en France ». Prié d'orner de fresques le palais royal à Madrid, en 1762, ce Méditerranéen choisit de finir ses jours en Espagne. Tiepolo n'est pas vraiment du XVIIIe siècle, ses ressemblances avec Véronèse surprennent, il est homme à la fois du baroque et de la Renaissance. Il illustre dans le plus pur baroque les pages pittoresques de l'Écriture sainte, il chante, après deux siècles de décadence, la gloire morte de Venise. Génie précoce — Levey, emporté par son sujet, écrit « comme Métastase et comme Mozart », la comparaison est hardie —, sa production, comme celle de Bach, est immense, aux dimensions d'une vie longue et d'un prodigieux labeur. Surtout, il reste fidèle à des techniques du passé. Il peint le plus souvent à la fresque. Le génie de Tiepolo est de tous les temps mais sa gloire, au XVIIIe siècle, étroitement méditerranéenne. L'Angleterre est, depuis le milieu du XVIIe, grosse consommatrice de peinture. La consommation ne cesse de monter avec l'essor de la *upper middle class* du commerce, de la manufacture, de la mer, avec l'urbanisation qui fait de Londres, et de beaucoup, la plus grande cité du monde. Au départ, l'Angleterre est cliente : elle recourt à l'Italie, à la Flandre, à la Hollande, accessoirement à la France.

Van Dyck était devenu anglais, sir Peter Lely, ce Hollandais, gravit à l'époque des Stuarts les mêmes échelons. Lely, avec James Thornhill, Godfrey Kneller, William Van de Velde et Francis Barlow, apparaît sur l'horizon des années 1700 sans que l'on puisse parler, même avec des éléments d'importation, d'une école anglaise.

Hogarth n'a pas usurpé son titre de père de la peinture anglaise. Au début du XVIIIe, le statut social du peintre reste au niveau des arts mécaniques, une profession tout à fait indigne d'un *gentleman*. L'Angleterre du XVIIIᵉ siècle aura beaucoup de mal à rompre avec ses anciens préjugés.

Jonathan Richardson plaide la promotion de la peinture, avec des arguments qui tournent le dos à ceux de Diderot quarante ans plus tard. Richardson affirme que Raphaël est supérieur à Virgile, car le peintre (sous-entendu, le peintre d'histoire) doit avoir les mêmes connaissances que l'écrivain dans tous les domaines, plus le maniement d'un ensemble de techniques que l'écrivain ne possède pas. Cette réhabilitation assez théorique ne s'applique qu'à un genre limité et traditionnel et ne correspond pas à la demande bourgeoise et urbaine en pleine croissance.

Elle explique cependant, dans une certaine mesure, l'attitude de Hogarth (1697-1764). William Hogarth, sa vie durant, a visé au grand genre ; rien de plus révélateur que l'autoportrait de 1745. Reynolds, en toute modestie, s'était représenté avec, au fond, le buste de Michel-Ange (1733), Hogarth s'est peint avec un chien, les objets de l'art, la palette et sur la table, trois livres, Shakespeare, Milton et Swift, Diderot annexe Greuze, Hogarth la littérature et la philosophie, on pense au portrait au XVIIIᵉ, de l'élite cultivée, Locke en main. Hogarth, lui aussi à la deuxième génération — n'est-il pas le gendre de sir James Thornhill, le grand maître du décor baroque, du colossal pictural anglais ? —, se place dans la ligne du grand genre.

Hogarth, homme cultivé — il a publié une *Analysis of Beauty* —, très tôt en réaction contre le baroque rococo, attaché à des règles strictes de composition, symétrie en surface, en profondeur, double symétrie newtonienne qui se compose dans la fameuse ligne S (développé dans son *Analyse de la beauté*), Hogarth est au service de l'idée.

Au service d'une structure sociale et d'une éthique sociale, il fustige la décomposition morale d'une petite fraction de l'élite au moment où la *gin drinking mania* ravage des secteurs importants de l'Angleterre urbaine, au moment du dessèchement rationaliste de l'Église anglicane, avant les grands Réveils du milieu du siècle. Hogarth critique mais il propose. Il critique les fameux *Harlot's Progress* de 1731, malheureusement détruits dans un incendie en 1735 ; plus célèbres encore, les *Rake's Progress*, terminés en 1735, dirons-nous la plus fameuse et l'une des plus anciennes bandes dessinées ? Un art engagé, une réflexion, une interprétation et un commentaire de la condition sociale du temps.

Le *Rake's Progress*, a été conçu en vue d'une diffusion par le multiplicateur de la gravure. Pour des raisons commerciales, certes, mais en vue d'une forme nouvelle de prédication d'un activisme chrétien-social propre au protestantisme anglo-saxon. Première scène : Tom Rakewell hérite ; second carton : le lever. La suite, c'est la déchéance du libertin par l'ivrognerie et la galanterie. Le voilà saoul, dépouillé par un troupeau de filles au bordel. Première visite à la prison pour dettes. Le héros, un moment, est sauvé par un mariage contre nature avec une vieille femme ravagée et hideuse. Nouvelle chute, le jeu : de nouveau la prison pour dettes, la sinistre Fleet Prison et, pour finir, la grande hébétude à Bedlam, chez les fous, à l'époque du grand renfermement. La technique est reprise, poussée à son point de perfection, dans l'inoubliable série du mariage à la mode.

Mais Hogarth propose une morale de la probité, de l'élection par l'effort, de la puissance qui refuse le luxe, qui dignifie l'argent, signe puritain de l'élection, par la bienfaisance, célébration des mâles vertus. Voyez *Lord George Graham in his cabin* (1745), la puissance de l'Angleterre est sur l'eau. Mais rien n'est plus beau, plus grand, plus digne de la véritable grandeur du XVIIIe siècle, celui dont le meilleur de ce qui suit est l'héritier, que le gigantesque portrait (2,36 m × 1,45 m) du capitaine Thomas Coram, aujourd'hui encore à la Thomas Coram Foundation for Children, à laquelle le vieux loup de mer avait dédié sa fortune. Ce portrait, Hogarth l'a aimé et il l'a dit (le portrait que j'ai peint avec le plus de plaisir). Le petit homme assis, digne, simple et bon, avec tous les attributs du métier de la mer, le globe et le sextant, est le capitaine marchand Coram, vieux loup de mer au visage rouge brique qui a consacré sa fortune, gagnée en une vie de travail et d'aventures, aux enfants — cette noble et grande passion du XVIIIe siècle —, une fortune réalisée dans le grand commerce maritime, consacrée à l'aide sociale de l'enfance, pour la santé de jeunes hommes éduqués. Ce portrait, mieux que le prospectus de l'*Encyclopédie*, contient le programme des Lumières, les vraies. Pour cette œuvre au service du grand plan économique, social, moral et métaphysique du siècle, Hogarth s'est surpassé : il a mobilisé toute la science de l'Europe picturale.

La taille : il ne recule pas devant une pointe de gigantisme, toutes les règles du portrait du grand goût, dans la tradition de Rigaud que Hogarth connaît et admire, la colonne d'un ordre antique, les draperies, les attributs symboliques de l'état du fondateur-donateur, la pose, évidemment prise pour le temps et l'éternité, ce petit homme vaut bien tout à la fois Alexandre et Louis XIV, Hogarth le pense et il a raison. Il est bien là, ce petit homme rond, de soixante-dix ans, heureux du bonheur du devoir accompli, heureux jusqu'au bout, dans la pose emphatique qu'on lui demande, dans l'attirail aristocratique humaniste à l'italienne dont on l'entoure, car il importe que son acte ait valeur de prédication. Une attitude de grand roi pour affirmer une foi modeste, précise et concrète dans le progrès, par le respect de la loi morale et un regard intelligent et déférent sur les choses qui sont faites à la gloire de Dieu.

Un peu plus tard, Johann Zoffany, dans la représentation de la famille du quatorzième baron Willoughby de Broke (vers 1770), plaidera aussi pour l'éducation.

L'Angleterre urbaine, naturellement, aura ses paysagistes — l'échec de Canaletto est révélateur — qui seuls peuvent lui procurer à la ville le plaisir de sa campagne. Sur l'horizon des années 50, toute une génération : Samuel Scott qui affectionne les marines, le Gallois Richard Wilson et Thomas Gainsborough qui a bien d'autres titres de gloire. Elle a des témoins de toutes ses activités. Un des tableaux les plus éclairants, digne presque du portrait du capitaine Coram, est le chef-d'œuvre de Joseph Wright of Derby, témoignage de la passion pour l'expérimentation, au siècle de l'abbé Nollet, de Watt et de Lavoisier. *Experiment on a bird in the Air Pump* date de 1768. Les pompes à air sont fabriquées alors dans les Midlands pour d'autres fins que l'expérimentation scientifique. L'oiseau dans le globe va mourir, une étrange lumière illumine le centre de la scène où va se jouer ce drame, où s'exerce la nouvelle magie de l'exploration scientifique de l'ordre naturel des choses : la grande fille à droite, qui ne peut en supporter la pensée ni la vue, se voile la face, tandis que la petite fille tend vers l'objet et l'oiseau un visage où la curiosité l'emporte, finalement, sur la crainte et la pitié. Voilà pour la science et l'expérience, retombée évidente de la pensée sur l'art et sur les choses.

L'Angleterre de l'horizon 1750 et au-delà peut aligner encore un des plus grands animaliers de tous les temps, George Stubbs, témoin de la passion urbaine pour la course et l'élevage d'un cheval façonné pour l'art, témoin du nouvel élevage, c'est-à-dire de la révolution agricole *lato sensu* qui commande en profondeur une des conditions essentielles du *take off*. La consécration de la peinture anglaise, c'est la présence simultanée de sir Joshua Reynolds (1723-1792) et de Thomas Gainsborough (1727-1788). Avec Reynolds, premier président de la nouvelle Royal Academy, anobli en 1769, la peinture a gagné en Angleterre. Reynolds propose par l'art et la littérature. Comme Hogarth, il est auteur : ses *Discourses* ont un énorme retentissement. Il a peint toutes les couches de la classe dirigeante. Comme Zoffany et mieux que lui, il est le peintre de l'éducation, du resserrement affectif au sein du *nucleus* familial, le peintre de l'enfance saisie dans sa véritable dimension, le peintre de l'enfance dignifiée. Ce que Reynolds réussit avec tant de bonheur, Gainsborough l'obtient avec un peu plus d'effort peut-être. Reynolds explique, Gainsborough suggère. Le visage de la comtesse Howe surtout et *La Promenade matinale*, en dépit d'un peu trop d'apprêt, approchent, avec *Lady Cockburn et ses trois aînés* et *Lord Heathfield* de Reynolds, des sommets de l'art pictural de la modernité.

*

La peinture a profondément évolué. La peinture baroque est, pour l'essentiel, élément du culte ou participation à l'affirmation de l'État au sommet d'une société d'ordres ; la peinture des Lumières fait partie intégrante du décor quotidien de la vie, elle participe à un art de vivre. Avec le mobilier, nous entrons plus avant encore dans l'intimité de la vie quotidienne.

La multiplication du mobilier est générale au XVIIIe siècle à tous les échelons de la société. Le traitement sériel des inventaires après décès permet d'affirmer, même dans les milieux les plus pauvres, une multiplication peut-être par quatre, sur un siècle, en France, du contenu de la maison. Rien de plus éloquent, à l'appui d'une élévation modeste et pourtant sensible du niveau de vie. Cette multiplication par quatre, nous la retrouvons au niveau de l'habitat de prestige, hôtel urbain, manoir de campagne. Entre le milieu du grand règne et le milieu de la période de Louis XV, il y a doublement, à peu près, du contenu d'une pièce ; à taille égale, sans doute, un autre doublement de 1750 à 1790. « Les ensembles les plus importants se composent d'une dizaine de pièces sous Louis XV et quinze à vingt, peut-être, sous Louis XVI, rarement plus [...] Le mobilier n'est pas encore trop nombreux : l'encombrement des sièges surviendra avec le XIXe siècle. » (P. Verlet.) Cette concordance des évolutions parallèles de l'intérieur de la maison populaire et de la maison de prestige a son prix : elle montre qu'on ne peut l'attribuer uniquement à des facteurs économiques, même si ces facteurs sont décisifs. La multiplication des pièces à l'intérieur de l'espace d'habitation correspond à une évolution de l'affectivité. Il convient de placer ce phénomène en relation avec la concentration affective sur le *nucleus* familial, avec le besoin de chaleur et d'intimité. Retenons pour l'ensemble du siècle une multiplication en moyenne par trois au moins, quatre au plus, du coefficient de remplissage des pièces qui s'ajoute au doublement moyen de la population. Partout où cela est possible, le XVIIIᵉ a le goût passionné du neuf. « Il semble que l'on observe une sorte de hiérarchie des meubles, comme des demeures ou des personnes. Les châteaux royaux nous le montrent, où les meubles les plus nouveaux sont généralement réservés à Versailles et à la famille royale ; ceux qui sont déjà démodés peuvent être dirigés sur Fontainebleau, Marly, Compiègne ou servent à meubler des appartements secondaires. » Même mouvement dans toutes les couches supérieures de la société. Tous ces facteurs conjugués entraînent un développement considérable de la capacité productrice dans l'artisanat du meuble au XVIIIᵉ.

Un artisanat diffus, dans les petits bourgs et les campagnes, qui établit, avec un décalage chronologique plus ou moins important, une série de compromis entre les traditions locales et un certain air du temps venant surtout des Lumières de Paris. Si, quantitativement, la France vient en tête, ne pas imaginer une domination française sans partage ; il y a aussi l'Angleterre. Le meuble anglais dans l'ensemble est moins chargé, sous l'influence sans doute des courants palladiens, plus classique, plus fonctionnel. Ne pas perdre de vue le poids d'entraînement du modèle anglais au XVIIIᵉ sur tout ce qui touche l'art de la vie (à commencer par le petit lieu à l'anglaise et en règle générale tout ce qui concerne une hygiène plus efficace et plus rationnelle). Si l'influence du mobilier français s'exerce presque sans partage sur l'Europe méditerranéenne, sur l'Allemagne méridionale et centrale, elle est contrebattue par l'influence anglaise en Hollande et parfois dans l'Allemagne du Nord et en Scandinavie. Ce qui n'empêche des remontées constantes d'influence française sur l'Angleterre et ses dépendances, une teinte d'anglomanie en France, décisive, notamment, dans la seconde moitié du XVIIIᵉ où elle hâte la mise en place du Louis XVI.

On est tenté d'établir avec Verlet une chronologie de la

francomanie dans le domaine du mobilier en Angleterre : elle correspond aux années 1730, elle dure vingt à trente ans, « Hogarth ou Zoffany représentent non sans une intention ironique des sièges purement français ». Les ambassadeurs anglais à Versailles ont été les relais constants de cette action. On voit passer outre-Manche force Delanois, Gourdin, Lebas. Choc en retour, à l'heure néo-classique, le continent anglomanise dans les années 1770. Une chose est sûre, Paris constitue un centre unique en importance, de beaucoup le premier de toute l'Europe des Lumières. Son rayonnement comme diffuseur de mode et de type s'exerce sur 60 à 80 p. 100 environ, suivant les périodes, de l'espace européen. On a vu l'importance de ce milieu du meuble : près de la moitié des peintres français, la majorité des peintres de genre, des paysagistes et des animaliers en sortent ; on ne peut marquer plus clairement l'unité profonde du meuble et de la peinture dans l'art de l'aménagement et de la décoration du cadre de la vie.

Au début du XVIIIᵉ siècle encore, la distance est grande entre menuisiers et ébénistes. Entre eux, une étroite collaboration, certes, mais souvent des origines ethniques différentes et pas d'intermariage. « Étymologiquement, le menuisier est celui qui débite et assemble à menu bois des ouvrages [...] destinés surtout au mobilier. L'ébéniste plaque du bois généralement exotique dont le plus employé fut d'abord l'ébène [...] » Au cours des temps, les deux branches longtemps rivales se rapprochent. Voyez toujours la France : « [...] des lettres de Louis XV données à Versailles au mois de mars 1744, enregistrées au Parlement le 20 août 1751, confirment les *Statuts privilégiés de la Communauté des maîtres menuisiers et ébénistes de la ville fauxbourg et banlieue de Paris* ». (P. Verlet.) Maison commune et confréries assurent la cohésion affective du corps ; une jurande que l'on appelle bureau, à partir de 1776, représente la garde du métier. Apprentissage, compagnonnage, maîtrise, chef-d'œuvre avec frais d'accès à la maîtrise dégressifs pour les fils ou gendres de maîtres ou de veuves de maîtres jurés appartiennent au moule commun des vieux et prestigieux métiers ou corporations. Cette forte structure n'empêche pas l'existence d'un artisanat libre sous privilège royal. Le roi a protégé quelques fortes individualités, permis l'installation d'étrangers contre le gré de la corporation. « Les fils de Boulle se maintiennent au Louvre jusqu'en 1745. Les Gobelins abritent le menuisier Germain, les ébénistes Desjardins, Œben, Georges Riesener ; l'Arse-

nal voit Jean-Henri Riesener, Molitor et avant eux
J. F. Œben. » (P. Verlet.) Il conviendrait d'y joindre les
« marchands suivant la Cour ». Quelques ébénistes usèrent
du privilège : Pierre Bernard, Joseph Baumhauer, Macret,
Laurent Rochette. L'existence de communautés de plus en
plus nombreuses d'ouvriers libres explique en grande partie
le phénomène faubourg Saint-Antoine : l'Université, Saint-
Jean-de-Latran et surtout l'abbaye de Saint-Antoine-des-
Champs bénéficient traditionnellement du privilège d'exter-
ritorialité quant aux corporations.

    « Par leur origine et leur naissance, menuisiers et ébé-
nistes semblent appartenir à deux mondes différents [...] »
Ce n'est pas un mince mérite pour Pierre Verlet de l'avoir
établi. Parmi les menuisiers, sur cent trente à cent quarante
noms portés par les grands menuisiers du meuble à Paris au
XVIIIe siècle, pas un étranger sauf Séfert qui est peut-être un
Scheffer altéré. Les Delanois, Michard, Carpentier, Bou-
lard, Chevigny, Bellangé, Dupain, Demay sonnent bien
français. Il en va tout autrement des ébénistes : sur deux
cent quarante à deux cent cinquante noms, un tiers d'étrangers ; une bonne partie vient d'Allemagne, des Pays-Bas et
des Province-Unies. La proportion s'accroît singulièrement.
Dans les cinq dernières années de l'Ancien Régime, presque
autant d'Allemands que de Français ont accédé à la maîtrise
à Paris : les Œben, Bayer, Reizell, Schlichtig, Evalde,
Rubestuck, Stumpff, Feuerstein, Grevenich, à côté des
Ancellet, Angot, Barthélemy, Bury, Caumont, Cordié,
Delaître, Doirat, Dubuisson, Dubut, Duhamel, Bon
Durand, Elleaume, Fléchy, Foureau, Genty, Leleu, Petit,
Boudin, Montigny. Parmi les menuisiers qui émergent le
plus constamment au XVIIIe retenons les Foliot, les Roubo,
Delanois, Georges Jacob et, du côté des ébénistes, Gau-
dreaux et Joubert, Riesener, Leleu, Œben et Lacroix,
Cressent. Les ouvrages de Roubo constituent encore aujour-
d'hui notre meilleure source avec les planches de l'*Encyclo-
pédie*.

    L'outillage est sommaire, on attend plus de la main qui le
conduit que de l'outil lui-même. Ascétique de la main,
maîtresse d'elle-même et d'un petit nombre d'outils
conduits à une sorte de perfection fonctionnelle, tel est un
des secrets constants des réussites de la société traditionnelle, nous l'avons dit déjà, à la veille de l'explosion de
croissance qu'elle prépare : scies à refendre, à débiter ou à
tenon, égoïnes, scies à chevilles et à araser, quelques rabots,
varlopes, ciseaux, gouges, bédanes, limes, une équerre, un

compas, un maillet, un marteau et un établi très simple. On est frappé de l'économie des moyens. Le menuisier n'utilise que les bois indigènes, hêtre et noyer de préférence au chêne suspect, alisier, poirier, merisier — quelques exceptions régionales —, séchés longtemps, habilement préparés ; tout le secret, selon Roubo, dépend de la manière de refendre ; la technique du XVIIIe, solidaire du passé, reste fidèle au vieil assemblage à tenons et mortaises. Pour la finition, décor, sculpture, peinture et dorure, garnitures, le menuisier fait appel à la gamme proche des métiers complémentaires dont les relais expliquent le passage fréquent, de père en fils, de l'établi à l'atelier, de la mortaise à la cimaise.

L'attirail de l'ébéniste est un peu plus complexe, il lui faut en plus des guimbardes, un couteau de taille, des compas à verge, un tire-filet, des marteaux à plaquer et à chauffer, un ensemble de presses, grandes presses ou petites presses, dites vis à main. La gamme des matériaux, par contre, est très largement ouverte : elle va du bois de rose à l'amarante, du bois violet — violet palissandre — au Cayenne, bois de Chine, bois d'Inde, bois aurore, olivier, acajou, citronnier, amboine, ébène. Le placage et plus encore la marqueterie, dont le but est d'imiter la peinture, requièrent une grande habileté. Pour la finition, si le bronze recule, de la fin du XVIIe au milieu du XVIIIe, pour reprendre à la fin, l'art des laques et vernis est poussé très loin, sous l'influence des modèles de Chine et du Japon apportés par les Compagnies des Indes.

La gamme du mobilier s'est beaucoup ouverte au XVIIIe, par rapport à la relative simplicité des XVIe et encore XVIIe siècles. Toute la gamme des sièges, tabourets, pliants, ixes, banquettes, chaises ou fauteuils à la reine, en cabriolet, meublants ou courants, suivant la hiérarchie des pièces auxquelles on les destine. Les sièges plus larges se prêtent davantage aux commodités de la conversation ou aux approches de galanterie, voici donc le confident ou tête-à-tête.

Mais le XVIIIe triomphe dans les canapés : plus de dix modèles ; le lit à colonnes recule — il se maintient dans les manoirs mal chauffés de la petite noblesse rétrograde des lointaines provinces —, avec le progrès du chauffage, devant les lits à la duchesse, à la polonaise, à la turque. Quant à l'armoire, qui chasse le coffre dans les campagnes reculées à partir de 1770-1780, on peut dire qu'elle correspond à une mutation des mentalités. L'armoire dans les campagnes où l'on range désormais, c'est le triomphe de l'espace géométrique sur la confusion, du rangement méthodique sur le vrac de l'espace sombre et indifférencié du coffre.

Le meuble est, avec le décor de l'hôtel urbain, le meilleur réactif des tournants de la mode, faut-il dire des grandes étapes du cheminement esthétique ? On a vu le passage presque insensible du Louis XIV au Louis XV sur l'horizon très long de la pré-Régence, de 1680-1690 à 1710-1715. Le passage se fait par une ouverture de la gamme, l'apparition de nouveaux modèles, en relation étroite avec la construction des grands hôtels urbains, et par une évolution des formes. « La forme même des meubles se trouve en pleine évolution. Elle demeura jusqu'au début du règne de Louis XIV dans la tradition médiévale rectiligne et conçue selon des assemblages séculaires. Les audaces qu'avaient permises les meubles d'argent et que reprendront ceux de bois doré, les pieds " de biche " ou " en console ", les galbes, que commencent à suivre certains meubles comme la commode, sont certainement dus pour une large part à l'influence des dessins de meubles composés par Berain et vont être largement exploités par le XVIIIᵉ siècle. » (P. Verlet.) En un mot, le meuble répercute et amplifie le grand tournant des formes sur l'horizon de la crise de conscience. Les décennies 1690-1700 nous sont apparues exceptionnellement importantes au niveau de l'aménagement intérieur de l'habitat urbain de prestige. Nous avons interprété ce mouvement comme une annexion au baroque, dominant sur la plus grande part de l'espace européen, d'un des secteurs qui longtemps lui avait échappé. Deux facteurs du moins avaient contribué à maintenir, jusque vers 1660-1680, le mobilier dans un cadre rigide d'apparence classique : les difficultés de l'assemblage — le poids donc d'une très vieille technologie —, le rôle de la France comme fournisseur de modèles rayonnants, la France, dernier réduit avec l'Angleterre des formes classiques, dans l'océan déferlant de la plastique baroque. Le Louis XV, c'est donc un double alignement : alignement du mobilier sur le décor et sur les formes de l'architecture interne de l'habitat de prestige, alignement de la France et de l'Angleterre sur le secteur géographique majeur de l'Europe continentale et méditerranéenne baroque.

C'est pourquoi rien n'est plus probant que le mouvement (on ose à peine le qualifier d'inverse) qui est le passage par la transition du Louis XV au Louis XVI. L'évolution des styles est lente, elle se fait à des rythmes différents suivant les niveaux. L'ébénisterie réagit plus vite, la menuiserie fait volant. Le rococo a conquis le décor de l'hôtel dès 1720, il n'est pas maître du meuble avant 1740, en raison de la résistance des habitudes, des exigences inéluctables du travail traditionnel du bois. « Il faut attendre, précise Verlet, les abords de 1740 pour voir la ceinture des meubles s'arrondir délibérément, les pieds s'élancent et s'amincissent avec hardiesse encore qu'avec prudence. Que l'on compare les dessins donnés par les Slodtz en 1738-1739 pour des meubles destinés à Louis XV à l'exécution même de ces meubles et l'on constatera combien les servitudes et peut-être aussi les traditions de métier ont sérieusement alourdi l'audacieuse sveltesse souhaitée par le dessinateur. » Le Louis XV, entendez le rococo au niveau du mobilier, a demandé trop d'efforts, trop d'habileté supplémentaire pour ne pas durer l'épaisseur d'une génération. L'Angleterre moins profondément convertie — en fait elle a importé pendant la rage baroque dont Hogarth rend ironiquement compte — réagira plus vite et passera plus rapidement au mobilier néo-classique.

De 1760 à 1780, les deux formes ont cohabité. Le Louis XVI, même à Paris, n'a chassé qu'insensiblement la facture Louis XV. Alors que dire de la province ? Que dire surtout de l'Allemagne du Sud, de l'Autriche, de l'Europe danubienne, de la plaine du Pô, attachées au mobilier baroque jusqu'aux alentours de 1785-1790 ? « Un ébéniste de premier plan comme Carlin demeure fidèle, dans ses petits meubles des environs de 1780, aux pieds galbés hérités de Louis XV. Riesener exécute, en 1784, pour le château de Fontainebleau, un grand secrétaire à cylindre que l'on a longtemps considéré, à ne juger que ses formes, comme un ouvrage Louis XV ; et Salverte a noté qu'en 1789 plus du dixième du stock qui se trouve chez le menuisier Forget comporte encore des pieds-de-biche. » (P. Verlet.)

C'est sur l'horizon de la décennie 1765-1775 que s'opère la transition. A Paris, Œben et Georges Jacob jouent un rôle décisif. « Georges Jacob invente des pieds en " console " qui, partant d'une ceinture rectiligne, abandonnent les courbes continues des cabriolets Louis XV ; Louis Delanois pour les chaises qu'il crée pour Mme du Barry, adopte les pieds à gaine effilés et droits qui ont fini par caractériser le style Louis XVI. » L'architecte Delafosse aurait pesé sur Delanois et Gourdin et fini par les convertir. A partir de 1775, l'évolution se précipite. Les accoudoirs se redressent, les pieds parcourent le chemin inverse des années 1690-1710. Ils prennent désormais naissance dans la ceinture même, sont de nouveau presque droits. Voici les pieds en gaines formant balustre, ou en forme de balustre. En 1763-1764, Foliot et Babel emploient des cartels, des agrafes, des palmettes ; en 1769, des fleurons et des perles accompagnent des couronnes de fleurs ; 1770, au niveau de la Cour, feuilles de refente, fleurons à l'antique, jasmins et giroflées ; 1771 : « Pour Trianon rais de cœur, feuilles d'eau, perles et rubans tournants », tandis que la polychromie diminue. La ligne droite triomphe avec le Louis XVI — qui n'est guère plus qu'une transition prolongée vers le vrai, dur et massif néo-classique des années 1800-1810 —, la ligne droite s'impose raisonnablement en maintenant une volonté de mouvement, de légèreté et d'agilité qui prouve qu'une unité de style de vie de l'élite urbaine subsiste de 1730 en gros à 1790.

*

Le mobilier Louis XVI — il s'appelle George III pour toute l'Europe du Nord — n'est qu'un aspect assez secondaire d'une très grande affaire, faut-il dire le tournant artistique de la fin du siècle ? Une affaire embrouillée, où il faut essayer de voir clair.

On peut adopter, en présence du tournant néo-classique, une écriture naïve, étroitement calquée sur la chronique du temps. Cela ressemble à un conte de Perrault : il était une fois à Versailles une favorite... Et voilà introduits le rôle de Mme de Pompadour et le voyage à Rome d'Abel Poisson, M. de Vandières (d'avant-hier, disait-on), en un mot Marigny pour l'histoire. Ce voyage a eu son rôle, sans conteste, pour la France, mais cette affaire n'est pas exclusivement française. Mieux vaut s'efforcer de la réinsérer dans la longue durée, bien voir à quel point le cadre de beauté d'une civilisation appartient au domaine des pesanteurs, aux structures les moins plastiques.

La grande mutation esthétique vient de l'Italie des XIVe-XVe, elle s'est imposée à la chrétienté latine, par vagues concentriques, en partant de l'épicentre de l'Italie renaissante. L'esthétique classique qui rapproche le premier XVIe siècle italien, la France monarchique des années 1660-1680, une fraction importante d'Angleterre palladienne, s'oppose à l'intérieur d'un vaste ensemble esthétique en liaison avec une structure technique, économique, sociale, politique, à l'esthétique baroque. Le baroque doit être recherché dans l'architecture, la plastique et la musique religieuse ; le baroque est la médiation à Dieu, au point de

rencontre du système des pensées de la chrétienté scolastique et de l'univers infini écrit en langage mathématique,
dans une société d'ordres, au moment de la construction de
l'État monarchique. Le baroque est une réponse globale à la
tension tragique du monde géométrique vide et du Dieu
lointain. L'effort est architectural et plastique au sud, en
liaison avec la théologie de la transsubstantiation eucharisti-
que, l'effort est musical au nord, en rapport avec la double
Inspiration de l'Écriture, Parole vivante de Dieu. Les
formes baroques sont nées de l'art religieux, le baroque est
presque une nécessité dans un système qui s'efforce de
retenir la vérité de Dieu qui Se Révèle et l'hypothèse d'un
monde mathématique vide de toute essence, qui s'efforce de
concilier la construction de l'État avec la réalité séculaire
d'une société d'ordres. Le baroque crée des formes qui
peuvent être comprises et cesser de l'être. La conquête, sur
le tournant de la fin du XVIIᵉ, en France et en Angleterre, de
l'intérieur de la demeure et du cadre de vie, en un mot du
décor par des formes nées ailleurs et dans un environnement
tout à fait différent d'un baroque dégénéré en rococo,
découle à la fois d'un alignement sur l'univers des formes
majoritaires en Europe et d'une réaction contre l'effort d'un
règne ambitieux, contre le poids d'une tradition. Les formes
du rococo découlent du baroque, mais elles sont vidées de
leur signification première. Elles sont un jeu, une invitation
à la distraction, à la jouissance sensuelle d'un monde de
l'apparence. La rocaille, le baroque vidé de sa médiation
ontologique, désacralisé, profane, s'adapte à la vulgate du
sensualisme lockien. Il est même doucement sacrilège, à la
mythologie païenne réduite à la seule dimension galante,
sacrilège à l'égard des formes qui furent chargées d'exprimer
l'élan vers Dieu et le mystère de la Rencontre. Le baroque
au service d'un cadre d'évasion de fantaisie, de rupture avec
la tradition, le baroque profane du décor de l'habitat de
prestige correspond à la crise de conscience, tant qu'il est
senti comme une nouveauté. Cinquante ans, c'est trop pour
une nouveauté. Le rococo n'est plus compris, au milieu du
XVIIIᵉ, comme refus de la rigueur classique imposée par la
théologie janséniste et l'État monarchique du début du
règne de Louis XIV, dans sa réaction anti-Fronde, anti-
espagnole, anti-italienne ; le baroque religieux, *a fortiori,* est
rejeté comme esthétique de médiation, et s'il était compris,
il serait *a fortiori* rejeté comme esthétique d'une médiation
que les courants rationalistes et sensualistes rejettent à
l'époque de Jean-Jacques Rousseau.

D'où l'impression qui commence à se faire jour, en Angleterre d'abord, vers 1740, en France ensuite, vers 1750, d'un univers de beauté totalement désaccordé avec l'univers des pensées, avec ces contradictoires non senties comme contradictoires, la raison, la nature et l'Antiquité. Cette prise de conscience sera hâtée par les progrès des sciences auxiliaires de l'histoire, la diffusion des planches archéologiques et des communications, en Angleterre et en France, dans les secteurs les plus profondément et prématurément touchés par l'avance des techniques et des rendements.

Le tournant affecte l'architecture et le décor, en deux temps. 1755-1765, un ensemble de signes discrets affectent la France et l'alignent sur les positions anglaises légèrement en flèche. 1780, tandis que la France et l'Angleterre évoluent vers un néo-classicisme agressif, l'unité de l'espace européen se rétablit. L'Europe " baroque ", à son tour, rejoint. La première moitié du XVIIIe aimait affirmer sa solidarité avec le XVIIe, une sorte d'impatience se fait jour au milieu du siècle. Toutes les pentes se modifient, à commencer par la démographie, situation propre, à une certaine impatience à l'égard du passé.

« Le style rocaille français qui nous semble si léger, si gracieux, lorsque nous le comparons au style noble des fondateurs de l'Académie, au style un peu sec et gourmé de certains antiquisants de 1780-1815, apparut pourtant aux défenseurs de la tradition comme un objet de scandale. Au milieu du siècle, des esprits chagrins déclarèrent que tout n'allait pas pour le mieux dans le meilleur des mondes : ce n'est pas seulement la Cour que l'on critique, le gouvernement, c'est aussi cette architecture et ce décor qui furent accusés d'être le symbole de la décadence. Lafont de Saint-Yenne, Bachaumont, le P. Laugier, Jacques-François Blondel, Diderot et les autres reprochèrent aux architectes et aux peintres d'avoir perdu le sens de la dignité et de la grandeur, à l'État de ne plus leur donner l'occasion de manifester leur génie. Après 1750, des artistes vont désirer reprendre les grandes ordonnances de jadis. » (Louis Hautecœur.)

Ce n'est pas si simple. Beaucoup de choses bougent avec le milieu du siècle, le cadre et les pensées. Le *corpus* des Lumières change de dimensions, il pénètre en profondeur à l'époque de l'*Encyclopédie*. Il devient de plus en plus englobant, exigeant. En 1750, sans remonter jusqu'aux options de la Renaissance que personne ne songe à remettre en cause, comment ne pas sentir ce décalage qui se creuse entre le rythme de toutes les transformations et le cadre plastique et architectural des formes qui semble tout entier appartenir à l'héritage ? La crise de conscience de la fin du XVIIᵉ a pu être interprétée comme la fin de la mise entre parenthèses de la politique et de la religion ; la crise de conscience esthétique du milieu du XVIIIᵉ peut être sentie aussi comme la fin de la mise entre parenthèses implicite de l'esthétique, entendez, plus simplement, de l'héritage des formes.

Mais cette prise de conscience a besoin d'un médiateur. Ce médiateur, c'est, en France et en Angleterre, dans la fraction de l'Europe où le baroque mué en rococo n'a jamais réussi à s'imposer totalement, à faire vraiment corps avec l'univers de la pensée et de la sensibilité, dans l'Europe de la révolution des pensées, des économies, des modes de production et des rapports sociaux, l'Europe dominante, grâce au voyage et à l'archéologie, c'est la découverte d'une Antiquité connue directement, autrement qu'à travers le prisme déformant de ses traducteurs partiaux de la Renaissance italienne. C'est pourquoi Louis Hautecœur a raison, il faut voir d'abord sur l'espace français et anglais l'impact de la nouvelle Antiquité, le retour à l'antique, avant le trouble des esprits qui s'appelle le contradictoire retour à la nature et à la raison.

Revenir à l'événement : le voyage de M. de Marigny ; 1749-1750, une génération d'artistes voit l'Italie sous une lumière insolite, en rupture avec la tradition ; la découverte puis la diffusion d'un antique architectural, archaïsant, le dorique de la Grande Grèce, fait choc. Cette espèce de révélation primitive, ce retour à la source depuis la Renaissance italienne, proclamée, permet de mesurer le degré d'évolution ou de perversion d'une tradition récente ; voici enclenché le processus classique de l'appel de la tradition récente, présente, oppressive, à la tradition ancienne. *Mutatis mutandis*, le recours à l'écriture contre la tradition, l'appel à l'esprit contre l'institution.

Abel Poisson, le jeune frère de la Pompadour, qui a la survivance, à vingt-quatre ans, de la direction des Bâtiments qu'Antin jadis occupa, flanqué de mentors, est envoyé en 1749 en solennelle mission à Rome. Un commando de choix accompagne le jeune homme : Cochin, l'auteur, précisément, neuf ans plus tard, du fameux *Voyage d'Italie*, et Soufflot. Cette visite va provoquer l'évolution des maîtres du goût en France. La France qui s'apprête à rallier l'Angleterre, c'est le ralliement à moyen terme de l'Europe des Lumières.

Le séjour de M. de Vandières à Rome dura un an à peine (du 17 mars 1750 au 3 mars 1751), une partie de la mission reste plus longtemps et va plus au sud. Le choc ébranle un terrain largement et profondément préparé. Tout au long du premier XVIIIe, l'érudition historique fournit les éléments d'une version plus objective de l'Antiquité. *L'Antiquité expliquée* de Montfaucon a, malheureusement, de fort mauvaises planches, recopiées des ouvrages antérieurs ; le comte de Caylus, qui visita l'Asie Mineure, imprime à partir de 1752 son *Recueil d'Antiquités égyptiennes, étrusques, grecques et romaines*. L'influence de Caylus est considérable. De Rome, une avalanche de dessins, sanguines traitées par les procédés perfectionnés de la gravure, s'accroît d'année en année. On trouve sans peine, en 1750, une bonne cinquantaine de titres en librairie depuis les gros in-folio jusqu'aux guides de voyageurs et itinéraires instructifs de Rome, en faveur des étrangers. L'œuvre la plus importante semble encore celle de Piranèse, relayé par Bouchard et Gravier. On a eu trop tendance à grossir l'influence de Pompéi et d'Herculanum. La grande collection scientifique des *Antichità d'Ercolano* s'échelonne entre 1757 et 1792 et les volumes sont de valeur inégale. *Les Lettres sur les peintures d'Herculanum*, de Cochin en 1751, les gravures de Bellicard et les planches de Caylus sont médiocres. Le dégagement des ruines commence à peine. En 1750, à Herculanum, Soufflot peut à peine se rendre compte de la forme semi-circulaire du théâtre. A Pompéi, l'amphithéâtre ne fut dégagé qu'en 1755, la caserne des gladiateurs en 1766, le temple d'Isis et de Zeus Meilichios en 1767, la villa de Diomède en 1771. Les architectes pouvaient étudier des colonnes doriques moins massives qu'à Paestum, lever le plan de maisons anciennes dont s'inspirèrent Clérisseau et Lequeu. La publication du grand travail scientifique de Sylvain Maréchal, dont les *Antiquités d'Herculanum* compteront onze volumes, commence en 1781 seulement. Ne pas mêler les plans : le grand choc vient de Rome et c'est une onde romaine qui contribue à hâter le dégagement de Pompéi, non l'inverse.

Le véritable élément révolutionnaire est plus au sud : les temples grecs archaïques de Paestum. La première description est l'œuvre, en 1745, de D. G. Antonini, dans son *Trattato della Lucania*. Soufflot visita Paestum en compagnie de Natali, Dumont et quelques autres architectes napolitains. Le choc sur Soufflot est immense, c'est la découverte de cet inconnu insoupçonné, le dorique sans base, le vrai dorique archaïque, dont la robustesse et le nu-grandeur surprennent : une Antiquité grecque vue pour la première fois hors du prisme de l'Antiquité romaine et sans les lunettes de la Renaissance italienne. C'est pourquoi le *corpus* des publications consacrées à Paestum compte. Il est copieux : un premier volume de Dumont, 1764, les gros livres de Berkenhout et de Major (Londres et Paris), 1767, 1768, tiennent la tête d'une longue série. Une discussion passionnée sur le dorique sans base s'était ouverte avant même que le public puisse juger sur pièces, avec les notes de Barthélemy et de Winckelmann. La convergence sur Paestum ouvre la route aux pactoles archéologiques de la lointaine Sicile, une « Sicile néolithique » serait-on tenté de dire *cum grano salis,* que seul l'intérêt archéologique rattache brusquement à l'Europe des Lumières. Ici c'est l'Angleterre et sans hésitation qui emporte le mouvement vers Agrigente, Ségeste et tout le pittoresque des « îles de la Sicile ». Patrick Brydone, Borah, Swinburne dès 1773, avant Saint-Non et ses cinq in-folio, en 1781. Viennent alors Hackert, Ducros, Bellisard et la collaboration, enfin, du pouvoir politique des Deux-Siciles : Naples finit par comprendre l'intérêt économique d'un tel engouement. Au bout de la Sicile, il y avait la Grèce : la supériorité des Grecs sur les Romains est en France comme en Angleterre, depuis le XVIIe, un thème de collège et d'académie — Caylus et le président de Brosses opinent à leur tour au XVIIIe — d'autant plus théorique qu'il y a entre la Grèce et l'Europe des Lumières l'épaisseur de l'Empire turc. Or il se trouve que l'écran turc se fait moins épais, grâce au remarquable réseau des consuls français, grâce à la redoutable puissance maritime anglaise en Méditerranée, et à la pression autrichienne dans la plaine danubienne. La première publication importante est anglaise. Richard Dalton donne en 1749 ses *Antiquities and views of Greece and Egypt* et en 1751-1752 ses *Series of engravings representing views in Sicily, Greece, Asia minor and Egypt.* A partir de là, une heureuse émulation s'établit entre Londres et Paris, les publications alternent, d'une année sur l'autre, en anglais et en français, à raison, presque, d'une publication par an à partir du milieu du siècle. Après Dalton, Stuart et Revett, Le Roy, Chandlers, Pars, Worsley. Autour de planches et de relevés, d'intenses polémiques se poursuivent sur les mérites respectifs des deux antiquités, l'Europe proclame unanimement, contre Piranèse, la supériorité des Grecs.

Mais la grande affaire est celle des ordres. Le problème, la difficulté, celui de l'acclimatement aux formes archaïques du dorique et de l'ionique, le dorique surtout. Robert Wood, en 1753, constate, pour le regretter, que le dorique du Parthénon ne coïncide pas avec les normes de Vitruve. Soufflot et Goethe, encore en 1787, auront bien du mal à admettre le dorique court, sans base, de Paestum. A David Le Roy le mérite d'une classification historique qui finira par s'imposer. Le Roy distingue trois ordres qui correspondent à trois périodes : « la première, où la colonne mesure quatre diamètres, par exemple au temple de Corinthe ; la seconde, où les proportions sont plus élancées (temple de Thésée, Parthénon) ; enfin la troisième, où les colonnes atteignent six diamètres (temple d'Auguste à Athènes) ». La classification de Le Roy ayant été adoptée par Winckelmann en 1760 fait désormais autorité. Même remarque pour l'ionique. Voilà que circule à travers les planches archéologiques un ionique fort différent de celui codifié par la Renaissance italienne, différent de celui de Vignole, de Scamozzi et de Michel-Ange. Sur le chemin de la connaissance à la pratique se trouve l'Angleterre. Préparée par la tradition palladienne, en tête de la découverte archéologique du bassin oriental de la Méditerranée, la première, elle saute le pas. Le dorique archaïque sans base apparaît pour la première fois, en Angleterre, en 1759, au temple rond de Stowe. L'Italie s'y refuse, mais la France se laisse fléchir. J. D. Antoine (1733-1801), le premier, avec le portail de l'hôpital de la Charité, à Paris, Brongniart, au cloître des Capucins de la chaussée d'Antin, Chalgrin aux loges du théâtre de Brunoy. Ni Antoine ni Brongniart ne sont prix de Rome, et ces tentatives françaises sont de vingt à trente ans postérieures aux expériences anglaises.

L'Égypte fournit l'appoint de ses formes. Une égyptologie balbutiante est née dans les années 1680 de la crise de conscience, les publications s'échelonnent à un rythme toujours plus rapide : une première mutation à la hauteur de l'année 1700. M. de Chazelles mesura les pyramides et Pouchard inséra en 1701, dans les *Mémoires de l'Académie des inscriptions*, son travail sur les obélisques. Seconde mutation, les années 1750, « les voyageurs sont plus nombreux après 1750 », leurs relations, il est vrai, ne parlent guère que des pyramides. Date importante, la traduction française, donc la large diffusion, de 1774 à 1780, des quatre volumes du *Voyage en Arabie et pays voisins* de Niebuhr. Les objets égyptiens pénètrent en Europe, les voyageurs, les consuls en rapportent, les amateurs en exposent. Faut-il rappeler le mémoire, en 1783, de Quatremère de Quincy couronné par l'Académie des inscriptions et belles-lettres ? Une troisième mutation se situe bien sûr au niveau de l'expédition d'Égypte, elle explique le déferlement des thèmes de décor égyptien sur le lourd néo-classicisme d'Empire.

Une Antiquité sans la médiation renaissante. Et pourtant, paradoxalement, faut-il rappeler que l'une d'entre elles, au moins, contribuera à préparer en Angleterre, puis, par le relais anglais, sur le continent, le retour à l'antique ? Cette médiation privilégiée est celle de Palladio. Nous avons signalé déjà le rôle des belles éditions d'Oxford ; l'engouement en Angleterre remonte plus haut. C'est Inigo Jones qui lança durablement la mode palladienne. La mode lancée d'Angleterre passe sur le continent. Entre Paris et Londres, l'édition rivalise autour du plus antiquiste des architectes renaissants. En fait, Palladio compte par la méthode, les palladiens dépassent Palladio ; Palladio, c'est une affirmation théorique et pratique de la fidèle copie du modèle antique. Faut-il s'étonner, dans ces conditions, que nous retrouvions autour de Palladio les mêmes noms qu'autour des antiquités de Rome à Paestum, de Paestum en Sicile, de Sicile en Grèce, et de Grèce en Égypte et en Mésopotamie ? Après Jones, Webb et Vanbrugh, Burlington, Stuart, Revett, les quatre frères Adam, ces palladiens furent les plus acharnés à faire passer dans la pratique les élévations, les nouvelles proportions et les motifs décoratifs décalqués des modèles antiques. L'Antiquité, se hâte-t-on de dire, fournit les formes. Ce n'est pas tant l'Antiquité que l'intensification des réseaux d'échanges et de communications avec un vieux monde méditerranéen que la géographie du premier XVIIIe laissait en dehors de l'espace privilégié des Lumières, que de nouveaux moyens de diffusion, que les progrès de la dimension historique du savoir et, plus que tout, un œil neuf.

Cet œil neuf est la conséquence de l'impact tardif, avec un bon demi-siècle de décalage, de pensées déjà anciennes ; écoutons donc le discours sur l'art des années du tournant du siècle. Au milieu du siècle, d'une part, on note une sorte de multiplication du discours esthétique : deux idées très anciennes, deux mots, peut-être, « hantèrent les esprits : philosophes, esthéticiens, littérateurs, moralistes, économistes prêchèrent en même temps le retour à la raison et le retour à la nature ». Ces deux revendications, dont les tenants du discours esthétique ne mesurent pas les contradictions, sont en réalité portées par les courants de pensée les plus opposés du XVIIIe siècle, contradictoires comme la pensée des Lumières elle-même. Un des traits les plus profonds du XVIIIᵉ siècle n'est-il pas précisément de réunir les contradictions dans un plan d'action pratique ? C'est ce qui se passe pour l'art du tournant du siècle. Le courant de retour à la raison appartient au rationalisme, dans la ligne du XVIIᵉ siècle, un rationalisme qui, au fur et à mesure qu'on avance dans le cours du XVIIIᵉ siècle, livre de plus en plus un combat sur un double front. Le courant de retour à la nature réunit toutes les formes du sensualisme. Il a pour lui Diderot, une bonne partie de l'Encyclopédie ; Rousseau, avec son postulat de la bonne nature, réussit à réunir les deux courants. Au nom de la raison, on pourra condamner la fantaisie des plans d'élévation, la courbe architecturale, et, au nom de la nature, primer le jardin à l'anglaise et à la chinoise sur le rigide modèle du jardin à la française.

La réaction contre le décor de l'architecture rocaille commence au moment même, disons en 1740, où le style exagère ses formes, à l'époque où Meissonnier déteint sur Boffrand, sur Thomas Germain et tant d'autres. Voltaire raille, dans *Le Temple du goût*. Soufflot, Caylus manifestent épisodiquement : 1744 ici, 1747 là ; les premières réserves se font jour en France qui a pris le relais de l'Europe alpestre et danubienne à la tête de l'extrémisme rocaille. Cochin, membre du voyage de Marigny, prend l'initiative d'une polémique qui débute en décembre 1754, dans le *Mercure de France*, par sa *Supplication aux orfèvres, ciseleurs, sculpteurs*. Dans cette percée s'insère un ensemble de publications de plus en plus nombreuses, de plus en plus affirmatives au fur et à mesure que l'on descend le cours du temps. En France, le P. Laugier de la Compagnie de Jésus, en Italie Milizia, nommé surintendant des Bâtiments du roi des Deux-Siciles en 1761, malgré son affirmation de la supériorité romaine sur la Grèce archaïque, mère du nouveau style ; sur l'horizon 1760, les académies se rallient : une mode, mieux un style est né, réalisé dans la pratique, justifié par l'écrit, dans le fond, les éléments du néo-classicisme couvaient depuis le début du XVIIIᵉ, l'intrusion des formes antiques aide à se former en système. Vers 1765, se notent les premières manifestations d'un intérêt pour le gothique, conséquence peut-être bénéfique de l'anglomanie, mais premier jalon, sûrement, des futures mutations.

Une nouvelle génération d'hommes à l'œuvre et cela aussi compte. Pour la France, un nom domine, Soufflot, le vrai successeur de Gabriel, Soufflot marqué par le voyage d'Italie et assuré de l'appui de Marigny ; après avoir marqué Lyon de sa griffe, le voilà durablement à Paris, de 1752 à sa mort, en 1780. C'est dans la reconstruction de l'église Sainte-Geneviève, le Panthéon, que Soufflot exprime le mieux son génie qui est aussi celui d'une époque. De 1755 à 1765, premières manifestations dans les formes ; mise en place du nouveau style de 1765 à 1785. Au-delà, rupture d'un équilibre et durcissement en liaison avec un autre monde, une autre société, une autre économie, une autre éthique sociale. Voyez l'architecture religieuse : au nom de la logique, l'ordre colossal, en façade, en lieu et place des ordres superposés. L'idéal proposé par Soufflot, incomplètement réalisé au Panthéon, en raison des résistances du clergé, c'est la coupole et les quatre bras égaux. Autre tentation : la basilique ; le plan de Chalgrin pour Saint-Philippe du Roule va faire école. Une chose est sûre, ces édifices peuvent flatter l'œil, ils peuvent, comme Sainte-Geneviève, heureusement détournée de sa fin, servir une grande liturgie sociale, politique, humaine ; ils n'ont pas vocation religieuse. Le baroque, par essence, était religieux, il manifestait l'unité du peuple chrétien dans la relation qui le lie à Dieu, à la fois aristocratique et populaire ; le néo-classicisme se situe sur la grande retombée religieuse du siècle, ses églises sont des lieux vides de présence, calquées sur des temples morts, élevées pour le plaisir profane de l'œil par des hommes qui n'ont plus la foi, pour une religion d'habitude. Il importe peu qu'au sommet et dans l'Europe de l'Est une nouvelle sève se prépare, l'architecture, plus que toute autre forme artistique, fait volant, le néo-classicisme se situe bien sur la retombée, au creux de la vague.

Le génie néo-classique, c'est dans l'hôtel urbain, dans la résidence de prestige aux champs, dans les plans de masse d'un urbanisme beaucoup plus ambitieux qu'il faut le chercher et, comme toujours, dans la décoration, qui traduit, mieux que toute autre forme de l'art, les véritables complicités. La décoration suit le meuble, à moins que le meuble ne marche au pas de la décoration de l'habitat de prestige. Comme pour le mobilier, lenteur des évolutions et persistance, longtemps, du style rocaille, dont la discrète sensualité correspond si parfaitement à l'éthique et au style de vie de la minorité des anciens et nouveaux privilégiés.

Les premières touches sont légères. A coups de pinceaux sur les lambris, les thèmes exotiques s'étalent avec l'ouverture du monde des communications, à l'époque de Cook et de Bougainville. Les thèmes champêtres apparaissent beaucoup plus nombreux, concession au goût de la nature. « Ledoux, à Benouville, accrochait des fleurs peintes sur un treillage simulé. Certaines pièces sont décorées en trompe l'œil et offrent à ces dévots de la nature l'illusion de n'être pas des citadins : la chambre de Beaujon, en sa " Chartreuse " du Roule, représentait un bosquet ; sur les murs étaient peints des arbres dont les ramures s'étendaient sur le plafond bleu de ciel. » (L. Hautecœur.) Un peu partout, des fleurs, des troncs, des treillages. La rupture en vertu d'un modèle de retour cyclique, voire de l'appel contre la génération en place à la génération antérieure, devait se marquer d'abord par une réhabilitation du style Louis XIV. Le style Régence, l'horizon 1700, avait fait appel contre l'ostentation, la rigueur du devoir de représentation du style Louis XIV et ce qui lui restait d'ascétisme de la tradition chrétienne ; le style Louis XVI, l'horizon 1760, fait appel contre « la manière dépravée de leurs contemporains au grand goût du xviiᵉ siècle ». Un phénomène, si l'on veut, de « belle époque ». Quand les Lafont de Saint-Yenne, les Caylus, les J. F. Blondel se mettent à vanter les mérites de Mansart, de Perrault et de Jules Hardouin-Mansart, on est en face, certes, d'un phénomène de ce type, mais il y a plus. La nouvelle rigueur du décor Louis XVI, une rigueur bien tempérée, correspond jusqu'à un certain point à une prise de conscience du devoir social. Le seul plaisir des sens — la fantaisie sans plus — auquel la naissance donne droit, ou la réussite, les traditionnels devoirs d'état et la hantise du salut écartés, ne suffisent plus. Le décor de l'habitat de prestige, par-delà le mystère du for intérieur de l'affectivité familiale ou de la complicité érotique du partenaire dans l'exercice du plaisir, va retrouver un devoir de cohésion sociale et de représentation. Le décor Louis XV est sûr de son intimité, le décor Louis XVI, lui, prend des garanties contre une éventuelle irruption d'intrus.

La mode archaïsante a aidé à marquer le passage, mais il y a beaucoup plus et mieux dans le Louis XVI qu'un cyclique retour au grand goût des années 1670-1680. Comme toujours, l'exemple, pour s'imposer dans les formes, a besoin de l'écriture. Au début de la nouvelle vague, sur l'horizon des novations archaïsantes, voici Jean-François de Neufforge, voici Delafosse. Les moulures perdent le grêle et retrouvent le gras et l'épaisseur, un instant même on verra reparaître le stuc et le brocart. Sans lendemain. On se rappelle que le Louis XV avait été une révolte de l'intérieur, qui avait fini par troubler la rigueur classique des façades. En 1760, on a souvent le sentiment d'un mouvement inverse, un peu comme si la rigueur hellénique des façades — voyez l'hôtel de Salm — pesait tout à coup sur la disposition intérieure. C'est sans doute ce que veut dire Grimm quand il s'écrie, en 1763 : « Tout à Paris est à la grecque. » L'escalier, élément de démonstration sociale et d'ostentation, ici et là, reprend une partie de l'importance que le premier XVIIIe lui avait refusée. Mais les deux traits les plus caractéristiques de la modification du décor des années 1755-1775, c'est l'introduction systématique des ordres et le triomphe déjà signalé de la ronde-bosse sur la peinture.

Distance prise à l'égard du décor théâtral, conçu comme une scène d'illusion, revendication subconsciente d'une réunification de la vie. Le premier XVIIIe opposait la façade et l'intérieur, et pour lui, seul comptait vraiment l'intérieur. Les ordres, colonnes et pilastres (voyez le corinthien foisonnant de la salle à manger du château de Maisons, due à Bellangé, l'ionique intérieur de l'hôtel de Gallifet, le pavillon Saint-Vigor à Viroflay), plaident, du moins en intention, en faveur de l'unité de la vie. Que la façade dévore l'intérieur n'est pas non plus dépourvu de sens. Serait-ce la revanche de l'utilité sociale sur le for intérieur ? Ne pas aller trop loin, nous n'avons pas de textes et les mouvements du subconscient collectif sont trop mystérieux encore pour que l'on se risque à les interpréter sur un trop petit nombre d'apparences. Le Louis XVI a de délicieuses hypocrisies. Il autorise la fantaisie mais la préfère savante. L'exotisme du second XVIIIe a quelque chose de plus guindé, une pointe de pédantisme. Ses mandarins n'ont plus la fantaisie échevelée des Chinois du premier XVIIIe. La fantaisie, surtout, est antique.

A Rome, les artistes français avaient étudié, comme les frères Adam l'avaient fait du côté britannique, « les grotesques du Vatican et les stucs antiques », Clérisseau et Lhuillier emboîtent de leur propre chef le pas des artistes anglo-écossais. Piranèse fournit les modèles récemment découverts de Torre de'Schiavi. En 1769, paraissent ses *Diverse maniere d'adornare i camini ed igni*. « Griffons, femmes ailées se terminant en fleuron, palmettes, dauphins, animaux divers [...] » partent de Piranèse à la conquête du décor intérieur de l'habitat de prestige de l'Europe des Lumières déclinante. L'arabesque systématiquement sort du mur. Elle prend du relief, nous l'avons déjà signalé à Rouen. Après Piranèse, les recueils se multiplient, ils contribuent à la diffusion. On copie en province, en Allemagne, aux Pays-Bas, en Hollande, dans le Nord et l'Est profond. Une réunification du décor s'achève sur ces bases à travers toute l'Europe, vers 1780 : G.-P. Cauvet, Camporesi, Volpato, Pietro Colombani qui édite à Londres un *New Book of ornaments* en 1775, G. Richardson et Pergolesi qui diffusent aussi de Londres.

Et partout, dans la pierre, le marbre, le fer des escaliers monumentaux et des grilles, l'art, redevenu envahissant, du sculpteur prend le relais du peintre, au service d'un décor qui cherche un difficile équilibre entre un art sensuel de vivre et les exigences d'une éthique sociale.

*

Entre la traduction concrète d'un grand dessein, rapport à Dieu, construction d'ordre, et la contribution précise à un art de vivre, l'art oscille, nécessairement, l'un n'excluant jamais totalement l'autre ; le baroque aura été, pour l'essentiel, la dernière forme d'un art commandé par une volonté de service et l'expression de deux rapports fondamentaux de l'homme à Dieu et de l'homme à l'homme. Cet art domine la plus longue tranche chronologique et l'espace le plus important qui correspond à ce que nous appelons l'Europe des Lumières. Le baroque est l'hôte capital de l'Europe au cours des deux phases successives et étroitement mêlées de ce qu'il est commode d'appeler l'Europe classique et l'Europe des Lumières. Le baroque est au temps des Lumières, sans être totalement — si l'on excepte les formes dégradées du rococo — du temps des Lumières. Faut-il opposer, au niveau restreint du décor et de l'architecture de l'habitat de prestige, à l'art du pur style de vie du premier XVIIIe, un art de plus grande participation sociale pour le second XVIIIe ? C'est possible, à la rigueur, tentant, sinon convaincant.

Revenons à la grande question : du beau par qui et pour qui ? Le décor, par le mobilier, par la copie, l'imitation, de proche en proche, par l'image, par la mode, ce phénomène de l'Europe du XVIIIe, pénètre vite et loin. L'architecture religieuse est un art ouvert. Même si la commande et l'exécution du plan sont le fait d'un petit nombre, le peuple tout entier participe. Mais l'architecture religieuse décline. En outre, elle est l'exception. Les arts plastiques, au XVIIIe siècle, sont, dans une faible mesure, des arts de large participation. Il en va autrement de la musique. Nous avons souligné à son heure l'étendue de la culture musicale allemande, dans quelques provinces favorisées, au milieu du siècle.

La clef des pensées profondes du XVIIIe, la traduction concrète de grands desseins, c'est dans l'expression musicale qu'il faut la chercher. Les cathédrales, les acropoles du XVIIIe siècle sont musicales. Bach et Mozart sont tout à la fois Eupalinos et Michel-Ange à l'ère des Lumières.

Les arts plastiques — c'est pourquoi nous avons privilégié le décor — sont d'abord une contribution à un art de vie. Le fonds musical de l'Allemagne des *cantors* appartient à tous. Le décor qui nous a retenu est un décor aristocratique qui, par le biais du mobilier, de la place royale, des plans de masse, pénètre lentement des tranches un peu plus larges de vie sociale. Cependant ces arts issus d'un milieu privilégié, destinés, par essence, à un milieu privilégié, ne se muent vraiment en un style de vie que pour un petit nombre. La participation est plus généreuse à la fin qu'au début. Art aristocratique, les arts plastiques au XVIIIe restent au service d'une aristocratie, chaque décennie plus large, de la naissance et de l'argent, de la réussite et du talent. Ce sont des arts de style de vie, c'est pourquoi leur production compte aujourd'hui encore parmi les documents qui donnent le mieux accès à la civilisation des Lumières.

CONCLUSION

Tout a muté sur l'horizon 1630. Tout a rebondi autour de 1680. L'Europe des Lumières est née à cette hauteur, au point d'intersection des pensées d'une étroite élite conquérante, à l'ouest, avec les structures presque immobiles d'un monde très vieux, manières de produire, de vivre ensemble, d'aimer : l'Europe des Lumières a grandi. Ils sont mille au départ, ils sont quelques millions à l'arrivée. Entre ce sommet plus lourd à l'ouest, mince au sud et à l'est, et la masse peu sensible au trouble des pensées, le temps ne coule pas au même rythme. Mais à partir de 1730 ici, de 1750 là, le retour se fait de la pensée sur les choses. Le sommet des Lumières cesse de glisser, il pénètre et modifie les très vieux rapports, les manières d'être et d'agir. Tout a muté au sommet, au niveau des années 1630, tout a muté, de nouveau, au sommet, autour de 1680, tout craque et bouge, en profondeur, dans l'Angleterre privilégiée des pensées et du mouvement sur l'horizon 1780. De là, par vagues concentriques, l'Europe et le reste du monde basculent dans l'ordre nouveau de la croissance soutenue, entendez de la modification devenue structurelle des pensées et des choses.

D'où l'ambiguïté, sans doute, de la civilisation des Lumières. Nulle période n'est autant un commencement et une fin. Commencement de la croissance soutenue, fin de la société traditionnelle où la connaissance et l'éthique se transmettaient par voir-faire et ouï-dire, fin de la chrétienté, que le XVIe siècle avait tuée au niveau des princes et que le XVIIe siècle avait préservée et réchauffée au cœur d'un peuple nombreux.

Ambiguïté. Certes, mais fragilité des Lumières ? La civilisation est un héritage, un héritage qui se transforme et qui s'accroît. De tous les legs du passé qui commandent notre présent, le legs du XVIIIe siècle est un des plus importants. C'est, au vrai, que tout ce qui nous vient d'un très lointain passé nous vient à travers l'optique, les choix, les parcimonies des Lumières. Le *sapere aude*, la philosophie mécaniste transformée en culture scientifique, mathématique, phénoménologique et opérationnelle nous viennent d'un XVIIe profondément remodelé à l'époque des Lumières. Mais le XVIIIe siècle nous a légué aussi d'autres sagesses discrètes, disons les parcimonies des Lumières.

Impossible de tout embrasser, donc fractionnement. Repli affectif sur le foyer, repli ontologique au for intérieur. On ne rompt pas facilement avec les parcimonies des Lumières. Elles sont choquantes pour la raison, pour le cœur, et pour la vérité, mais elles sont aussi la punition d'un succès. Elles permettent de combiner la croissance la plus rapide avec le maximum de liberté et laissent le choix sur l'essentiel : progrès, liberté et, par la liberté, le droit à l'espérance.

TABLE DES MATIÈRES

Préface à la nouvelle édition 5

Introduction. Pour comprendre les Lumières 7

— Y a-t-il un temps propre aux Lumières ?
— Le convoi sémantique des Lumières.
— De la croissance horizontale au démarrage : le siècle de l'outil.
— Le multiplicateur de croissance du temps des Lumières.

I. L'ESPACE ET LES DIMENSIONS DE L'HOMME

Chapitre I. L'espace des Lumières 35

— De la petite à la grande Europe.
— L'image littéraire : les *minores*, Montesquieu et le voyage philosophique.
— Comment s'est faite la grande Europe.
  1. *L'Europe de la décennie 1680.*
  2. *L'Europe après le Kahlenberg vers 1700.*
  3. *Climat et récoltes.*
— Le doublement séculaire : les espaces.
  4. *Le doublement séculaire.*
  5. *Étapes et densité de l'implantation urbaine dans l'Europe orientale et baltique.*
  6. *Le trafic européen dans les mers de Chine.*
  7. *Dis-moi ce que tu manges.*

8. *Explosion démographique de l'Europe hors d'Europe.*

9. *L'Europe sans rivage de la fin du XVIIIe siècle.*

10. *Une géopolitique des métaux précieux.*

11. *La découverte de la mer du Sud.*

CHAPITRE II. LES DIMENSIONS DE L'HOMME   71

— Originalités du doublement séculaire au XVIIIe siècle.

    12. *Le mouvement des populations européennes par États au cours du XVIIIe siècle.*

    13. *L'Europe et le monde au milieu du XVIIIe siècle.*

— Un modèle perfectionné de la démographie de l'Europe ancienne.

    14. *Le Vale of Trent au XVIIIe siècle.*

    15. *Répartition de la population en Angleterre.*

— Quelques modalités régionales.

    16. *La victoire sur la mort.*

    17. *Prix-indices des grains en Espagne.*

    18. *La révolution démographique dans l'Angleterre du XVIIIe siècle.*

    19. *La population des îles Britanniques.*

    20. *Économiser la vie.*

— Anthropologie physique et culturelle, alphabétisation et niveaux de lecture.

    21. *Origines sociales des étudiants à l'université de Glasgow au XVIIIe siècle.*

    22. *La nuance régionale.*

    23. *Angleterre éduquée.*

    24. *L'Europe éduquée.*

— La victoire sur la mort. Dix ans d'âge adulte en plus.

    25. *Les flottes en Europe.*

    26. *La peste à Marseille, 3 septembre 1720.*

    27. *La mortalité journalière à Marseille pendant la peste de juillet à novembre 1720.*

— Un nouveau style de mort : le repli affectif au for familial.

CHAPITRE III. AU SOMMET DE LA PYRAMIDE SOCIALE. L'ÉTAT DES LUMIÈRES   132

— La carte commande.

    28. *L'Europe des traités d'Utrecht*

29. *L'Empire et l'Autriche.*
30. *L'espace danubien.*
31. *Scandinavie et Mare balticum.*
— La pensée politique.
— L'Angleterre et la France. La périphérie. Despotisme éclairé.
— Bienheureuse division.

II. LA MISE EN MARCHE DES PENSÉES

CHAPITRE IV. ÉLARGISSEMENT DU CHAMP DE LA CONNAISSANCE 175

— La réduction phénoménologique : révolution des modes de pensée, l'altération de la sensibilité.
— Une sociologie de la connaissance.
32. *Le contenu de l'écrit en France au XVIIIᵉ siècle.*
— Les connaissances.
33. *Un regard sur la vie.*
34. *Voltaire vulgarisateur de Newton.*
— Sciences humaines.

CHAPITRE V. LA PENSÉE DES LUMIÈRES. LA RELATION À DIEU 232

— Multiple XVIIIᵉ siècle.
— La Divinité a ses lois. *Natura naturans* ou *natura naturata ?*
— La rescousse mystique du Nord.

III. LE RETOUR DE LA PENSÉE SUR LA VIE ET SUR LES CHOSES

CHAPITRE VI. ÉCONOMIE. VIE MATÉRIELLE. DÉPART DE LA CROISSANCE 265

— Le problème de la croissance.
— Le secteur agricole.
35. *Agriculture et population.*
36. *Avant et après la mutation des enclosures.*
37. *La croissance de l'économie anglaise.*
38. *Indices des salaires dans l'industrie anglaise du bâtiment.*
39. *Avant et après la mutation maritime des Lumières.*

— La révolution industrielle.
   40. *Les exportations anglaises au XVIIIe siècle.*
   41. *Structures du commerce extérieur de la France en 1787.*
   42. *Le commerce extérieur Angleterre/Grande-Bretagne/France.*
   43. *La révolution des transports.*
   44. *L'Europe des routes et celle des chemins.*
— L'alimentation, la demeure, le vêtement.

CHAPITRE VII. L'ESTHÉTIQUE DES LUMIÈRES. FIN DU BAROQUE, EMPIRE DE LA MUSIQUE   299

— L'esthétique une ou multiple des Lumières.
— Le tournant des années 1680.
— Pour une théorie générale du baroque.
   45. *L'Europe des formes.*
— Le théâtre, l'opéra.
   46. *Théâtre de la Scala à Milan (1774-1778).*
— La musique jusqu'à Bach.
   47. *Deux Europes musicales.*
— Le siècle de Mozart.

CHAPITRE VIII. L'ESTHÉTIQUE DES LUMIÈRES. LA COULEUR, LES FORMES, LE DÉCOR DE LA VIE   344

— Architecture et sculpture.
   48. *Londres au XVIIIe siècle.*
   49. *Lisbonne.*
   50. *Vienne autour de 1800.*
   51. *Saint-Pétersbourg vers 1750.*
— La peinture.
— Le mobilier.
   52. *Du coffre à l'armoire. Le « sus-bout ».*
   53. *Au cœur de la vie des riches et des puissants, l'évolution des formes.*
— Le tournant néo-classique.
— Du beau, par qui et pour qui ?

CONCLUSION   418

DU MÊME AUTEUR

Eugène Sue et la Seconde République, Paris, P.U.F., 1948, 70 p.

Histoire de l'Amérique latine, Paris, P.U.F., 1949 ; 7ᵉ éd., 1976, 128 p.

Séville et l'Atlantique (1504-1650), Paris, SEVPEN, 1955-1960, 12 vol. gr. in-8° et in-4°, 7 343 p. Première partie statistique, avec la collaboration d'Huguette Chaunu.

Les Philippines et le Pacifique des Ibériques, Paris, SEVPEN, 1960-1966, 2 vol. gr. in-8° et in-4°, 302 et 80 p.

Collaboration à l'*Histoire universelle*, t. III : *Encyclopédie de la Pléiade*, Paris, Gallimard, 1958.

Collaboration au *Monde contemporain*, Paris, Hatier, 1962.

L'Amérique et les Amériques de la Préhistoire à nos jours, Paris, A. Colin, 1964, gr. in-8°, 470 p., 40 pl. h.t., 15 cartes, 14 graphiques, 90 fig.

Collaboration à *L'Espagne au temps de Philippe II*, Paris, Hachette, 1965.

Las Grandes Lineas de la producción historica en America latina, Caracas, Universidad Central de Venezuela, 1965, gr. in-8°.

La Civilisation de l'Europe classique, Paris, Arthaud, 1966, gr. in-8°, 706 p., 264 héliogravures, 8 pl. en couleurs, 37 cartes et plans ; 2ᵉ éd., 1971.

L'Expansion européenne du XIIIᵉ au XVᵉ siècle, Paris, P.U.F., 1969, 400 p.

Conquête et exploitation des nouveaux mondes, Paris, P.U.F., 1969, 448 p. ; 2ᵉ éd., 1977.

Collaboration à l'*Histoire de Normandie*, Toulouse, Privat, 1970.

Collaboration au *Bâtiment, enquête d'histoire économique* (XIVᵉ-XIXᵉ siècles), 550 p., Paris, Mouton, 1971.

La Civilisation de l'Europe des Lumières, gr. in-8°, 670 p., 239 héliogravures, 8 pl. coul., 53 cartes et plans, Paris, Arthaud, 1971.

Collaboration à *Documents de l'histoire de Normandie*, Toulouse, Privat, 1972.

Introduction à la réédition de *La Prépondérance espagnole* d'Henri HAUSER, Mouton, 1973, XL, 594 p.

L'Espagne de Charles Quint, Paris, SEDES, 1973, 2 vol., 660 p.

Collaboration à *Faire l'histoire*, Paris, Gallimard, 3 vol., 1974.

Histoire, science sociale, 438 p., Paris, SEDES, 1974.

Le Temps des réformes. La Crise de la chrétienté, l'éclatement, Paris, Fayard, 1975, 572 p. ; 2ᵉ éd., 1976.

De l'histoire à la prospective, R. Laffont, 398 p., Paris, 1975 ; 2ᵉ éd., 1976.

La Mémoire de l'éternité, 300 p., Paris, R. Laffont, 1975 ; 2ᵉ éd., 1976.

Le Refus de la vie, analyse historique du présent, Paris, Calmann-Lévy, 1975 ; 2ᵉ éd., 1976, 344 p.

Collaboration à *Les Terreurs de l'an 2000*, Paris, Hachette-Sciences humaines, 1976, 270 p.

Les Amériques, XVIᵉ, XVIIᵉ, XVIIIᵉ, A. Colin, 1976, 272 p.

La Peste blanche, Paris, Gallimard, 1976, 272 p. (avec Georges SUFFERT).

L'Histoire économique et sociale de la France (1450-1650), Paris, P.U.F., 1977, 505 p. (avec Richard GASCON).

Séville et l'Amérique aux XVIᵉ et XVIIᵉ siècles (avec Huguette CHAUNU), Paris, Flammarion, 1977, 367 p.

Lettre aux Églises, Paris, Fayard, 1977, 211 p. (avec François BLUCHE).

Histoire économique et sociale du monde (en collaboration), t. I, A. Colin, 1977, 600 p.

La Mort à Paris (XVIᵉ, XVIIᵉ, XVIIIᵉ siècles), Fayard, 1977, 550 p.

La Violence de Dieu, R. Laffont, 220 p.

La Mémoire et le Sacré, Calmann-Lévy, 1978, 288 p. ; 2ᵉ éd., Pluriel, 1979.

Histoire quantitative, histoire sérielle, Paris, A. Colin, 1978, 310 p.

Le Sursis, Paris, R. Laffont, 1978, 344 p.

La France ridée (en collaboration), Paris, Pluriel, 1979, 520 p.

Un futur sans avenir, Histoire et Population (avec Jean LEGRAND), Calmann-Lévy, 1979, 320 p.

Maaistra (en collaboration), Plon, 1979, 324 p.

Histoire et Foi, France-Empire, 1980, 314 p.

Histoire et Imagination, La Transition, P.U.F., 1980, 304 p.

Église, Culture et Société, Réforme et contre-réforme (1517-1620), SEDES, 1980, 544 p.

130 articles scientifiques *in* revues diverses.

Histoire et Décadence, Perrin, 1981, 365 p.

La France, Histoire des sensibilités des Français à la France, R. Laffont, 1982, 396 p.

A paraître :

Histoire de France, Albin Michel, 3 vol.

Dialogues avec Gérard KUNTZ, Lausanne, P.B.U.

La Civilisation de l'Occident, Hachette.

DÉJÀ PARUS

ABELLIO Raymond
▲▲▲ Assomption de l'Europe.

ADOUT Jacques
▲▲▲ Les raisons de la folie.

ALQUIÉ Ferdinand
▲ Philosophie du surréalisme.

ARAGON Louis
▲▲▲ Je n'ai jamais appris à écrire ou les *Incipit*.

ARNAUD Antoine, NICOLE Pierre
▲▲▲ La logique ou l'art de penser.

AXLINE D' Virginia
▲▲ Dibs.

BADINTER Élisabeth
▲▲▲ L'amour en plus.

BARRACLOUGH Geoffrey
▲▲▲▲ Tendances actuelles de l'histoire.

BARTHES Roland
▲▲▲ L'empire des signes.

BASTIDE Roger
▲▲▲ Sociologie des maladies mentales.

BECCARIA Cesare
▲▲ Des délits et des peines. Préf de Casamayor.

BIARDEAU Madeleine
▲▲ L'hindouisme. Anthropologie d'une civilisation.

BINET Alfred
▲▲ Les idées modernes sur les enfants. Préf. de Jean Piaget.

BOIS Paul
▲▲ Paysans de l'Ouest.

BONNEFOY Yves
▲▲▲▲ L'Arrière-pays.

BRAUDEL Fernand
▲▲▲ Écrits sur l'histoire.

BRILLAT-SAVARIN
▲▲▲▲ Physiologie du goût.

BROUÉ Pierre
▲ La révolution espagnole (1931-1939).

BURGUIÈRE André
▲▲▲ Bretons de Plozévet. Préf de Robert Gessain.

BUTOR Michel
▲▲▲ Les mots dans la peinture.

CAILLOIS Roger
▲▲▲ L'écriture des pierres.

CARRÈRE D'ENCAUSSE Hélène
▲▲▲ Lénine, la révolution et le pouvoir.
▲▲▲ Staline, l'ordre par la terreur.

CASTEL Robert
▲▲▲ Le psychanalysme.

CHASTEL André
▲▲▲ Éditoriaux de la Revue de l'art.

CHAUNU Pierre
▲▲▲▲ La civilisation de l'Europe des Lumières.

CHEVÈNEMENT Jean Pierre
▲▲▲ Le vieux, la crise, le neuf.

CHOMSKY Noam
▲▲▲ Réflexions sur le langage.

CLAVEL Maurice
▲▲▲ Qui est aliéné?

COHEN Jean
▲▲ Structure du langage poétique.

CONDOMINAS Georges
▲▲▲▲ Nous avons mangé la forêt.

CORBIN Alain
▲▲▲▲ Les filles de noce.

DAVY Marie-Madeleine
▲▲▲ Initiation à la symbolique romane.

DERRIDA Jacques
▲ Éperons. Les styles de Nietzsche.
▲▲▲ La vérité en peinture.

DETIENNE Marcel et VERNANT Jean Pierre
▲▲ Les ruses de l'intelligence. La métis des Grecs.

DODDS E.R.
▲▲▲ Les Grecs et l'irrationnel.

DUBY Georges
L'économie rurale et la vie des campagnes dans l'Occident médiéval.
▲▲ Tome I
▲▲ Tome II
▲ Saint-Bernard. L'art cistercien.

ÉLIADE Mircéa
▲ Forgerons et alchimistes.

ERIKSON E.
▲▲▲ Adolescence et crise.

ESCARPIT Robert
▲▲ Le littéraire et le social.
▲▲ Les états généraux de la philosophie.

FABRA Paul
▲▲▲ L'anticapitalisme.

FERRO Marc
▲ La révolution russe de 1917.

FINLEY Moses
▲ Les premiers temps de la Grèce.

FONTANIER Pierre
▲▲▲▲ Les figures du discours.

GENTIS Roger
▲▲ Leçons du corps.

GERNET Louis
▲▲▲ Anthropologie de la Grèce antique.

▲▲▲ **Droit et institutions en Grèce antique.**

GONCOURT E. et J (de)
▲▲▲▲ **La femme au XVIIIᵉ siècle.** Préface d'E Badinter

GOUBERT Pierre
▲▲▲ **100 000 provinciaux au XVIIᵉ siècle.**

GREPH (Groupe de recherches sur l'enseignement philosophique)
▲▲ **Qui a peur de la philosophie?**

GRIMAL Pierre
▲▲▲▲ **La civilisation romaine.**

GUILLAUME Paul
▲▲ **La psychologie de la forme.**

GURVITCH Georges
▲▲ **Dialectique et sociologie.**

HEGEL G W F
▲▲▲ **Esthétique.** Tome I **Introduction à l'esthétique.**
▲▲▲ **Esthétique.** Tome II
L'art symbolique. L'art classique. L'art romantique.
▲▲▲ **Esthétique.** Tome III
L'architecture; la sculpture; la peinture; la musique.
▲▲▲ **Esthétique.** Tome IV
La poésie.

JAKOBSON Roman
▲ **Langage enfantin et aphasie**

JANKÉLÉVITCH Vladimir
▲▲▲ **La mort.**
▲▲ **Le pur et l'impur.**
▲ **L'ironie.**

JANOV Arthur
▲▲▲ **L'amour et l'enfant.**
▲▲▲ **Le cri primal.**

KRIEGEL Annie
▲▲▲ **Aux origines du communisme français.**

KROPOTKINE Pierre
▲▲ **Paroles d'un révolté.**

LABORIT Henri
▲ **L'homme et la ville.**

LAPLANCHE Jean
▲▲ **Vie et mort en psychanalyse.**

LAPOUGE Gilles
▲▲ **Utopie et civilisations.**

LE GOFF Jacques
▲▲▲ **La civilisation de l'Occident médiéval.**

LEPRINCE-RINGUET Louis
▲ **Science et bonheur des hommes.**

LE ROY LADURIE Emmanuel
▲▲▲ **Les paysans de Languedoc.**

LOMBARD Maurice
▲▲▲ **L'Islam dans sa première grandeur.**

LORENZ Konrad
▲▲ **L'agression.**

MANDEL Ernest
▲▲▲ **La crise 1974-1982.**

MARIE Jean-Jacques
▲ **Le trotskysme.**

MICHELET Jules
▲ **Le peuple.**

▲▲▲▲ **La femme.**

MICHELS Robert
▲▲ **Les partis politiques.**

MOSCOVICI Serge
▲▲▲ **Essai sur l'histoire humaine de la nature.**

MOULÉMAN MARLOPRÉ
▲▲▲ **Que reste-il du désert?**

NOËL Bernard
▲▲ **Dictionnaire de la Commune.** Tome I
▲▲ **Dictionnaire de la Commune.** Tome II.

ORIEUX Jean
Voltaire
▲▲▲ Tome I.
▲▲▲ Tome II.

PAZ Octavio
▲▲▲▲ **Le singe grammairien.**

POINCARÉ Henri
▲▲ **La science et l'hypothèse.**

PORCHNEV Boris
▲▲▲ **Les soulèvements populaires en France au XVIIᵉ siècle.**

POULET Georges
▲▲▲ **Les métamorphoses du cercle.**

RENOU Louis
▲▲ **La civilisation de l'Inde ancienne d'après les textes sanskrits.**

RICARDO David
▲▲▲ **Des principes de l'économie politique et de l'impôt.**

RICHET Denis
▲ **La France moderne. L'esprit des institutions.**

SCHWALLER DE LUBICZ R.A.
▲▲ **Le miracle égyptien.**
▲▲▲▲ **Le roi de la théocratie pharaonique.**

SCHWALLER DE LUBICZ ISHA
▲▲▲▲ **Her-Bak, disciple.**
▲▲▲▲ **Her-Bak «Pois Chiches».**

SIMONIS Yvan
▲▲▲▲ **Claude Lévi-Strauss ou la «Passion de l'inceste».** Introduction au structuralisme.

STAROBINSKI Jean
▲▲▲ **1789. Les emblèmes de la raison.**

STOETZEL Jean
▲▲▲ **La psychologie sociale.**

STOLERU Lionel
▲▲ **Vaincre la pauvreté dans les pays riches.**

SUN TZU
▲▲ **L'art de la guerre.**

TAPIÉ Victor L
▲▲▲▲ **La France de Louis XIII et de Richelieu.**

ULLMO Jean
▲▲▲ **La pensée scientifique moderne.**

VILAR Pierre
▲▲▲ **Or et monnaie dans l'histoire 1450-1920.**

WALLON Henri
▲▲ **De l'acte à la pensée.**

Achevé d'imprimer le 15 septembre 1982
sur les presses de l'Imprimerie Bussière
à Saint-Amand (Cher)

— N° d'édit. 11423. — N° d'imp. 1298. —
Dépôt légal : novembre 1982.
Imprimé en France